Charlotte
et la mémoire du cœur

DES MÊMES AUTEURS

Lorraine Desjarlais

Contes pour la méthode du sablier, Beauchemin, 1964.

Cahiers de la maternelle pour la méthode du sablier, Beauchemin, 1965.

Pipandor, textes et jeux, radio de Radio-Canada, 1965, 1966 (en collaboration avec Florence du Crest), 1967 (en collaboration avec Marie-Paule Ste-Marie).

En journoyant, poèmes, Les Éditions Françoise Marois, 1983.

Jean-Pierre Wilhelmy

Les Mercenaires allemands au Québec au XVIIIᵉ siècle et leur apport à la population, Maison des Mots, 1984; Éditions du Septentrion, 1997.

German Mercenaries in Canada, Maison des Mots, 1985.

La Guerre des autres, en collaboration avec Louise Simard, Éditions La Presse, 1987; Éditions du Septentrion, 1997.

De père en fille, en collaboration avec Louise Simard, Éditions du Septentrion, 1989.

Le Secret de Jeanne, en collaboration avec Lucile Jérôme, Libre Expression, 1992.

LORRAINE DESJARLAIS
JEAN-PIERRE WILHELMY

Charlotte
et la mémoire du cœur

Libre Expression

Libre ✶ Expression

Données de catalogage avant publication (Canada)

Desjarlais, Lorraine, 1932-

Charlotte et la mémoire du cœur

ISBN 2-89111-838-3

1. Riedesel, Friederike Charlotte Luise von Massow,
Freifrau von, 1746-1808 – Romans, nouvelles, etc.
2. Canada – Histoire – 1763-1791 – Romans, nouvelles, etc.
I. Wilhelmy, Jean-Pierre, 1944- . II. Titre.

PS8557.E783C42 1998   C843'.54   C99-940481-4
PS9557.E783C42 1999
PQ3919.2.D47C42 1999

Maquette de la couverture
FRANCE LAFOND
Infographie et mise en pages
SYLVAIN BOUCHER

Libre Expression remercie le gouvernement canadien
(Programme d'aide au développement de l'industrie de l'édition),
le Conseil des Arts du Canada et la Société de développement
des entreprises culturelles du soutien accordé à
ses activités d'édition dans le cadre de leurs programmes
de subventions globales aux éditeurs.

Éditions Libre Expression
2016, rue Saint-Hubert
Montréal (Québec) H2L 3Z5

Dépôt légal :
2ᵉ trimestre 1999

ISBN 2-89111-838-3

Le passé a déjà été l'avenir, c'est pourquoi il est si intéressant.
Louis-Joseph DOUCET

Filiation des ducs de Brunswick

Ferdinand-Albrecht ———————— Antoinette-Amalie
19/05/1680 – 03/09/1735   fille de Ludwig-Rudolph (frère)
                                 14/04/1696 – 06/03/1762

Ferdinand   **Karl Ier** ———— Philippine-Charlotte
frère de Karl Ier 09/08/1713 –   fille de Friedrich-Wilhelm Ier
12/01/1721 – 03/07/1792 26/03/1780   de Prusse
                                            13/03/1716 – 16/07/1801

Karl-Wilhelm-Ferdinand ———— Augusta
09/10/1735 – 10/11/1806   fille de
                                 Frédéric-Louis
                                 of Wales

Famille von Massow

Valentin von Massow ———————— Scholastika Juliana von Massow
07/12/1712 – 20/09/1775

Georg-Anton von Massow   Anna Dorothea Juliana von Massow
? – 11/06/1786

SECOND MARIAGE (18/08/1743)

Valentin von Massow ———————— **Johanna Friederike** von Krause
07/12/1712 – 20/09/1775

Friedrich Ernst
von Massow
23/07/1750 –
10/01/1791

**Charlotte
Luise
Friederike**
von Massow
11/07/1746 –
29/03/1808

Élisabeth
Henriette
von Massow
? – 1801

Valentin
von Massow
19/03/1752 –
20/08/1817

Famille von Riedesel

Friedrich von Riedesel ———— **Charlotte Luise Friederike**
03/06/1738 – 06/01/1800   von Massow
11/07/1746 – 29/03/1808

——— Christian
06 /01/1766 – 02/02/1767

——— Philippina
29/03/1770 – 02/02/1771

——— Augusta
08/08/1771 – 1805

——— Friederike
12/05/1774 – 1854

——— Carolina
?/03/1776 – 1861

——— Amérika
07/03/1780 – 1856

——— Canada
01/11/1782 – ?/03/1783

——— Charlotte
1784 – ?

——— Georg
1785 – 1854

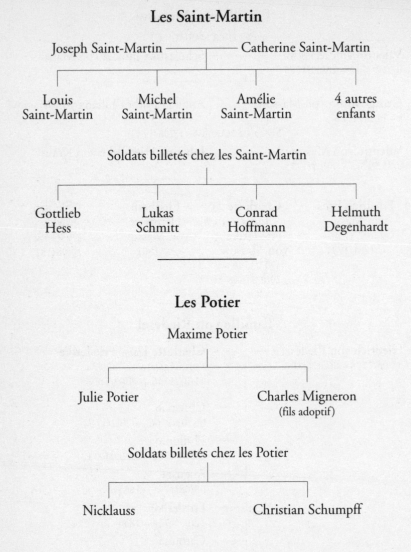

Les Saint-Martin

Joseph Saint-Martin —————— Catherine Saint-Martin

Louis
Saint-Martin

Michel
Saint-Martin

Amélie
Saint-Martin

4 autres
enfants

Soldats billetés chez les Saint-Martin

Gottlieb
Hess

Lukas
Schmitt

Conrad
Hoffmann

Helmuth
Degenhardt

Les Potier

Maxime Potier

Julie Potier

Charles Migneron
(fils adoptif)

Soldats billetés chez les Potier

Nicklauss

Christian Schumpff

1

Quelque part entre Montréal et Sorel, printemps 1782

Les deux traîneaux glissaient sur le Saint-Laurent entoilé de glace. La vastitude de la nature enneigée s'épanchait, l'œil confondant rives et fleuve. Cette ampleur pouvait paraître morne, mais au loin, les clochers de petits villages paraient les horizons d'aigrettes reluisantes. Charlotte von Riedesel, fine observatrice, jouissait de toutes les teintes qui chassaient la monotonie du paysage.

«La neige n'est jamais d'une seule nuance, s'étonnait-elle. C'est ravissant, tous ces bleus qui la tachent : azur, lavande, pervenche, turquoise; ce bleu marine dans l'ombre des monticules; ce bleu-gris quand le temps se couvre; et au soleil couchant, ces couleurs rosées, ces ors qui s'y ajoutent parfois. Quelle beauté!»

C'était une journée splendide, une journée de rêve, pour ce retour vers Sorel. La baronne se laissait bercer par le trot des chevaux; elle humait l'air printanier; elle tendait l'oreille au son des clochettes et aux voix graves des conducteurs canadiens qui chantaient continuellement.

À la première secousse, elle regarda ses trois fillettes emmitouflées sous les fourrures. Elle ne vit que leurs paupières fermées et leurs longs cils. Elles dormaient profondément. Jugeant que la brusquerie des contrecoups ne les éveillerait pas, la baronne ne s'inquiéta plus et retomba dans ses pensées.

Parfois, elle jetait un coup d'œil derrière son épaule; des rires et des chants venaient de la deuxième voiture. Son mari n'aimait pas laisser sa famille sans protection, aussi l'avait-il fait escorter par son fidèle serviteur, Röckel, et ses deux suivantes, Adélaïde et Lizzie.

«Cette journée serait parfaite si mon cher Friedrich s'était joint à nous, soupira Charlotte pour elle-même. J'espère que les devoirs de sa charge ne le retiendront pas longtemps chez le seigneur de Berthier. Mais… pourquoi les conducteurs se font-ils des signes? Ils ont bien l'air mystérieux.»

— Madame, la glace fond, expliqua l'un d'eux en montrant la neige recouverte d'une mince couche d'eau.

Dans le silence relatif qui suivit l'arrêt des voyageurs, Charlotte entendit de sourds craquements.

— Qu'est-ce qui se passe? Y a-t-il du danger?

— Le soleil est chaud pour l'époque, madame. Le printemps a largué son ris trop tôt. C'était froid ce matin, mais le vent a viré au sud. Ce sont les premiers signes de la débâcle. Parfois ça prend plusieurs jours. Mais, on ne sait jamais.

— Peut-on se diriger vers la côte et abandonner le chemin balisé?

— Ça serait encore plus dangereux. Dans le chemin, la neige est tapée depuis des mois. À côté, on ne sait pas où la couche de glace est mince et où elle est épaisse. Puisqu'on n'est pas à la moitié du voyage, on peut retourner à Montréal et repartir demain matin par la rive sud.

Pensant aux ennuis qu'elle causerait peut-être au gouverneur Haldimand et à l'inquiétude de Friedrich s'il arrivait avant elle à Sorel, la baronne répliqua :

— Demain? Non! De toute façon, il y a si peu d'eau. Croyez-vous qu'elle va monter vite? Depuis que nous parlons, elle reste stable.

— Ça se pourrait qu'à mesure que le soleil baisse l'air refroidisse. Alors on aurait une chance que l'eau redevienne de la glace. Si nous continuons, nous arriverons vers la fin de l'après-midi.

— Bon! Ne nous attardons pas. Forcez les chevaux, s'il le faut, ordonna brusquement Charlotte. Je vous récompenserai, ajouta-t-elle à l'intention des conducteurs, qui reprirent les guides, sans plaisir mais alléchés par la promesse.

Le cœur serré, peu sûre de sa décision, Charlotte gardait les yeux sur un point fixe des patins. Parfois elle se rassurait, voyant que l'eau se maintenait à la même hauteur. Parfois, au contraire, elle avait l'impression que le niveau montait. Elle fermait les yeux, priait, puis regardait de nouveau. Pendant assez longtemps, tout restait au même point. Le conducteur avait eu raison; l'air devait refroidir. Elle reprenait espoir, oubliait, n'observait plus. Puis un léger coup d'œil lui révélait que les patins étaient sous l'eau. Elle calculait combien de temps cela avait pris, et combien de temps il leur faudrait pour arriver à destination. Dieu que le soleil était lent à se coucher!

* * *

Le chemin balisé prend lentement l'aspect d'un long serpent noir au milieu d'une immense plaine blanche. Dans les deux traîneaux qui ont eu l'audace de s'aventurer sur cette route hasardeuse, les chants font place à l'angoisse.

Tous sont conscients que la glace est moins solide sous les sabots des chevaux et que ceux-ci, d'abord agacés par les petites vagues qui giclent, se sont ensuite irrités quand les véhicules ont semblé se mettre à ramper sur le ventre. Maintenant, ils s'énervent parce que les planchers, pourtant protégés par des côtés, s'alourdissent d'une nappe d'eau. Comme s'ils devinaient que seul le temps compte pour retrouver la fermeté du sol, ils tendent les muscles, pointent les naseaux et allongent le pas sans même que les cochers aient à les encourager de la voix ou du fouet.

Le conducteur du premier attelage n'a pas attendu le commandement troublé de la baronne, qui lui a crié: «Rodolphe, arrêtez!», pour tirer sur le mors. Il a déjà remarqué que le trot derrière lui a changé de son.

En effet, la bête de la seconde carriole, plus jeune, plus nerveuse, s'est soudainement affolée et a bifurqué. Elle grimpe maintenant le monticule, arrache en passant quelques sapins qui délimitent la voie et se dirige vers la berge. Adélaïde se jette instinctivement sur le remblai de neige molle, poussant Lizzie devant elle. Les deux femmes tombent, heureusement, entre les arbres et les piquets pendant que le cheval continue sa course folle.

Cependant, le cocher réussit à ralentir un moment la bête. Il crie à Röckel de sauter également, mais la voiture, secouée de toutes parts, en déséquilibre sur une surface inégale, verse brutalement et le passager est précipité à l'extérieur. Étendu sur la glace, il ne bouge plus.

Le tiraillement que subit l'animal, le bruit infernal qui le pourchasse, l'affolent de nouveau. Il traîne avec lui le conducteur qui s'accroche à ses guides, le corps sur le côté de la voiture, les jambes sur la glace. Celle-ci devient plus mince et plus fragile à mesure que le cheval s'éloigne; elle craque et une fente s'allonge, s'élargit et se ramifie.

Soudain, le cheval piétine sur place car la trouée s'est agrandie et le traîneau qui coule l'entraîne vers l'arrière. L'animal essaie de se dépêtrer de son attelage. Vainement! À mesure que la voiture s'enfonce, il glisse en reculant. Les yeux fous, il bascule et, dans un hennissement de terreur, il disparaît sous l'eau. Le conducteur, qui a voulu se retenir au rebord de la glace, est happé par le remous et englouti à son tour.

Du chemin balisé, on a vu la tragédie. On n'a rien pu faire. Tout est allé si vite. Il reste pourtant Röckel, qui n'a été qu'étourdi puisqu'il se soulève. À ce moment reparaît le visage de celui qu'on croyait noyé. Malgré son âge, Röckel esquisse un geste de secours vers son compagnon. Mais la glace a été ébranlée par son poids. Elle se détache en un bloc qui oscille, s'élève d'un côté vers le ciel, puis se renverse. Le serviteur est projeté à l'eau pendant que l'autre homme est submergé pour toujours.

Rodolphe, qui s'est rendu au monticule, s'allonge sur la neige et commence à ramper. Il est vite dépassé par la baronne, qui crie : «Tenez bon! Röckel» en s'engageant sur la glace.

— Revenez, madame. Toryab! Vous allez vous noyer.

Mais Charlotte n'écoute pas. Elle progresse lentement, boitant parfois selon les aspérités. Soudain, sa jambe s'enfonce jusqu'à mi-cuisse. Elle veut la retirer, mais sent une douleur à la cheville. Comment sortir son pied sans se donner une entorse?

«Il le faut, pourtant, se dit-elle en regardant les vieux doigts ensanglantés qui se crispent sur le bord de la glace. Il le faut.»

Elle élève la voix et répète :

— Tenez bon! Röckel, mon bon Röckel.

— Maman! Maman! hurle l'aînée des enfants en s'élançant hors du traîneau sans se préoccuper de patauger dans les flaques.

Elle est aussitôt arrêtée par une main vigoureuse.

– *Augusta, restez ici.*

– *Laissez-moi, Adélaïde. Je veux sauver maman.*

– *Vous ne feriez que nuire. Laissez faire Rodolphe.*

Celui-ci continue à ramper. Il tient son fouet entre les dents comme un pirate, son sabre d'abordage. Quand il atteint la baronne, celle-ci s'est assise et a presque terminé de repousser la neige qui retient son pied prisonnier.

– *C'est cela, madame. Ensuite, étendez-vous comme j'ai fait et retournez aux balises. Ne vous levez surtout pas. Je m'occupe de Röckel.*

Tel un reptile, Rodolphe s'approche le plus près possible du domestique et lui lance le bout de son fouet. Röckel s'y accroche. Mais le vieux soldat est lourd; ses vêtements sont appesantis par le liquide glacé. Roldolphe, qui tire de toutes ses forces et recule par rampements, est si rouge qu'on pourrait le croire aviné.

Röckel s'aide d'une main, puis de l'autre; celle qui devient libre se retient à la lanière de cuir. Il a déjà le buste hors de l'eau, les épaules appuyées sur la glace. Horreur! Celle-ci s'effrite, le morceau se détache. Röckel retombe et s'enfonce de nouveau. Le fouet, lui, a glissé des mains du sauveteur.

Le serviteur refait surface. Il n'a pas lâché l'instrument.

– *Tendez-moi le manche, fait Rodolphe qui, dans une dernière tentative, avance dangereusement la tête au-dessus de l'eau, au risque de perdre lui-même l'équilibre ou de voir la glace s'effondrer sous lui.*

La baronne n'a pas suivi le conseil du cocher. Le visage inquiet, elle suit les mouvements des deux hommes. Soudain, elle voit s'enfoncer encore une fois son vieux serviteur et flotter le fouet que les doigts gourds ont lâché. Une douleur intolérable la transperce. Un moment, elle a fixé les yeux qui semblaient lui demander pardon de l'abandonner et de n'avoir plus de forces pour ce dernier combat, avant que Röckel ne disparaisse tout à fait, emportant l'enfance de Charlotte avec lui.

Elle ne sent ni le vent, ni le froid, ni ses pieds mouillés, ni son corps qui frissonne. Elle pleure à chaudes larmes son passé, sa jeunesse. Elle regarde l'eau. Elle ne veut plus bouger de là. Elle espère. Peut-être reparaîtra-t-il?

Mais la voix de Rodolphe la ramène brutalement à la réalité :

— Allez! Rampez en avant de moi. Vous voulez donc mourir? Et vos enfants? Il ne reviendra pas, madame. L'eau est trop froide. Son cœur n'a pas résisté.

Du traîneau, on les regarde revenir. On ne parle pas, comme si le seul fait d'ouvrir la bouche fracasserait la glace. Adélaïde les attend entre deux sapins.

— Il me semble que la neige ne fond plus. Le niveau d'eau reste le même.

— Le soleil se couche. Le temps fraîchit, le fleuve regèle, répond le Canadien, constatant la justesse de la remarque d'Adélaïde. Mais le traîneau est trop lourd. À l'embouchure du Richelieu, ce sera plus dangereux. Il vaut mieux continuer à pied en se dirigeant vers la pointe là-bas. Vous ne la voyez pas parce qu'il fait sombre, mais je connais l'endroit; c'est plus étroit par là. Mais… d'abord mon cheval… Il aura peut-être une chance de s'en tirer.

Rodolphe détache l'animal et lui applique une claque sur la fesse. La bête part comme une flèche, et la nuit qui descend l'avale. L'écho ramène quelques hennissements de peur qui s'interrompent si brusquement que chacun devine la suite.

Les yeux mauvais, les dents serrées, le conducteur arrache une perche qui sert de balise et la casse en deux pour la raccourcir.

— Voilà. Nous marcherons à la queue leu leu. Le plus légèrement possible, sans bagages. Vous me suivrez à distance. Gardez-vous aussi un espace entre chacun. Si vous sentez la glace faiblir et l'eau monter, vous vous étendez, les bras et les jambes loin du corps, et vous attendez mes ordres. Il faut obéir immédiatement. Ne courez jamais à moins que je vous le dise. Compris?…

La caravane se met en route, laissant derrière elle le lourd traîneau comme une arrière-garde sacrifiée. De temps en temps, Rodolphe s'arrête et tâte la glace avec son bâton; parfois, il change de direction et fait un détour avant de reprendre le chemin de sa première destination.

«Depuis combien de temps marche-t-on ainsi?» se demande chacun. Personne ne peut répondre : les secondes sont des minutes

et les minutes, des heures. Peut-on vraiment appeler ça marcher, d'ailleurs? Ils se traînent plutôt. Ils sont épuisés et ne savent plus trop s'ils avancent. Ils ont l'impression de ne plus pouvoir bouger.

Une brume se forme. Elle commence par des nuages légers et vifs qui courent au ras du sol. À mesure qu'ils se multiplient, on ne voit plus que des têtes, des pieds ou des parties de corps ici et là. Le brouillard s'épaissit. Bientôt, c'est à peine si on distingue des ombres.

Puis, d'un seul coup, la brume se lève. Le ciel est plein d'étoiles. La rive n'est plus très loin. La baronne, en laissant échapper un soupir d'aise, distingue même la ligne sinueuse qui sépare une plage enneigée de la large partie glacée du fleuve. Le courage lui revient. La fatigue s'envole. Dans quelques minutes, le danger sera écarté.

Un cri de rage la fait sursauter.

— Arrêtez! hurle le guide d'une voix mêlée de colère et de désespoir. Toryab de toryab!

Devant lui surgit une immense nappe d'eau sur laquelle des îlots de glace, entraînés par le courant, s'entrechoquent comme des boules de billard frappées et envoyées de tous côtés.

La caravane est coupée de la dernière partie gelée du fleuve.

Pour la première fois de sa vie, la baronne von Riedesel doute de la bonté du ciel. Elle tombe à genoux en murmurant :

— Si près du but… N'aurez-vous donc pas pitié?

Elle croit voir une ombre sur la rive, une ombre qui les observe sans bouger. Est-ce dû à la fièvre? Elle se dédouble, elle vole; elle est là-bas et ici en même temps. Elle a dix-huit ans, elle est en robe de mariée, et l'ombre, c'est Friedrich dans son habit de hussard tout galonné d'or. Elle et lui se rejoignent, et pourtant ils ne peuvent se toucher. Il murmure : «Je vous aime pour la vie.» Elle veut répondre, mais sa gorge est nouée.

«Est-ce comme cela quand on sait que l'on va mourir?» se demande-t-elle.

Tout se brouille. Elle est toujours de ce côté-ci, entourée de ses enfants, de ses deux servantes et du guide… Le beau hussard a disparu, emporté par la brume.

Alors elle tend les bras vers la rive.

— Friedrich! Friedrich! Reviens! Sauve-nous!

2

Château de Neuhaus, Basse-Saxe,
1762, vingt ans auparavant

Le corridor qui séparait les appartements de cette partie du château de Neuhaus, quartier général du duc de Brunswick, se noyait dans un faux jour. On était au début de l'après-midi, mais les portes étaient toutes fermées, sauf l'une du côté ensoleillé; une lueur sur le chambranle montrait qu'on avait simplement repoussé le battant sans l'enclencher. Par ce mince filet, une voix masculine se fit entendre, impatiente et insistante.

– Ne bougez pas s'il vous plaît, mademoiselle Charlotte.

À l'intérieur de la pièce, par de larges baies et une porte-fenêtre donnant sur une terrasse, le soleil entrait à flots dans le boudoir et nimbait de paillettes d'or les cheveux noirs d'une jeune fille assise bien droite et, pour le moment, immobile comme une sculpture.

Les rayons jouaient sur des cheveux coiffés à la Pompadour et sur le satiné d'un visage aux traits fins; ils soulignaient la sveltesse d'une taille élancée et la blancheur des mains délicates et potelées à la fois. Dans la luminosité dorée qui enveloppait la jeune fille de dix-sept ans, une couleur dominait, celle que mettra à la mode dix ans plus tard Marie-Antoinette, la reine de ce pays ennemi qu'on ne pouvait s'empêcher d'imiter : la France.

Bleue, la couronne de fleurs! Bleu, le ruban au cou! Bleue, la garniture fleurie qui, comme un baudrier, allait de l'épaule droite à la hanche gauche, sur le satin bleu d'une robe au profond décolleté... à la française, évidemment. Mais tout ce tendre bleu poudre semblait n'avoir été choisi que pour faire ressortir le brillant de deux yeux aux iris bleu foncé.

Quelques taches ici et là pourtant : une plume blanche et raide piquée dans la chevelure, des fleurs roses dans un panier tenu par la main droite et un bouquet de fleurettes rouges, par la gauche.

L'apparition était l'incarnation même du printemps. Et c'était bien cette saison qu'avait voulu symboliser, sous les traits de la jeune von Massow, Tischbein, le directeur de l'Académie de Hesse-Kassel, ancien élève à Paris du grand maître Watteau. Les symboles étaient à la mode et la fraîche fiancée dans son vêtement d'apparat personnifiait tout à fait les prémices de la nature.

Pour ne plus bouger, l'héroïne du jour s'intéressa à la console néoclassique qui lui faisait face. La ceinture de la table de peuplier peint était enjolivée de guirlandes, de griffons et de sphinx, et s'appuyait sur de fins pieds ajourés, surmontés d'angelots dorés, en relief dans des médaillons roses. Soudain, Charlotte remarqua une lettre adossée à l'énorme horloge rococo qui reposait sur le plateau de marbre du meuble. Intriguée, car elle crut lire son nom sur l'enveloppe, elle ne put s'empêcher d'étirer le cou et de pencher la tête.

Un gémissement sortit de la gorge du pauvre professeur. D'un air mi-découragé, mi-furieux, il abaissa son bâtonnet de pastel et porta un mouchoir à son front en sueur. Sa perruque glissa légèrement en arrière, dévoilant un peu son crâne chauve. Charlotte ne put se retenir de pouffer de rire.

— Mademoiselle Charlotte, veuillez garder la pose, sinon je ne pourrai jamais tenir ma promesse à Mgr le duc de Brunswick de terminer votre portrait avant votre mariage. C'est pourtant un beau cadeau de noces qu'il vous fait là.

Le regard magnifique revint vers l'artiste. Le visage exprima un repentir que démentaient des yeux rieurs. Une petite voix faussement honteuse dit :

— Ne m'en veuillez pas, cher maître. Je n'ai pas l'habitude de jouer au monument et cela fait bien cinq minutes que je suis statufiée. Je vais pourtant essayer de faire semblant d'être en pierre.

Et le jeune modèle prit un air sérieux, puis pinça les lèvres dédaigneusement, fronça les sourcils et leva les yeux au ciel.

– Non! Non! Mademoiselle Charlotte, cela ne va pas du tout. Soyez plus naturelle. Souriez mais ne grimacez pas. Et ne prenez pas un air de mater dolorosa. *Mein Gott!* contentez-vous de votre sourire divin sans nous faire entendre votre délicieuse voix dont vos admirables épaules suivent le mouvement.

Les mots «divin, délicieuse et admirables» furent dits d'un tel ton qu'ils semblaient des épithètes malsonnantes plutôt que des compliments. Charlotte sentit qu'elle avait dépassé les bornes et que le maître était vraiment peiné. Elle retint la boutade que le ton dogmatique et l'allure solennelle du peintre lui inspiraient. Son visage espiègle s'illumina d'un sourire si charmant que le peintre soupira d'aise :

– Voilà, c'est parfait.

Ne bronchant pas plus que la nymphe de la fontaine murale au creux de la niche qui ornait l'un des pans de mur de l'atelier, Charlotte dominait son impatience mais se demandait qui lui avait écrit et comment ce message avait pu surgir sur la console.

* * *

Pendant que le maître Tischbein subissait les taquineries de Charlotte et que celle-ci maîtrisait sa curiosité, le baron von Massow, son père, s'occupait de ses invités venus des différentes cours princières qui formaient les États allemands, le Saint Empire germanique n'étant qu'un ensemble de territoires plus ou moins grands, plus ou moins indépendants, et forcément disparates. Aucun de ces souverains ne se serait abstenu d'assister au mariage de la fille du général favori du roi de Prusse avec l'officier le plus prisé du duc de Brunswick, le jeune et beau Friedrich von Riedesel.

Affairée depuis son lever, Mme von Massow s'était arrêtée quelques moments au pied du large escalier à double révolution de l'entrée, se demandant si elle n'avait rien oublié. Malgré sa sobriété luthérienne, elle voulait faire les choses en grand. On ne marie pas sa fille aînée tous les jours; un certain cérémonial est nécessaire, surtout quand le mariage est voulu par le duc régnant, qui pousse la bonté jusqu'à prêter l'un de ses propres châteaux pour les noces. Il ne s'agissait donc pas de faire des faux pas, d'autant que les jaloux scrutent toujours à la loupe vos moindres gestes.

La baronne en était là de ses réflexions quand Röckel, un serviteur, vint lui dire que le carrosse de Mme Marsollier de Saint-Pierre se profilait à la grille, tout au bout de l'allée centrale. Quelques minutes plus tard, les deux femmes s'embrassaient.

– Comme je suis heureuse de vous voir enfin, chère amie! Paris est si loin. Je me faisais du souci. Dieu merci, vous arrivez à temps.

– J'aurais emprunté les ailes d'Hermès, mais je n'aurais pas manqué cette occasion de vous embrasser et de présenter mes vœux à votre chère Charlotte, répondit la nouvelle arrivée d'une voix mélodieuse au léger accent français, et le regard plein d'amitié.

Élevée parmi la noblesse de robe – son père, avocat, était reçu à Versailles – et ayant ainsi subi l'influence de la cour la plus raffinée d'Europe, qui donnait le ton jusqu'à Moscou et parfois jusqu'en Turquie, Mme de Saint-Pierre, en réalité une dame Marsollier, était intelligente, cultivée et riche. Sa richesse, elle la tenait surtout d'un époux qui habillait de velours et de soie toute la cour de France, et même toutes celles d'Europe.

Les préventions contre ses origines bourgeoises, probablement accentuées par la jalousie que suscite la beauté, lui avaient attiré des humiliations. Pour répondre à la mesquinerie des marquises effrontées, elle avait convaincu son époux de s'acheter un titre. Désireux de lui plaire, M. Marsollier devint, pour elle, aussi ferré en intrigues qu'il avait été, pour lui-même, habile au commerce. Sous prétexte de services rendus au pays – on chuchotait qu'il avait contribué à la caisse du roi –, il avait obtenu la permission d'acheter une terre et son titre à un vieux comte, dernier de sa lignée.

La baronne von Massow entraîna son amie dans les appartements qui lui avaient été réservés. Mme de Saint-Pierre lui dit :

– J'ai quelque chose à vous remettre de la part de M. de Saint-Pierre. Comme je vous l'ai écrit, il ne pouvait venir, hélas! obligé qu'il était de se rendre à Marseille. L'un de ses navires d'Orient a subi une avarie. Mais mon époux veut se faire pardonner son absence. Il vous envoie, par mes soins, cette soie pour vous faire une robe dont il a choisi le modèle lui-même, et moi, la couleur.

Elle étala sur le lit le magnifique tissu au fond jade et aux fleurs de brocart or et blanc.

— Ce vert vous ira à merveille et le dessin est à la toute dernière mode de Paris : voyez, les fleurs sont alignées et non pas éparpillées. Vous ferez des jalouses. J'ai ajouté cette dentelle pour les manches. Mon époux l'a rapportée lui-même d'Alençon.

Elle arrêta les remerciements de Mme von Massow.

— Allons! Allons! Ne dites rien. Je suis si heureuse d'assister au mariage de votre fille. Cela me rappellera celui de ma petite Christine où nous nous sommes connues… Mais parlez-moi plutôt de votre gendre. Vous m'avez écrit qu'il était très amoureux de votre Charlotte et qu'elle-même semble tout aussi amoureuse. Depuis votre lettre, je suis impatiente de le connaître.

— Il est déjà parti. Naturellement, il ne passera pas la nuit au château. Pour satisfaire votre curiosité, allons à l'atelier où maître Tischbein donne les dernières touches au portrait de Charlotte. Nous pourrons peut-être voir celui qu'il a peint de M. de Riedesel, si le maître le veut bien; il tient à travailler dans le secret et les deux tableaux ne doivent être dévoilés que demain. Mais si c'est vous qui le lui demandez, il ne saura résister à votre charme français.

Quand les deux femmes pénétrèrent dans l'atelier, elles furent déçues. La pièce lambrissée, au parquet de chêne où folâtraient les derniers rayons de soleil, baignait dans le silence. La fiancée s'était envolée; le peintre était probablement allé reposer ses nerfs mis à rude épreuve par les facéties de son modèle, après avoir ramassé tous ses instruments. Seuls dormaient deux chevalets, côte à côte, dissimulés sous des draps comme des oiseaux à qui on impose le sommeil sous la jupe de leur cage.

— Nous n'avons pas de chance, fit l'hôtesse.

– Non. Mais ne pourrait-on soulever un tout petit bout des draps? Personne ne le saura! insista gentiment Mme de Saint-Pierre.

– Nous ne devons pas faire ça, soupira la mère de la mariée, dont l'attitude montrait pourtant le désir de désobéir.

– En effet, nous ne devrions pas, approuva son amie, employant le conditionnel, car elle savait que son hôtesse connaissait assez bien la subtilité des verbes français (depuis qu'elles étaient dans l'atelier, les deux amies étaient passées de la langue allemande à celle de l'invitée).

Mme von Massow, qui perdait toujours sa raideur en présence de son amie, gloussa avec un air de nonne en vacances :

– Bon, nous ne devrions pas, mais…

Et aussitôt, elle retira l'un des draps. Le portrait de Friedrich von Riedesel apparut. Sous des cheveux poudrés, le visage exprimait, par un front large, un nez droit et un menton volontaire, une rare énergie, tempérée, cependant, par des yeux dont le peintre avait saisi toute la tendresse. Cette tête au regard bon et pénétrant à la fois surmontait un corps musclé mais élégant, à l'attitude digne et dégagée. L'or des soutaches sur la poitrine et les manchettes se détachait sur l'uniforme bleu des hussards. Le tout donnait une impression de grandeur et attirait la sympathie.

– Quelle belle bouche! s'exclama l'invitée. C'est à vous faire regretter vos vingt ans. Je crois bien que j'aurais tout fait pour séduire ce jeune Adonis. On ne lui donnerait pas ses vingt-quatre ans. C'est bien son âge, n'est-ce pas? D'après ce portrait, il donne l'impression d'être très vigoureux.

Mme von Massow eut un sourire timide :

– J'espère qu'il sera aussi fin stratège que M. von Massow l'était.

– Bah! Vous employez l'imparfait. Ne me faites pas croire, encore saine comme vous l'êtes, que votre salon n'est plus visité, répliqua la comtesse, une lueur taquine dans les yeux.

– Vous avez de ces mots… Disons qu'il est moins fréquenté.

– *Mein Gott*, comme vous dites en allemand. Il faut reconnaître qu'à notre âge, surtout quand on est fidèle, on a plus de souvenirs que d'avenir en ce domaine… Oh! M. de Saint-Pierre se montre encore un bon visiteur, mais avouons qu'avec le temps, la soie et le velours ont adouci ses élans, qui étaient de cuir fort agréable. Et, quand on voit un aussi élégant jeune homme que votre futur gendre, on ne peut s'empêcher d'avoir un certain regret du temps qui file.

Mme von Massow ne put répondre à l'évocation de telles images un peu gaillardes, qui l'avaient toujours fascinée chez son amie.

– Ne nous laissons pas attendrir par ce qui fut. Votre fille se marie demain. Elle vous donnera de beaux petits-enfants. Voilà un plaisir qui rajeunit. Croyez-en mon expérience.

Sur ces paroles, les deux indiscrètes ne s'arrêtèrent pas en si bon chemin et retirèrent le second drap. La délicieuse incarnation du printemps surgit, suscitant d'abord une exclamation de satisfaction. Puis, après un silence, Mme de Saint-Pierre, très férue de peinture, compara les deux tableaux :

– Constatez le lien entre les couleurs. Le bleu de la cape, du chapeau et des revers de manchette du baron se retrouve sur la robe de sa voisine. Regardez aussi le rouge du pantalon et de l'écharpe d'officier, c'est le même que celui des fleurettes que tient Charlotte. On voit bien que les deux portraits ne peuvent être séparés. Le peintre les a liés par ces deux couleurs, comme ces deux enfants seront liés demain par l'intermédiaire du ministre. Vous voyez, ma chère, tout prédit une union solide.

* * *

Retirée dans sa chambre, Charlotte relisait la lettre qui l'avait tant intriguée pendant la séance de pose. Son premier mouvement avait été de la rejeter avec humeur, aussitôt qu'elle l'avait lue. Que Stanislas Radecki lui souhaitât du bonheur la veille du mariage, c'était normal… peut-être… mais pourquoi ne s'en était-il pas tenu à ses bons vœux ? Pourquoi avoir ajouté : «Vôtre pour la vie»? N'était-ce pas lui dire qu'il serait toujours malheureux à cause d'elle ? Voulait-il qu'elle se sente coupable ? Était-ce sa faute à elle si elle avait préféré Friedrich à Stanislas ?

Un sentiment indéfinissable montait en la jeune fille; ce n'était plus de l'irritation, mais quelque chose de très vague qui la troublait, sur lequel elle ne mettait pas encore de mots. Lorsqu'elle comprit enfin qu'elle prenait plaisir à relire le court billet de l'évincé, elle se sentit fautive, non plus envers Stanislas, mais en pensant à Friedrich. Dans son désarroi, elle voulut d'abord déchirer le message, puis spontanément l'enferma dans son coffre à bijoux, non sans quelques remords qu'elle enfouit tout au fond d'elle-même.

3

Aux décorations de Noël qui garnissaient déjà le temple de Neuhaus, on avait ajouté celles de la cérémonie princière qui allait s'y dérouler. C'était rare qu'une église aussi peu importante reçût tant de hauts personnages à la fois.

Des cavaliers et des fantassins retenaient, avec difficulté, une foule en liesse arrivant de partout, autant des bourgs que des villages ou des hameaux. Remuante, curieuse, parée de ses plus beaux atours, cette assemblée formait des grappes d'essences différentes.

On sentait que même les plus pauvres paysans avaient eu à cœur de se décrotter. Pieds nus, mais tenus au chaud par de la paille toute neuve, dans des sabots fraîchement repeints, ils attendaient avec impatience le moment où leurs gamins se précipiteraient en se bataillant sur les pfennigs qu'on ne manquerait pas de leur lancer à la sortie de la cérémonie.

Bien sûr, depuis l'avant-veille, des gardes armés avaient réussi à maintenir à la périphérie les indigents, les gueux, en somme ceux dont les loques et l'aspect famélique auraient déparé une telle manifestation de joie.

N'importe quel artiste se serait réjoui à la vue des voiles, bonnets et autres coiffes sous les chapeaux colorés; les toques et les fanchons des paysannes se mêlaient aux tricornes, aux colbacks à la turque, aux chapkas polonaises et aux shakos hongrois.

Tous ces braves représentants de l'humanité se pressaient en s'agitant le long du parcours où l'on attendait, malgré le froid, les invités et les futurs mariés. La plupart, piétinant sur place, s'étaient agglutinés aux alentours de l'église. Certains curieux étaient partis à la tombée de la nuit pour avoir une meilleure place; ils y grelottaient depuis le lever du jour.

Happé par les badauds qui se serraient de plus en plus autour de lui, un jeune étranger, se retrouvant coincé, demanda d'un ton curieux :

– Quel est donc cet événement qui nous retient sur place?

– Comment, vous ne savez pas? Nous marions aujourd'hui la fille de notre général avec M. le baron von Riedesel.

Une autre voix, aussi triomphante que la première, continua :

– Et Mgr le duc de Brunswick, qui sera présent, régalera le peuple d'un repas à l'auberge.

Ce court échange de propos fut suivi du cri «Les voilà!». Il y eut des oh! et des ah! Mais c'étaient simplement des militaires envoyés pour grouper une partie des promeneurs d'un seul côté de la grand-place afin de laisser, plus tard, les carrosses s'aligner du côté opposé. Avec des yeux admiratifs et enamourés, les jeunes filles regardaient briller les brandebourgs des casaques aux boutons d'olivier et les galons dorés des manches et des capes. Le soleil se reflétait sur les dorures des pistolets et des fusils, sur les ornements brodés des chevaux, sur les cuivres des dragons, cette cavalerie légère si réputée. On s'extasiait devant les grenadiers, dont les hauts casques semblaient doubler la taille de la tête des militaires de cette infanterie d'élite déjà composée de soldats parmi les plus grands des royaumes allemands.

La foule se faisait de plus en plus houleuse et impatiente. Elle s'effaça pourtant devant un officier, dont les yeux tombèrent par hasard sur l'étranger. Il fit encore quelques pas, puis, comme si une idée l'avait frappé, il se retourna. Mais l'étranger n'était plus là; à la vue du militaire, il avait joué des coudes et disparu.

– C'est drôle, murmura l'officier, j'ai cru voir Stanislas Radecki... Voyons, ça ne peut être lui, ce n'était pas un militaire. Il y a de ces ressemblances, parfois! C'est à s'y méprendre...

* * *

Pendant ce temps, au château de Neuhaus, si les visiteurs étaient moins nombreux que dans les rues, il y avait tout autant d'effervescence. Depuis le matin, les serviteurs couraient de haut en bas, de la résidence aux écuries, des écuries aux cuisines et des cuisines aux jardins. Des portes s'ouvraient, grinçaient, claquaient. Des exclamations, des appels, des grognements, des rires fusaient de partout.

Levé très tôt comme au matin d'une bataille, à l'abri de tous les bruits, dans son cabinet de travail, le général von Massow faisait ses dernières recommandations à sa fille.

— Charlotte, je sais que votre mère a eu une conversation avec vous sur... toutes ces choses qu'une jeune fille doit apprendre la veille de son mariage.

Voyant Charlotte rougir un peu, il enchaîna aussitôt :

— Elle a dû aussi vous rappeler le protocole du bal, que vous ouvrez avec Sa Majesté, notre roi. Pour ma part, je vous réclame une varsovienne, ce soir. Vous y êtes très gracieuse et c'est avec moi que vous l'avez dansée la première fois, quand vous étiez petite. J'abandonne les czardas à votre époux qui est jeune et impétueux. Il vous fera virevolter dans les airs avec plus de facilité que votre vieux père.

Charlotte, émue et rieuse à la fois, fit une révérence un peu moqueuse.

— Monsieur le général, je suivrai ce protocole à la lettre.

— Voici maintenant le but de mon propos. Dans quelques heures, vous serez l'épouse d'un militaire. Parfois, par étourderie, on peut donner l'impression à celui qui part en guerre qu'il est moins aimé, moins respecté qu'il ne le devrait. J'ai connu de ces soldats qui sont morts non pas parce qu'une balle les avait frappés, mais parce que le désespoir les avait simplement fait se précipiter vers elle. Ce que j'essaie de vous dire, c'est qu'un militaire doit pouvoir jouir d'une entière tranquillité d'esprit. Dieu merci, votre mère vous a toujours donné le bon exemple et je sais aussi que vous ne tomberez pas dans l'excès contraire, prête à vous accrocher aux basques de votre époux. Cependant, vous avez beau être raisonnable, votre esprit moqueur est parfois déconcertant. Pensez à ce pauvre Stanislas Radecki. Vous l'avez presque tourné en bourrique.

Charlotte rougit en repensant à la lettre qu'elle avait reçue la veille.

– Père, je n'avais que quatorze ans, et j'avais si peur que vous me forciez à l'épouser, alors que…

– Alors que vous préfériez déjà votre Friedrich. Eh bien, remerciez le ciel que votre désir ait concordé avec celui de notre roi et celui du souverain de votre fiancé. Ainsi, ce mariage permet de tisser un lien entre deux grands pays germaniques tout en vous comblant de bonheur. Nous n'aurions guère pu aller à l'encontre des souhaits de nos maîtres, vous le savez bien. Cela dit, n'oubliez pas que vous devez obéissance à votre époux, et vous n'êtes pas sans savoir qu'il a besoin d'un héritier pour éviter que ses biens ne soient divisés entre ses frères et lui. Alors tâchez de me faire grand-père le plus tôt possible. Ne vous dérobez pas à votre devoir. Cela sera profitable pour lui et, par conséquent, pour vous.

Un silence s'établit et Charlotte, croyant que son père avait terminé, s'apprêta à se lever.

– Attendez, fit le général en lui prenant la main. J'ai fait mon devoir de père en vous parlant ainsi, ma fille. Puisque dans quelques heures vous ne m'appartiendrez plus, mais appartiendrez à votre mari, je voudrais ajouter quelques mots pour ma petite Charlotte. Sachez, ma chérie, que certains soirs, lorsque l'accalmie devenait maîtresse dans les camps, surtout la veille d'une grande bataille, vous m'apparaissiez avec votre sourire d'enfant comme si vous constituiez la garantie que Dieu me conserverait la vie. Une dernière chose : j'ai confiance en votre sagesse. Vous ferez tout pour être une bonne épouse. Mais sachez que si jamais on vous frappe ou vous maltraite – j'en doute, mais tout est possible – je vous ouvrirai mes bras pour que vous puissiez vous y réfugier. Je ne tolérerai jamais que vous subissiez l'enfer qu'endure la sœur de notre souverain.

– Pardonnez-moi, père, mais cette supposition m'apparaît si… improbable, si incroyable.

– Vous avez sûrement raison, mon enfant. Je voulais seulement vous assurer de ma tendresse et de ma compréhension, répondit d'une voix mélancolique von Massow.

* * *

De retour dans ses appartements, Charlotte, encore tout émue des paroles de son père, lui si peu bavard, n'aperçut pas immédiatement le coffret posé sur son lit. Lorsqu'elle le remarqua enfin, elle l'ouvrit avec curiosité et s'exclama d'admiration.

Sur un coussin de velours émeraude reposait un flacon. Le parfum de couleur ambre qu'il contenait se reflétait, comme un soleil avivant des pierres précieuses, sur les minuscules fleurs et les quatre pointes de diamant taillées dans le verre. Évasée vers le bas, resserrée au centre, arrondie dans le haut, dominée par un goulot surmonté d'une collerette, l'élégante bouteille se terminait par un bouchon à l'aspect d'un diamant à cinquante facettes.

«On dirait une reine dans un long manteau royal, se dit la jeune fille en prenant le flacon. Pas de signature sur la carte, seulement les mots "Échec et mat". Ça ne peut être que Stanislas. La lettre, hier. Ce parfum, aujourd'hui. Il a dû charger quelque servante de l'apporter. Que veut-il? Mettre un nuage dans la plus belle journée de ma vie? Comment dois-je interpréter ce message?»

Ses pensées l'entraînèrent vers sa première rencontre avec les inséparables Friedrich et Stanislas, lorsqu'ils entrèrent sous la tente de son père après la bataille de Minden. Ses yeux avaient croisé ceux de Friedrich et elle avait senti une délicieuse chaleur l'envahir. Cette brûlure ne l'avait jamais quittée; depuis, elle s'était gravée dans son âme comme un burin trace son sillon dans le chêne. Quand ses parents avaient donné la permission aux deux amis de lui faire la cour, pourquoi n'avait-elle pas avoué sa préférence pour Friedrich? Pourquoi avait-elle laissé Stanislas espérer?

À treize ans on ne réfléchit pas toujours à ses gestes. Elle craignait tellement que Friedrich l'épouse seulement parce que les ducs l'ordonnaient. Aujourd'hui, elle comprenait : chaque fois qu'elle badinait avec Stanislas, ne guettait-elle pas dans les yeux de Friedrich une flamme de jalousie, un soupçon de tristesse qui la rassurait? Si son soupirant éconduit l'avait aimée autant qu'elle adorait son futur époux, il avait dû souffrir. S'il se rappelait à elle maintenant, était-ce par vengeance? Ou pour lui témoigner son pardon? Elle se secoua. À quoi bon penser à cela?

En son for intérieur monta un sentiment qui la surprit, tant son amour pour Friedrich l'en avait tenue éloignée jusqu'ici. Il lui sembla, pour la première fois, qu'elle perdait une certaine liberté, celle qui donne le droit de rêver à ces regards, à ces désirs qu'elle avait vus chez les jeunes gens qui l'entouraient; à ces attentions que les mères pourvues d'un fils à marier lui avaient prodiguées pendant un temps. Depuis ses fiançailles officielles, admiration et amabilité s'étaient tournées vers ses deux sœurs. Certes, l'amour de Friedrich l'assurait qu'elle était belle, désirable et intelligente; mais n'avait-elle pas besoin, parfois, de sentir que d'autres remarquaient ses qualités? C'était en cela que le présent de Stanislas la séduisait. Elle ferma les yeux, pensa à Friedrich et se sentit rassurée. La malice de Stanislas ne devait pas l'atteindre.

L'arrivée des suivantes avec la toilette de mariée, bientôt suivies des deux coiffeurs qui, comme tous leurs semblables, étourdissaient la société de leur caquet tragicomique, détourna Charlotte de ses préoccupations. Elle ne pensa plus qu'à la cérémonie.

* * *

Deux heures plus tard, Charlotte, au bras de son père, passait sous la haie formée par les sabres des officiers triés sur le volet parmi les régiments du duc de Brunswick. Les vivats de la foule les accompagnaient.

Le froid sec aurait dû pénétrer dans le temple, mais la foule était si dense, sur la grand-place, que la chaleur de tous ces corps formait un mur entre le froid et le parvis.

De l'intérieur, on vit le soleil nimber les deux silhouettes de ses rayons curieux. Un murmure d'admiration s'éleva et augmenta à mesure que Charlotte avançait. Malgré le caractère solennel de la cérémonie, malgré la présence de tous les hauts personnages qui formaient l'assemblée, au-dessus des chuchotements, un «Dieu qu'elle est belle!» sortit des lèvres du fiancé. Les regards se dirigèrent vers Frédéric II de Prusse. Mais le roi sourit. Alors, tous les invités sourirent.

4

Décembre 1765

Par fierté, Charlotte sourit à l'estafette qui partait après lui avoir remis un mot de Friedrich, comme presque tous les matins. La porte aussitôt fermée sur l'officier, le visage de la jeune femme s'assombrit et elle froissa d'une main nerveuse le message lui annonçant que son époux serait retenu loin d'elle pendant les fêtes de fin d'année.

– Il n'est même pas certain d'être présent pour l'accouchement, murmura-t-elle. Ça, je ne l'accepte pas. Le duc ne pourrait-il se passer de «son» héros? Friedrich n'est-il pas avant tout «mon» héros?

Un jour, le duc de Brunswick avait confié à Charlotte combien il appréciait le tact et la mémoire de Friedrich. À un seul regard, le jeune officier comprenait la pensée de son maître. Il lui était ainsi indispensable.

La jeune baronne s'attendrit en se rappelant les quelques visites qu'elle avait rendues à Friedrich, au camp militaire où il avait dû retourner un peu après son mariage. Chaque fois, elle avait remarqué l'affection des soldats pour son mari, qui s'adressait à presque tous dans leurs dialectes différents et même dans leurs patois.

«Justement, le duc ne devrait-il pas le récompenser de ses services? Il sait que j'ai besoin de Friedrich pour cette première naissance. Ma mère dirait que l'attente et la solitude sont le lot des femmes de militaires. Elle avait, et a encore, une si grande patience. Moi pas! Friedrich me manque tellement! Trois ans déjà! Est-ce possible? Il y a trois ans, je sortais de l'église à son bras. Je flottais. Je me sentais la reine de la terre.»

Et ce premier mois dans notre maison de Wolfenbüttel... quel merveilleux souvenir!»

Charlotte ferma les yeux pour se rappeler la tendresse, la patience, la douceur dont Friedrich avait fait preuve. Mais la vie militaire avait coupé abruptement le conte de fées. Le pays, toujours sur un pied d'alerte, avait éloigné Friedrich pour de longues périodes. Ce dernier avait même participé à quelques batailles qui avaient angoissé la jeune femme. Cependant, des réunions avec le duc de Brunswick et le roi de Prusse le retenant souvent à Berlin, le jeune mari, toujours attentionné, ferma Wolfenbüttel et loua une maison dans la capitale prussienne.

C'est là, dans sa demeure de Berlin, que Charlotte venait d'apprendre la mauvaise nouvelle : les fêtes seraient compromises par l'absence de Friedrich. Elle se sentit lourde; lourde non seulement du poids de l'enfant, le terme approchant, mais aussi d'un Noël sans son époux. De plus, à la pensée que celui-ci ne serait peut-être pas auprès d'elle au moment de ses couches, elle ressentit soudainement de vives douleurs. Comme si l'enfant sentait sa peine, il changea brusquement de place et pressa sur son foie. Elle prit conscience qu'elle avait peur. Mais peur de quoi? Peur de mourir, peur que l'enfant naisse tout de suite?

«Il me semble que je ne survivrai pas si je suis seule au moment décisif. Mon petit! Mon petit! Ne nais pas tout de suite. Je ne te connaîtrai pas, je le sens. Et qu'arrivera-t-il à Friedrich?... Il se remariera, bien sûr. Je ne veux pas que Friedrich aime une autre femme... Non! Il faut chasser ces stupides idées. Je ne mourrai pas. Je veux tenir cet enfant contre moi. Je veux voir Friedrich me sourire avec reconnaissance.»

Malgré son désir de résister à ses angoisses, elle passa à tour de rôle de l'accablement à l'espoir pendant une bonne partie de la journée. À un moment donné, elle mit la main sur le profil de son ventre en se regardant dans un miroir : «Ce n'est pas ce soir que je danserais une czardas! Comme j'aimerais ne pas être seule. J'aimerais me distraire, mais je n'ai aucun désir de me consoler avec ma famille... ni même avec une amie. Quand ai-je dansé la dernière fois?»

La réponse lui vint aussitôt et elle fut troublée au souvenir de cette nuit-là. La cour avait organisé un bal costumé pour l'anniversaire du roi de Prusse. Le matin, les deux époux s'étaient querellés : fâcherie d'amoureux pour un sujet anodin, mais qui avait laissé Charlotte avec l'impression que Friedrich ne l'aimait plus. Même s'il n'était pas bien vu qu'une jeune mariée courût seule les bals, elle n'avait pu résister au besoin de s'étourdir.

Certaine que sous un déguisement personne ne la reconnaîtrait, elle s'était perdue parmi les mille quatre cents invités. Elle avait accepté de danser avec un domino tout en noir, le visage recouvert d'un loup. Il ne disait mot, se contentant de la diriger avec dextérité. Elle-même, préoccupée, se laissait mener sans observer son danseur. Elle se rendait compte que sa conduite relevait du désir de se venger, non pas de l'insignifiante querelle, mais parce que Friedrich était parti au galop sans même tourner la tête. Elle était revenue à la réalité quand son cavalier l'avait pressée légèrement contre lui. Elle l'avait repoussé, puis la musique s'était arrêtée. Le domino lui avait embrassé la main, avait soufflé un «Adieu, Charlotte» qui l'avait glacée, et s'était perdu dans la foule. C'est alors qu'elle avait reconnu Stanislas Radecki. Émue, contrariée, et un tantinet honteuse de son coup de tête, elle était retournée chez elle. Au matin, en lisant la lettre tendre, pleine d'excuses qu'un courrier venait de lui apporter de la part de Friedrich, elle s'était sentie coupable. Elle n'avait pu s'empêcher de raconter son escapade à son époux quand il était rentré. Il n'avait rien dit, se contentant de la regarder pensivement. Quelque temps après, Charlotte tombait enceinte.

Aujourd'hui, le souvenir de cette rencontre, que les mois avaient dissipé, remontait à la surface à cause de sa déception et de son anxiété. Même s'il y avait eu un bal, elle n'aurait pas répété cette équipée. Mais une colère naissait en elle; une colère qui lui redonna de l'énergie. Comment faire pour être auprès de Friedrich à Noël?

Engourdie par la bonne chaleur du poêle, Charlotte sombra dans un sommeil plein de cauchemars où revenait toujours un homme masqué qui provoquait Friedrich en duel. De loin, elle voyait l'un d'eux tomber, mais ne pouvait distinguer lequel. Elle voulait courir pour le savoir, mais n'avançait que très lentement, et les deux antagonistes disparaissaient.

Pendant que le même songe se répétait, entrecoupé d'autres situations similaires, la porte s'ouvrit doucement. Une forme traversa lentement la pièce envahie par la pénombre et se pencha sur la jeune femme. Celle-ci, sentant qu'on l'embrassait, ouvrit les yeux. Elle se serra aussitôt contre Friedrich.

– Est-ce que je rêve encore? Que faites-vous ici?

– Vous êtes bien éveillée. Monseigneur m'a octroyé un long congé. Je serai le premier à prendre dans mes bras notre fils, car ce sera un fils, j'en suis certain. Mais… pourquoi ces larmes?

Charlotte décida de garder pour elle les sentiments différents qui l'avaient envahie tout au long de la journée. Elle répondit que seul le désappointement ressenti à la lecture de son message, suivi de la joie de le revoir, la rendait nerveuse. Et elle s'informa de la raison du changement d'opinion du duc.

Tout en la tenant contre lui et en lui caressant les cheveux, Friedrich lui expliqua :

– L'armée est composée d'officiers appartenant à tellement de nationalités différentes que les conflits sont fréquents entre eux. Vous le savez bien, ce n'est pas la première fois que le duc me demande d'intervenir. Ce matin encore, nous croyions que la lutte serait longue. À ma grande surprise, j'ai réussi à régler le problème, après bien des journées de diplomatie, je vous le jure. Monseigneur était très heureux. Il était si satisfait de moi que me voilà. Maintenant, ce petit n'a qu'à bien se tenir!

* * *

– Je vous baptise, Christian, Karl, Louis, Ferdinand, Henry, Wilhelm, Herman, Valentin.

Le 6 janvier 1766, un fils voit le jour. Charlotte, le cœur débordant d'amour, serre ce petit personnage tout chaud contre elle. Toujours espiègle, elle trouve le moyen de faire rire sa sœur.

– Tu as remarqué? Notre père et notre frère Anton se pavanent comme des paons, Friedrich se dresse comme un coq, maman chante comme un oiseau, et tous les autres piaillent comme des poussins. Je me sens déjà mère poule. Ne trouves-tu pas que nous formons une belle basse-cour?

5

Berlin

Janvier 1767 avait été humide et gris, mais la grisaille avait fini par céder sa place à une fin de mois remplie de promesses.

— Et vous? Qu'en pensez-vous? demanda von Massow à son gendre.

Mais Friedrich n'entendait pas; ses yeux étaient tournés vers Charlotte, assise à l'écart près de la bonne chaleur du poêle de porcelaine. Le 6 janvier, il n'avait pu fêter le premier anniversaire de son fils : il était en devoir. Puis sa belle-mère avait eu des fièvres. Enfin, aujourd'hui, on avait réussi à réunir la famille; même le général von Massow avait pu se déplacer.

— Alors, Riedesel, vous ne dites rien? N'en parle-t-on pas dans l'armée du duc?

L'esprit ailleurs, Friedrich regardait intensément la jeune mère, une lueur d'admiration dans les yeux. Après quatre ans de mariage et malgré son accouchement, elle était restée aussi jolie qu'une fiancée. Pourtant, ce soir, il s'inquiétait. Il avait remarqué depuis quelque temps des cernes sous les yeux de sa Charlotte, qui ne prenait pas part à la conversation.

La question résonna pour la troisième fois et atteignit enfin le cerveau de Friedrich. Il essaya de retrouver le fil de l'entretien qui lui échappait depuis quelques minutes.

— Pardonnez-moi, mon général, j'étais ailleurs.

— Nous parlions de ce soulèvement des colonies anglaises.

— Ah oui! Oui! Je crois qu'ils ne veulent pas payer leurs taxes.

— C'est juste. Du moins, on raconte qu'ils accepteraient d'en débattre seulement à la condition qu'ils soient représentés au gouvernement d'Angleterre, reprit un invité.

– Ah! ces Anglais, fit d'une voix sèche von Massow, ils ne font jamais les choses comme les autres. Rappelez-vous, à Minden, ce George Sackville trop ivre pour avancer avec ses troupes. On a dit qu'il s'était enivré parce qu'il était trop lâche pour se battre.

– Attendez! Attendez, père, répliqua Friedrich. À Minden, le capitaine Philipps a été un véritable héros.

– Pas plus que vous, à ce pont sur la Weser, renchérit von Massow. Nous savons tous que votre attitude vous a même attiré les compliments de notre ennemi, le duc de Broglie.

En se retournant pour avoir l'approbation de sa fille, il remarqua son air d'indifférence.

– À dire vrai, je crois que cette conversation sérieuse lasse ces dames, et en particulier Charlotte qui me semble fatiguée. Seriez-vous malade, ma fille?

– Ce n'est pas moi, père, mais le petit, qui est fiévreux.

– Bah! Les bébés sont sujets à ces poussées de fièvre, n'est-ce pas? fit le général en s'adressant à sa femme.

La grand-mère sourit calmement.

– Oh! une dent, probablement. Mais vous avez raison de cesser ces discussions du bout du monde et qui ne nous touchent en rien. Nous sommes ici pour fêter notre petit-fils et non pour entendre parler de rebelles à demi civilisés. L'Amérique est si loin. Personne parmi nous ne rencontrera jamais ces colons.

***

Le 2 février, quelques jours après leur départ, les grands-parents durent revenir en vitesse : on avait trouvé l'enfant sans vie.

Au camp, la nouvelle atteignit Riedesel comme un coup de masse. Son héritier! Son petit Christian si beau, si vif, et qui avait été si attendu!

Et aujourd'hui ce drame! Extrêmement pâle, il regardait sans le voir Röckel, le serviteur que son beau-père avait dépêché pour lui annoncer la terrible nouvelle. Terrassé par le choc, Riedesel ne bougeait pas plus qu'une statue d'albâtre.

– Monsieur, fit Röckel, les larmes aux yeux. Monsieur, il faut venir. On a besoin de vous. On a eu de la peine à arracher le petit des bras de madame. Elle criait que ce n'était pas vrai. Madame a besoin de vous. On craint pour sa santé.

Au rappel de sa femme, le baron réagit. Charlotte! Sa Charlotte! Quelle peine affreuse elle devait avoir! Il imagina soudain deux cadavres, un grand et un petit.

Il se leva vivement.

– Merci, Röckel, merci. Dites à mon aide de camp de faire seller mon cheval, et de vous en donner un frais. Je vais m'expliquer à Son Excellence et je vous suis.

***

Charlotte était inconsolable. Un an près de son fils lui avait appris la profondeur de son amour maternel. Parfois, elle n'aurait su dire lequel lui était le plus cher, de son fils ou de son époux : l'un était si petit, si fragile, l'autre si passionné, si tendre.

Aujourd'hui, elle cherchait l'enfant, sursautait au moindre bruit, passait de longues minutes, les yeux secs, la tête appuyée sur le berceau. On finit par le lui enlever, puis on essaya de la distraire.

Au moment où on la croyait plus sereine, presque souriante, elle repartait soudain dans une crise de larmes qui semblait ne jamais vouloir s'arrêter. Certains mots, certaines phrases que prononçait Friedrich dans l'intention de l'aider attisaient au contraire une colère terrible.

– Raisonnable… raisonnable… Vous voulez que je sois raisonnable! Mais vous ne comprenez rien de rien! Vous ne savez pas, vous (comme ce «vous» était méprisant!). Il était si gentil, si mignon. Il me regardait. Il me parlait avec ses grands yeux. Ces yeux-là disaient tout. Sa petite bouche toute ronde s'avançait pour prononcer des mots. Et il se fâchait si je ne comprenais pas. Il avait bien raison. Il savait, lui, ce qu'il disait, il était si intelligent. Et quand il me tendait les bras en caracolant, il était si fier de lui. Et vous me demandez d'être raisonnable!

Si son mari essayait de la calmer en la prenant dans ses bras, elle le repoussait comme on repousse un galeux.

– Ne me touchez pas! criait-elle. Vous ne l'avez pas senti en vous comme moi. Comment voulez-vous comprendre? Raisonnable!… Ah! oui…!

Et elle riait d'un rire hystérique qui se terminait dans les sanglots. Friedrich apprenait alors à ne pas prononcer certains mots.

Quelquefois, c'était elle qui se réfugiait dans ses bras et gémissait.

– Friedrich, mon chéri, aidez-moi. Dites-moi qu'il n'est pas mort. Dites-moi qu'il reviendra. Qu'il est dans la pièce à côté. Qu'il dort. Dites-le moi ou je deviens folle.

Il la regardait, les larmes aux yeux, ne trouvant pas les mots, ne sachant s'il fallait abonder dans son sens – ce qui lui paraissait absurde – ou lui faire regarder la vérité en face et risquer de déclencher une autre crise.

Parfois c'était l'inverse : il la trouvait assise, les yeux fixes, les mains sur les genoux, passive et silencieuse. Et soudain sa voix se faisait entendre, toute menue, toute douce.

– Je vous demande pardon, Friedrich.

– Mais de quoi, mon amie?

– Vous n'avez plus d'héritier. C'est votre neveu qui héritera. Vous m'en voulez beaucoup, n'est-ce pas? Vous avez bien raison.

– Mais voyons, Charlotte, ma chérie, ne croyez pas cela. Pourquoi vous en voudrais-je, mon amour? D'ailleurs…

– Si, si, vous m'en voulez, mais vous êtes trop bon pour me le montrer. Car c'est ma faute. C'est sûrement ma faute. J'ai dû faire quelque chose d'incorrect. J'aurais dû m'apercevoir qu'il se mourait. Je n'ai pas su déceler les signes avant-coureurs.

Alors il l'attirait vers lui, il tentait de la distraire.

– Venez, allons marcher. Il fait bon dehors. Le grand air vous fera du bien.

Elle résistait :

– Non! Non! Je ne veux pas. Tout le monde sait sûrement que je suis une mauvaise mère! Laissez-moi seule.

– Mais non, mon amour, vous êtes au contraire une très bonne mère. C'est pour cela que vous avez tant de peine. Nous sommes jeunes, sains. Nous avons bien le temps d'avoir un héritier.

– Vous croyez?… Non! Je ne suis plus jeune maintenant. J'ai terriblement vieilli depuis… depuis… Je me sens si laide, si vieille. C'est bien fait pour moi.

Il la soulevait, l'emmenait près d'un miroir, la câlinait, lui disait qu'elle était très belle, jeune, qu'il l'adorait et qu'ils feraient un autre enfant ensemble, aussi beau, aussi grand, plus fort.

– Plus fort? C'est impossible. Vous savez comme il a marché tôt. Mais vous ne l'avez pas vu lorsqu'il s'est acharné, à dix mois, à pousser la table de chêne. Arc-bouté sur ses petites jambes, il forçait, il se fâchait, il tendait tout son corps; il criait, appuyait ses épaules, tapait du pied et poussait, poussait. Quand il a eu réussi à ébranler la table et à la faire avancer un peu, il s'est retourné vers moi, le visage tout rouge mais triomphant.

– Charlotte, vous vous faites du mal avec ces souvenirs.

Et Friedrich continuait inlassablement à chercher des mots apaisants. Peu à peu, grâce à son amour si compréhensif et si patient, les colères de sa femme se firent plus rares, son sentiment de culpabilité, moins intense. L'amour et l'optimisme de Friedrich l'emportaient pas à pas sur le désespoir de Charlotte.

Elle eut pourtant une rechute qui affola tout le monde. Un jour qu'elle avait consenti à visiter ses parents et que son père essayait de la distraire en lui rappelant quelques facéties de sa propre enfance, elle se mit à rire. Puis elle s'arrêta brusquement. Elle venait de remarquer le regard grave que chacun avait porté sur elle.

– Qu'est-ce que vous avez tous à…?

Elle porta la main à son visage. Seuls les muscles du côté droit avaient réagi. La moitié de sa figure était paralysée.

Le duc envoya son propre médecin pour l'examiner.

– Du repos, conseilla celui-ci, du repos. Madame la baronne est épuisée.

Friedrich fut d'un dévouement exemplaire; il passait toutes ses nuits auprès d'elle. Puis un matin, alors qu'il s'était endormi dans un fauteuil en lui tenant la main, une voix douce le réveilla.

– Friedrich, Friedrich, mon amour?

Il regarda ses beaux cheveux foncés étalés sur l'oreiller de dentelle blanche. Les yeux grands ouverts, Charlotte lui souriait avec tendresse.

Il mit quelques secondes avant de s'apercevoir que le sourire de sa femme rayonnait d'un côté à l'autre de son visage : sa paralysie faciale avait disparu. Il vit ensuite une lueur paisible dans ses prunelles. Le cœur aussi semblait guéri.

6

Quelque trois ans après le décès de Christian, on s'étonnait de ce que Charlotte n'avait pas encore donné d'héritier à son mari. On essayait bien de lui faire la leçon, mais elle se fermait aussitôt comme une huître. Friedrich ne disait rien, comprenant que la blessure restait gravée dans le cœur de la jeune femme.

Enfin les familles eurent bientôt l'occasion de calmer leur inquiétude. Le 29 mars 1770, Charlotte et Friedrich leur donnèrent une petite-fille. Prénommée Philippina, elle était mignonne et ressemblait comme deux gouttes d'eau à Christian. La déception que ce ne soit pas un fils ne dura qu'un instant.

Libérée de ses craintes par cette naissance, Charlotte conçut un troisième enfant, un peu plus de sept mois après l'heureux événement.

* * *

Cependant, chaque année depuis la mort de son fils, Charlotte voyait venir le 2 février avec une terrible appréhension. Ce jour-là, elle se retirait dans sa chambre du matin jusqu'au soir, condamnant sa porte même à Friedrich, comme si elle avait besoin de méditer sur sa douleur.

Riedesel avait toujours eu de la facilité à se mettre dans la peau des autres, même de ses subalternes, ce qui lui valait l'admiration de ses soldats et l'amitié de ses connaissances. Aussi essayait-il encore plus de comprendre celle qu'il aimait par-dessus tout. Ainsi, il avait remarqué que, chaque fois que sa femme s'enfermait dans sa chambre, le jour de ce pénible anniversaire, elle en ressortait toujours sereine et souriante. Il respectait donc cette silencieuse retraite.

Il croyait qu'à la suite de la naissance de Philippina, cette épreuve annuelle serait moins marquée. Cependant, à sa surprise, la veille du 2 février 1771, il observa chez sa femme une fébrilité plus grande que jamais. Elle ordonna aux servantes de transporter le berceau dans sa chambre et de le placer de manière qu'il soit à l'abri du vent, de la lumière et du froid, en s'assurant aussi que la pièce ne soit pas trop chaude non plus.

— Vous me semblez anxieuse, Charlotte. Souhaiteriez-vous ma présence dans votre chambre ce soir?

— Non, mon ami, l'enfant risque de vous déranger.

— Mais pourquoi l'enfant serait-elle dans votre chambre?

— Je ne sais pas. Comme cela. Une idée. Ne vous préoccupez pas. Dormez bien.

Elle s'énervait. Il n'insista pas. Ayant laissé entrouverte la porte de communication entre leurs deux chambres, il l'entendit se lever plusieurs fois. Enfin, elle finit par s'endormir. Ce fut lui, cette fois, qui, au petit jour, trouva Philippina sans vie. Le médecin ne sut dire pourquoi elle n'avait pas survécu.

* * *

Une fois de plus, Friedrich fit taire sa propre souffrance pour extirper du fond de lui-même les mots qui, croyait-il, aideraient sa femme.

— Nous avons perdu deux enfants, voulez-vous donc perdre ce troisième que Dieu nous fait la grâce de nous envoyer?

— À quoi bon? Nous le perdrons aussi.

— Comment pouvez-vous dire une chose pareille, vous si croyante?

— Mais pourquoi, pourquoi, disait-elle entre deux sanglots, pourquoi encore ce 2 février? Je le sentais, je le savais qu'elle mourrait ce jour-là, comme son frère, mais j'ai cru qu'en l'ayant près de moi je la protégerais. Et je n'ai pas su! Je n'ai pas su!

— Ne soyez pas superstitieuse, ne voyez pas là des signes, mon amour. Ne pensez qu'à l'enfant que vous portez, ne songez qu'à votre santé… et un petit peu à moi.

***

Un matin, en ouvrant sans bruit la porte de la chambre, Charlotte aperçut son mari penché sur le berceau vide, une expression si douloureuse sur le visage et des larmes si nombreuses sur les joues qu'elle comprit dans un éclair la souffrance profonde qu'il refoulait devant elle. Oh! elle savait bien qu'il avait de la peine, lui aussi, mais, trop pleine de son propre supplice, elle ne s'était jamais fondue dans son chagrin à lui. Et, pour la première fois, elle eut mal pour lui et non plus pour elle-même.

Elle observa encore un moment en silence ce militaire qui habituellement semblait si sûr de lui, si fort, et dans les bras duquel elle se réfugiait, se laissait bercer, consoler, dorloter comme une petite fille, quand elle souffrait.

«Ne se sent-il pas lui-même comme un petit garçon, parfois? se dit-elle. Éprouve-t-il le désir d'être consolé et bercé?»

Elle revit toute la patience dont il avait fait preuve, sa grande bonté, sa tendresse, la force qu'il lui transmettait. Elle se sentit reconnaissante mais, surtout, ce qui l'étonna elle-même, pleine de courage et de sérénité.

— Friedrich, chuchota-t-elle en posant sa main sur le bras de son mari.

Il tressaillit et esquissa aussitôt un sourire. Mais quel sourire lamentable!

— Non, Friedrich, ne souriez pas. Vous avez le goût de pleurer. Eh bien, pleurez. C'est à votre tour. J'ai beaucoup pleuré, et vous m'avez consolée. Vous aussi avez le droit de pleurer. C'est maintenant à moi de vous réconforter.

Elle s'assit et l'attira vers elle. Il s'agenouilla et cacha ses larmes sur son ventre qui commençait à s'arrondir.

— Mon chéri, je vous le jure, je ne me plaindrai plus de nos deux morts. C'est comme si je renaissais après un cauchemar qui dure depuis cinq ans. Ce prochain petit, nous le mènerons à terme avec des rires. Nous le protégerons, nous le garderons. Vous pouvez compter sur moi comme j'ai compté sur vous. Alors, promettez-moi de ne plus me cacher vos larmes à l'avenir. Nous sommes tous les deux forts et faibles à la fois. Nous pleurerons ensemble. Mais nous rirons aussi ensemble.

45

— Ma chérie, ma chérie, mes larmes étaient autant pour vous que pour l'enfant. J'étais affligé de vous voir désespérée.

Si la petite Augusta n'avait déjà été en chemin, elle aurait été conçue ce jour-là, tant Charlotte et Friedrich se retrouvèrent avec ardeur.

Au matin du 8 août 1771, le baron von Riedesel affichait un sourire radieux, même après qu'on lui eut annoncé que c'était encore une fille, tant il était heureux. Il garda même le sourire quand, trois ans plus tard, le 12 mai 1774, une autre fille, Frederika, naquit.

7

Londres, hiver 1776

La tour de Londres disparaissait puis réapparaissait entre les pans de brume qui se déplaçaient lentement au gré d'un souffle hivernal. Lords, bourgeois, peuple, tous enduraient le temps humide et venteux qui se maintenait depuis Noël.

— C'est la première fois que vous venez à la Chambre des lords, mon fils. Écoutez! Regardez! Amusez-vous, ce sera un véritable spectacle.

Le gentilhomme d'environ quarante ans qui venait de prononcer ces mots s'adressait à un tout jeune homme de dix-sept ans qui l'accompagnait. Le père était habillé sobrement d'une redingote noire, d'un jabot et de bas de satin blanc. Son fils était encore plus simplement vêtu puisque chez lui tout, sauf la peau, était noir.

— Allez-vous exprimer votre opinion?

— Aujourd'hui, je désire surtout vous initier à l'ineptie de nos dirigeants. Je voterai, c'est tout.

— L'ineptie… tout de même! Mère dit que vous lisez trop les auteurs français. C'est pour cela que vous avez des idées étranges sur les gouvernements. C'est aussi pour cela qu'elle ne veut pas que j'apprenne le français. Elle trouve que les livres dans cette langue sont pernicieux. Ceux de Diderot, surtout.

— Laissez dire votre mère, William. Si je vous ai amené, c'est pour que vous jugiez par vous-même de notre Parlement. Après plusieurs années, j'ai compris que, sans égard pour la vérité et la justice, un bon nombre de mes honorables confrères choisissent un point de vue seulement pour qu'on admire leur façon de jouer avec les mots ou de glisser sur les idées… quand ils ne dorment pas tout simplement.

– Mère dit que vous exagérez à plaisir.

– Moi, je vous répète d'être très attentif, comme au théâtre.

Depuis le début de ce dialogue, le député Drew avait un sourire désabusé, un peu cynique même. Puis l'expression de son visage devint sérieuse.

– Pour que vous compreniez mieux les débats d'aujourd'hui, je vais vous résumer les sessions auxquelles j'ai assisté à la Chambre des lords et à la Chambre des communes. Mais tout d'abord, rappelez-vous que notre peuple n'a jamais accepté le service militaire obligatoire et que les derniers appels pour accroître le nombre de soldats ont eu peu de succès; encore que, marins dans l'âme, nous manquions rarement de matelots. L'opinion populaire autorise même l'enlèvement de jeunes flâneurs venus rêver sur les quais; on en fait des mousses présentables, sinon des colons plus ou moins consentants qu'on laisse quelque part dans une de nos possessions. Mais là s'arrête la tolérance du peuple, et toute forme d'enrôlement forcé est perçue comme une atteinte directe à ce qu'un Anglais considère comme fondamental : sa liberté.

Tout en devisant, le père et le fils étaient entrés dans une vaste salle. Le député salua quelques amis et poursuivit :

– Tout cela pour vous dire que notre armée n'est pas assez forte pour remettre dans le droit chemin nos colons qui se révoltent en Amérique. Or, Sa Gracieuse Majesté le roi George III a cru bon d'augmenter le nombre de nos troupes en engageant les armées du duc de Brunswick, du landgrave de Hesse-Kassel et du comte de Hanau.

– Des mercenaires allemands! fit d'un ton scandalisé le jeune William.

– Que voulez-vous, il n'y a que deux solutions : faire des concessions aux colonies sur les taxes tel que le préconisent les whigs, ou bien suivre les conseils des tories pour qui les colonies ont été créées pour le bénéfice de la mère patrie et non pour celui des colons, pensée qui nous amène à louer des mercenaires pour éteindre la révolte.

– Lequel de ces deux projets l'emportera, croyez-vous?

– Celui qui s'appuie sur une raison pragmatique, c'est-à-dire qui permet de conserver les taxes. C'est typique de notre bonne Angleterre.

* * *

Quelques heures après, le jeune William et son père sortaient de la Chambre des lords.

– Vous voyez, mon fils, malgré les arguments logiques des whigs, les tories l'ont emporté. Nous aurons la guerre et nous louerons des Allemands.

– Mais vous-même, père, je voyais que vous auriez préféré la paix quitte à éliminer les taxes des colons; pourtant, vous avez voté pour le parti du roi... N'est-ce pas quelque peu paradoxal?

– Sachez, William, qu'il n'est pas de bon ton, aujourd'hui, de voter selon ses vues personnelles. Je suis tory, je vote avec mon parti.

– Avec vos idées, comment se fait-il que vous ne soyez pas whig?

Le gentilhomme s'arrêta, fit face à son fils et lui mit la main sur l'épaule afin de s'assurer qu'il porte la plus grande attention à ses paroles.

– Mon cher enfant, le roi est le roi. Ne l'oubliez jamais. Dans la famille Drew, nous avons toujours été fidèles à son symbole. Tant que ce symbole existera, l'Angleterre vivra. En ce moment, le roi est tory. S'il était whig, nous voterions whig. Pour le reste, vous apprendrez, avec le temps, qu'après le roi seules les femmes sont importantes. Avec elles, vous assistez à du théâtre quotidien. Elles sont aussi insensées que nos dirigeants... mais beaucoup plus généreuses.

Le père de William était un grand viveur. Il entretenait plusieurs filles, particulièrement une actrice assez gourmande. Il avait d'abord mangé la dot de sa femme, puis grugé son propre héritage. Lorsqu'il avait eu installé son fils aîné par un mariage plus honorifique que riche, il s'était rendu compte que les biens qui restaient pour William se réduisaient à peu de choses. Aussi n'était-ce pas sans raison qu'il s'était fait accompagner de son cadet ce jour-là.

— Mon fils, cette guerre en Amérique tombe bien. Ce sera très payant. Vous devriez y participer.

Le jeune poulain rua dans les brancards.

— Père, j'aime la paix; je déteste la guerre. Je préfère la diplomatie, une carrière qui me permettrait d'arrêter les guerres.

— Ou de les fabriquer, fit le député, toujours cynique.

— Vous n'êtes pas sans savoir que j'ai toujours souhaité entrer en diplomatie.

— Cela coûte cher. Je n'ai pas assez de poids en politique pour tirer des ficelles et, de toute façon, vous êtes trop jeune.

— Mais père…

— Mon fils, vous êtes mineur. Allez vous faire la main comme officier; c'est un titre auquel vous avez droit. Quand vous reviendrez, vous serez plus mûr. Vous aurez eu la chance de rencontrer des supérieurs qui vous protégeront si vous savez y faire. Si vous avez en vous cette diplomatie dont vous vous targuez, ces protecteurs vous ouvriront les portes et vous pourrez alors vous réaliser.

8

Château de Waldow, Poméranie

Le baron von Massow s'assied lourdement. Arrivé depuis peu dans un de ses châteaux de Poméranie où son fils l'a précédé, il se sent fatigué. Ç'a été une folie de faire la route d'une seule traite à partir de Berlin, mais l'homme fort qu'il a été admet difficilement la faiblesse de l'âge et surtout la maladie.

L'œil inquiet d'Anton se fixe sur son père.

— Vous devriez vous reposer tout de suite. Vous êtes pâle. Je m'occuperai de recevoir Stanislas Radecki.

— Non. Je veux tout de même le saluer. Il a été l'ami intime de mon gendre, après tout. Et l'un de mes officiers.

— Vous désirez le voir… ou me retenir.

— Je vous sens si intransigeant.

— C'est étrange. Vous avez été un général impitoyable. Vous avez ordonné sans sourciller des massacres lorsque la situation l'exigeait, mais vous craignez de déplaire à un débiteur qui se moque de nous depuis des mois, sinon des années.

— Un général ne se pose pas de questions quand il reçoit l'ordre de son roi. Mais sur ses terres, il est libre d'être clément.

— Puis-je me permettre de vous faire remarquer que lors-qu'il s'agit d'affaires vous semblez opérer avec… disons… plus de légèreté que sur un champ de bataille?

— S'il en avait été ainsi, Anton, notre grand roi Frédéric ne m'aurait pas nommé membre de l'Administration de l'État prussien, n'est-ce pas? Vous savez très bien que Sa Majesté a toujours admiré ma manière d'administrer.

— Oh! quand ce sont les affaires du roi, père, vous vous y entendez. Mais quand ce sont les vôtres… ne vous laissez-vous pas attendrir? Allons, père, m'avez-vous oui ou non demandé de m'occuper de l'héritage de votre beau-frère depuis que votre santé s'est détériorée?

— Certainement, Anton. Vous êtes mon aîné, et le plus capable dans ce domaine.

— Alors, faites-moi le plaisir de continuer à m'accorder votre confiance. Il faut régler cette situation aujourd'hui même. Il s'agit de ne pas perdre tous ces châteaux dont votre beau-frère ne s'est guère soucié. J'ai bien calculé : nous ne pouvons nous permettre de renoncer à un seul débiteur.

— C'est entendu, je vous laisse cela entre les mains.

Anton se lève et se dirige vers un tableau, les mains derrière le dos, la tête levée, perdu dans les pensées que lui suggère le sujet, une jolie fillette aux grands yeux d'un bleu profond, qui tient dans ses bras un petit chat aussi noir que ses cheveux.

Une scène de sa petite enfance, alors qu'il n'avait que cinq ans, remonte alors à la surface de sa mémoire. Il s'en rappelle tous les détails avec précision.

Cette nuit-là, il dort. Tout à coup, il s'éveille. Le silence règne pourtant. A-t-il eu une prémonition? Il se lève doucement et entrouvre la porte de sa chambre. Sa bonne n'a pas bougé. Il écoute. Il descend silencieusement l'escalier et se glisse derrière une tenture de la chambre de Mᵐᵉ von Massow, sa belle-mère. Tout le monde étant trop préoccupé par une naissance qui s'avère difficile, personne ne le remarque. Il entend la sage-femme s'exclamer :

— Poussez, mon Dieu! Poussez, madame, sinon le bébé va rester pris.

— Elle est si faible, chuchote quelqu'un.

— Allons, madame, du courage!

Né d'un premier mariage et n'ayant pas connu sa mère, Anton est très attaché à cette luthérienne sévère mais juste qu'est la seconde femme de son père. Il repousse la tenture, court vers le lit, empoigne la main de sa belle-mère en bousculant les servantes, et crie à son tour :

— Poussez, maman! Poussez! Je vous en prie!

À ce moment, la tête du bébé apparaît. Anton croit que c'est grâce à lui et se met à pleurer de joie et de fierté. Tout s'est passé si vite qu'on réagit à sa présence seulement quand la nouveau-née a pris son souffle.

— Que faites-vous ici ? Ce n'est pas votre place.

— C'est trop dur pour cet enfant. Regardez, il pleure.

— Emmenez-le, voyons !

Mais Anton supplie en joignant les mains :

— Maman, je pleure parce que je suis content. Prêtez-le-moi !

Sur un signe de la baronne, quelques instants plus tard on lui met le bébé dans les bras.

— Félicitations, Anton. C'est une petite sœur. Attention ! C'est fragile, une fille…

La voix de son père le ramène dans le présent.

— Anton, Anton ! Je vous parle. Vous ne m'écoutez pas.

— Excusez-moi, père. Je me remémorais la naissance de Charlotte et comment j'ai cru longtemps y avoir contribué.

Le général éclate de rire.

— Ouais. Vous disiez à tout le monde que sans vous Charlotte ne serait pas née ; que vous étiez son père. Vous lui avez appris à marcher en lui ordonnant : « Venez là, ma fille. » Vous étiez très drôle. Votre mère a toujours affirmé que seule votre voix lui avait donné le courage d'un dernier élan.

Le baron regarda à son tour la toile. On voyait, par un cerne grisâtre sur le mur blanc, qu'on avait récemment enlevé une autre plus grande.

Anton, depuis le mariage de Charlotte, trimbalait sans cesse dans ses malles ce portrait de sa sœur, qu'il affectionnait particulièrement.

— Depuis que vous avez eu la bonté de me le donner, il me suit partout. Surtout au château de Rohr…

— C'est normal, dit le général en interrompant son fils. Depuis des générations les baronnes von Massow y mettent leurs enfants au monde. Écoutez-moi, Anton. La conversation impromptue que nous venons d'avoir me prouve à quel point votre grande affection pour votre sœur ne s'est jamais démentie.

Cela m'incite à formuler une demande à laquelle je songe depuis quelque temps.

— Si c'est au sujet de Charlotte, soyez sans crainte. A-t-elle besoin de quelque chose que vous ou son époux n'êtes pas en mesure de lui donner et que je pourrais…

— Pas maintenant… mais sûrement un jour… quand je serai disparu.

— Père…

— Rassurez-vous, je ne suis pas moins bien qu'hier. Je parle pour plus tard. J'aimerais que vous soyez pour votre sœur le père qu'elle n'aura plus. C'est un titre que vous revendiquiez déjà, étant enfant. J'aimerais que vous agissiez avec elle comme j'agirais moi-même.

— Je vous en fais même le serment si vous voulez… mais dites-moi la vérité : vous sentez-vous plus mal?

— Non! Non! Je vous le répète. Je suis las, il est vrai. Rien de grave. C'est plutôt la vue de ce portrait et vos propres pensées qui m'ont rappelé cette promesse que je désirais de vous. Charlotte a un époux, bien sûr. Mais qui sait ce qui peut arriver à un militaire? Et elle n'a que des filles, pas de fils…

— Nous irons chez Charlotte dans quelques jours. Nous ne pouvons partir avant que le cas Radecki soit réglé. N'avez-vous pas hâte de visiter votre fille? «Notre» fille. Justement, le règlement de cette succession pourrait être bénéfique pour elle.

Le silence se fait. Les visages plutôt durs des deux hommes, et même presque cruel quant à celui d'Anton, s'adoucissent à l'évocation du nom aimé.

À ce moment, un très grand homme aux cheveux gris apparaît dans l'embrasure de la porte. Imberbe, la bouche large et généreuse, le nez droit, les pommettes saillantes, les yeux vifs, il porte sur son visage toutes les marques du dévouement. Il s'incline avec l'aisance du serviteur de longue date, mais avec une espèce de raideur qui tient du soldat.

— M. Stanislas Radecki, annonce-t-il d'une voix de basse.

— Qu'il entre, Röckel, dit le général von Massow en ajoutant tout bas, à l'intention de son fils : Allons, ne soyez pas trop dur.

Anton fait un geste qui veut dire «on verra» plutôt que «oui» ou «non». Un officier des hussards polonais entre. Il salue gravement son hôte et incline simplement la tête vers Anton. Un silence embarrassant s'établit. Le militaire attend évidemment que le général lui donne la parole.

– Monsieur, que désirez-vous?

– Mon général, c'est aujourd'hui que je dois remettre l'argent de la dette contractée envers votre beau-frère.

Le général montre Anton.

– Vous connaissez mon fils. C'est lui qui s'occupe présentement de l'héritage.

Le jeune homme frémit. Il sait que le fils ne pliera pas comme le père.

– Aujourd'hui, c'est l'échéance. Seulement… voilà… j'étais venu vous demander une faveur.

– Laquelle? rétorque sèchement Anton, d'un air hautain. Ne perdons pas de temps. Si c'est pour remettre l'échéance à plus tard, c'est non.

– Quand vous saurez… Je dois me marier et ma fiancée…

– Vous n'avez qu'à reporter la date du mariage, voilà tout. Payez d'abord vos dettes. Vous vous marierez ensuite.

– Cela nous mènerait trop loin. Nous avons déjà retardé le mariage à cause du décès de ma mère.

– Oui, je sais, reprend Anton, puisque cet événement est la raison pour laquelle le général, mon père, a consenti à différer le paiement. Mais aujourd'hui, il n'en est plus question.

– Monsieur, accordez-moi le temps que la dot de ma fiancée me soit remise. Aussitôt que je serai marié, cette dot me permettra de rembourser en partie ma dette.

– En partie seulement? rétorqua Anton.

– Oui, j'ai l'intention d'utiliser la moitié de la dot pour acquérir une fabrique qui fonctionne très bien. J'ai avec moi les détails sur l'entreprise.

– Non, monsieur! Tout cela a déjà beaucoup trop duré. Avant la mort de votre mère, vous aviez déjà obtenu un premier sursis grâce à la trop grande bonté de mon père, puis une autre remise de temps pour je ne sais quelle raison.

— La guerre avait…

— La prochaine fois, il y aura naissance d'enfant, une autre guerre, un voyage. Que sais-je encore? Cette dette doit être remboursée.

— Mais puisque je vous dis que j'ai des garanties pour l'entreprise. Je vous payerais un montant chaque mois.

Soudain, un élancement affreux dû à une blessure de guerre traverse le corps d'Anton, comme cela lui arrive parfois. La grimace provoquée par la douleur demeure sur son visage lorsqu'il répond sèchement à Radecki :

— Vous ne croyez pas que votre affaire ressemblerait plutôt à la roulette? Si je ne savais que vous êtes un joueur invétéré, je vous croirais. Mais il est de notoriété publique que vous ne pouvez pas résister aux cartes.

— Cela est du passé, je vous le jure.

— Non, monsieur. C'est assez. Votre demande n'est fondée que sur des fantômes : une dot que vous ne possédez pas encore, une fabrique que vous n'avez pas entre les mains. Et votre passé de joueur ne milite pas en votre faveur. Je vous donne trois jours, monsieur.

— Trois jours…

— Trois jours, pas un de plus. Dans trois jours, si vous ne nous avez pas remboursé cette dette, je vous fais arrêter. Je proclame dans tout le pays votre déchéance. Je vous fais casser et tous vos biens m'appartiendront.

Puis Anton sonne et, montrant le hussard blanc comme un drap, dit au serviteur :

— Röckel, raccompagnez M. le lieutenant.

— Quelle idée il a eu, mon beau-frère, de mourir et de me faire son héritier, soupire Valentin von Massow après le départ du jeune homme.

— Bah! Cet héritage criblé de dettes vous sera moins lourd quand j'en aurai réglé toutes les créances. Je vous assure que vous ne le regretterez pas.

Après quelques instants de réflexion, il ajoute :

— Pensez, mon père, que Charlotte aurait pu épouser ce Radecki.

***

Stanislas Radecki entre dans la pièce. Il hume l'air et jette un coup d'œil à la table ronde recouverte d'un tapis de soie brochée or et vert. Au centre, un énorme bouquet de fleurs diverses exhale une forte odeur poivrée.

— On dirait un vieil arbre qui sent sa mort prochaine.

Il choisit une rose rouge qu'il dépose au pied de la potiche, enlève un anneau de son doigt et l'introduit à la verticale au cœur des pétales. Puis il inspire profondément et dit d'un ton amer :

— Cette gerbe dégage en une seule fois autant de parfum qu'elle a dû en répandre dans toute son existence. On croirait qu'elle devine.

Il retire sa chapka, la place près de l'anneau, détache son sabre et le pose à côté de la coiffure militaire.

Il recule pour juger de l'effet.

— Très bien, un vrai tableau. J'aime laisser la beauté derrière moi.

Après s'être regardé longuement dans une psyché, il fait un sourire crispé.

— C'est le moment. Faisons-nous beau.

Il enlève de son épaule gauche sa courte cape bordée de fourrure, se dirige vers l'armoire, cherche parmi les vêtements, sort une casaque et se change.

— Voilà ma plus belle. Celle des revues.

Lentement, il passe les boutons d'olivier dans les brande-bourgs de fil d'or tout en se regardant complaisamment dans le miroir.

— Très bien. Nul ne peut douter de mon élégance. C'est important quand l'honneur est en jeu.

Il est bel officier avec ses yeux noirs et vifs à qui, pour le moment, la tristesse profonde qui les éclaire donne encore plus de charme. Ses cheveux commencent à grisonner, il est vrai, mais ils ne parviennent pas à le vieillir. D'ailleurs, ce gris, n'est-ce pas ce qui séduit les jolis tendrons? Ce qui avait conquis sa fiancée?

– Mes tempes… et mon château, voilà ce qui l'intéresse, je ne suis pas naïf. Mais pour être juste, de mon côté, sa dot, autant que sa beauté, m'a attiré.

Un moment, il hésite : « Dois-je mettre ma cape ? Bah ! Elle m'étoufferait. » Et il part d'un rire à la fois cynique et désespéré.

Il s'y reprend à plusieurs fois pour la jeter sur le dossier d'une chaise tapissée au petit point. Enfin satisfait, semble-t-il, de la façon dont elle gît, il dit, en prenant un air désinvolte :

– Cela fait plus intime, plus naturel et plus théâtral en même temps… comme le reste.

Il pirouette de nouveau devant le miroir, s'y regarde de près. Il passe un doigt sur sa moustache, la relève entre le pouce et l'index en l'enduisant d'une cire hongroise qu'il vient de prendre dans une petite boîte ronde et plate qu'il porte toujours sur lui.

Il sonne. Au valet qui entre, il tend une lettre.

– Allez porter ceci à l'adresse indiquée, Hermann. Et ne revenez pas de la journée. Je vous donne congé.

Resté seul, il s'empare d'une boîte sur un guéridon. Il l'ouvre, contemple des fleurs séchées et de menus objets qu'il effleure de la main. Il en retire un petit cahier couvert d'une écriture fine, le feuillette et en lit quelques passages. L'air pensif, il murmure :

– Charlotte… Si vous m'aviez aimé, j'aurais probablement vécu autrement.

Avec un soupir, il remet le tout dans la boîte qu'il replace sur la petite table. Il sort son pistolet de la gaine, vérifie le cran d'arrêt et caresse longuement l'arme.

– Tu ne m'as jamais fait défaut. Allons… il est temps de partir… Partir c'est mourir, dit-on. L'inverse est aussi vrai.

Et son rire sonore résonne encore une fois.

Le jeune officier s'étend sur son divan, le pistolet à la main.

* * *

Dans son costume de colonel qui disparaissait sous son manteau d'hiver, Friedrich venait d'arriver sur la place du marché de Wolfenbüttel. Cette ville princière, bien que n'étant plus depuis vingt ans la résidence officielle des ducs de Brunswick, avait toujours gardé le cachet littéraire et musical dont ses maîtres et mécènes l'avaient imprégnée.

Le baron s'assit près de la statue du duc Auguste le jeune. Un officier qui déambulait le vit et s'approcha en le hélant.

— Ho! Riedesel!

— Vous voilà de retour, mon ami? Il y a bien trois ans que vous êtes parti pour la Poméranie, fit Friedrich.

— Plus de quatre. Vous avez un peu de temps? Venez donc boire une chope. Je vous raconterai mon séjour là-bas, lui dit l'officier, heureux de cette rencontre fortuite.

— Je regrette infiniment. J'ai donné rendez-vous à mon épouse. Nous devons visiter une maison que j'aimerais acheter. Lessing, le bibliothécaire de Son Excellence le duc, me l'a indiquée et nous y accompagnera.

— C'est donc dire que vous quitterez Berlin? N'y possédez-vous pas votre hôtel?

— Oui, c'est vrai. Mais maintenant que j'ai été nommé colonel des carabiniers, ici, à l'Arsenal, je serai stationné dans cette ville pour longtemps, à moins qu'une guerre ne se déclare. Aussi, je préfère que ma famille m'y rejoigne.

— Vous avez bien dit votre famille? Dois-je comprendre que?...

— En effet, je suis père de deux belles filles depuis votre départ et j'attends bientôt... un fils, du moins, je l'espère.

— Je vous le souhaite. Un fils c'est si important... Bon, mon invitation tient toujours. Peut-être serez-vous libre après-demain?

— Entendu. À l'Arsenal?... Vers les trois heures?... Parfait.

L'officier allait partir quand il regarda fixement le baron.

— Au fait, Friedrich, vous avez bien connu Stanislas Radecki, n'est-ce pas?

— Bien sûr. À quinze ans nous étions à l'école d'officiers ensemble. Et nous avons combattu à Minden. Vous avez de ses nouvelles?

— Oui... Une mauvaise. Là-bas, en Poméranie, on m'a raconté qu'il s'est logé une balle dans la tête... Une dette d'honneur, paraît-il.

Friedrich resta médusé quelques secondes. Un flot de souvenirs remontaient en lui.

— Pauvre Radecki, fit-il enfin. C'est vrai qu'il avait la passion du jeu. Puis-je vous demander un service? Si le hasard vous fait rencontrer mon épouse, n'abordez pas le sujet. Radecki a été… disons… mon rival malheureux. Malgré tout, les femmes restent sensibles aux gens qui les ont aimées.

— J'aurai bonne mémoire. Je vous laisse. À jeudi.

9

Château de Salzdahlum, duché de Brunswick, janvier 1776

Depuis un moment, le colonel von Riedesel écoutait attentivement le duc de Brunswick-Lunebourg lui expliquer la situation à laquelle George III faisait face.

– Vous n'êtes pas sans savoir que les colonies anglaises de l'Amérique se sont révoltées contre mon beau-frère George III et qu'elles ont même osé tirer sur les soldats de Sa Majesté.

Un peu surpris qu'on s'adressât à lui plutôt qu'à un général chevronné, mais connaissant l'amitié que lui portait le duc, Friedrich von Riedesel réfléchit un moment.

– Quel genre d'hommes sont ces colons qui s'insurgent contre leur roi anglais?

– *Ach!* Des planteurs et des commerçants! Encore que les planteurs, dit-on, ne se sont engagés dans cette révolte que parce qu'ils doivent de l'argent aux marchands, ces gens qui refusent de payer leurs taxes.

– Sait-on qui les dirige? demanda encore Riedesel, moins intéressé par les événements qui se déroulaient si loin des pays allemands que par les conséquences militaires qui pourraient en découler.

– Pfft! Ils ont formé une espèce de ligue qu'ils nomment le Congrès. Ses membres, à l'instar de l'écrivain Jean-Jacques Rousseau, affirment que la souveraineté vient d'en bas et que le gouvernement n'en détient que la délégation. Comme si l'autorité monarchique n'était pas de droit divin! Et que dire de ce Goethe et ses *Souffrances du jeune Werther*! Voilà que nos jeunes gens s'habillent «à la Werther». Leur habit bleu, leur pantalon jaune et leurs souliers sont ridicules. Bientôt on mourra pour une femme plutôt que pour son souverain!

— Ces rebelles ont-ils une armée?

— Une armée! Une racaille, oui! Ils étaient seize mille déguenillés à assiéger une petite ville portuaire nommée... Boston, et ils ont tout simplement été repoussés par un général anglais.

— Et leurs chefs, monseigneur?

— Ils ont pris le nom de généraux. Le généralissime est un planteur du nom de George Washington; il possède un peu d'expérience militaire qu'il a acquise contre les Français. Un autre, un dénommé Benedict Arnold, est un commerçant de drogues et de chevaux. Vous qui êtes un passionné et un grand connaisseur des races chevalines, Riedesel, vous voyez-vous recevoir des ordres de votre maquignon? Quelle aberration! Enfin, il y a une espèce d'aventurier à la tête des semi-proscrits indisciplinés qui terrorisaient les colons dans le nord de la Nouvelle-York, mais qui se sont ralliés aux révoltés.

— Ces commerçants et ces bandits ne devraient pas être difficiles à maîtriser par de vrais militaires.

— Le malheur pour le roi anglais, c'est qu'il n'y a pas assez de soldats britanniques en Amérique. Les armées sont dispersées à Gibraltar, en Afrique et même aux Indes. J'ai donc accepté de fournir des fantassins et des dragons, sans les chevaux. Nous équiperons nos troupes, qui devront être aussi bien traitées que si elles étaient anglaises. Nos malades et nos blessés seront soignés dans les hôpitaux anglais. Le salaire de nos morts et de nos blessés nous sera remis. Chaque soldat rapportera sept livres et quatre shillings, plus une prime. Un bon traité, Riedesel, n'est-ce pas?

— En effet, monseigneur, c'est la meilleure paye jamais donnée pour un soldat, à ma connaissance. Il faut que l'Angleterre tienne vraiment à ses colonies!

Un silence s'installa. Friedrich réfléchissait. Il voulait s'assurer que tout avait été prévu dans les clauses.

— A-t-on pensé aux déserteurs? Il y en a toujours.

— Avec de telles conditions, il y en aura très peu. Je préciserai qu'il faut éviter d'employer des voleurs de grand chemin. Ce sont surtout ceux-là qui désertent. D'ailleurs, tant que nos soldats traverseront le Hanovre pour se rendre aux bateaux qui les conduiront d'abord en Angleterre, puis en Amérique, Sa Majesté George III, en tant qu'Électeur du Hanovre, s'en portera garant. S'il y a des déserteurs à l'extérieur de son électorat, nous perdrons leur salaire. C'est pourquoi il nous faut de bons généraux.

Le duc regarda le baron avec un large sourire, comme s'il attendait quelque chose de lui. Friedrich frémit. Il pressentait ce qui suivrait, mais n'osait pas aller au fond de sa pensée.

— Voyons, mon cher Riedesel, vous qui connaissez l'Angleterre pour y avoir vécu avec un régiment hessois, vous parlez l'anglais, n'est-ce pas?

— Je ne maîtrise pas cette langue comme le français, monseigneur, mais je me débrouille.

— Je vous estime et je me considère votre ami. J'ai pensé que vous seriez le militaire par excellence pour diriger un des régiments que j'enverrai en Amérique, si vous acceptez, évidemment.

Le baron resta impassible. Depuis quelques secondes, il s'attendait à cette demande. Intérieurement, il ressentait à la fois de l'exaltation et un grand vide; et sa pensée se tournait vers sa femme, ses filles, et ce fils qu'il attendait avec impatience. L'Amérique, c'est loin, pensa-t-il.

— C'est une proposition que je vous fais; je ne vous donne pas un ordre, mais je ne vous cache pas que cela m'agréerait si vous acceptiez. Prenez deux jours pour réfléchir; je sais que c'est une grave décision…

* * *

— Vous êtes bien pensif, Friedrich, depuis que vous êtes revenu de la capitale, fit Charlotte, inquiète.

Elle avait observé son mari tout au long du repas mais n'avait pas voulu le questionner tant que les enfants n'étaient pas couchées. Maintenant, installée au salon, une tasse de thé à la main, elle désirait trouver une réponse à l'attitude de son mari, qui l'intriguait.

— J'attendais que nous fussions seuls pour vous raconter mon entrevue avec Mgr le duc.

Friedrich fit alors un récit exhaustif de sa rencontre. À mesure qu'il parlait, Charlotte sentait la crainte l'envahir. Cependant, comme elle percevait une certaine hésitation chez lui, elle comprit qu'il tiendrait compte de sa manière de voir, de ses sentiments à elle, et lui en fut reconnaissante. Elle s'efforça de rester calme lorsqu'elle demanda :

— Avez-vous pris une décision, Friedrich?

— Pas encore. Il le faudrait bien, mais cela me coûte. Bien sûr, si je refuse cet honneur, le duc ne m'en voudra pas puisqu'il me laisse le choix. Pourtant, quand je pense à mon avancement… On se désintéressera sûrement d'un officier qui refuse un tel service. Je suis trop jeune pour stagner ou démissionner. Cette chance d'être nommé général, cette paye inhabituelle… Mais je me sens si malheureux de vous laisser, vous, les petites, et cet enfant que je ne connaîtrai que plus tard (et il pensait : «peut-être jamais»).

Au prix d'un grand effort, Charlotte sourit.

— Avant que tout soit organisé et que vous partiez, j'aurai probablement mis au monde notre fils.

— Vous savez, Charlotte, cette guerre est commencée depuis quelque temps là-bas. Nous devons faire vite. Il est fort possible que je sois absent au moment de la naissance.

Charlotte tenta de ne pas faire voir son désappointement.

— Jusqu'ici, Friedrich, je ne me suis guère occupée de politique. On prétend que ce n'est pas l'affaire des femmes. De toute façon, je suis fille de général : il ne me viendrait pas à l'idée de gémir contre la guerre, qui est occasion d'héroïsme, de récompenses et d'honneurs. En vous épousant, j'ai accepté d'être fidèle à mon nouveau pays, mais je suis prussienne, j'aime toujours mon sol natal. Ne dit-on pas que le roi de Prusse a refusé de se mêler au conflit entre l'Angleterre et ses colonies? Pourquoi le duc a-t-il accepté?

— En effet, Sa Majesté le roi Frédéric, qui est riche, préfère garder ses armées à portée de la main au cas où ses alliés se retourneraient contre lui, séduits par une Pologne renaissante. Mais je vous rappelle que je suis au service du prince de Brunswick, qui a besoin d'argent.

– Je le sais, mon ami. Votre devoir envers le duc passe avant mon inquiétude; je le dis sans amertume, et je sais très bien que les guerres sont et seront toujours inévitables. Seulement, cette guerre-là, je ne la considère pas comme une autre. Ce n'est pas tellement l'ennemi que je crains; mais à la pensée qu'un océan nous séparerait, j'ai des sueurs froides et je m'indigne qu'on puisse exiger une telle chose de vous.

– Quelle jolie rebelle vous feriez! Mme la baronne s'indignant des ordres de Mgr le duc. S'il me fallait traverser dix océans pour vous guerroyer, je n'hésiterais pas un instant; je partirais même à la nage, fit Friedrich, attendri, en essayant d'être enjoué.

Il prit sa femme dans ses bras et, pour quelques minutes, ils oublièrent leurs soucis.

– Prévoyez-vous que ce voyage sera long? demanda enfin Charlotte d'une voix morose, en revenant sur terre.

– Quelques mois, tout au plus. Le temps de traverser, de rejoindre les révoltés, de les mater, de parlementer, de retraverser l'océan. Le voyage sera certes plus fatigant que la bataille!

– Ce sera interminable. Surtout, vous n'aurez pas la chance d'entendre les premiers balbutiements de votre fils.

Elle pensa: «Il faut que je trouve une solution. Des mois loin de lui, c'est trop long. Que faire?… À moins que… Oui! C'est cela!»

– Au fond, la seule chose qui vous ennuie, c'est de nous quitter, moi et les enfants, n'est-ce pas? dit-elle tout haut.

– Comment pouvez-vous me poser une telle question? Bien sûr, ma chérie. Vous êtes toutes les trois, tous les quatre, devrais-je dire, la seule raison de mes hésitations… Vous laisser à un tel moment!…

– Alors, il y a une façon de régler ce problème. C'est facile, je pars avec vous.

Le baron sursauta.

– Quoi? Me suivre! Dans ce pays! Sur cet océan! Mais quelle idée folle, mon pauvre amour! Vous n'envisagez pas l'horreur de cette traversée, de ce pays inconnu. Ce n'est pas l'Europe avec sa civilisation.

– Oh! la civilisation européenne… Vous oubliez qu'à onze ans j'avais déjà vu bien des images terrifiantes : des soldats mutilés, des chevaux éventrés, des maisons brûlées, des enfants décharnés. Ça ne peut être pire!

– Certes. Mais ici il y avait des compatriotes qui pouvaient vous recevoir. Là-bas, qui trouverez-vous?

– Et vous? N'y serez-vous pas? Au moins je pourrai m'occuper de vous. Et puis, il y a sûrement des personnes loyales à l'Angleterre dans ces colonies anglaises.

– Oui! Je suppose…

Déjà la voix du baron perdait de sa fermeté, devenait rêveuse. Il commençait, tout au fond de lui-même, à entrevoir la possibilité de ne pas être séparé de sa chère Charlotte.

– Et puis, n'avez-vous pas dit que des militaires ne feraient qu'une bouchée de ces bandits?

– Bien sûr! Bien sûr! Mais tout de même. Pensez-y, mon amour : être séparée de vos enfants pendant tant de mois… Ah non!… Je ne vous vois pas.

Bien qu'il eût, un cours instant, cédé à la tentation, le baron secoua tristement la tête. Un peu plus et il se serait laissé emporter par l'exaltation de Charlotte, mais il lui fallait revenir sur terre. Il se leva et se mit à arpenter le salon de long en large.

– On pourrait même emmener les enfants! ajouta la baronne.

– Cette fois, vous perdez la tête, Charlotte. Déjà que je n'aime pas l'idée de vous voir traverser l'océan, comment pourrais-je envisager celle de mes filles sur des coques de noix? Je n'ai navigué que sur la Manche par beau temps. Mais rappelez-vous les tristes récits rapportés par les capitaines de M. de Saint-Pierre : mâts arrachés, marins enlevés par des vagues vingt fois plus hautes qu'une maison, marchandises jetées à la mer, et j'en passe. Non! Non! Ce n'est pas possible. Laissez-moi seul prendre ces risques. Je ne vous donne pas la permission de me suivre, ni vous et encore moins les enfants.

Charlotte se leva à son tour.

– Quel beau conte, fit-elle d'une voix sarcastique. Il me console de votre départ et m'inspire de douces perspectives pour tout le cours de votre voyage.

– Il n'est pas dit qu'il y aura de si effroyables tempêtes, répondit Friedrich, embarrassé, s'apercevant trop tard qu'il avait soulevé des spectres qui maintenant le desservaient.

Charlotte se pendit à son cou.

– Mon ami… Un jour, après la mort de nos deux enfants, vous m'avez dit d'éloigner de moi les pensées négatives liées à un futur qu'on ne connaît pas et contre lequel on est en partie impuissant. Vous m'avez aussi poussée à m'accrocher à ma foi et à ma confiance en Dieu. Aujourd'hui, c'est à moi de vous tenir le même discours. Faisons confiance à la Providence. Elle nous protégera.

– Mais vous êtes enceinte, ma chérie. Il n'est pas question que vous voyagiez dans cet état.

– Il me semble qu'il me sera plus facile de supporter cette aventure à vos côtés que d'endurer une si longue absence.

Toute la tristesse de la séparation envisagée, qui s'était éloignée sous l'effet de la stupéfaction, revint envahir le baron.

– C'est insensé. Je refuserai l'offre de monseigneur.

– C'est cela qui serait insensé, vous le savez bien. Dites-moi, y aura-t-il des femmes qui suivront l'armée?

– Évidemment, il y aura quelques femmes de soldats, celles qui consentent à suivre leur époux pour cuisiner, laver, coudre et soigner. Elles accompagnent les bagages quand l'armée marche. Mais aucune dame de votre rang ne sera assez téméraire pour entreprendre ce voyage. Ce serait folie.

Charlotte prit un air boudeur que démentaient ses yeux malicieux :

– Promettez-moi d'accepter ce que je vais vous demander, mon petit Friedrich! Mon petit colonel adoré!

– Dites-moi d'abord ce qu'il faut promettre, demanda son mari, inquiet.

– Allons, faites-moi confiance.

Elle était si touchante, si belle; et lui, si amoureux, si indécis, au fond, qu'il abandonna :

– Allez-y, je promets.

– Advenant le fait qu'une autre épouse d'officier suive son mari, vous nous permettrez, à moi et aux enfants, de vous accompagner en Amérique.

Un silence s'établit. Le baron se dirigea vers la fenêtre et, bien qu'il semblât regarder à l'extérieur, il vit nettement le reflet de sa femme dans la vitre. Immobile, elle attendait son verdict.

Refuser de participer à cette guerre qui le propulserait sur la scène militaire, c'était impossible. S'éloigner de cette femme qu'il aimait si profondément, c'était encore plus impensable. Il se sentait très mal dans le rôle d'un héros de théâtre qui devait choisir entre l'honneur et l'amour. Téméraire ou courageuse, Charlotte n'apportait-elle pas la seule solution possible?

Lentement, il se retourna vers elle :

— Charlotte, ma chérie, à votre tour jurez-moi quelque chose avant que je vous donne ma permission.

— Je vous le jure, fit Charlotte, la voix tremblante.

— Promettez-moi, quelle que soit la date de mon départ, que vous attendrez la naissance de l'enfant avant de partir et que vous ne traverserez pas la mer sans être accompagnée d'une dame de qualité qui connaît l'Amérique. Et ce, à la condition que des dames accompagnent leur époux officier, naturellement.

Elle se précipita dans ses bras.

— C'est entendu. Merci, mon chéri. Je suis si heureuse. Si heureuse!

Le baron, lui, continua d'être partagé entre deux sentiments qui se faisaient déjà la guerre : la joie à la pensée qu'il ne serait peut-être pas séparé longtemps de sa famille et la crainte que lui inspirait ce voyage pour les siens.

10

Petit village de la Hesse-Kassel, Empire germanique

Le jeune homme qui entrait dans l'auberge remarqua à peine les deux seuls occupants de la salle, des militaires. Il déposa son épée et son sac à côté de lui sur le banc. Ouf! Qu'il faisait bon se reposer après toute une journée de marche. Il n'avait mangé que du pain et du fromage vers midi, à l'ombre d'un arbre. Quelle belle journée! Jouir du paysage, de la chaleur, de l'exercice, mais surtout se sentir libre. Plus de querelles avec des professeurs étroits d'esprit et pédants. Changer d'atmosphère, tout quitter, partir, respirer enfin!

Il ferma les yeux. La fatigue et la faim surtout modéraient son exaltation. Et, pour la première fois depuis sa décision spontanée de changer d'université, il se posa la question : «Leonhard, as-tu bien fait?» Une voix près de lui le fit sursauter.

— Vous allez loin comme ça, jeune homme?

Leonhard, qui n'avait pas vu s'approcher le militaire, fit la grimace. De quoi se mêlait cet officier à moustaches de chat? Enfin, soyons poli, se dit-il.

— Assez loin, oui.

— Mais encore, vous avez bien un but. D'ailleurs, il semble que vous ne soyez pas de la région.

— Je ne suis que de passage. Je vais étudier, répondit le jeune homme, qui détourna ensuite la tête pour montrer que l'entretien était fini.

— Étudier, tiens, tiens! Vous semblez fort, grand et bien bâti. Saviez-vous que notre landgrave offre une excellente solde pour une bonne recrue comme vous?

Leonhard éclata d'un rire forcé.

– Très peu pour moi. Je n'aime pas la guerre.

– Dommage! Vous auriez un bel uniforme. Vous feriez de beaux voyages. À voir la poussière sur vos souliers, vous semblez aimer marcher.

– Non! Non! Mon uniforme d'étudiant me plaît. Ma bourse me suffit. Quant à mon itinéraire, eh bien, ne vous inquiétez pas pour moi, je sais parfaitement où il me conduit.

– Alors l'armée ne vous intéresse pas?

– Pas du tout. À chacun son métier. Si vous aimez le vôtre, tant mieux. Moi, j'aime le mien. Sans vouloir vous offenser, mon officier.

– Quel est votre nom, jeune homme?

– Leonhard Koch.

– Montrez-moi vos papiers.

La moutarde monta au nez de Leonhard.

– Dites donc! De quel droit? Ce n'est pas parce que vous êtes agent recruteur, si je comprends bien, que je suis obligé de vous dire qui je suis.

– Du droit que je suis officier de Mgr le landgrave de Hesse-Kassel; que vous êtes sur son territoire et que vous avez une arme. Êtes-vous gentilhomme, soldat ou bretteur pour porter une épée?

– Je viens de vous le dire, je suis étudiant.

– On a assassiné un homme cette nuit, reprit le militaire. C'est peut-être avec votre arme, qui sait?

– Moi! Assassin!

«Vite, il faut prouver à cet imbécile que je suis vraiment étudiant, puis partir d'ici, même le ventre creux, pensa Leonhard. Ça sent vraiment trop mauvais dans ce village.» Avec une répugnance visible, il sortit ses papiers.

– Voici. Vous verrez, j'ai dit la vérité. J'étais à Leipzig. Je vais à Paris. Maintenant, laissez-moi partir.

– Étudiant, hein! À Paris! Un espion peut-être?

Le rouge de la colère monta au visage de Leonhard. Puis il se calma. Rien à faire avec ce crétin. Surtout ne pas créer d'histoire. Mais soudain, l'officier déchira les papiers et d'un mouvement vif les jeta dans le feu où mijotait un bouillon dans une soupière.

En poussant un cri, Leonhard bondit pour récupérer son bien – sans cela il n'était plus rien –, mais trouva devant lui le pistolet d'un autre militaire. Il se retourna pour prendre son épée : elle était déjà dans la main de l'officier. Évidemment, ce n'était pas la première fois que ces deux coquins jouaient à ce petit manège.

– Aubergiste! Aubergiste! courez chercher les gendarmes. Mon Dieu, mais que fait cet aubergiste de malheur?

L'aubergiste ne se montra pas.

– Allez! Marchez droit devant, ordonna froidement l'officier à l'étudiant. Vous êtes un rôdeur sans papiers, n'essayez pas de vous sauver. Nous vous tuerions sans merci.

Leonhard, atterré, ne bougeait pas.

– Pourquoi? Mais pourquoi? dit-il d'un ton désespéré. Pourquoi détruire mes papiers?

– Quels papiers? Vous n'avez aucun papier. Vous êtes en état d'arrestation. Nous ne savons pas qui vous êtes. Mais je serai bon prince. Vous étiez venu pour manger? Eh bien, mangeons!

On força Leonhard à s'asseoir dans un coin de la salle, dos au mur du fond, entre le jeune militaire à tête de buse et le mur de droite. L'officier s'installa en face de lui. L'étudiant était coincé.

– Holà! Aubergiste! de la soupe et du pain.

Comme si tout était normal, le maître de céans et les marmitons apparurent.

– Mais enfin, capitaine, que voulez-vous de moi? Vous devez vous tromper de personne. Je ne suis pas un malfaiteur.

– Ne discutez pas. Vous êtes une recrue, une recrue volontaire, qui s'est engagée pour l'amour des armes, ou un prisonnier évadé. À votre choix.

Leonhard ouvrit la bouche pour protester, puis se tut. Il ferma les yeux et se força au calme.

– Écoutez, capitaine, laissez-moi partir. Vous avez bien vu que je ne mentais pas. Je ferai un mauvais soldat. Je ne vous en veux pas. Je sais que vous obéissez à des ordres. Je vous jure que je m'en irai en oubliant toute cette histoire. Je n'en parlerai à personne.

– Quelle histoire?

– Les papiers… tout ça.

– Les vagabonds inventent n'importe quoi. Entre votre parole d'individu errant sans papiers et ma parole d'officier, qui pensez-vous qu'on croira?

Puis, en se tournant vers l'aubergiste, il ajouta :

– Alors, cette chambre en haut, elle est prête?

Servilement, le gros homme s'inclina.

– Quand ce malandrin aura fini sa soupe, tu nous conduiras à nos appartements, reprit le capitaine d'un ton ironique.

Dans la chambre à deux lits et à la fenêtre munie de barreaux où se retrouva un peu plus tard Leonhard, la tête de buse remit les armes à l'officier aux moustaches de chat, qui les passa à l'aubergiste. On ordonna au jeune homme de se déshabiller et de donner tous ses vêtements. Nu comme un ver, il dut se mettre au lit. Le sous-officier se débarrassa à son tour de ses vêtements et les confia à l'aubergiste, qui disparut au rez-de-chaussée. Ensuite, la buse se coucha. On sentait que tous ses gestes avaient été répétés de nombreuses fois. Le chat plaça un fanal allumé au centre de la pièce, entre les deux lits. Ainsi, aucun geste du prisonnier ne pourrait surprendre le gardien. Puis le chef se retira en fermant la porte à clef.

Sous ses couvertures, Leonhard éprouva toutes sortes de sentiments. De l'hébétude il passa au désespoir, puis à la haine. Il aurait voulu pouvoir tuer ce monstre qui ordonnait d'enlever des gens sans défense pour en faire des soldats – des esclaves, en somme. Il voulait faire souffrir ces misérables princes sans cœur, incapables de sentiments humains. Il rêva de fuite pour accomplir sa vengeance, mais revint vite à la réalité : nu, sans arme, sans ressources, sans papiers, comment pourrait-il se sauver? Oui, comment? Son cerveau surexcité travaillait à toute allure. Se calmer d'abord! Patienter. Faire semblant d'accepter son sort, rester en forme, donc dormir. Sortir de ce cauchemar par le rêve.

Et il s'endormit, le sommeil devenant, pour lui, la seule évasion possible.

11

Wolfenbüttel, le 22 février 1776

Il venait d'embrasser ses deux filles, tout doucement pour ne pas les réveiller, puis il était retourné à sa chambre. Il regardait par la fenêtre la bruine grise et humide de février qui enveloppait la ville. Soudain, il eut une pensée pour ces condamnés à mort qu'on venait chercher à l'aube; il souffrit pour eux car, comme eux, il éprouvait un grand désespoir. Ses juges? Le Devoir et l'Honneur. Sa condamnation? S'éloigner, au-delà des mers, de sa Charlotte et de ses enfants.

Comme un galérien qui espère être gracié, il se surprit à croire au mirage d'un émissaire du duc lui apportant un message sur lequel il lirait : «Les rebelles se sont soumis. Vous ne partez plus.»

Quelle idée peu raisonnable! Il avait besoin d'une guerre. Autrement, quel espoir aurait-il de monter en grade? À trente-huit ans, ses ambitions ne lui permettaient pas de stagner comme simple colonel de carabiniers responsable d'une garnison. Ce qu'il aurait fallu, c'était une petite guerre, pas trop longue, pas trop dangereuse, pas trop éloignée, juste assez pour montrer encore une fois son savoir-faire et gagner quelques galons et quelques groschens de plus. Que penser de cette guerre lointaine? Quels paysages, quelles bêtes, quelles sortes d'ennemis rencontrerait-il? Comment prévoir les tactiques de guerre de ces gens? Sans qu'il s'en rende compte, le regret aiguillonnait son intuition. Il poussa un soupir.

Un sanglot lui fit écho. Se retournant, il vit sa belle Charlotte appuyée contre le chambranle de la porte. De grosses larmes coulaient le long de ses joues, de son cou, jusqu'à l'échancrure de sa robe gonflée par le lait de sa grossesse. Déjà ému par l'image qu'il venait d'évoquer d'elle, Friedrich fut encore plus troublé de la trouver là, dans la réalité de son corps, avec ce beau regard où il devinait tant d'amour désespéré. Elle était si attendrissante, malgré les rondeurs de son état, ou peut-être à cause d'elles! Il sentit ses yeux se mouiller de toutes les larmes qui brouillaient son cœur depuis la minute où, ne pouvant dormir, il s'était levé alors qu'il faisait encore nuit.

Il attira sa femme vers lui. Il cacha ses larmes indignes dans la belle chevelure, plus épaisse et plus douce que jamais, comme chaque fois que Charlotte était enceinte. Un moment, il comprit son propre père d'avoir voulu faire de lui un avocat et non pas un militaire. Il se demanda même pourquoi il avait eu la sottise de mécontenter ce dernier en s'échappant de l'université pour épouser la profession des armes. Il se sentait le cœur brisé et, pour la première fois, douta de son choix.

À son habitude, il réagit contre sa propre faiblesse, et son bon sens de militaire reprit le dessus. Il serra très fort sa femme, comme pour lui transmettre toute la force qu'il retrouvait en lui-même.

— Ma chérie, Dieu m'a confié un terrible devoir. Nous n'avons pas le droit de nous en plaindre… ni les moyens, hélas! Nous avons deux filles et bientôt nous aurons un fils, je n'en doute pas. Nos revenus actuels ne nous permettraient pas de les établir tous confortablement. Cette guerre est une chance.

Puis il essaya d'être gai, mais son sourire était plutôt une grimace et sa voix, un enrouement.

— Allons, Charlotte. Où est cette brave fille de Minden qui m'avait ébloui par sa vaillance et son humour sous la tente du général, son père? Où est cette jeune femme si rieuse qui sait dérider non seulement des ducs, mais jusqu'au sévère roi de Prusse?

— Vous partez si loin, mon amour. Vous traverserez l'océan. Ce voyage chez des sauvages qui vous arracheront les cheveux sera terrible.

— Je mettrai trois perruques. Ils seront si surpris qu'ils me prendront pour un dieu.

— Vous vous moquez de moi, alors que je suis si triste.

— Je ne vais pas me battre contre des sauvages, mais contre des colons révoltés. Vous avez même insisté de toutes vos charmantes larmes pour venir avec moi. De toute façon, ne me rejoindrez-vous pas dans quelque temps? Vous dites avoir peur pour moi. N'éprouvez-vous pas le même sentiment pour vous et nos enfants?

— Oh! si, j'ai peur, reprit Charlotte. Mais ma peur est moins lourde à mon cœur que votre éloignement. Si seulement vous étiez en mesure de nous attendre. Si nous pouvions voyager ensemble, combien cela serait plus supportable.

— Mais nous devions nous mettre en route dès le 15 du mois et nous sommes déjà le 22 février. Le souverain d'Angleterre doit certes commencer à s'impatienter. Vous lui avez déjà ravi une semaine, termina Friedrich en riant.

Le colonel s'assit et attira sa femme sur ses genoux. Elle protesta pour la forme :

— Je suis si lourde.

— Une lourdeur qui vous sied à merveille, ma chérie, et qui m'agrée. Vous avez l'air si jeune malgré vos quatre autres accouchements.

Un silence s'établit. Tous deux pensèrent un moment à la mort de leurs deux aînés. Le colonel poursuivit :

— Pourtant, votre décision de me suivre en cette terre lointaine et inhospitalière me prouve à quel point vous êtes courageuse et combien vous m'aimez. Avoir peur et contre vents et marées foncer, voilà bien, madame, les qualités d'un grand général. Et que dire de votre condition et de vos responsabilités face à vos enfants! Je ne vous admirerai jamais assez. Toutefois, je trouve peu raisonnable d'entreprendre ce voyage seule, à ma suite.

La baronne, inquiète, crut qu'il voulait lui retirer la permission de le suivre. Elle ouvrit la bouche pour protester; il la fit taire en l'embrassant.

— Ne craignez rien, mon amie. Je vous ai fait la malheureuse promesse que, si d'autres dames accompagnaient leur époux officier, vous pourriez venir. Pour être franc, j'étais certain qu'aucune d'entre elles n'oserait le faire. Ne froncez pas vos jolis sourcils. Il faut croire qu'il me reste encore beaucoup de choses à découvrir de la femme. Sept de ces dames m'obligent à tenir ma promesse. Je n'ai qu'une parole, ma Charlotte.

Si certains mots qu'il employait semblaient ne tenir que du badinage, son sourire forcé prouvait le contraire, quand il continua :

— Voulez-vous que je vous fasse un aveu? Mais promettez-moi de ne pas abuser de ma confession.

Elle le regarda d'un air stupéfait, puis acquiesça de la tête à sa demande.

Alors il reprit, tout en coupant ses paroles de baisers :

— Malgré la condition que j'avais imposée… j'espérais qu'il y aurait des femmes… comme vous… assez amoureuses… pour vouloir suivre leur époux… car je ne pouvais supporter… l'idée de vivre… si longtemps… sans vous…

Elle rit.

— Arrêtez, Friedrich, que je vous embrasse pour ces mots.

— Et voici un deuxième aveu. J'espère qu'il me vaudra un autre baiser. On me dit brave, Charlotte, mais je crois pourtant que je mériterais de passer par les armes, car devant vous je suis un lâche.

Charlotte eut un geste de protestation.

— Ne parlez pas. Écoutez-moi. Le pire, c'est que j'aime ma lâcheté. Parce que sous votre gaieté légère vous êtes pleine de bon sens, sous vos larmes, pleine de courage et d'énergie, sous votre air de jeunesse, pleine de sagesse. Aussi je sais que je peux me fier à vous, que nul ne veillera mieux que vous sur nos enfants et sur moi. Nos deux filles, gardez-les bien précieusement. Il m'est tellement difficile de les quitter, de ne pas être à vos côtés durant ce long périple, termina-t-il avec tendresse.

Il la repoussa légèrement et remonta son petit menton pour la regarder droit dans les yeux. Il ne pouvait plus retenir son angoisse.

— Charlotte, promettez-moi de veiller sur vous-même. Ne soyez pas triste, cela pourrait être dommageable pour notre fils. Prenez soin de vous afin de venir me rejoindre le plus tôt possible. Le temps me paraîtra si long sans vous.

– Moins qu'à moi. Vous aurez tant de responsabilités.

– Quand je serai en Angleterre, je ferai le bilan de cette moitié de voyage et je vous enverrai des directives. Promettez-moi de les suivre à la lettre.

– Je vous le jure, mon chéri.

– Je voulais vous dire aussi…

À ce moment, on frappa à la porte. La voix d'une servante retentit :

– Monsieur le baron, l'aide de camp de monsieur le baron est arrivé.

– Déjà, murmura Charlotte en mettant ses mains sur son visage.

– Dites-lui, fit le colonel, d'une voix sèche qui révélait néanmoins toute son émotion retenue, dites-lui que je viens.

Puis il s'adressa de nouveau à sa femme :

– Charlotte, je vous reverrai cet après-midi avec les enfants. On vous a réservé une place d'honneur à la fenêtre du château, près de Mgr le duc. De la cour du palais d'où nous partons, je vous saluerai. Mais maintenant, avant de nous quitter, je dois vous rassurer pour l'avenir. J'ai gardé cette nouvelle pour la dernière minute. Il ne servait à rien d'envisager trop tôt avec vous l'éventualité de ma mort. Chut… ne parlez pas (il mit sa main sur les lèvres de Charlotte). Il le faut maintenant. Voici une lettre de cachet. Gardez-la précieusement. Elle me vient de Mgr le duc. C'est sa promesse de prendre soin de vous et de nos enfants par une pension acceptable qui vous mettrait à l'abri de la pauvreté si jamais je disparaissais dans cette guerre. Il a beaucoup de bontés pour nous. J'ai aussi obtenu du roi Frédéric la permission de disposer de la propriété que je possède en Prusse. La somme de la vente vous serait octroyée en cas de malheur. Mais ne vous inquiétez pas. Je n'ai aucunement l'intention de mourir. Voilà, je dois partir maintenant, Charlotte.

Ils s'embrassèrent longuement. Le cœur gros, Friedrich se détacha le premier. Ses mains faillirent se crisper sur les épaules de sa femme, mais il ne termina pas son geste. Les yeux humides, il murmura plutôt qu'il ne prononça distinctement :

– Vous quitter m'est un martyre. Jamais de toute ma vie je n'ai souffert autant que ce matin.

Puis il tourna brusquement les talons et s'éloigna dans le corridor. Dans sa tête tournaient des mots : «Qui sait? Il lui sera peut-être impossible de me suivre. Cela semble tellement improbable. Je ne la reverrai pas. Quand elle aura l'enfant, elle n'aura peut-être plus le courage de se mettre en route. Elle pensera sûrement à nos deux petits disparus. Dieu, que je me sens lâche!»

Charlotte écouta décroître les pas de Friedrich. Cette fois, elle serait vraiment seule pour l'accouchement. Même si sa famille l'entourait, il serait absent. Le reverrait-elle? Elle fut prise d'un haut-le-cœur en même temps qu'une sueur froide la parcourut. Elle n'eut que la force d'aller s'étendre sur un canapé, et ferma les yeux.

12

Berlin, février 1776

La fin de février, avec ses pluies et ses bourrasques, s'était montrée discourtoise, en cette année 1776. Il n'y avait personne dans les rues enneigées de Berlin, sauf quelques pauvres guettant, sans espoir mais par habitude, les retardataires pressés par le froid et l'heure du repas. Les fenêtres des riches maisons formaient des jeux de lumière sur le sol d'une nature déjà enveloppée dans la nuit précoce et morose.

Chez les von Massow, en hiver, on délaissait la campagne pour le chic quartier de Friedrichstadt, à Berlin. Ce soir-là, au 73 de la Wilhelmstrasse, on recevait en l'honneur de Charlotte qui était venue passer quelques jours avec ses enfants, à l'invitation de sa mère.

On en était au troisième service. Le cliquetis des ustensiles, le tintement des verres, la détonation des bouchons qui sautaient, la rumeur de voix joyeuses, tout ce bruit bourdonnait aux oreilles de la jeune femme, qui observait les imperturbables statues, entre les pilastres cannelés de la salle; elle se rappelait combien, enfant, elle avait peur de leurs yeux vides qui semblaient fixer son assiette et lui dire : «Ne laisse rien sur le marli, sinon tu n'auras pas de dessert.» Ses filles partageaient-elles ses craintes enfantines?

Les feux du candélabre de Bohême suspendu au-dessus de la table d'acajou jetaient des ombres et des lumières dansantes sur la porcelaine et l'argent des couverts et sur les visages qui s'échauffaient sous l'effet du vin et des rires. Charlotte tourna la tête vers le général von Massow qui trônait à l'un des bouts de l'immense table. Il arborait ses médailles, même si c'était un souper familial, pour honorer les deux officiers, porteurs d'un message de M. von Riedesel, qu'il avait invités à se joindre à eux. Le baron était le seul absent, car tous les autres membres de la famille von Massow, autant ceux du premier lit que ceux du deuxième, assistaient à ce repas. Des cousins et même des amis intimes étaient aussi présents. On se serait cru à Noël. L'ambiance était agréable, les odeurs, subtiles, et les mets, savoureux.

Pourtant, Charlotte perçut une tension chez sa mère lorsqu'un convive demanda s'il était vrai que le colonel, son mari, était déjà parti pour l'Amérique. À la nouvelle qu'il venait d'être nommé commandant général de toutes les armées allemandes mais qu'il ne s'était pas encore embarqué pour le Canada, des commentaires s'élevèrent.

Certains dirent que le bruit courait – mais qu'ils ne pouvaient y croire tellement c'était folie – qu'elle voulait suivre son époux de l'autre côté de l'océan. Dans son état, n'était-ce pas imprudent? Son époux était-il d'accord? N'était-ce pas inconvenant de traverser l'océan en compagnie de tant de soldats? Avait-elle vraiment réfléchi à tous les inconvénients d'un tel voyage? Comment! Elle partait avec les enfants! Savait-elle que les sauvages de ces pays enlevaient, dépeçaient, écorchaient vifs, brûlaient et mangeaient les gens? Que les populations européennes établies là-bas, en Amérique, n'étaient qu'à demi civilisées… Quoi? Elle avait l'intention d'emmener aussi le bébé!

Charlotte répondit, d'un ton aussi calme que possible, qu'en effet elle avait l'intention d'accompagner son mari en Canada. Non, elle ne partirait pas immédiatement mais après la naissance de l'enfant. Non, elle n'aurait jamais décidé d'entreprendre ce voyage sans la permission de Friedrich, mais n'était-t-il pas naturel pour une femme de suivre son mari? Non, elle n'aurait jamais le courage de se séparer de ses filles. Son mari n'allait pas se battre contre des Indiens, mais ramener à la raison des colons anglais.

Ayant l'impression d'être jugée comme une enfant irresponsable, et sentant la réprobation autour d'elle, la jeune femme prenait un ton de plus en plus froid. Sa mère avait espéré que le contraste entre la chaleur réjouissante de l'atmosphère familiale et la vision inquiétante d'un voyage aux embûches si prévisibles ferait changer d'avis à Charlotte. Aussi, voyant la tournure que prenait la conversation, essaya-t-elle de tempérer.

— Nous devons comprendre son désir de rejoindre son époux. Charlotte a le temps de réviser ses positions et je suis certaine qu'à la réflexion, une fois l'émotion passée, elle s'amusera de ce projet intempestif et peu sage.

Charlotte fronça les sourcils.

— Maman, n'avez-vous pas suivi mon père à la guerre? Je me souviens, à treize ans, vous avoir accompagnée à Minden. Nous avions dormi chez les von Lippe d'où nous entendions la canonnade.

— La situation était bien différente. Nous étions sur le même continent, dans le même pays, entourés d'amis au moins aussi nombreux sinon plus que nos ennemis. M. von Riedesel va dans un pays étranger et sauvage.

— Néanmoins, mère, vous n'étiez pas éloignée du camp militaire. S'il était arrivé quelque ennui à mon père, vous seriez accourue immédiatement à son chevet. C'est ce que je fais. Je pars pour soutenir mon époux. Je serai là s'il court un danger.

— Mais je n'ai pas eu cette affreuse mer à traverser. Vous ne rejoindrez peut-être jamais votre mari. Tant de navires coulent, corps et biens.

Charlotte pâlit et posa instinctivement la main sur son ventre.

— Allons, à la grâce de Dieu! Pourquoi voudrait-il séparer un mari de sa femme et un père de ses enfants?

Un ministre luthérien, qui ne s'était pas mêlé à la conversation jusque-là, leva un doigt et, d'un ton sentencieux, dit :

— Attention, mon enfant, d'être présomptueuse.

— Ce n'est pas de la présomption, mon révérend. J'ai foi en la bonté de Dieu, c'est tout.

— Mais, Charlotte, reprit Mme von Massow, Anton me racontait justement qu'entre Stade et Portsmouth tout le monde avait le mal de mer. Imaginez ce que ce sera lorsque vous traverserez cet immense océan!

– Je suis forte. Vous avez toujours dit que j'avais une excellente santé physique.

– Oui, je vous concède que votre santé a toujours été parfaite, mais vous êtes aussi d'un caractère parfaitement entêté et, dans ce cas-ci, parfaitement insensé.

Le ton de Mme von Massow montait.

– Allons! Allons! fit M. von Massow, d'un ton débonnaire. Charlotte est fille de général. Elle a sûrement des antécédents de bon stratège. Elle a dû envisager toutes les conséquences de ce voyage. D'ailleurs, je lui prêterai Röckel. C'est un serviteur fidèle et un soldat émérite. Avec lui à ses côtés, vous serez rassurée, je l'espère.

Il y eut quelques secondes d'un silence très lourd, que Mme von Massow rompit en revenant à la charge.

– Pourquoi vous obstiner à rejoindre votre époux? Le devoir est un sentiment que je peux comprendre, mais, dans les circonstances, je suis certaine que vous vous trompez. Je ne peux approuver une pareille décision. Laissez-moi au moins le nouveau-né.

Le ton de Mme von Massow était devenu si agressif que tous les invités baissèrent la tête vers leur assiette. Il se fit un silence pénible.

– Croyez-vous, mère, que j'aurais le courage de m'en séparer?

La voix de Charlotte indiquait l'étonnement et la colère rentrée, tout à la fois.

– Mais vous avez celui d'emmener ce nourrisson à la mort, dans un pays de sauvages où il neige toute l'année, où il fait terriblement froid. Il paraît que c'est effroyable et que les chemins, quand il y en a, sont jonchés de cadavres gelés. Vos enfants mourront tous et je vous en tiendrai responsable. Croyez-vous trouver une bonne maison comme ici? Ce sont d'horribles logis, insalubres, j'en ai la conviction.

Les lèvres de Charlotte se mirent à trembler, mais elle releva une dernière fois son petit menton volontaire et les convives virent ses yeux se remplir de larmes.

– Mère, je vous en prie, ma décision est prise.

Elle se leva, murmura un mot d'excuses et s'enfuit, plus qu'elle ne sortit, de la pièce.

Le départ de la jeune femme et le silence pesant qui suivit glacèrent tout le monde, comme si le poêle de porcelaine, qui avait jusque-là répandu une bonne chaleur, s'était soudainement éteint.

Voulant détendre l'atmosphère, le général questionna le jeune officier assis à sa droite.

— Que dit-on de cette guerre, dans l'armée?

— Mon Dieu, vous savez, mon général, elle ne sera que de courte durée. Ces colons se feront facilement battre. Ils sont mal équipés, mal dégrossis, dit-on, peu militaires. Comment voulez-vous que ces paysans révoltés gagnent contre des hommes de guerre chevronnés et équipés comme nous le sommes?

— Vous voyez, fit le général en se tournant vers sa femme pour la rassurer. Nous reverrons bientôt notre fille et nos petits-enfants. Le temps de traverser, de renverser cette racaille audacieuse et de revenir.

— C'est vite dit! répondit sa femme d'une voix forte et peu convaincue.

Les invités furent alors témoins d'une chose stupéfiante chez une femme qui n'avait jamais, de toute sa vie, perdu la maîtrise d'elle-même devant des étrangers. Elle se leva avec brusquerie et déclara d'un ton dur que ne lui connaissait pas son mari :

— Vous soutenez toujours votre fille, même dans ses pires caprices. Je n'ai jamais compris comment vous, si prisé de notre souverain pour votre autorité sur les champs de bataille, vous pouviez, dès qu'il s'agit de votre Charlotte, vous replier comme une armée en déroute devant elle.

Puis elle sortit à son tour. Plus que jamais, il sembla que les murs étaient tombés et que le froid de l'extérieur grignotait la pièce. Les invités, avec tact, trouvèrent vite un prétexte pour aller à leur chambre.

Après un moment d'hésitation devant la porte de sa chambre, le général décida d'aller rejoindre Charlotte. Il la trouva immobile, la tête appuyée sur le dossier d'une bergère, les yeux fermés, le visage douloureux et les deux mains posés sur son ventre, qui montrait que le moment de l'accouchement n'était pas très loin. Comme elle paraissait lasse et fragile!

Le général était reconnu pour son intransigeance, il n'hésitait pas à faire fusiller un soldat pour le moindre manquement à la discipline. En Pologne, il avait laissé massacrer «par nécessité» des familles entières de paysans, parce que tels étaient les ordres. Cependant, cet officier si inflexible avait une faiblesse : Charlotte. Devant elle, il devenait un père très tendre. En ce sens, sa femme avait raison.

Il souleva sa fille par les épaules et, la pressant dans ses bras, il la berça comme lorsqu'elle était toute petite et qu'elle avait un chagrin.

— Vous avez bien réfléchi aux dangers pour vous et surtout pour vos enfants, particulièrement pour celui qui va naître bientôt? Vous considérez ce voyage comme un devoir d'épouse?

— Plus que cela, beaucoup plus qu'un devoir. J'aime Friedrich. Je l'aime tellement que je me sens incapable de l'attendre si longtemps, d'en être éloignée, séparée par un océan. Je rêvais, la nuit, qu'il était blessé, mourant, qu'il m'appelait pour me dire adieu; mais lorsque je parvenais à m'en approcher, je ne trouvais qu'un petit tas de cendres. Ou bien sa voix sortait d'une tombe et me reprochait de ne pas l'avoir soutenu. Presque toutes les nuits je rêvais ainsi.

— Je ne vous savais pas une imagination si fertile.

— Justement, depuis que ma décision est irrévocable, je n'ai plus ces cauchemars. Il me semble aussi que, si les petites sont avec moi, j'aurai tellement plus de courage; que personne ne pourra leur faire de mal.

— Vous restez ferme dans votre décision, malgré vos angoisses. Ne croyez pas qu'à la veille d'une bataille je n'ai pas moi-même des doutes sur les ordres que je donne. Mais quand l'ordre est lancé, je fonce et je ne doute plus.

— De toute façon, je suis tellement certaine que Dieu nous protégera. Je sais que rien de mal ne nous arrivera. Je voudrais tant que maman partage ma confiance. Ce soir, j'ai compris que son invitation et ce souper étaient un piège dans lequel je suis tombée tête baissée. Tous ces gens autour de moi, qui ne comprennent rien et qui m'étouffent.

— Mais, mon petit, avez-vous songé que votre mère, tout comme vous, n'aime pas imaginer que son enfant puisse être en danger loin d'elle? Certes, vous êtes aujourd'hui une épouse et une mère, mais pour votre mère et moi-même vous serez toujours notre enfant. S'il y a eu piège, c'était de bonne guerre!

Charlotte baissa la tête.

— J'aimerais qu'elle me soutienne, comme la mère des Maccabées.

— Vous lui demandez d'être une héroïne de la Bible. Voyons! Je vais essayer de lui parler d'ici demain, avant votre départ. Ce serait la première fois que vous vous quitteriez fâchées. Allez, tâchez de bien dormir. Oubliez tout pour ce soir. Vous avez besoin de repos, termina-t-il en serrant de nouveau contre lui sa brave petite fille si amoureuse et si maternelle.

Le lendemain, le général ne put convaincre sa femme de dire au revoir à sa fille. Butée, elle lui déclara :

— Je verrai Charlotte seulement lorsqu'elle viendra me dire qu'elle est redevenue raisonnable.

— Elle ne changera pas d'idée, je vous l'affirme.

— Tant pis, répondit Mme von Massow en prenant un air indifférent. C'est une ingrate!

— Vos paroles dépassent votre pensée, j'en suis certain. Vous êtes aussi têtue qu'elle.

— Ce n'est pas de l'entêtement mais de la fermeté. Je suis sûre que cette fermeté lui fera comprendre qu'elle a tort.

Si sa porte demeura fermée à Charlotte, la grand-mère, par contre, voulut bien recevoir ses petites-filles. Elle leur recommanda d'être sages et les embrassa, puis les renvoya. Seul le général accompagna Mme von Riedesel et ses enfants à la voiture qui les ramèneraient à Wolfenbüttel. Les invités dormaient à poings fermés, semblait-il, à moins que leur sommeil ne fût diplomatique.

Avant de grimper dans sa voiture, Charlotte resta un moment dans les bras de son père, tout en levant un regard d'espoir vers la façade de la maison familiale. Mais elle ne vit personne derrière les rideaux.

Elle trouva soudain que les traits du général trahissaient une fatigue inhabituelle. À soixante-quatre ans, ses joues roses, son visage dépourvu de rides, qui lui avaient toujours conféré un air d'éternelle jeunesse, avaient fait place au poids de l'épuisement. Certes, Charlotte avait bien remarqué, la veille, les ravages du surmenage, mais l'atmosphère difficile du repas lui avait fait oublier ses inquiétudes. Ce matin, c'était flagrant, Valentin von Massow semblait abattu malgré une nuit de repos.

— *Papchken!* Vous me paraissez fatigué! Il faudrait faire attention à votre santé. Toutes ces responsabilités au directoire général depuis la paix de Hubertsburg, sans compter l'administration des domaines que vous avez hérités de votre beau-frère…

Avec humour, von Massow interrompit sa fille en ajoutant :

— Vous oubliez mes hautes fonctions d'époux, de père et de grand-père.

— *Papchken,* je ne plaisante pas, c'est très sérieux. N'oubliez pas que votre plus grande responsabilité, c'est de conserver votre santé pour vos enfants et vos petits-enfants.

— Oui, mon général, répondit le père. Sérieusement, Charlotte, vous savez bien qu'Anton m'est d'un précieux secours en ce qui concerne une bonne partie de mes propriétés en Poméranie. C'est dans son intérêt, d'ailleurs, puisqu'il sera mon héritier légal. Ne vous en faites pas, mon enfant, votre vieux papa a encore beaucoup de ressources.

Avec un dernier sourire mélancolique à son père, elle fit signe au cocher de se mettre en route, puis elle ferma les yeux en pensant avec amertume : «Elle n'était même pas à la fenêtre.»

Charlotte se trompait. De l'étage au-dessus des chambres, sa mère avait observé la scène. Quand sa fille avait levé les yeux, Mme von Massow avait fait un mouvement comme pour se montrer, puis avait reculé précipitamment et avait repris son attitude raide et sévère.

Lorsque, soudain, elle entendit le grincement des roues qui tournaient, elle n'y tint plus. Oubliant ce qu'elle avait considéré comme une offense et se rendant compte du non-sens de cette rupture, elle se précipita avec frénésie hors de la pièce, vola dans le corridor, dévala les escaliers au risque de se rompre le cou et traversa l'entrée sans reprendre son souffle. Tout en courant, elle se répétait : «L'embrasser! L'embrasser!»

Mais quand elle arriva sur le seuil de la porte, la voiture disparaissait au coin de la rue.

13

Friedrich arrivait tout juste d'une de ses tournées de nuit impromptues. Il s'était immédiatement installé pour rédiger un compte rendu serein et précis à l'intention du duc, profitant du fait que tout était encore frais à sa mémoire : aucun évadé, aucun soldat ivre, félicitations du plénipotentiaire anglais; le souverain serait certainement satisfait.

Pourtant, malgré sa grande fatigue, il voulut confier à sa femme les peurs, les déboires qu'il n'avait pas jugé bon d'exprimer à son maître.

Buxtehude, le 4 mars 1776.

Ma chère petite Madame la Générale,

Comme vous me manquez! Ce soir, ou plutôt cette nuit, plus que jamais. À défaut de vous avoir près de moi, il faut que je vous révèle mon état d'âme. À qui d'autre pourrais-je le faire? Qui d'autre que vous pourrait me rassurer? Me comprendre? Je cherche vos yeux moqueurs qui me forceraient à rire de moi-même; votre voix persuasive qui me soulagerait de mes craintes. Seule votre présence me donnerait du repos, car je dois vous l'avouer, depuis plusieurs nuits je n'ai pas dormi.

Responsable de tout, je sens un poids très lourd sur mes épaules. Jour et nuit je surveille. Chaque soldat vaut son pesant d'or. Quel malheur si mon inattention faisait perdre de l'argent à mon maître! Ma fierté m'oblige à lui conserver le plus petit pfennig, à éviter toutes les bagarres d'ivrognes. Vous me direz que je suis trop perfectionniste, qu'il s'attend à quelques évasions, à quelques buveurs, qu'il ne m'en voudrait pas. Est-ce un défaut d'aimer la perfection? Que n'êtes-vous à mes côtés pour atténuer ce trait marquant de mon caractère! Je vous écouterais et je dormirais mieux il me semble.

Pourtant, grâce à mes inspections faites à l'improviste et à mes ordres stricts, il n'y a eu qu'une seule tentative d'évasion jusqu'à maintenant, vite réprimée. De voir que tous les hommes inscrits sur les rôles étaient présents a si fort étonné le ministre anglais qu'il m'a demandé s'il pouvait faire une deuxième inspection afin de s'assurer qu'il ne s'était pas trompé, bien qu'aucune clause du traité ne le prévoit.

Il a trouvé mes dragons trop âgés. Je lui ai répondu qu'ils étaient justement chevronnés; qu'un grand nombre d'entre eux s'étaient héroïquement battus contre l'armée du duc de Saxe. Enfin, je l'ai persuadé de leur habileté. Si bien qu'il a retiré sa critique.

À ce moment, le général fut interrompu dans sa correspondance par un galop de cheval. Il entendit des voix parlementer. Il n'eut pas le temps de se lever qu'un garde lui annonçait un émissaire du duc. Couvert de poussière et de boue, l'estafette lui tendit un pli.

— Dieu merci, mon général, je vous trouve éveillé. Mgr le duc m'a donné l'ordre de vous remettre cette lettre quelle que soit l'heure.

Friedrich vit qu'elle venait de Charlotte. Il brisa le cachet d'une main tremblante. Ce qu'il lut lui fit perdre son calme. Il dit d'une voix émue :

— Je vous remercie de votre diligence. Vous m'apportez là une grande joie. Allez vous reposer et boire sur ma cassette à la santé de ma nouvelle paternité. Avant de partir, venez chercher un message pour monseigneur, que j'ai là justement. Et une lettre pour Mme von Riedesel, que vous lui remettrez de ma part.

Une fois seul, il ajouta, dans son message au duc, quelques lignes pour le remercier de son empressement à lui annoncer la naissance de sa fille, puis il reprit sa lettre à Charlotte.

C'est avec des larmes de joie dans les yeux que j'ai lu votre lettre. Que Dieu soit loué d'avoir permis que tout se termine avec bonheur. Je me suis trompé quand j'ai cru que ce serait un garçon. Peu importe, c'est une enfant de mon sang et j'espère que vous et elle vous portez bien. Je bénis le ciel pour cette nouvelle marque de faveur et j'avoue que Dieu me donne plus que ce que je mérite! Donnez-moi davantage de détails sur votre état de santé. J'espère que vous n'avez pas la fièvre ou quelque autre mauvaise réaction.

Remerciez tous ceux qui étaient près de vous, et qui m'ont en quelque sorte remplacé. Pour le baptême et les parrains, faites ce qu'il vous plaira.

Je demeure, en pensées, près de vous, mes amours. Que Dieu vous protège toutes.

Votre Friedrich.

14

Stade, port d'embarquement sur l'Elbe

Le gardien poussa brutalement Leonhard dans sa cellule.

– Voilà ton palais.

La porte du cachot claqua, ce qui n'empêcha pas le prisonnier d'entendre, à travers l'épaisseur du bois, la voix qui continuait, suivie d'un gros rire :

– En attendant une ceinture dorée pour te pendre.

Le jeune homme faillit s'étendre de tout son long dans la boue visqueuse du sol, qu'il sentit plutôt qu'il ne la vit, à cause de la noirceur qui régnait dans sa geôle.

À tâtons, il chercha une paillasse pour étendre ses membres endoloris, mais il ne trouva qu'un banc. S'asseyant, il se mit à revoir les derniers événements dans sa tête, aussi bien pour passer le temps que pour essayer de comprendre, afin d'annihiler cette colère qu'il sentait grandir en lui. La colère inhibe l'esprit. Il fallait réfléchir pour se défendre… Et si on l'avait enfermé pour toujours? Il chassa cette idée qui le rendrait fou.

Voyons… il y avait des tribunaux militaires, on était obligé de lui faire un procès. Il fallait prouver que l'accusation était fausse : il n'avait vraiment pas essayé de fuir.

Après son enlèvement, Leonhard avait passé plusieurs semaines dans une forteresse du nom de Ziegenhain, un camp hessois insalubre où il s'était retrouvé avec des centaines d'autres prisonniers comme lui. S'habituant à la promiscuité, il avait même fini par s'en amuser. Curieux de nature, il observait ces hommes de tout acabit et de tous rangs, venant des petits comme des grands États allemands. Il comprit vite qu'un étranger, ou simplement un homme sans statut marchant sur les routes de Hesse-Kassel, était une proie de choix pour le brocanteur d'âmes, comme on se plaisait à surnommer le landgrave de Hesse-Kassel.

Discuter, parler, écouter surtout, voilà ce qui avait adouci sa vie de prisonnier. Il retenait les usages et les coutumes de ces pays allemands, très différents les uns des autres, différence plus marquée entre les États germaniques de l'ouest, plus avancés dans leurs idées, et ceux de l'est, où la vie semblait encore se dérouler comme au Moyen Âge; du moins c'était la conclusion qu'il tirait de ses observations.

Un matin, on les avait tous réunis dans l'immense cour intérieure. Un capitaine leur avait adressé la parole.

– Dans quelques jours, on vous enverra vous entraîner comme soldats. Vous avez sûrement, un jour, espéré voir du pays. Eh bien, vous serez servis. Vous aurez même la chance de vous battre pour Mgr le landgrave de Hesse-Kassel qui, dans sa grande bonté, va vous récompenser avec de beaux thalers.

On entendit quelques murmures plutôt désapprobateurs.

– Vous devez donc vous réjouir, enchaîna l'officier, d'avoir la chance de prouver votre attachement à votre maître et peut-être de gagner sur le champ de bataille des grades et une pension.

Après tout, s'était dit Leonhard sans se préoccuper des grognements des mécontents, voyager c'est un peu étudier.

Si Paris l'avait tenté, c'est qu'il y avait un compatriote, étudiant comme lui. Cet ami lui racontait souvent dans de longues lettres les idées nouvelles qui avaient cours là-bas.

Un de mes grands amis, le marquis de Girardin, nous accueillera dans sa propriété d'Ermenonville. Il connaît M. Jean-Jacques Rousseau qui a écrit un traité politique en faveur de la démocratie intitulé Du contrat social. *Ce texte te séduira. Je t'en fais parvenir quelques pages manuscrites par un prochain courrier. Quand penses-tu me rejoindre?*

Son enlèvement inopiné avait mis fin brusquement à leur projet de réunion. Avec le temps, Leonhard s'était fait à l'idée de remplacer la France par l'aventure. Aussi, le matin où les portes de Ziegenhain s'étaient ouvertes devant les prisonniers qui allaient rejoindre le camp d'entraînement, il s'était mis en route habité par un étrange sentiment, pratiquement indéfinissable, constitué à la fois de frustration et d'attirance. Qui sait ? Le hasard lui serait peut-être bienfaisant.

Encadrés par des dragons dont les nombreux chevaux ébranlaient le sol, précédés et suivis de gardiens et de chasseurs à pied aux mousquets chargés, ils avaient été conduits par eau et par terre vers Stade, ville portuaire du Hanovre, tributaires d'un échange de bons procédés entre le landgrave de Hesse-Kassel et celui qui allait devenir leur nouveau maître, le duc de Brunswick.

Ils marchaient douze heures par jour. Leonhard, entraîné, s'en accommodait. Les routes de campagne étaient cahoteuses, à peine carrossables. Les paysages, à cette période de l'année, étaient mornes. Les grandes plaines des landes, les broussailles, les pins rabougris, les bouleaux chétifs, les tourbières et les marais s'étaient endormis. Heureusement, au bout de la fatigue on saluait un village entouré de hêtres et de chênes. Des maisons de ferme en briques rouges et aux toits de chaume touchant presque le sol leur signalaient la vie. Puis c'était à nouveau la solitude des grands espaces de forêts denses suivies de terres sablonneuses où ne poussent que du seigle et de l'avoine. Mais le seul fait de ne plus se sentir écrasé par la vue de hauts murs de pierres grises, de pouvoir étendre son regard vers l'horizon, rendait Leonhard serein.

Enfin, ils arrivèrent à destination. C'était le 8 mars. Le camp était situé à l'extérieur de la ville de Stade. Toujours sous surveillance, les hommes furent logés dans des tentes entourées de soldats en armes. Ce même jour, malgré l'épuisement des nouvelles recrues, l'entraînement débuta. Et cette même nuit, il y eut une tentative d'évasion.

* * *

Au petit matin, avant même le lever des prisonniers, l'armée de métier avait entouré le camp militaire. On fit l'appel de ceux qui avaient fomenté leur fuite. Un de leurs compagnons avait surpris leur conversation et les avait tous dénoncés, ajoutant même le nom de Leonhard à ceux des déserteurs.

Celui-ci eut beau protester, on l'arrêta. Il fut conduit à la prison de la ville avec ses infortunés compagnons de tente. On avait séparé Leonhard des autres, car, d'après l'officier rapporteur, vu ses connaissances et son statut d'étudiant, il était plus dangereux que les autres et sûrement à la tête du complot.

Le séjour dans la prison de Stade fut court. L'après-midi même, un tribunal militaire fut constitué. L'embarquement étant prévu pour le 13 mars, le temps était devenu un facteur dont on devait à tout prix tenir compte.

Les déserteurs, questionnés, jurèrent tous que l'étudiant n'avait pas participé au complot.

Durant l'interrogatoire de ses compagnons, Leonhard remarqua un haut gradé debout à l'arrière de la pièce. Pendant tout le procès, il fut d'une impassibilité qui sortait de l'ordinaire.

Puis Heinrich Breymann, un officier qui avait accompagné les prisonniers depuis la forteresse de Ziegenhain, fut appelé à témoigner. Il raconta que Leonhard y avait déjà créé une émeute.

– Cet homme est un fauteur de troubles. C'est lui, je vous l'assure, qui les a incités à s'enfuir. Il n'en est pas à son premier écart de conduite.

Leonhard voulut protester, mais on le fit taire. Il rageait, car ce crétin de Breymann, en employant le mot «émeute», déformait les faits. L'incident auquel faisait allusion l'officier était toute autre chose.

Ce jour-là, à l'intérieur de la cour de Ziegenhain, les prisonniers, comme c'était devenu leur habitude, faisaient les cent pas tout en prenant l'air. Leonhard, pour vaincre son propre ennui, s'était laissé convaincre par ses camarades de leur parler de ses toutes dernières lectures. Sans que les gardiens s'en rendent compte, en quelques minutes le petit groupe qui entourait le conférencier s'était mis à augmenter considérablement, malgré l'interdiction formelle de s'attrouper. Emporté par sa passion pour son sujet, Leonhard n'avait pas remarqué l'ardeur avec laquelle il parlait des théories de Jean-Jacques Rousseau : «L'homme est naturellement bon; c'est la propriété et l'organisation qui le rendent mauvais. La loi est l'expression de la volonté générale. Renoncer à sa liberté, c'est renoncer à sa qualité d'homme. L'homme est né libre et pourtant il est dans les fers...» Il n'en avait pas fallu davantage pour jeter une véritable frénésie dans l'attroupement. On s'était alors mis à chahuter et à applaudir sans retenue.

Les gardiens ameutés par l'enthousiasme des participants avaient cru à une émeute. Pris de panique, un soldat qui voulait les impressionner en tirant un coup de mousquet au-dessus de leurs têtes avait fait feu en leur direction et avait blessé légèrement un des prisonniers à l'épaule. Le calme allait revenir lorsque soudain le capitaine Breymann, celui-là même qui témoignait aujourd'hui, se présenta, arrogant, comme c'était son habitude, et frappa brutalement le conférencier avec sa cravache. Une brève bagarre éclata, mais, fort heureusement, sans aucune conséquence. Un supérieur intervint aussitôt et parvint à calmer les esprits. Quelques heures plus tard, celui-ci convoquait Leonhard, qui lui expliqua sa version des faits. Heureusement pour le jeune homme et ses compagnons, le landgrave, pour qui un homme mort n'était pas rentable, se montra au bout du compte très «généreux». Néanmoins, les autorités de Hesse-Kassel ne manquèrent pas de leur faire regretter leur geste, leur laissant croire, et ce jusqu'à la toute fin, qu'ils allaient être exécutés.

Heinrich Breymann ne s'était jamais remis du fait que son autorité avait été sapée. Il s'était juré de faire payer cher au jeune Leonhard les réprimandes qu'il s'était attirées de ses supérieurs. Aussi, lorsqu'on lui posa la question : «Que faisait donc ce Leonhard toute la journée?», l'odieux personnage répondit :

— Il parlait beaucoup avec les uns et les autres. Souvent seul à seul. Sans aucun doute, il complotait.

— Vous avez entendu des phrases qui le prouveraient?

— Je suis certain, monsieur, qu'il incitait les autres recrues, plus influençables, à prendre la fuite. D'ailleurs, on m'a dit qu'il parlait de liberté. Si nous n'étions intervenus, ils auraient sûrement réussi à créer un soulèvement et cela aurait fort probablement coûté la vie à plusieurs de nos braves soldats et même à des officiers de Son Altesse Sérénissime le landgrave de Hesse-Kassel.

— Mais encore?...

Une expression fielleuse déforma les traits déjà lourds de Breymann. Sa voix se fit haineuse, de toute cette haine que peut ressentir un être qui n'a pu supporter avec intelligence et maîtrise les difficultés de la vie. On sentait chez lui une frustration, celle qui s'attise d'elle-même, celle qui rend les autres responsables des malheurs qui nous arrivent.

Il hurla, pointant un doigt accusateur vers Leonhard :

— Il lisait, et il lisait, et il écrivait, et il écrivait!

Le militaire nommé pour défendre les prisonniers ricana.

— Lire et écrire sont les crimes les plus horribles du monde, si je comprends bien!

Pendant les dernières minutes du témoignage de Breymann, Leonhard avait senti qu'on le regardait intensément. Il tourna la tête et vit les yeux bleus de l'étrange personnage qu'il avait déjà remarqué. C'est à ce moment qu'on l'appela à la barre.

Comme il n'avait le droit que de répondre aux questions, il n'eut pas l'occasion de se plaindre de son enlèvement, tel qu'il l'avait espéré. Ces gens-là savaient, mais ne voulaient surtout rien entendre. On lui demanda simplement sa version de la soi-disant émeute qu'il avait causée.

La suite se passa comme à l'ordinaire : accusation, défense. Mais Leonhard n'écoutait plus. À quoi bon!

Plus tard, on le ramena en prison, en attendant les délibérations.

15

Wolfenbüttel, le 8 mars 1776.

Chère bonne et indulgente mère,

Lorsque Röckel m'a tendu la lettre qui venait de vous, j'ai cru que mon cœur allait s'arrêter. Était-ce ma condamnation ou votre pardon? C'est en tremblant que j'ai ouvert votre missive. Tout d'abord, elle m'a mise sens dessus-dessous. Vous y exprimiez tout à la fois votre colère et votre tendresse. En raison de la peine que me causait notre différend, j'ai mis quelques instants avant de me rendre compte qu'une fois votre courroux formulé, votre affection prenait le pas sur votre compréhensible irritation. Comment ai-je pu croire un instant avoir perdu votre amitié? Pardonnez-moi d'avoir douté de vous. Que d'indulgence il vous faut encore avec moi!

Vous dire combien j'étais malheureuse en partant de Berlin ne se raconte guère. Oh! apercevoir seulement votre silhouette à travers les carreaux! Un seul regard, même glacial, m'eût été un baume. Un seul geste de la main eût été un bonheur. Si je n'ai pas pleuré tout le long du chemin, je dois en remercier la présence des enfants. Même la petite Frederika sentait que quelque chose de grave s'était passé. L'absence de leur père est déjà si pénible pour elles, je ne pouvais augmenter leur bouleversement par mes larmes.

Cependant, combien je regrettais d'avoir fui la table, de n'avoir pu maîtriser mes sentiments. Pour la première fois de ma vie, je m'étais sentie forcée de vous désobéir, vous que j'aime tant, vous qui avez toujours été la meilleure mère. Et pourtant, pas un moment il ne m'est venu à l'idée d'abandonner le projet de suivre mon mari.

Friedrich n'a jamais demandé de lui-même à partir si loin. C'est mon devoir de l'accompagner. Dois-je vous rappeler, chère et tendre mère, que c'est vous-même qui m'avez enseigné le mot «devoir» et m'en avez donné l'exemple? Friedrich était le seul, mère, le seul qui pouvait recevoir l'honneur que lui a fait le duc. Les autres officiers étaient trop âgés ou ne possédaient pas sa compétence. Il fallait bien qu'il se montrât digne de cet égard, qu'il méritait depuis longtemps d'ailleurs. En toute conscience, il ne pouvait le refuser. De même, il ne m'apparaît d'autre avenue que celle de le suivre.

Il m'écrit tous les jours, et m'a donné les meilleurs conseils qui soient pour mon accouchement. Il a eu la bonté de m'ouvrir un compte pour mon voyage et de me remettre des lettres de cachet pour des banquiers sûrs et honnêtes. Il sait que je n'abuserai pas de cette bonté.

Il m'a promis qu'une fois à Londres il m'enverrait toutes les instructions susceptibles de me permettre une bonne traversée, et de me mettre en communication avec des personnes dignes de m'aider et de m'accompagner. Il prend tellement soin de moi et des enfants, même de loin. Cela ne devrait-il pas vous rassurer?

Vous savez comme il nous aime. Il a besoin de nous pour être heureux. Malgré le frisson que me donne la pensée de la possibilité de sa mort (n'est-ce pas un sentiment qui vous a angoissé tout au long de votre vie, cette crainte étant au fond de toute femme de militaire?), il faut bien que je soulève cette éventualité, et je considère que ce serait un terrible malheur pour lui de ne pas avoir connu le visage de son dernier enfant, lui si sensible à sa paternité.

Amour, devoir, honneur, tels sont les sentiments qui me guident. Ai-je si tort?

Mon seul déchirement est d'être séparée de vous et de père; d'éloigner de vous, pour un temps, vos chers petits-enfants. Vous comprenez pourquoi je suis soulagée de constater, par quelques phrases de votre lettre, que vous commencez à accepter l'idée de mon voyage.

Il m'est déjà si pénible de vous quitter. Je partirais la mort dans l'âme si je sentais que vous me blâmez.

Répondez-moi, chère mère, répondez-moi je vous en prie.

Votre fille aimante,
Charlotte.

16

La prison de Stade

À Stade, Leonhard, toujours en prison, dormait quand on vint le chercher. La sentence allait tomber : serait-il pendu, fouetté ou gracié?

À sa surprise, on l'emmena sous une immense tente. À une table était assis le général qui avait assisté en silence au procès et qu'on lui avait dit être le baron von Riedesel.

L'officier fit le salut militaire.

— Voici le prisonnier, mon général.

Le baron signala qu'il voulait rester seul avec le jeune homme.

— On me dit que vous êtes une tête chaude.

Leonhard leva la tête fièrement.

— On dit tant de choses, mon général, mais on n'ose pas avouer qu'on nous a emmenés contre notre volonté.

C'était hardi. Certains officiers ne se seraient pas retenus de frapper le prisonnier.

Le général fronça les sourcils mais ne releva pas la phrase.

— Vous étiez étudiant?

— Oui, à Leipzig, mon général.

— Pourquoi avez-vous quitté l'université de Leipzig?

— Par besoin de changer d'air, de connaître d'autres idées, d'autres gens.

— Si je comprends bien, vous n'étiez plus étudiant?

— En fait, je me rendais à Paris pour étudier.

«Devrais-je lui dire la vérité? Que peut comprendre un militaire à tout ça?» se dit Leonhard.

— Écoutez, je vous le demande de nouveau, pourquoi avoir quitté l'université?

– Eh bien, plus précisément, je m'étais disputé avec mes professeurs sur certains points d'ordre religieux.

– Avez-vous participé au complot?

– Non, mon général, je vous le jure.

– Aviez-vous été mis au courant que quelque chose se tramait?

Leonhard hésita. Ses malheureux compagnons, avec générosité, ne l'avaient pas vendu sur ce point, peut-être pour le remercier de s'être tu lui-même. Avouer qu'il avait été approché entraînerait une punition. Mais à quoi bon mentir? Le jeune homme sentait monter en lui cette idée ancrée depuis son enfance par l'observation et confirmée, selon lui, par l'aventure de son enlèvement : de toute façon, les grands de ce monde sont inhumains. Avec un air de bravade, il répondit la vérité.

– Oui, mon général, je le savais.

– Votre devoir était donc d'avertir vos supérieurs.

– Mon devoir, si vous permettez, mon général, était de ne pas être le délateur des pauvres bougres avec qui je partageais mon quotidien.

Cette réponse qui contredisait son supérieur était, cette fois, non seulement hardie, mais téméraire. Il se fit un long silence. «Bon Dieu! Je suis allé trop loin», pensa Leonhard.

Les deux hommes se regardèrent les yeux dans les yeux. À son propre dépit, Leonhard fut le premier à détourner les siens.

– Pourrait-on dire, reprit le général, que, n'ayant plus abordé ce sujet avec vos compagnons, vous aviez cru le projet tombé à l'eau?

Leonhard, stupéfait, regarda le baron. Se pouvait-il que cet homme, qu'il englobait dans son mépris pour la noblesse, lui tendît une perche? Il hésita encore une fois, puis, tout comme le général, il employa le conditionnel.

– On pourrait le dire, mon général.

Sa phrase à peine terminée, sa loyauté envers lui-même lui fit ajouter :

– Mais ce ne serait pas v…

Le général l'interrompit sèchement, ne voulant pas, de toute évidence, entendre une négation à l'excuse qu'il venait de proposer.

– Avez-vous une belle écriture, jeune homme ? Laissez-moi juger.

Il lui tendit une plume et une feuille.

Leonhard était si médusé qu'il avait le cerveau vide, lui pourtant si vif. Les yeux fixés sur l'uniforme chamarré d'or, il oublia un moment que ce général semblait plutôt favorable à sa cause. Fatigue et tension aidant, il ne pensait qu'à ses frustrations et à sa colère contre les tout-puissants. Peut-être voulut-il se venger d'avoir plié devant le général en détournant les yeux. Avec un sourire ironique, il écrivit en français deux phrases du traité politique de Jean-Jacques Rousseau. C'était bien sûr imprudent. Si le général ne parlait pas français, il pourrait penser, au mieux, que Leonhard lui donnait une leçon ou, au pire, qu'il se moquait de lui ; s'il connaissait cette langue, comme beaucoup de nobles, le général se sentirait peut-être insulté.

Celui-ci prit la feuille, la lut, la déposa, regarda Leonhard rêveusement. Puis il dit en français, d'une voix coupante :

– Une belle calligraphie. Belles lettres bien formées.

Ensuite, il se leva et appela les gardes afin qu'ils escortent le prisonnier à sa cellule. « Quel besoin ai-je de faire le bravache et de gâcher ainsi toutes les chances qui s'offrent à moi ? se demandait l'étudiant. Le désespoir de ma situation me rend-il suicidaire ? »

Le lendemain, jour du jugement, on prononça la peine de mort par pendaison pour les deux incitateurs à la désertion (ils furent par la suite graciés, mais enchaînés à fond de cale). Leonhard fut jugé non fautif mais dut assister, entre deux soldats, à la punition des autres coupables. Les fuyards avaient été condamnés à « passer par les baguettes ». C'était la première fois que le jeune homme assistait à cette punition. Tous ses pauvres camarades devaient courir entre deux rangées d'une centaine de soldats qui les frappaient à tour de rôle ; certains, jugés plus criminels, devaient passer ainsi jusqu'à trente-six fois. Le sensible Leonhard faillit s'évanouir, tant ce « jeu » cruel lui semblait une véritable boucherie. Roués de coups, ensanglantés, titubants, les membres parfois cassés, écrasés par ceux qui suivaient quand ils tombaient, relevés par des coups de pied, tous ces malheureux payaient bien cher leur désir de liberté. «Vaut mieux être pendu», songeait Leonhard en frémissant d'horreur à la pensée de ce à quoi il venait d'échapper.

Heureusement, malgré l'ordre donné, il n'assista pas jusqu'au bout à la torture de ses compagnons. Le général von Riedesel le rappela à sa tente.

Le baron fut d'abord muet. Observateur, il réfléchissait profondément avant de parler. Ainsi, toujours silencieux, il lui tendit une feuille de papier. Leonhard frémit en reconnaissant son écrit de la veille. Lui avait-on fait croire qu'il allait recouvrer sa liberté seulement pour le punir plus durement ensuite de son audace?

— L'auteur de ces phrases est bien Jean-Jacques Rousseau, si je ne m'abuse? Mon épouse a adoré *La Nouvelle Éloïse*. Les romans sont certes affaire de femmes. Quant à ce traité, il serait préférable pour vous de l'oublier.

À l'étonnement de Leonhard, malgré ce petit discours, le général lui tendit son livre.

— Cela vous appartient, je crois.

Leonhard, de plus en plus surpris, balbutia un remerciement et prit l'exemplaire qu'il avait reçu en cadeau.

Le général se leva, ouvrit un coffre bardé de fer, et lui montra les volumes qui s'y trouvaient. Il revint à sa langue maternelle pour dire :

— Voici de bons livres allemands, et même un Virgile et quelques auteurs grecs. Je suppose qu'un lettré comme vous lit le latin et le grec.

— Couramment, mon général, et même l'anglais.

— Moi aussi, je parle un peu l'anglais, consentit à avouer le général, démontrant ainsi l'estime qu'il avait pour Leonhard. Si cela vous intéresse, et à la condition que vous y fassiez attention, je vous prêterai ces livres.

Confondu, Leonhard ne savait que dire. Heureusement, le baron enchaîna :

— Je le répète, votre écriture me plaît. De plus, vous parlez plusieurs langues. J'ai besoin d'un secrétaire. Vous viendrez demain matin prendre votre nouveau poste.

Puis le général lui tourna le dos, après avoir fait un geste signifiant qu'il le renvoyait. Il sembla s'absorber dans les détails d'une carte. Son attitude indiquait qu'il ne voulait aucun remerciement.

Leonhard restait là sans bouger, à moitié assommé, ne sachant si c'était de joie, de colère ou d'amertume. Quoique heureux de ce poste qui le tirerait de l'ennui, de l'horreur, de sa répulsion pour l'armée, sa nature méfiante l'incitait à répliquer au général qu'il n'était pas à vendre. Mais il n'était pas certain que le baron voulait l'acheter par quelque bonté.

Arrêtant la phrase un peu théâtrale que l'étudiant avait sur le bord des lèvres, la voix du général résonna une dernière fois.

— Surtout, gardez toujours cette honnêteté que je crois déceler en vous et qui, entre autres choses, a dirigé mon choix.

17

– Cela fait des années que vous êtes à mon service. Vous n'allez pas me laisser tomber à cause de on-dit de quelques bavardes ignorantes qui inventent des peurs, fit Charlotte à la gouvernante.

– L'Amérique est remplie de cannibales, madame. J'ai une cousine dont les parents ont des amis qui sont allés dans ce pays et ils ont raconté des choses terribles. La nourriture de ces aborigènes est faite de chiens et de chevaux; la moitié de la population, quand elle ne meurt pas de fièvres malignes; vit comme des demi-sauvages. Il neige tellement que des maisons sont complètement ensevelies.

– Voyons, M. le baron a rencontré à Londres des gentils-hommes qui viennent d'Amérique. Ils affirment que toutes ces croyances sont fausses. Je dois moi-même aller rejoindre M. le baron en compagnie d'une dame née aux colonies et qui est très civilisée. Elle m'est recommandée par M. von Riedesel.

Cependant, la gouvernante resta sur ses positions malgré toutes les exhortations de la baronne qui revenait sans cesse à la charge.

Depuis, Charlotte cherchait toujours une dame, mais en vain : soit que celle-ci partageât les idées courantes sur l'Amérique, soit que celle-là n'eût pas les qualités requises pour s'occuper des enfants, du moins aux yeux de Mme von Riedesel.

On était maintenant à quelques jours du départ et Charlotte désespérait de trouver quelqu'un. «Suis-je trop exigeante?» se demandait-elle en détaillant la jeune femme qui venait d'entrer, son dernier espoir. Quelques jours plus tôt, elle avait reçu une lettre de Mme de Saint-Pierre. Celle-ci avait écrit :

J'ai appris par votre chère maman votre détermination à suivre votre époux. Si vous n'avez pas encore trouvé quelqu'un pour s'occuper de vos enfants, je vous recommanderais une dame de ma connaissance qui serait prête à vous accompagner.

Adélaïde Labille est très calme et l'aînée de huit enfants, c'est dire qu'elle a l'habitude de s'occuper de jeunes enfants. Qui plus est, elle tire très bien au pistolet et sait manier l'épée. Je ne sais si vous avez entendu parler de M. Charles de Beaumont, mieux connu sous le nom de M. ou de Mlle d'Éon – car nous ne sommes pas certains si c'est un homme ou une femme. Quoi qu'il en soit, il est très fort à l'épée et c'est lui qui a initié Mme Labille aux armes. Il est toujours rassurant, dans un long voyage, d'avoir avec soi quelqu'un d'habile dans le maniement des armes et qui sait garder son sang-froid.

Par un hasard providentiel, elle n'est pas loin de Wolfenbüttel en ce moment. Elle est allée peindre un tableau de mes petits-enfants ; j'allais oublier de vous dire qu'elle est peintre. Je me suis permis de lui écrire d'aller vous voir. C'est une femme très spéciale et estimable qui vous surprendra, mais soyez sans crainte : rien ne la rebutera dans son désir de se rendre en Amérique. Je vous conseillerais, ma chère enfant, d'accepter son offre.

Pour Charlotte, une recommandation de Mme de Saint-Pierre était une lame à deux tranchants, car les excentricités de cette amie de sa mère, tout en la fascinant, lui faisaient un peu peur. Elle lui était pourtant reconnaissante car, elle le savait bien, cette amie n'était pas étrangère au volte-face de Mme von Massow en faveur du voyage de Charlotte. Celle-ci avait pleuré de joie en recevant la dernière lettre de sa mère, dans laquelle elle lui donnait sa bénédiction et lui adressait ses vœux de bon voyage.

La baronne observa attentivement la dame assise en face d'elle. L'envoyée de Mme de Saint-Pierre était grande, blonde et bien en chair. Une toilette de bon goût mais simple soulignait un corps solide, aux proportions élégantes, à la poitrine d'une généreuse rondeur. Ses yeux immenses presque violets, qui brillaient dans l'ombre d'un grand chapeau enrubanné (duquel une magnifique plume débordait du rebord gauche relevé vers le centre), indiquaient une intelligence vive et une sensibilité artistique. Sa bouche plutôt épaisse aurait pu montrer une certaine vulgarité sans les commissures des lèvres qui s'allongeaient de traits fins. Ceux-ci remontaient, même au repos, vers les joues, ce qui lui donnait l'aspect d'une personne toujours souriante. Le tout était agréable et rassurant.

Lorsque Charlotte l'eut questionnée, les réponses d'Adélaïde la firent osciller entre la confiance et la réticence. Les nombreux frères et sœurs dont elle avait pris soin et l'assurance avec laquelle elle venait de répondre aux quelques pièges que s'était permise de lui tendre Charlotte, concernant certains comportements ou maladies d'enfants, militaient en faveur de son embauche à titre de gouvernante.

Cependant, Charlotte hésitait. Mme Labille s'était mariée très jeune avec un peintre qu'elle semblait avoir quitté bien légèrement. Cette situation matrimoniale déplaisait à la baronne, si pleine de son amour. Aussi, il lui était difficile d'accepter qu'on puisse s'éloigner avec autant de désinvolture d'un homme à qui l'on avait donné sa foi. Adélaïde semblait afficher une totale indifférence quant à la séparation, ce qui, dans l'esprit de Charlotte, paraissait monstrueux.

De prime abord, cependant, cette femme ne donnait pas l'impression d'être volage. Outre son désir de bien faire ce qu'on lui demanderait, rien ne semblait compter pour elle que la peinture... autre sujet d'hésitation pour Charlotte.

— Je ferai des esquisses de vos enfants pendant les arrêts du voyage. J'adore peindre des portraits.

Charlotte fronça les sourcils. Le terme «adore», pour elle, ne convenait qu'à Dieu. Quelle exaltation chez cette Française!

Par contre, elle pensa aussi au plaisir que ce serait d'avoir près d'elle une personne qui reproduirait ses fillettes. Et puis il fallait partir. Elle ne voulait pas retarder son départ; elle n'en avait pas le courage. Les jours d'éloignement de son époux lui pesaient déjà beaucoup trop.

«Mais, songeait-elle, comme j'aurais aimé une Allemande comme moi. Et cette femme a tellement de drôles d'idées.»

Charlotte avait en effet été assez déconcertée par ce qu'Adélaïde venait de lui confier :

— Mon ambition, à mon retour, est de me faire admettre à l'Académie de peinture de France. On n'a pas encore permis aux femmes d'y passer l'examen d'entrée. En Amérique, je trouverai une vie et des paysages différents; or, l'exotisme est à l'honneur en ce moment. Je serai au cœur d'une guerre qui, paraît-il, ne se fait pas de la même façon qu'en Europe. C'est du moins ce que m'a affirmé un Canadien, M. de Vaudreuil, né à Québec et exilé en France depuis que l'Angleterre s'est emparée de notre ancienne colonie. Ne peindrais-je qu'un seul tableau vigoureux qui plaise aux juges, qui prouve que les femmes ne peignent pas seulement des sujets gentils et doux, j'aurai atteint mon but. Aussi, je vous serais très reconnaissante si vous me donniez l'occasion d'accomplir mon désir.

Charlotte était tiraillée entre son esprit traditionaliste et la force de cette femme surprenante, force qui au fond rejoignait une certaine énergie qu'elle sentait en elle-même. De plus, désireuse avant tout de ne pas retarder son départ, elle se sentait coincée par le temps. Elle ferma les yeux un moment, fit appel à ce qu'elle avait de plus vrai en elle, sa foi, puis murmura : « À la grâce de Dieu. »

Ouvrant les yeux, elle tendit une main vers Adélaïde Labille et déclara, d'un ton ferme :

— C'est dit, madame. Nous partirons lundi.

18

Wolfenbüttel, le 14 mai 1776

— Laissez-la, dit d'une voix douce Mme von Riedesel à la bonne qui voulait arrêter les sautillements de la petite fille. Augusta sera assise assez longtemps comme cela. Nous ne nous arrêterons que pour prendre une soupe à la bière au changement des chevaux vers midi. Et, à quatre ans, elle a plus d'énergie que sa sœur qui dort à moitié. D'ailleurs, j'entends le pas de Röckel.

— Le carrosse de madame la baronne est avancé.

On n'attendait plus que ces mots, probablement, car tous les gestes suivants semblèrent réglés comme ceux d'une pièce de théâtre : la gouvernante, qui tenait sur ses genoux un bébé endormi, tout emmailloté, se leva et sortit du salon ; la jeune servante prit par la main la petite de deux ans, qui dodelinait de la tête et dont les yeux papillonnaient de sommeil ; quant à Augusta, elle se précipita vers un petit sac d'où émergeait la tête d'une poupée avant de s'accrocher à l'autre main de la jeune bonne ; le cocher, lui, s'empara de deux valises légères et s'effaça pour laisser passer la baronne.

Mais sur le seuil du salon, celle-ci hésita. Jusque-là, la naissance de Caroline, dix semaines auparavant, les luttes qu'elle avait dû mener contre sa mère et même ses amies venues la saluer, la correspondance avec son mari, les préparatifs, enfin tout l'avait forcée à enfouir ses émotions. Mais devant la réalité du départ si désiré et en même temps si craint, son angoisse faisait surface. Habituée à se contrôler devant ses enfants et ses serviteurs, elle se devait encore une fois de refouler l'agitation qu'elle sentait monter en elle, plus forte que jamais.

– Allez, fit-elle en faisant un signe au cocher, je vous suis bientôt.

Elle se dirigea vers la fenêtre ouverte et jeta un regard sur le doux clair-obscur du jardin. La lueur du soleil levant émergeait à peine et l'odeur des fleurs nouvelles et du sol mouillé de rosée de ce beau matin de printemps montait jusqu'à elle. Charlotte ferma les yeux pour en retenir parfums et paysage. Puis, les ouvrant, elle les tourna vers l'allée et observa avec fierté le carrosse qu'on avait fabriqué d'après ses plans. Le travail avait été bien exécuté, comme elle avait pu le constater, la veille, en faisant l'inspection du véhicule.

– Le carrosse de Cendrillon! s'était exclamée Augusta en le voyant pour la première fois.

En concevant ce carrosse, Mme von Riedesel s'était tout simplement rappelé les embarras dans lesquels sa mère et elle avaient été plongées, à la bataille de Minden. Elles suivaient toutes les deux l'armée dont son père était le commandant. Elles avaient souvent dû attendre sur le bord de la route qu'on dégageât les roues enlisées dans des ornières boueuses et déformées par les pluies et surtout par le passage des troupes. Sa curiosité naturelle lui avait fait remarquer bien des détails qui lui étaient revenus au moment d'organiser ce voyage-ci.

– Trouvez-moi un bon charron qui me fasse des roues plus grosses que la normale, car elles devront maintenir le carrosse le plus haut possible du sol, avait-elle dit à son intendant. Et cherchez le meilleur carrossier. Je veux une voiture plus large et plus longue qu'à l'ordinaire pour que nous soyons bien à l'aise, mes deux filles, le bébé, mes deux suivantes et moi-même; calculez aussi une place pour une autre personne, on ne sait jamais. Et à cause des intempéries possibles, j'exige un toit bien huilé.

Puis, elle avait demandé à un artiste de peindre des dessins sur le toit.

– Et que vos couleurs soient vives! Comme du soleil dans la morosité de la pluie.

Voulait-elle proclamer au monde sa joie à l'idée de ce qui l'attendait à la fin de ce long voyage? Ou voulait-elle plutôt cacher, sous des couleurs gaies, son appréhension des jours à venir, comme elle cachait, le soir, derrière la porte de sa chambre, ses larmes, ses hésitations, ses peurs et sa solitude quand elle pensait à celui qui était si loin d'elle?

Sur le point de partir, maintenant seule dans le salon à peine éclairé par un chandelier, elle fut prise d'un tremblement d'autant plus terrible qu'elle retenait cette fièvre depuis plusieurs semaines. Afin de reprendre complètement son calme, elle s'obligea à observer encore une fois son carrosse géant.

– Une, deux… trois… quatre…

Elle comptait les malles bien sanglées sur une partie du toit et à l'arrière du banc surélevé du valet de pied. Elle vit qu'Adélaïde était déjà installée. Augusta montait sans difficulté car, au marchepied habituel, on avait ajouté quelques marches.

La vue de Frederika essayant d'attraper des friandises parmi les victuailles dont on avait bourré les énormes poches de la portière, puis le fait que la servante n'ait pas réussi à retenir la petite, qui eut le temps de remplir sa bouche du larcin, fit sourire un moment la baronne. Ses enfants la ramenaient toujours sur terre.

Röckel se retournait, maintenant, et levait la tête vers la fenêtre. Mme von Riedesel pivota sur ses talons et mit ses deux mains sur son cœur pour en retenir les battements. Elle entendit encore, du fond de sa mémoire, la phrase de sa mère, qui l'angoissait encore : «S'il arrive quelque chose à vos enfants, ma fille, je ne vous le pardonnerai jamais, et pire, vous ne vous le pardonnerez jamais à vous-même.»

– Oh! *Mutti! Mutti!* murmura-t-elle, comment pourrais-je me séparer de mes enfants!

Ses yeux firent le tour du salon, plus bourgeois qu'aristocratique, qui lui rappelait de belles soirées calmes, heureuses et exemptes de danger à chaque retour de son mari.

Elle secoua la tête pour en chasser cette pensée. Elle chercha en elle une image, cette image assez forte pour se superposer aux autres et anéantir ainsi ses craintes : celle de l'homme qu'elle aimait, tellement que, pour le retrouver, elle faisait la plus grande folie de sa vie. Elle l'appela intérieurement avec tant de force que soudain elle crut le voir. Et tout son calme lui revint. Alors, elle leva la tête, projeta en avant son petit menton si parfaitement ovale, et d'un pas décidé et volontaire elle sortit de la pièce.

Le cuisinier et quelques serviteurs se tenaient sur le perron. Le maître jardinier lui présenta un bouquet. Elle lui fit un sourire aimable, mais ne dit mot. La veille, elle les avait tous salués et leur avait donné quelques cadeaux avec la grâce toute simple qui lui attachait son personnel.

Elle demanda à Röckel, en désignant les deux mousquets sous les sièges du cocher et du valet de pied :

— Sont-ils bien attachés?

— Je les ai vérifiés moi-même, que madame ne s'inquiète pas.

Elle s'installa et Röckel releva les marches et ferma la portière. Il attendit l'ordre de partir. Par la fenêtre, elle dévisagea un à un les serviteurs silencieux qui sortaient maintenant de la pénombre, car le soleil montait et jouait sur leurs visages. Ce n'est pas qu'elle aurait l'occasion de penser à eux, mais ils faisaient partie de sa vie presque au même titre que ses meubles et sa maison… et un peu plus, tout de même, car elle était une âme généreuse.

Très vite sa pensée se détacha de ses gens et une autre lui traversa l'esprit. N'avait-elle rien oublié?

Elle sortit la tête par la fenêtre.

— Röckel, avant de monter, rappelez à Rudi de bien éteindre le chandelier du salon, de recouvrir les meubles et de fermer à clé. Puis nous partirons.

Et elle s'enfonça dans ses coussins moelleux.

Portant dans ses flancs une jeune femme qui était passée sans transition de l'autorité paternelle à la tutelle d'un mari, et qui n'avait donc pas été préparée à entreprendre un tel voyage, le carrosse, si étrangement robuste et coloré, s'éloigna, en ce quatorzième jour de mai 1776, et disparut bientôt à travers les rues de Wolfenbüttel.

19

— Vous connaissez la nouvelle?

La paysanne qui posait cette question avait l'air triomphant de celle qui se sait intéressante parce qu'elle est la première à annoncer un événement inconnu jusqu'alors. Mais en même temps l'expression de son visage montrait que la réponse était terrible.

Elle s'adressait à un groupe de ses compères assis à une table de la Poste, à l'entrée de Maastricht où Mme von Riedesel attendait pour la deuxième fois de la journée qu'on changeât les chevaux.

La baronne dressa l'oreille, attentive comme toujours à ce qui l'entourait. D'ailleurs, la voix forte de la femme indiquait bien qu'elle voulait se faire entendre de tous. On sentait, par contre, que son ton suraigu n'était pas normal, qu'il était causé par l'excitation.

— On a arrêté une centaine de bandits cette nuit, continua-t-elle avec un rire nerveux. Il y a eu des morts des deux côtés, soldats et truands. Et on a pendu sur-le-champ tous les brigands encore vivants.

— Eh ben! Voilà une bonne affaire de faite, fit une voix mâle. Pourquoi que t'as l'air si effrayée, *liebchen*, ton amoureux serait-il parmi les pendus?

La table éclata de rires moqueurs.

— Continue, Hanzie, on verra ce que tu vas dire si, en revenant du marché, tu te fais voler ou tuer par les cent cinquante autres qui ont réussi à se sauver.

— Cent cinquante!

Des exclamations firent le tour de la longue table.

— Oui, ma canaille! Cent cinquante si c'est pas deux cents.

Il se fit un silence impressionnant avant que les murmures ne reprennent.

À une autre table, la baronne cessa d'écouter mais regarda autour d'elle comme si tous ces malandrins échappés l'entouraient. Elle serra instinctivement sa bourse contenant l'argent du voyage et ses bijoux personnels.

Son imagination se mit à vagabonder car, pour la première fois, elle était vraiment et complètement responsable d'elle-même et de sa famille. Elle se vit attaquer par des scélérats. L'image était si nette qu'elle murmura pour elle-même : «Je donnerais volontiers à ces sacripants tous mes biens, mais qu'on nous laisse la vie.» Le cours de ses pensées fut interrompu par la jeune Lizzie qui pleurnichait.

– Oh! madame! Est-ce que madame a entendu? Nous serons tous tués si nous partons d'ici.

Devant l'affolement de la servante, la baronne maîtrisa aussitôt son imagination.

– N'exagérez donc pas les sornettes que l'on débite autour de vous. Vous parlez pour ne rien dire.

Elle se leva.

– Je dois voir où en est l'attelage. Si j'apprends que vous avez effrayé les enfants avec ces contes à dormir debout, je serai très fâchée.

En dépit de ce qu'elle venait de dire à sa servante, la baronne, en fait, allait trouver Röckel pour lui faire part de ses inquiétudes à propos de ce qu'elle venait d'entendre.

– Bah! Le soleil est encore haut, madame. Les malfaiteurs attaquent seulement la nuit.

– Nous ne pourrons atteindre la ville avant la soirée, Röckel, mais nous trouverons sûrement une auberge avant le coucher du soleil. Ce sera plus sûr que de voyager de nuit comme j'en avais l'intention.

– Par prudence, si madame le veut, j'engagerai deux laquais pour nous accompagner jusqu'à Bruxelles. En cas d'attaque, vous serez mieux protégées. Mais de toute façon ces gens du peuple exagèrent toujours, ils sont si peureux.

Röckel, qui avait prononcé ces mots sans aucun mépris, n'avait plus l'impression de faire partie de la classe dans laquelle il était pourtant né; toute une vie au service de nobles généraux l'avait séparé de ses origines plébéiennes.

La baronne réfléchit un moment. Son naturel optimiste et sa confiance dans l'ancien *jäger* de son père lui firent approuver le plan de Röckel.

– Votre idée me paraît bonne, suivez-la. Détachez aussi les mousquets. Rüpert et vous, gardez-les à portée de la main. Ordonnez que les chevaux prennent le galop pour que nous puissions atteindre un lieu peuplé avant la noirceur.

Hélas, l'équipage dut aller au ralenti à travers Maastricht où c'était jour de fête. De plus, les bateaux, venus en grande partie de Liège par le «chemin d'eau», déversaient une foule nombreuse qui forçait piétons, chevaux, charrettes, carrosses et berlines à patienter sur place, dans le bruit des rires, des cris et parfois des vociférations.

Si Mme von Riedesel espérait reprendre le temps perdu dans la campagne, elle déchanta : on n'avançait guère qu'au petit trot.

– Mais enfin, pourquoi ne roule-t-on pas plus vite? s'enquit-elle.

– Madame, lui dit Röckel, les chevaux qu'on nous a donnés sont presque aussi fourbus que ceux que nous avons échangés. Si on les force, on risque de verser.

À cette allure, le soleil était déjà bas lorsqu'ils atteignirent l'orée d'une forêt au lieu de l'entrée d'un village, comme Mme von Riedesel l'avait espéré. Il n'y avait aucune auberge dans les environs. Il fallait bien traverser le bois, en souhaitant d'en sortir vite.

L'impatience donnait chaud à la baronne, qui pour cette raison laissait la fenêtre ouverte de son côté. Soudain, il y eut un fracas, comme si quelqu'un avait frappé le carrosse avec un bâton ou même avec la crosse d'une arme quelconque.

La jeune Lizzie se souleva en poussant un cri. Promptement, Adélaïde s'empara de Caroline qui dormait à côté d'elle dans son petit panier d'osier et la serra dans ses bras; elle avait un air dur et fermé. Le carrosse s'était arrêté si brusquement que les deux autres fillettes glissèrent dans l'allée séparant les deux banquettes qui se faisaient face.

À peu près en même temps que la baronne avait perçu le bruit inquiétant, elle fut frappée par un objet qui était entré par la fenêtre du carrosse et qui semblait être tombé du ciel. Mme von Riedesel, dont la vivacité de caractère était doublée d'un fort instinct maternel, voulut protéger ses filles; aussi, d'un geste instinctif, elle saisit immédiatement la chose qui l'avait atteinte. Celle-ci lui parut dure et rêche au toucher. À sa grande stupéfaction, elle vit qu'elle tenait une jambe garnie d'un bas de laine sale et déchiré.

La pauvre Lizzie se recroquevilla sur elle-même comme si un bandit allait surgir du toit du carrosse.

– Madame! Madame! hurla-t-elle. Il va entrer, il va entrer. Il est sûrement sur le toit.

Frederika se mit à pleurer, mais Augusta se relevait et regardait sa mère avec tant de confiance que celle-ci lui sourit. Elle entoura ses filles de ses bras et se força à garder son sang-froid.

Röckel arriva sur les entrefaites, un grand sourire rassurant aux lèvres. Il commença par tancer la suivante avec la familiarité que lui autorisaient ses années de service dans la famille.

– Arrêtez votre crise, Lizzie, ou je vous gifle, avec la permission de Mme la baronne. Occupez-vous plutôt des enfants. Allez, mes mignonnes, laissez votre mère tranquille. Il n'y a rien de grave.

Puis, baissant le ton, il chuchota à la baronne :

– C'est un pendu que le carrosse a heurté en passant, probablement un criminel que la justice a puni. Il n'y a personne d'autre. Madame peut regarder pour se rassurer, mais ce n'est pas un beau spectacle.

Dans la demi-obscurité, elle aperçut en effet un homme suspendu à une très haute branche, assez élevée d'ailleurs pour qu'on ne voie pas son horrible grimace. Elle regarda avec dégoût la jambe qu'elle avait tenue entre ses mains, et qui se balançait maintenant à côté d'une autre jambe, bottée celle-là. Un carrosse de hauteur normale n'aurait fait qu'effleurer le mort.

Mme von Riedesel se força aussitôt à une passivité qu'elle était loin de ressentir. Elle avait plus hâte que jamais de sortir de ce lieu.

– Mon bon Röckel, nous nous sentirons tous plus en sécurité si vous et votre mousquet êtes à l'intérieur. Allez dire à Rüpert de prendre les guides et de repartir aussi vite que possible. N'allumez pas les fanaux, nous serons moins repérables. Puis venez vous asseoir avec nous.

Le carrosse progressait lentement. On n'y voyait guère sur ce chemin qui semblait plus étroit, à cause du soleil de plus en plus bas, qui formait des ombres de plus en plus denses.

La force tranquille dégagée par l'ancien chasseur du père de la baronne rassurait peu à peu les occupantes de la voiture. Apparemment, l'émotion allait en s'estompant, quand tout à coup on arrêta de nouveau. Les cœurs se remirent à battre plus vite.

– Röckel, soyez prudent et allez voir ce qui se passe, sans faire de bruit et sans vous montrer.

Mais déjà la tête de Rüpert surgissait à la portière.

– Madame, les postillons engagés à Maastricht refusent d'aller plus loin. Ils ont menacé de me faire un mauvais parti si je ne retenais pas les chevaux. Ils viennent de voir une maison et veulent y passer la nuit. Je crois que nous nous sommes trompés de route.

Röckel aida la baronne à descendre.

À la vue de la minable bâtisse un peu en retrait du chemin, Mme von Riedesel murmura : «Dieu que c'est sinistre.»

Une porte basse et large s'ouvrait déjà. Un homme, d'aussi misérable apparence que la maison, se montra. Noir de poil et frisé dru, il présentait, sous un front bas, des sourcils épais qui se rejoignaient au-dessus d'un gros nez vulgaire. Une barbe hirsute lui mangeait la moitié du visage et le cou. Habillé d'une chemise ouverte sur une poitrine velue, d'un pantalon effiloché et sale, et pieds nus, tel leur apparut cet être qui tenait plutôt de l'animal des bois que de l'humain.

D'instinct, Röckel se planta résolument devant la baronne.

Mais l'homme repoussant se réjouissait sûrement déjà de l'aubaine que représentaient ces voyageurs, desquels il pourrait tirer quelques pièces; on ne devait pas souvent faire halte devant sa masure. Il cria :

– J'ai une chambre pour madame et ses gens!

La baronne observa le visage buté des postillons : ils ne bougeraient pas. La forêt touffue, plus sombre que jamais, semblait un mur sans fin. Tout bas, elle demanda à Röckel ce qu'il en pensait.

– S'il y a danger, on peut mieux soutenir un siège à l'abri dans une maison que dans un carrosse attaqué en pleine forêt… pourvu que cet homme soit seul.

– Je n'entends pas de bruit, mais que Rüpert aille voir à l'intérieur.

– J'y vais moi-même, si madame le permet. Si je flaire du danger, je tire un coup de semonce. Si tel est le cas, que madame remonte tout de suite dans la voiture, Rüpert prendra les guides et vous partirez sans vous préoccuper de moi. N'ayez crainte, j'en ai vu d'autres et je saurai bien m'en sortir.

Fort heureusement, cette stratégie ne fut pas nécessaire, mais Charlotte reconnut bien dans ce geste la grandeur d'âme du fidèle serviteur dont son père et son mari lui avaient si souvent vanté les mérites. «Avec lui, vous serez toujours entre bonnes mains. Il risquera sa vie pour vous et les enfants autant de fois que ce sera nécessaire.»

Quelques minutes plus tard, Röckel ressortait tranquillement, montrant par une mimique qu'ils pouvaient rester.

– Allons-y, dit la baronne en faisant signe aux bonnes de descendre du véhicule avec les enfants.

Ils suivirent le tenant des lieux jusqu'à une chambre où seuls trônaient un lit et une chaise à fond de paille. Le triste individu déposa une chandelle allumée sur le manteau d'une cheminée dont l'âtre n'était qu'un trou béant sans feu.

– Il fait un froid glacial dans cette pièce. Ne pourriez-vous faire une flambée?

– Oui, madame, grogna l'homme plutôt qu'il ne parla.

Il la regarda avec des yeux si perçants que ceux-ci gelèrent la baronne encore plus que l'air de la chambre.

La petite voix douce d'Augusta se fit entendre.

– Maman, j'ai faim.

– J'ai faim, répéta d'un ton mouillé de larmes Frederika, imitant son aînée.

— Pourriez-vous nous donner quelque soupe à manger?

L'homme marmonna qu'il avait seulement de l'eau et du pain noir.

— Eh bien, apportez-nous ce que vous avez, fit Mme von Riedesel, qui déplorait d'avoir laissé tous et chacun terminer les provisions de la voiture.

Bientôt un feu égaya le lieu. Grâce à la théière que la baronne emportait toujours avec elle, on put servir du thé chaud; pour se réconforter l'estomac, il y eut le nourrissant pain noir. Mais la baronne regrettait de ne pas trouver un bon poêle de porcelaine carré, comme elle en avait dans certaines pièces de sa maison. On aurait pu étendre les enfants au-dessus pour les endormir et les maintenir au chaud.

Après s'être absenté un certain temps, Röckel revint, le visage un peu inquiet, et chuchota, par la porte entrouverte :

— Madame, j'ai visité la maison. Il est bien vrai qu'il n'y a personne d'autre que cette créature. Mais une des pièces est remplie de fusils. Selon moi, c'est la tanière d'une bande partie en maraude.

— Mon Dieu, et s'ils revenaient?

— Que madame ne craigne rien. Ces gens-là passent la nuit entière à faire leurs mauvais coups. Ils ne reviennent dormir qu'à la barre du jour. J'ai dit à Rüpert de se cacher dans la voiture avec son mousquet et de guetter, toute la nuit, le moindre bruit suspect. N'oubliez pas qu'il a aussi son pistolet. C'est un ancien soldat comme moi; il ne dormira pas. J'ai posté un des laquais en avant, l'autre en arrière. Ils tiennent à leur vie, ils vont faire bonne garde. Ils vont atteler les chevaux au petit jour. Nous partirons avant qu'il y ait risque d'un retour des maraudeurs.

— Merci, fit la baronne en lui prenant les mains.

— Oh! madame, s'écria Röckel, tout ému du geste spontané qui l'honorait, vous savez bien que je vous défendrais jusqu'à la mort.

— Je n'en ai jamais douté. Vous savez comme votre offre de nous accompagner a tranquillisé sur notre sort mon père et mon époux. Je suis certaine que nous nous en sortirons vivants. Dieu nous protégera.

La baronne rejoignit Augusta et Frederika.

— *Meinen liebling*, n'oubliez jamais que vous êtes les filles d'un général. Quoi qu'il arrive, vous devez vous montrer braves. Maintenant, vous allez prier et dormir.

Adélaïde, qui venait de mettre Caroline dans son panier, se querellait tout bas avec la jeune bonne, qui pleurnichait, pour l'inciter à préparer les fillettes à se coucher.

— Qu'est-ce qu'il y a encore, Lizzie? demanda la baronne, se rendant compte des larmes comme de la dispute.

— Madame, j'ai peur de ces mécréants. Ils vont nous tuer.

— Quels mécréants, ma fille?

— Ceux qui ont rempli la maison de fusils.

— D'où tenez-vous cela? Apprenez que, quand on est curieux, on entend tout de travers. Prenez donc exemple sur Adélaïde. Elle est calme, n'écoute pas aux portes, elle, et ne fait que ce qu'elle doit faire. Que je n'entende plus vos jérémiades qui énervent les enfants, sinon à la prochaine ville je cherche une personne plus courageuse et je vous renvoie. Il n'y a ici qu'un homme, laid et crasseux, j'en conviens, mais il est seul, et nous avons quatre gardiens, sans compter Adélaïde qui m'a assurée savoir utiliser une arme à feu.

Lizzie regarda sa compagne avec de grands yeux étonnés.

— Maintenant, installez-vous entre les édredons apportés par Rüpert et tâchez de vous endormir en nous épargnant vos reniflements inopportuns. Priez plutôt pour notre salut et le vôtre.

Elle s'adressa ensuite à Adélaïde, qui s'apprêtait à mettre les enfants au lit :

— Reposez-vous aussi. Je pense que les petites ont bien besoin de leur mère ce soir; la journée a été dure. Je m'occuperai d'elles.

Quand elle eut mis leur chemise à ses filles, la baronne les serra contre elle, les embrassa et les glissa dans le lit, sous les édredons, en leur répétant qu'elles devaient se montrer courageuses. Puis elle approcha la chaise du lit et regarda Augusta et Frederika dont les yeux se fermaient déjà. Elle pensa à ses amies qui le soir se contentaient de baiser le front de leurs enfants avant de les laisser aux mains de leur bonne. La baronne appuya sa tête sur l'oreiller.

— Jamais je ne pourrai dormir pliée en deux comme cela… Enfin, essayons.

Le silence de la chambre accentuait son sentiment de solitude. Elle repensa à la petite bonne.

«Pauvre Lizzie! Au fond, je sais que la présence de mes enfants et l'exemple que je me dois de donner à mes serviteurs me forcent à faire preuve d'un courage que je n'aurais pas si je n'avais toute cette responsabilité. Sans mes enfants, est-ce que je pleurerais? Serais-je aussi forte?»

Son raisonnement l'amena à penser à Röckel. «Il faudra que je raconte son dévouement. Le baron le récompensera.» Et l'évocation de son époux fut la dernière pensée qui erra en elle.

Quand on frappa à la porte, Mme von Riedesel se réveilla en sursaut.

— Il est quatre heures, madame, fit la voix de Röckel. Les chevaux sont harnachés. Tout est prêt.

— J'ai donc dormi malgré tout, dit-elle à mi-voix, très surprise, alors qu'elle avait l'impression d'avoir à peine fermé les yeux.

Déjà Adélaïde ranimait le feu et Lizzie s'occupait du thé et du pain.

— C'est bon, Röckel. Nous arrivons. Il n'y a pas eu de visiteurs inquiétants, je vois.

— Non, madame. Et l'homme a ronflé toute la nuit dans le bas-côté.

— Occupez-vous de le payer pour son dérangement et son bois.

Adélaïde ayant englouti son frugal déjeuner, elle sortit en emmenant Caroline, encore endormie, et Mme von Riedesel aida Frederika à s'habiller pendant que Lizzie s'occupait d'Augusta.

— Lizzie, emmenez les enfants à la voiture et envoyez Rüpert prendre les édredons et les valises à main.

Une fois seule, la baronne se pencha à la fenêtre, comme la veille à sa résidence. Elle constata que le soleil n'était pas tout à fait levé, qu'une clarté diffuse jouait sur le décor; et que la peur, apportée par les ténèbres, s'était enfin envolée. Les arbres se détachaient maintenant les uns des autres au lieu de former une masse inquiétante.

Soudain un concert troua le silence. Des rossignols saluaient l'aube naissante. Ce chant de bonheur effaça chez la baronne tous les affreux moments du jour précédent. «Le pire est passé. Rien désormais ne peut altérer ma sérénité. Je sais que je passerai à travers toutes les difficultés.»

Les bagages étaient tous sanglés et Lizzie était déjà installée avec les trois enfants à l'intérieur du carrosse. Mme von Riedesel, que suivait Adélaïde, mettait le pied sur une des marches lorsque l'indésirable hôtelier, pieds nus, accourut tout en attachant une corde autour de son pantalon.

— Madame, pourquoi partir si tôt? J'irai chercher du lièvre pour un bon repas.

— Merci, mon brave, nous sommes attendus.

Le visage ingrat de l'homme se renfrogna. Il sembla réfléchir, puis fit une grimace qui se voulait un sourire.

— Vos chevaux sont sûrement encore fatigués. Je peux vous apporter de l'avoine pour les nourrir.

Il cherchait certainement des raisons pour les retenir, mais son cerveau confus n'en trouvait pas de meilleures. Charlotte, ennuyée, secoua la tête.

— Tout est parfait. Merci.

Elle voulut continuer à grimper, mais du bruit lui fit tourner la tête vers le bois. Le misérable avait aussi tendu l'oreille. Il sut tout de suite ce qu'il en était. Un mauvais ricanement accompagna le geste par lequel il voulait, de toute évidence, empoigner Charlotte pour la retenir, mais, plus preste, Adélaïde donna un coup sur son poignet et dit en même temps :

— Vite, madame, ils arrivent.

Furieux, le rustre se retourna vers elle. Elle l'esquiva et grimpa en vitesse derrière la baronne, puis claqua la portière.

Une douzaine de truands débouchaient dans la clairière. Pris de peur devant ces hommes armés à la mine patibulaire, les deux postillons sautèrent du carrosse et se précipitèrent vers la forêt, voulant peut-être se cacher derrière les arbres avant de tirer des coups de feu. L'un d'eux n'eut pas le temps de faire trois pas qu'il s'écroulait, atteint par la balle d'un des malfrats. Quelques secondes après, deux des bandits ramenaient le fuyard. Celui qui semblait être le chef – on le devinait par une certaine élégance dans sa mise – fit signe d'emporter le blessé dans la maison.

Cet incident permit à Adélaïde de tirer les rideaux et à Mme von Riedesel de tancer Lizzie qui était déjà assise sur le plancher et qui piquait une crise de nerfs, à son habitude. Elle fit étendre les fillettes à côté de Lizzie, déposa le panier du bébé entre les deux et jeta une couverture sur elles tout en leur chuchotant de se taire. Mais que faisait Röckel? se demandait-elle. Tout s'était passé si vite.

Un des coupe-jarrets ouvrit brutalement la portière. Il se trouva nez à nez avec le pistolet d'Adélaïde.

— Arrière ou je tire, dit celle-ci avec son sang-froid habituel.

Il éclata de rire et se tassa vers la droite. Comme Adélaïde suivait son geste et pointait aussi son arme à droite, il bondit à gauche et, en s'avançant, essaya de la déstabiliser. Elle releva son coude et lui donna un coup au menton avec la crosse du pistolet. Ce faisant, sans le vouloir, elle appuya sur la gâchette. Une balle partit et alla se loger près du pied du scélérat, qui bondit en arrière.

— Hé! Gottlieb, ricana de loin son chef en accourant, elle t'a eu.

Mais le bandit, qui n'était qu'étourdi, attrapa Adélaïde et essaya de la tirer hors du carrosse. De son soulier pointu, elle lui lança un coup de pied au bas du ventre. Son adversaire hurla et sortit un couteau.

— La maudite, je la saigne.

Le chef s'approcha. Il lui mit fermement la main à l'épaule et, avec une espèce de sourire ironique, lui dit :

— Ça t'apprendra à t'en prendre aux faibles femmes.

Soudain, la canaille tourna sa hargne contre son chef. Changeant brusquement d'arme, il pointa son pistolet vers ce nouvel ennemi. Dans sa voix, jalousie et haine perçaient.

– Toi, Nicklauss, tu n'es qu'un mou. Parce que tu fais des manières et que tu parles comme un bourgeois, tu te prends pour quelqu'un d'autre. C'est fini. C'est moi, le chef maintenant. Allez, vous autres, on leur coupe tous le cou.

La situation était inusitée et les bandits, stupéfaits, restaient sans bouger. Ils regardaient Nicklauss et Gottlieb avec anxiété ou hésitation.

Lorsque les malandrins avaient surgi, Röckel et Rüpert étaient encore tous deux à la gauche du carrosse, invisibles aux malfaiteurs, Rüpert vers l'avant et Röckel vers l'arrière. D'un commun accord, ils avaient grimpé au pied des bancs extérieurs, s'aplatissant sur les planchers. Par chance, le carrosse était dans l'ombre. Rüpert avait la main sur le fouet, attendant le moment favorable pour sauter sur le siège et fouetter les chevaux. Röckel, lui, avait sorti un pistolet d'une des fontes.

Les voleurs étaient tous attentifs à la dispute et ne prêtèrent pas attention au recul presque imperceptible d'Adélaïde.

– Il est temps de vider cette querelle, disait Nicklauss. Depuis longtemps, tu me cherches noise. Est-ce un duel que tu veux? Allons-y! Que le meilleur gagne!

– Un duel?

Le visage de Gottlieb devint plus laid que jamais sous l'emprise de sa jalousie. Sa carrure de géant fut secouée d'un rire haineux et, sans avertissement, il fit feu. Nicklauss, qui connaissait son homme, sauta de côté. Un deuxième coup partit, cette fois de la porte de la maison. L'un de ceux qui y avaient conduit les postillons avait tiré et atteint Gottlieb au poignet. Celui-ci laissa échapper son arme. Aussitôt les indécis se rallièrent aux fidèles pour s'emparer du dissident. Parmi ceux qui criaient: «À mort! Qu'on le pende!», les plus fanatiques étaient naturellement ceux qui auraient suivi Gottlieb s'il avait été le vainqueur.

Soudain, un hurlement puis un bruit de tonnerre firent tourner la tête aux bandits.

– Ils se sauvent! Ils se sauvent!

Profitant de ce que l'attention des mécréants était centrée sur la querelle, le cocher s'était redressé. Il cingla les bras de celui qui retenait les guides des chevaux mais qui regardait évidemment dans la direction de Nicklauss. Sous la force du coup de fouet, décuplée par la peur du cocher, les chevaux partirent à fond de train. Adélaïde, à la fenêtre, et Röckel, à moitié caché derrière le banc arrière, faisaient face aux bandits, prêts à tirer.

Les truands qui étaient le plus près se précipitèrent en vociférant. Ils auraient peut-être atteint le lourd carrosse, mais un événement inattendu se produisit. Entre les fuyards et les bandits apparurent des ombres qui pointaient des fusils. De tous les fourrés surgissaient des gendarmes qui avaient suivi la scène de loin, sans se montrer. Depuis un moment, ils encerclaient le repaire, mais la présence du carrosse les avait fait hésiter sur la stratégie à adopter pour éviter que des innocents soient pris entre deux feux. Mais comme les deux serviteurs avaient réussi, d'habile façon, à fuir le danger, les gendarmes avaient pu suivre leur plan initial.

Prise au dépourvu, la bande fut désarmée. Il y eut quelques échanges de coups de feu, quelques blessés et un seul mort. Les gendarmes attachèrent les prisonniers les uns aux autres par les chevilles avant de les encadrer pour les conduire à la ville voisine.

— Vous autres, restez ici, fit le brigadier en désignant quelques-uns de ses hommes. On enverra une voiture chercher les blessés et le mort.

Quand Nicklauss passa près de ce dernier, il le regarda et murmura :

— Pauvre Gottlieb! Ça ne valait pas la peine de me quereller.

20

Anton, dans son château d'Eisenbach, en Hesse, termine sa missive à sa demi-sœur. Il se demande à haute voix :

– Ai-je vraiment trouvé les mots qui blesseront le moins possible ma chère Charlotte quand elle apprendra le décès de notre père ?

Son regard se dirige vers un tableau qui représente le général von Massow.

– Ne craignez rien, père, je vous ai juré de prendre soin d'elle. Quoi qu'il arrive, je tiendrai ma promesse.

La porte s'ouvre sous la poussée d'un valet qui introduit Mme von Massow, venue se reposer chez son beau-fils après l'enterrement de son mari. Elle dit, d'une voix lasse :

– L'estafette de Sa Majesté vient d'arriver. Le jeune homme attend dans l'antichambre avec la lettre qui annonce la mort de votre père à l'ambassade de Londres. Sa Majesté le roi Frédéric a eu la bonté de mettre un mot de sympathie pour votre sœur. Il nous offre de prendre notre propre courrier pour Charlotte.

– Je viens justement d'apposer mon cachet. Espérons que nos deux messages atteindront l'Angleterre avant le départ de Charlotte pour l'Amérique.

– Peut-être décidera-t-elle alors de nous revenir tout de suite, soupire Mme von Massow, dont le ton de doute dément toutefois les paroles d'espoir.

– Je crois que vous devez chasser cette pensée, dit doucement Anton avec un air de commisération pour sa belle-mère.

Puis il prend la lettre qu'elle tient à la main pour la joindre à la sienne.

* * *

La mésaventure dans la forêt, qui aurait pu tourner au tragique ou faire carrément changer d'avis plus d'une âme bien trempée, ne dérangea aucunement les plans de la baronne. Après sa déposition aux miliciens, elle continua son voyage avec détermination et diligence. Sa course la mena, sans autres déboires, jusqu'à Calais, où elle loua un bateau pour l'Angleterre.

À Londres, avant de partir pour l'Amérique, M. von Riedesel avait recommandé son épouse à toutes les personnes qu'il avait connues et jugées dignes d'elle. Puis il avait demandé à l'ambassadeur de son pays de trouver un appartement privé pour sa famille. Gêné, l'ambassadeur dut avouer à Charlotte qu'il n'avait pas suivi les instructions du baron, croyant qu'elle n'aurait jamais le courage d'entreprendre ce long périple. Par conséquent, la baronne fut obligée de se trouver un hôtel à la dernière minute, qui, pour cette raison, était fort cher.

À peine installée, elle apprit que Martha Blair, une jeune femme qui devait l'accompagner, n'était plus à Londres mais à Bristol. Elle lui écrivit aussitôt afin de mettre au point certains arrangements pour le voyage.

En attendant sa réponse, elle s'habituait plutôt mal que bien à sa vie de Londonienne. Elle ne comprenait pas la langue, et ses vêtements très décolletés à la française, comme le voulait la mode sur le continent, lui valurent quelques incidents désagréables. Elle s'impatientait donc de cette réponse qui tardait à venir.

* * *

— Madame, fit Lizzie en entrant dans la salle à manger, un plat de service à la main, un courrier de l'ambassade du duché de Hesse a remis une lettre pour vous à Röckel, qui se demande s'il doit l'apporter à madame tout de suite.

— Faites entrer Röckel, Lizzie.

Le serviteur lui présenta un pli la convoquant pour l'après-midi en précisant qu'il avait reçu des lettres importantes d'Allemagne, dont une de Mme von Massow, sa mère.

«Pourquoi ma mère m'écrit-elle à l'ambassade? se demanda-t-elle. Il est vrai qu'elle ne doit pas encore avoir mon adresse, mais il était entendu qu'elle adresserait mon courrier au ministère de la Guerre… à moins que… à moins qu'elle n'ait reçu de mauvaises nouvelles du Canada…»

C'est avec appréhension que la baronne se présenta à l'ambassade hessienne. L'air grave de son hôte confirma aussitôt à Charlotte qu'un malheur était arrivé.

— C'est à propos de votre père, madame.

— Mon Dieu! Mon père est très malade, n'est-ce pas?

— Madame, soyez courageuse!

— Est-il mourant?

L'ambassadeur baissa les yeux.

— Il est mort! Je le sens à votre silence.

— Hélas! madame.

Elle pâlit si brusquement qu'il craignit de la voir tomber. La soutenant, il la dirigea vers un fauteuil.

— Asseyez-vous, madame. Croyez bien que j'aurais tout fait pour vous éviter cette mauvaise nouvelle.

Charlotte ne répondit pas. Elle luttait contre ses larmes et il lui semblait que si elle ouvrait la bouche elle ne pourrait les retenir.

— Son Excellence le duc vous prie d'accepter ses regrets. Si vous désirez retourner en Prusse, il serait prêt à vous aider.

Incapable de parler, Charlotte fit non de la tête. L'ambassadeur sonna et on apporta du thé.

— J'ai cru qu'un thé vous réconforterait, baronne.

Mme von Riedesel le remercia d'un signe de tête. Pendant que l'ambassadeur retournait à sa table de travail et y prenait trois lettres, Charlotte but quelques gorgées, qui la calmèrent.

— Monseigneur est bien bon, mais il n'est pas question que je retourne en Prusse. Mon époux m'attend. Rien ne peut m'empêcher d'aller le rejoindre.

— Voici des lettres pour vous, madame. Si vous désirez les lire maintenant, vous pouvez passer dans le petit salon d'or; vous y serez seule et bien à l'aise.

– Je vous remercie, Excellence. De toute façon, je dois écrire à mon époux pour l'informer de cette nouvelle, et surtout consoler ma mère qui doit être bien bouleversée.

L'ambassadeur, discret, comprit que la baronne préférait être seule chez elle. Il la reconduisit à sa calèche et l'aida à y grimper.

– Allez lentement, Rüpert, fit la voix mouillée de Charlotte.

Plus la calèche approchait de son hôtel, moins elle se sentait prête à affronter enfants et serviteurs. Spontanément, lorsqu'elle aperçut un parc, elle pria son cocher de s'engager dans l'une des allées et de se promener au hasard jusqu'à ce qu'elle lui dise de retourner à l'hôtel.

Elle décacheta d'abord le message du roi de Prusse, qui lui exprimait sa peine de perdre un général qu'il estimait. Il était bien connu que son allemand était moins bon que son français, aussi s'adressait-il à elle dans cette dernière langue, sachant qu'elle comprendrait.

La deuxième lettre venait de son frère. Il se montrait tendre, comme toujours, et l'assurait qu'il serait toujours un père pour elle et qu'il serait heureux si elle se confiait à lui comme elle s'était confiée à leur père.

Enfin elle passa, après l'avoir contemplée un moment, à la troisième lettre, celle de sa mère. Si celle-ci montrait sa douleur, elle le faisait avec une certaine retenue. Elle donnait certains détails, mais ne s'y appesantissait pas.

«Elle veut me ménager. Elle sait mon attachement bien particulier à *papscken*.» Mme von Massow terminait par ces mots qui brouillèrent la vue de sa fille :

Mon premier désir, bien égoïste je l'avoue, était de vous avoir près de moi dans cette épreuve, si je pouvais vous atteindre avant votre traversée vers l'Amérique.

Cependant, votre père, ma chérie, m'a fait promettre de vous dire qu'il vous faut continuer votre voyage et retrouver votre époux, et que de là-haut il vous protégerait. Ses dernières paroles me sont sacrées. C'est pourquoi je vous les répète, quoi qu'il m'en coûte.

Charlotte arrêta sa lecture. Elle ne voyait plus les mots, ses larmes coulaient trop. Enfin elle se maîtrisa.

D'autant plus que votre père ne parlait jamais de religion, de foi, et très peu de la mort; il l'avait trop vue sur les champs de bataille, je suppose. Mais j'ai confiance en sa parole. Cela m'est une consolation de penser que, même mort, il puisse encore vous secourir.

Les sanglots de Charlotte recommencèrent. Elle se rappela soudain les paroles de son père, le matin de son mariage. Ne lui avait-il pas dit qu'à la veille d'une bataille il pensait à elle et qu'elle était pour lui comme la garantie de sa vie à lui? N'y avait-il pas une sorte de lien de pensée entre ces paroles et celles que venait de lui écrire sa mère?

— Cher papa, murmura-t-elle, je vous sens près de moi. C'est vrai que vous allez me protéger et protéger vos petites-filles et leur père?… Mais j'aurais tant aimé que vous attendiez mon retour.

Peu à peu ses sanglots diminuèrent, ses larmes séchèrent. Quand elle sentit qu'elle pourrait sourire à ses filles, elle enjoignit à Rüpert de retourner à l'hôtel où, après quelques caresses aux enfants, elle s'enferma dans sa chambre en disant avoir des lettres à écrire, ce qui était vrai d'ailleurs. Cependant, avant de s'y mettre, elle fit venir Röckel pour lui annoncer l'affligeante nouvelle. Elle le fit avec ménagement, car elle savait qu'il en serait affecté.

En effet, en apprenant la mort de son premier maître, Röckel devint triste. Il se revit jeune tambour : le baron von Massow, qui avait remarqué son air résolu et vif, l'avait choisi pour être à son service. De petit paysan mal dégrossi, il était devenu un bon soldat et plus tard un serviteur dévoué et distingué qui s'était vite adapté aux habitudes des nobles. Pendant quelque temps, le général l'avait «prêté» au duc de Brunswick, et maintenant à sa fille pour ce long et périlleux voyage, ce qui prouvait sa confiance en Röckel. La fidélité du vieux serviteur à ses maîtres, à leurs enfants et aujourd'hui à leurs petits-enfants permettait à Charlotte de partager son chagrin avec lui.

– N'en parlez surtout pas aux enfants, mon cher Röckel, ce sera un secret entre vous et moi, dit-elle en lui prenant la main et en la posant sur son propre front, comme si par ce contact elle essayait d'y puiser des forces ou d'y reposer sa douleur.

Bouleversé par ce geste qu'elle n'avait plus eu depuis son enfance, lorsque, après qu'elle se fût jetée inconsidérément dans les ronces ou eût buté contre quelques cailloux, il la relevait pour la consoler, Röckel sentit ses yeux se mouiller. La baronne semblait être redevenue pour un instant la petite Charlotte. Le serviteur comprit que sa présence à lui était le lien le plus fort qui rattachait, en ce moment, le père à sa fille.

21

Bristol, le 11 juin 1776

La journée du 11 juin était chaude et humide. Depuis la veille, la baronne avait repris la route. Le carrosse allait bon train vers Bristol où elle devait rejoindre Martha Blair.

Lorsque la voiture s'arrêta devant l'auberge à l'entrée de la ville portuaire, Mme von Riedesel fut arrachée à son engourdissement. Aussitôt les enfants s'agitèrent. Lizzie et Adélaïde les calmèrent, puis s'occupèrent des bagages à main. Pendant ce temps, la baronne fit glisser le rideau qu'on avait tenu fermé pour garder l'intérieur à l'abri des trop chauds rayons de soleil. Comme Röckel se faisait attendre, elle passa la tête par l'encadrement de la fenêtre pour voir comment il se faisait qu'il ne venait pas, comme toujours, lui ouvrir la portière et lui tendre la main afin de l'aider à descendre.

En peu de temps, une foule s'était massée autour du carrosse et Röckel essayait de repousser cette racaille qui l'empêchait de passer. Non que ces gens eussent l'air méchants. Ils affichaient plutôt un air ébahi. «Évidemment, mon carrosse les surprend», pensa la baronne.

— *Look! Look at those stairs!*

— *Have you ever seen such a big thing?*

Elle ne comprenait pas les mots, mais voyait bien par leurs gestes qu'ils étaient étonnés des deux mousquets, du nombre de marches et de la hauteur des roues du carrosse.

La foule devenait de plus en plus dense et, poussés par les derniers arrivants, les premiers s'appuyaient sur le carrosse, l'ébranlant malgré sa pesanteur. Charlotte commença à s'inquiéter, d'autant plus qu'elle sentait, par leurs hennissements, que les chevaux s'énervaient.

Soudain quelques badauds soulevèrent le linge huileux qui recouvrait le toit et les côtés afin de regarder les dessins typiquement allemands qu'ils entrevoyaient sous la bâche semi-transparente. Le valet de pied, qui essayait de rejoindre Röckel dans sa tentative d'atteindre la portière, s'énerva à son tour. Il commença à vociférer quelques mots appris pendant son séjour à Londres, des grossièretés pigées ici et là en déambulant dans les rues.

Aussitôt qu'elle entendit les phrases peu amènes de Rüpert, la foule passa de l'excitation à la colère. Un costaud bouscula le valet. Celui-ci répliqua de la même manière.

Charlotte, émue, vit alors plusieurs jeunes hommes se jeter sur son serviteur et Röckel lui venir en aide de tout son poids. Elle jeta un coup d'œil derrière elle et s'aperçut qu'Adélaïde, suivie de Lizzie, avaient réussi à descendre ; la foule, moins dense de l'autre côté, s'était écartée devant elles et les enfants. La baronne sortit à son tour vis-à-vis de l'entrée de l'auberge, bien décidée à demander du secours pour ses deux serviteurs, lorsqu'une voix forte domina la foule.

— *Stop! What's happening here?*

En quelques secondes, les gens reculèrent craintivement ; l'homme qui avait crié n'était sûrement pas un inconnu. Même les quelques personnes qui s'en prenaient aux serviteurs s'arrêtèrent, l'air piteux. L'un d'entre eux tendit la main au pauvre Rüpert pour l'aider à se relever. Ils avaient tous l'air de se demander quelle mouche les avait piqués.

— *Master Alderman*, fit un homme âgé et de bonne tenue en faisant un pas en avant, cette dame vient d'arriver dans ce carrosse plutôt… inusité… et merveilleusement décoré. Cela a intrigué les passants et j'avoue que moi-même…

— Venez-en au fait, répliqua d'un ton impatient l'homme important.

— Sans trop le vouloir, quelqu'un a poussé les serviteurs de cette dame. Ceux-ci ont cru qu'on voulait leur faire un mauvais parti.

Ce dialogue s'étant déroulé en anglais, Mme von Riedesel n'y comprit goutte. Elle devinait pourtant que le vieillard essayait d'arranger les choses. D'ailleurs, il se tourna vers elle, la salua et continua dans un allemand hésitant, truffé de fautes et de mots anglais.

— Nous regretter ce... quiproquo et prier Frau Madam de excuser les people qui pas vouloir mal faire mais admirer splendid carrosse.

La foule, qui craignait certainement son magistrat, comprit que leur interprète tentait d'apaiser l'étrangère. Aussi applaudit-elle, comme pour appuyer les paroles du vieil homme. L'*alderman* arrêta les applaudissements d'un geste, salua Charlotte et lui dit, en allemand :

— Madame, permettez-moi de me présenter ; je suis le conseiller général de Bristol. Je suppose que vous êtes madame la baronne von Riedesel.

— En effet, monsieur.

— Chère madame, j'étais justement venu à votre rencontre, à la demande d'une amie de ma nièce, Miss Blair, à qui vous avez écrit. Serais-je arrivé quelques instants plus tôt, je vous aurais épargné ce malheureux incident.

— Je suis heureuse de vous rencontrer, monsieur le conseiller général. Je suis arrivée un peu plus tôt que prévu.

— Si vous voulez porter plainte, comme vous en avez le droit, je vous écoute. Mais je crois que personne ne vous voulait vraiment de mal. Ils ont obéi à un excès de curiosité.

Mme von Riedesel, déjà ennuyée par tout ce bruit fait autour d'elle et sachant par expérience qu'une foule est aussi prompte à virer de bord qu'un voilier pris dans un grain imprévu, présenta sa main au magistrat et sourit.

— Je leur pardonne volontiers. Je vous suis reconnaissante d'être au rendez-vous et je remercie le ciel de vous avoir fait arriver juste au bon moment.

Alors, l'*alderman* se retourna et harangua la foule en anglais. Celle-ci applaudit de nouveau et quelques vivats fusèrent. Une voix cria même en allemand : «Vive madame la baronne!»

Aussitôt le conseiller entraîna Charlotte dans l'auberge, craignant que dans son enthousiasme la foule n'étouffât la pauvre baronne, par excès de gentillesse cette fois. Heureusement, les curieux finirent par se disperser et bientôt une certaine tranquillité s'établit autour de l'auberge.

— J'ai retenu un logement pour vous, madame. L'amie de ma nièce, que j'ai envoyé chercher, vous y conduira dès son arrivée.

Apparut bientôt une très belle jeune femme. Toute prête à éprouver de l'amitié pour cette dame que lui avait conseillée son mari, Charlotte fut déçue de constater qu'elle ne s'intéressait nullement aux enfants, comme si celles-ci n'existaient pas, et qu'elle ne semblait pas très loquace.

Lorsque les deux carrosses, l'un suivant l'autre, atteignirent le logement réservé, Miss Blair changea d'attitude. Elle se mit à bavarder sans arrêt tout en guidant la baronne dans les vastes et élégantes pièces. Elle s'incrusta encore une heure, comme si elle ne se rendait pas compte que la pauvre Charlotte avait besoin de repos après son voyage de deux jours.

Si au moins son jacassement avait été intéressant, mais il était difficile à suivre; elle sautait d'un sujet à l'autre, posant parfois une question dont elle n'écoutait même pas la réponse.

— Ici, à Bristol, je fréquente la haute société avec l'oncle de mon amie, le conseiller général. Il pourra vous aider, vous savez. Avez-vous faim? Qu'est-ce que c'est que cette histoire de carrosse?

— Oh! ce n'est rien.

— Bon! Vous me raconterez. Ici il y a beaucoup d'officiers de marine qui dansent, ma chère, qui dansent... un vrai rêve! Et vous? Vous aimez danser?

— À l'occasion. Bien sûr.

— La société de Londres est très différente, vous verrez. Ce sont des officiers de l'armée.

— Mais j'en arrive...

— Ah! oui, c'est vrai. Oh! j'ai été présentée au roi. Magnifique! *Gorgeous!* L'avez-vous été?

— Pas encore, mais...

— Ah! le théâtre! J'y retournerai avant mon départ. Je quitterai Londres avec regret, le plus tard possible.

Charlotte dressa l'oreille. Que voulait-elle dire, le plus tard possible? N'était-elle pas à Bristol pour affréter un bateau? Bon, elle verrait cela demain. Pour le moment, elle sentait une grande lassitude. Elle n'avait pas le courage de discuter.

Enfin, Martha Blair partit, après avoir accueilli avec un petit air protecteur les remerciements que lui renouvelait Charlotte pour l'appartement. Celle-ci n'avait pas osé lui faire remarquer que le loyer était beaucoup plus élevé que le prix mentionné dans leur correspondance.

Une fois seule, la baronne respira. Comme elle avait ordonné dès son arrivée qu'on fît reposer les enfants, le boudoir où elle se trouvait était silencieux. Elle réfléchissait sur le cas de cette compagne étourdissante qu'elle devrait supporter tout au long du voyage. Elle se rappela que cette Miss Blair avait été recommandée à Friedrich par un officier qui connaissait bien l'Amérique. Son mari n'avait pas dû la rencontrer souvent. Charlotte faillit pleurer. Il n'était pas question de ne pas suivre l'avis de son mari. Elle devait partir en même temps que cette femme. C'était une condition posée par le général. Devant l'incontournable, Mme von Riedesel réagit en se parlant tout haut :

– Allons! Cette personne est peut-être moins superficielle que je le suppose. Je suis tout simplement fatiguée du voyage, énervée de cette stupide arrivée.

Elle se leva et se fit un grand salut devant une glace qui occupait la moitié d'un mur :

– Frau Madam vouloir excuser les peuples qui admirer splendide carrosse, fit-elle en imitant l'accent du vieil homme obligeant.

Son caractère joyeux reprenant le dessus, elle tomba dans un fauteuil plutôt qu'elle ne s'y assit. Toujours en riant, elle leva ses jambes, secoua ses pieds et lança ses souliers en l'air, qui retombèrent dans des côtés opposés de la pièce. Elle essuya ses larmes, mélange de folie joyeuse, de nervosité et de mélancolie, se releva, se regarda de nouveau dans la glace et se fit une grimace.

– Mademoiselle Charlotte von Massow, allez faire la sieste tout comme les enfants de Mme von Riedesel. Ensuite vous verrez le monde avec plus de justesse et de justice. *Ouste! Geweg! Geweg!*

Rassérénée par ces enfantillages qui lui redonnaient une jeunesse – sa manière à elle de sortir de ses découragements –, elle suivit aussitôt l'ordre qu'elle venait de se donner et alla se reposer.

22

Depuis l'arrivée à Bristol de Mme von Riedesel, plusieurs semaines s'étaient écoulées. Elle avait su par les journaux que la ville de Québec, attaquée par les colons américains, était encore, Dieu merci, aux mains des Anglais. Aussi pressait-elle ardemment Martha Blair, qui lui répondait toujours la même rengaine :

– Non, non, ma chère baronne. Je ne puis partir avant de recevoir une lettre d'une parente. Elle seule me dira s'il est *secure* de se rendre en Amérique à ce moment-ci.

Pour oublier qu'elle s'ennuyait si fort de son mari et aussi parce qu'elle était frustrée de ne pas comprendre les conversations – ce n'était pas comme sur le continent où tout le monde, bien que ne parlant pas toujours l'allemand, pouvait au moins s'exprimer en français –, Charlotte s'était donc mise à l'anglais, avec un professeur. C'était pour elle une façon de retenir son impatience.

Il n'empêche que, attristée par les tergiversations de Martha Blair, elle s'était décidée à demander conseil à Lord Germain, secrétaire d'État des colonies. Elle espérait qu'il ferait pression sur l'Américaine. Dans sa réponse, Lord Germain lui parlait beaucoup de cette dernière.

M. von Riedesel a bien fait de vous confier à la fille de John Blair, un riche marchand de New York. Il y a, si je ne m'abuse, cinq ou six demoiselles Blair, qu'on dit toutes plus jolies les unes que les autres et très bien élevées. Vous les verrez sûrement là-bas. Elles sont, m'a-t-on assuré, très intelligentes et très admirées dans leur milieu, qui est le meilleur d'Amérique.

J'ai rencontré Miss Martha Blair. C'est une très belle jeune femme, pétillante d'esprit et de charme.

Charlotte interrompit sa lecture et soupira : «Toutes ces louanges dithyrambiques sur la famille Blair ne répondent pas à ma demande. Je suis à même de juger Martha Blair, depuis ces semaines passées près d'elle.»

Et elle songea combien sa première impression sur la superficialité de la jeune femme n'avait pas changé. Celle-ci ne manquait pas une occasion de faire valoir le fait que l'oncle de son amie avait été maire de Bristol; elle parlait beaucoup de ses relations en Amérique et à Londres. Et Charlotte s'imaginait facilement que, avec ses amis de Bristol, Miss Blair devait faire état de son intimité avec Mme von Riedesel, qui connaissait «des rois et des reines».

Revenant à la lettre décevante de Lord Germain, Charlotte s'exclama :

— On dirait qu'il écrit pour écrire, comme s'il ne savait quoi dire et remplissait le plus de lignes possible.

Elle continua sa lecture.

Il est vrai que l'hiver approche et je sais que vous désirez partir avant que les glaces ne prennent sur le fleuve Saint-Laurent. Mais vous me dites aussi que votre mari vous a imposé la condition de voyager avec Miss Blair et que celle-ci ne semble pas pressée de partir.

Je ne sais vraiment pas quel avis vous donner. Il s'agit pour vous de la persuader. Je vous promets que, lorsque vous aurez réussi votre médiation, vous pourrez voyager gratuitement sur un de mes vaisseaux de transport, avec toutes les provisions nécessaires pour vous, vos enfants, votre compagne et vos serviteurs.

La pauvre Charlotte soupira de nouveau. Elle rejeta avec un mouvement de colère la lettre du secrétaire d'État.

— Même s'il est très poli, je ne suis pas plus avancée. Il ne veut vraiment pas s'en mêler. J'aurais aimé qu'il donne un ordre, ou même seulement un conseil. Mais il me laisse tout entre les mains.

Elle se leva et arpenta la pièce de long en large. Elle se parlait à voix haute :

– J'en ai assez! J'ai trop pleuré la nuit, en cachette. Le pire, c'est que mes serviteurs sont abattus. Je le sens bien. Même Adélaïde devient nerveuse. Ne parlons pas de Lizzie, qui entretient l'illusion que nous retournerons à Wolfenbüttel, puis qui sanglote quand elle constate ma volonté de continuer. Rüpert a une tête trop dure pour apprendre les langues : il ne parvient pas à parler l'anglais. Tout ce qu'il sait dire, paraît-il, ce sont des jurons qu'il vaut mieux que je ne comprenne pas. Il est si déprimé que je préfère ne pas le rencontrer dans les corridors. Même Röckel, mon bon Röckel, est bourru; il se dispute pour un rien avec Lizzie et Rüpert. La seule qui lui en impose est Adélaïde. Et les enfants… les enfants qui me demandent tous les soirs si elles verront bientôt leur père!

Elle se planta devant une fenêtre et regarda le parc. Les larmes aux yeux, elle évoqua celui pour qui elle supportait tous ces ennuis.

– Oh! Friedrich, mon chéri, ne pouvez-vous me venir en aide d'aussi loin que vous êtes?

À ce moment, on cogna à la porte, tout doucement, tel que son mari le faisait parfois. Elle fut si saisie qu'elle ne répondit pas. Son cœur s'arrêta, comme si, en ouvrant, elle verrait apparaître le fantôme de celui qu'elle venait d'invoquer.

On frappa de nouveau et une petite voix demanda :

– Maman, êtes-vous là? Puis-je entrer?

Charlotte s'essuya les yeux vivement. Elle s'accrocha un sourire aux lèvres et secoua la tête moqueusement. «Que je suis folle! Mais c'est tout de même une réponse», se dit-elle.

Elle ouvrit sa porte à Augusta. Celle-ci, toute fraîche de sa promenade, avait un petit bouquet de fleurs à la main.

Charlotte l'enleva dans ses bras et la serra très fort.

– Maman, vous me faites un peu mal.

– Oh! pardonnez-moi, ma chérie. C'est que je vous aime tant et que vous répondez à mon appel.

– Comment cela? Vous m'avez appelée?

La mère sourit :

– Non, non. Disons… que je m'ennuyais.

– Vous, maman?

Augusta rit, étonnée de cette nouveauté.

— Je veux dire que dans mon cœur j'espérais quelque chose de beau et de gentil. Et vous voilà.

Toute sa joie retrouvée devant la fraîcheur dégagée par sa fille, Charlotte embrassa tendrement son aînée, dont on entendit les éclats de rire à travers les pièces. Ce qui fit accourir Frederika. Pour ne pas être en reste, la baronne recommença ses caresses avec la cadette.

Plus tard, quand elle eut remis les deux enfants aux mains de leur gouvernante, Charlotte, rassérénée, ne songea plus qu'au jour où elle verrait ses filles dans les bras de leur père.

— Pour cela, se dit-elle, il faut que je persuade Martha qu'on se mette en route tout de suite pour le port d'embarquement. Tenez-vous bien, chère Miss Blair, demain vous devrez me donner de bons arguments si vous voulez encore étirer le temps.

23

Entre Québec et Montréal, le 8 juin 1776

Ma très chère et très aimée Charlotte,

J'espère que vous avez reçu mes deux dernières lettres, l'une du 24 avril et la seconde du 1er de juin, le jour où nous sommes arrivés à Québec. Dieu merci, notre traversée est chose du passé. Je suis en parfaite forme, et il ne manque rien à mon bonheur, si ce n'est de vous avoir à mes côtés avec mes petites chéries.

À mon arrivée, je suis allé immédiatement présenter mes respects au gouverneur du Canada, Son Excellence le général Guy Carleton. Il m'a reçu avec courtoisie, je dirais même avec amitié.

Le gouverneur, quartier-maître et ami du général Wolfe, a été blessé aux plaines d'Abraham, pendant la conquête du Canada. Il semble avoir gardé un mauvais souvenir du Hanovre, où il a servi George II, le grand-père du souverain actuel. Peut-être tient-il de son séjour dans cet électorat sa préférence marquée pour les soldats anglais, engouement que j'ai vite noté. Malgré cela, il semble me tenir en assez haute estime. Le soir de notre première rencontre, il m'a convié pour le lendemain à un dîner chez lui.

Je veux vous raconter une anecdote plaisante, mais que vous garderez pour vous. À ce dîner, j'avais en face de moi un jeune capitaine anglais, habillé à la sauvage. Cela est assez banal ici pour ceux qui dirigent un groupe d'Indiens. Mais son visage à la peau très pâle était peint, ou plutôt bariolé, et il portait un anneau dans le nez. C'était bizarre, même extravagant chez un chrétien. J'appris qu'il était non seulement le neveu du gouverneur, mais aussi son beau-frère puisqu'il est l'époux de la sœur de Lady Carleton. Quand vous le rencontrerez, ne soyez pas trop espiègle… Je me méfie de vous, mon amour, je me méfie de vous et vous adore.

Le gouverneur m'a beaucoup parlé de la nouvelle constitution, l'Acte de Québec, qu'il est allé défendre à Londres afin de rendre justice aux Canadiens. De sa déception aussi. Les Montréalais surtout subissent l'influence de la propagande mensongère des colonies anglaises. Celles-ci leur promettent la liberté de presse, de commerce et de religion s'ils les suivent dans leur révolte. Le gouverneur n'en croit rien, ni d'ailleurs la plupart des seigneurs canadiens chez qui le général puise plusieurs de ses aides de camp. Au contraire, il croit que les colons américains leur enlèveraient tous les droits que l'Angleterre leur laisse. La preuve, pense le général Carleton, c'est que les membres du Congrès américain ont piqué une colère noire quand ils ont lu l'Acte de Québec. Ils le trouvaient trop généreux pour les catholiques.

Je suppose que vous avez pensé à moi le 3 juin. Je songeais bien tristement aux années passées où, à cette date, ma petite Augusta m'apportait un bouquet de fleurs à mon réveil pour mon anniversaire. Je me languissais de vous, de mes petites et de ce bébé que je ne connais pas encore; d'autant plus que j'étais consigné à bord, car nous devions appareiller bientôt selon le plan du général qui voulait attaquer les deux villes entre les mains des ennemis, Sorel et Montréal. J'étais morose et, de plus, en colère, car le gouverneur m'avait annoncé que mes dragons et mon régiment «prince Friedrich» resteraient en garnison à Québec. Heureusement, le 5 juin, il m'a nommé commandant d'un corps spécial, ce qui a mis un peu de baume sur mon amour-propre.

J'ai oublié de vous raconter que le 4 juin, pour l'anniversaire de Sa Majesté, l'ordre a été donné d'illuminer Québec. Il y a eu un bal. C'était une splendeur de voir la ville pleine de lumières dans la nuit. Cependant, des soldats ont cassé des vitres des maisons où l'on négligeait (ou refusait peut-être) d'allumer une chandelle. Je réprouve ces gestes. Ce n'est certes pas le temps d'attiser des révoltes. L'ennemi est aux portes. J'ai bien averti mes soldats que je ne voulais pas qu'ils imitent ces manières non diplomatiques.

Nous sommes enfin partis avec nos bateaux, et les Anglais par voie de terre. Les colons envahisseurs ont évacué Sorel et Montréal avant même que nous les attaquions. En fait, pendant que j'étais en reconnaissance sur la rive sud, le général Fraser, sur la rive nord, a fait cent cinquante prisonniers, grâce à un habitant, Antoine Gauthier, qui les a sciemment embourbés dans les marécages. Fraser n'a eu qu'à les cueillir. Si cela continue, vous n'aurez que le temps de mettre pied en Amérique, ma chère. Au printemps prochain, nous nous retrouverons dans notre cher Wolfenbüttel avec assez d'argent pour doter confortablement au moins notre petite Augusta.

J'ai envoyé cette lettre en Angleterre et une copie en Allemagne, ainsi il sera plus sûr que vous ayez de mes nouvelles. Je vous souhaite du plus profond de mon cœur un excellent voyage. Que Dieu guide vos pas.

Je vous quitte car je dois m'occuper de mes pauvres soldats tout ankylosés d'avoir été si longtemps sans mouvement sur le bateau et qui ont dû ensuite marcher des lieues et des lieues sous une pluie battante.

Adieu, mon ange. Je vous appartiens pour toujours et j'attends avec anxiété des lettres de vous. Mieux… votre arrivée.

Riedesel.

P.-S. Ma chère petite Augusta,
Que fait ma chère petite fille? J'espère que vous vous portez aussi bien que votre papa. J'ose espérer avoir la grande joie de vous revoir bientôt. Que Dieu soit avec vous. Aimez-moi toujours. Honorez votre mère et obéissez-lui. Je serai à jamais votre fidèle papa.

Friedrich avait à peine effleuré le sujet des incidents des Trois-Rivières car les événements auraient été trop longs à décrire. Il regrettait de ne pas avoir eu le temps de parler à sa femme du dépit qu'il avait ressenti par rapport au général Burgoyne. Il en gardait un arrière-goût amer.

Les faits avaient été les suivants. Pendant que les Anglais faisaient prisonniers les soldats américains venus se jeter avec candeur dans la gueule du loup, le général von Riedesel, toujours à l'ancre, entouré de canots indiens et de petits bateaux canadiens qui patrouillaient, avait reçu l'ordre d'attendre. À la suite de la victoire sans bataille des Britanniques et à l'abandon de Sorel et de Montréal par les insurgés, Riedesel, fin stratège, avait proposé à Carleton de poursuivre l'ennemi avant qu'il ne s'enfuyât trop loin.

– Demain, vous donnerez l'ordre à vos troupes de débarquer, avait répliqué le gouverneur. Nous avons le temps. Entre le fleuve et le lac Champlain, il y a des portages qui retarderont l'ennemi.

Ce que Friedrich n'avait pas entendu, cependant, avait été la discussion qu'avaient eue peu après Carleton et Burgoyne.

– Mon commandant, nos troupes anglaises sont plus nombreuses que celles des rebelles. Nous n'avons pas besoin des Allemands pour leur mettre le grappin dessus. Ne serait-il pas préférable que nous, les Anglais, nous voyions attribué le mérite de cette victoire assurée? Partant de Sorel, je pourchasserais les rebelles par le Richelieu; de Montréal, le général Fraser les traquerait par Saint-Jean.

Se laissant convaincre, Carleton avait envoyé un contre-ordre à Riedesel qui, sans en comprendre la raison, avait dû rester à bord. Malheureusement, les soldats anglais, partis pour la gloire, en avaient perdu leur peine. Quand ils avaient atteint le lac Champlain, ils avaient vu disparaître à l'horizon les voiles ennemies. Sans bateaux pour les poursuivre, ils avaient dû rebrousser chemin.

Ayant compris l'antagonisme qui existait entre les Anglais et les Allemands, Carleton avait alors ordonné aux Brunswickers de camper à La Prairie, loin de l'armée anglaise. Riedesel, heureux de se retrouver seul avec «ses enfants», avait organisé son campement du mieux qu'il avait pu, en attendant la construction des bateaux qu'on lui avait promis pour traverser le lac Champlain. Parfois, comme dans sa lettre à Charlotte, il rêvait : ce ne serait plus très long; on traverserait la Nouvelle-Angleterre, on vaincrait facilement ces misérables qui avaient si vite décampé. Et tout serait dit.

24

Mᵐᵉ von Riedesel regardait intensément son interlocutrice. Elle retenait son impatience car elle voyait bien que Martha Blair était irrésolue.

Depuis les quelques mois qu'elle fréquentait la jeune femme, elle avait bien compris que celle-ci n'était pas pressée de retourner en Amérique. Mais aujourd'hui, enfin, la baronne avait reçu une lettre de Lord Germain lui annonçant qu'un de ses bateaux appareillait de Londres pour l'Amérique et qu'il arrêterait les prendre à Portsmouth. C'est cette missive que Miss Blair tenait entre ses mains et qu'elle lisait à mi-voix :

Votre cabine est assez grande pour que vous puissiez y recevoir Miss Blair. Deux suites sont réservées pour vos enfants et votre personnel. Vous aurez, chère baronne, toutes les provisions nécessaires à ce voyage, pour vous, vos amies, votre famille et votre personnel. Il y aura même une vache afin que vos enfants puissent boire du lait tous les jours.

– Quelle délicatesse, ne trouvez-vous pas? ne put s'empêcher d'admirer Charlotte, qui ne savait pas que cette attention avait été recommandée par le général lui-même.

– Soit. Partons. Le temps de faire nos bagages, chère baronne.

– Bon! Alors j'envoie immédiatement Röckel à Portsmouth retenir un logement, fit Charlotte, voulant battre le fer quand il était chaud.

Pendant que la baronne retournait à son appartement, tout à la joie de cette décision, Miss Blair se dirigea vers sa chambre. Elle s'empressa d'écrire à des amis un message qui se terminait par ces mots :

Je suis tellement craintive à l'idée de ce voyage imposé par cette Allemande. Soutenez-moi contre elle pour que nous passions l'hiver à Londres. Je vous en serai reconnaissante.

Elle regarda s'éloigner son serviteur avec la lettre, un petit sourire ironique aux lèvres.

* * *

Ils étaient partis tard de Bristol. Miss Blair avait dansé presque toute la nuit sous prétexte que c'était sa dernière soirée en bonne compagnie anglaise. Aussi avait-elle traîné longtemps au lit. Sur le chemin de Portsmouth, elle avait prétendu souffrir d'une migraine pour s'arrêter dans une auberge, où elle eut la surprise de trouver des amis officiers. Charlotte se douta cependant, à quelques remarques et surtout au regard moqueur de Miss Blair, que cette rencontre n'était pas fortuite. Étrangement, la conversation porta principalement sur le temps qu'il faisait et sur les dangers que représentait l'océan à cette période de l'année, de même que sur la sagesse de demeurer en Angleterre tout l'hiver. La méfiance de Charlotte se confirma lorsque les officiers offrirent d'escorter les carrosses jusqu'à la ville portuaire.

Dès qu'ils furent arrivés à Portsmouth – il faisait presque nuit –, Charlotte envoya Röckel s'enquérir si le navire était à l'ancre. Le serviteur revint en lui disant qu'il ne tarderait sûrement pas mais qu'on n'avait pas encore signalé sa présence.

* * *

Elle regarda l'heure. Huit heures. Elle se leva, nerveuse, passa un déshabillé et sortit dans le corridor. Elle se retrouva nez à nez avec Martha Blair, habillée comme pour un voyage, son chapeau sur la tête et une cape sur le bras.

— Je venais justement vous chercher, chère baronne. Les voitures sont avancées. Nous vous attendons.

— Mais pour aller où? fit Charlotte, affolée.

— Nous retournons à Bristol, naturellement, répondit sèchement Martha qui ne la regardait pas dans les yeux mais était fort occupée à mettre des gants. Je me suis rendu compte en arrivant ici que la saison était trop avancée. Ce voyage serait trop dangereux.

Les larmes jaillirent des yeux de Charlotte.

– Mais nous venons à peine d'arriver à Portsmouth et…

– Il est trop tard : vos bagages sont déjà sur le coche de Bristol depuis six heures ce matin. Vos enfants et votre personnel sont déjà dans leur voiture.

Charlotte s'habilla en toute hâte et se précipita au rez-de-chaussée où elle ne trouva que Röckel, à qui elle ordonna d'aller chercher sa malle personnelle restée dans sa chambre. Elle était si visiblement en colère que le serviteur voulut s'expliquer :

– Madame, Miss Blair est venue nous prévenir que nous devions tout préparer et vous laisser vous reposer jusqu'à la dernière minute. Cela nous a été dit sur un tel ton, madame, que nous avons cru que l'ordre venait de vous.

Charlotte constatait l'ampleur de l'hypocrisie de sa compagne, mais que pouvait-elle faire? Elle la chercha des yeux. Déjà installée dans son carrosse, Martha se pencha et, toujours avec son petit sourire ironique, lui dit d'une voix mielleuse :

– Vous venez, madame? Nous n'attendons plus que vous.

Encore sous le choc, la rage au cœur et refoulant ses larmes, la baronne monta dans la même voiture. Aussitôt assise, elle ferma les yeux, ne voulant plus voir Miss Blair.

Les voitures roulaient l'une derrière l'autre depuis un bon moment. Dans le carrosse de Martha, celui qui venait en tête, un lourd silence s'était établi dès le départ. Et si l'orage n'avait pas encore éclaté entre les deux femmes, c'est que leur nuit avait été courte et que l'Américaine faisait semblant de sommeiller.

Sur l'ordre qui leur avait été donné avant le départ, les cochers s'arrêtèrent devant une auberge. Charlotte appela Adélaïde, qui descendit immédiatement de la seconde voiture.

– Prenez une table seule avec les enfants et Lizzie pour ne pas déranger Miss Blair, lui recommanda-t-elle d'une voix morose et dure.

Elle-même hésitait à entrer. Son désappointement, doublé de sa colère, lui enlevait tout appétit. Cependant, elle sentait bien qu'il était nécessaire qu'elle se nourrisse. Mais elle devait d'abord retrouver sa maîtrise de soi afin de rester polie en s'asseyant avec sa compagne.

Pendant qu'elle hésitait encore, des sabots de chevaux, des crissements de roues, des cliquetis d'armes et un cri répété se firent entendre. Une voiture à l'écusson du roi, entourée de gardes armés jusqu'aux dents et commandés par plusieurs officiers, s'arrêta devant l'auberge dans un train d'enfer.

— Qu'est-ce donc que cette voiture? s'informa Mme von Riedesel à une petite bonne curieuse accourue sur les pas de l'hôtelier.

— C'est la voiture qui transporte la paye jusqu'au vaisseau du roi.

— La paye? Quelle paye?

— Oh! la paye des soldats, des officiers, des gouverneurs, l'or pour la guerre. C'est pour cela qu'il y a tant de soldats qui l'escortent.

— Mais pourquoi sur le vaisseau du roi? Quel vaisseau?

— Ben, le vaisseau qui va en Amérique, pardi!

— Vous êtes certaine?

— Certaine? Comme je vous vois là, madame. Je le sais, le cocher est mon cousin.

Mme von Riedesel pâlit, puis rougit. Elle se tourna vers Martha qui était venue par curiosité voir ce qui se passait et avait écouté les propos de la servante de l'auberge.

— Vous avez entendu, Miss Blair?

— Bien sûr.

— Alors, si le roi envoie tant d'or, à cette période de l'année, c'est qu'il est certain que son bateau se rendra à destination sans risquer d'être pris dans les glaces, n'est-ce pas?

— Il se peut.

— Mais alors, nous aurions pu partir aussi.

L'Américaine haussa les épaules.

— Mon Dieu, chère amie, si vous êtes si brave, que ne partez-vous?

– Mais vous avez renvoyé tous mes bagages à Bristol… sans ma permission d'ailleurs.

– Il n'en tient qu'à vous de repartir vers Portsmouth, madame la baronne. Je me ferai un plaisir de vous expédier vos bagages sur le prochain voilier qui voguera vers l'Amérique.

Charlotte ne put cette fois retenir son humeur. Peu lui importait maintenant la promesse faite à son mari. Elle partirait seule, sans cette créature.

– C'est bien! Merci, mais ne vous donnez pas cette peine.

Elle fit signe à Röckel.

– Prenez un cheval. Galopez le plus vite possible pour rejoindre le coche de Bristol et ramenez mes bagages dans une voiture louée. Si vous ne pouvez tout prendre, apportez surtout le vin pour M. le baron, les citrons contre le scorbut, les vêtements chauds et tout ce qu'il faut pour les lits. Venez nous retrouver à Portsmouth, dans les plus brefs délais.

Forte de sa décision, elle entra s'asseoir à la table des enfants avec les servantes. Quand le repas fut terminé, elle ordonna à Rüpert de tourner la voiture vers Portsmouth, et dit à son personnel de s'installer avec les enfants dans le carrosse et de lui faire une place.

Elle alla ensuite vers Miss Blair, la salua poliment mais froidement, puis se dirigea d'un pas déterminé vers son carrosse.

La baronne reprit donc la route de Portsmouth pendant que Röckel partait à fond d'étrier vers Bristol. Il rejoignit le coche à la nuit. Le conducteur, un brave homme qui parlait un peu allemand, conduisit même le serviteur jusqu'à une voiture de louage pour y transférer coffres et malles. Cette gentillesse réconcilia le *jäger* avec l'humanité, qu'il détestait depuis le matin parce qu'il la confondait tout entière avec Miss Blair. Il ne pardonnait pas à cette dernière le tour qu'elle avait joué à Mme von Riedesel et à lui-même, tour qui l'avait grandement humilié parce qu'il ne s'en était pas douté.

Le lendemain, la baronne, un peu inquiète de son geste, et en même temps soulagée de se retrouver seule, donna l'ordre à Rüpert d'aller au port plusieurs fois par jour et de l'informer dès que le navire de Lord Germain serait arrivé. Puis elle décida de visiter les lieux en attendant.

C'était une si jolie ville qu'Adélaïde lui demanda la permission d'y faire des croquis à toute heure du jour, surtout que leur séjour n'allait sans doute pas être long.

* * *

Plusieurs coups de canon indiquaient qu'un vaisseau important annonçait son entrée dans le port. La baronne se réveilla en sursaut. Quoiqu'il fît encore nuit, elle se leva en hâte, pleine d'espoir, et s'habilla. Fébrile, elle fit lever Röckel et Adélaïde, avec qui elle se sentait le plus en sécurité. Elle avait décidé de se rendre au port, certaine que le navire devait être le sien.

Bien des gens, d'ailleurs, se dirigeaient comme elle vers le port pour assister à l'arrivée du voilier qui s'annonçait d'une manière aussi triomphante.

La foule se pressait, se poussait gentiment et riait. Puis, lentement, le silence se fit. On commençait à entendre un murmure, qui se développa peu à peu en un chant qui semblait descendre du ciel.

Bientôt surgit, derrière une pointe de terre, l'élégant profil d'une figure de proue qui se détachait, toute noire, sur un ciel que seul l'éclat des étoiles qui pâlissaient déjà faisait paraître moins sombre.

Les chants devenaient plus précis. On distinguait maintenant les silhouettes des marins grimpés dans les haubans, à mesure que le quatre-mâts avançait. La proue vira bientôt vers le port. On aurait dit un animal géant fin comme une lame de couteau prêt à couper la ville en deux. Mais un second coup de barre ramena le voilier de côté. Des cris remplacèrent les chants. On se hélait de tribord à bâbord et de la poupe à la proue. Des bruits de voiles qui claquent, de cordages, de poulies et de chaînes se suivaient, se mêlaient, s'entrechoquaient. Enfin, des paroles s'échangèrent depuis les ponts jusqu'au quai.

Déjà, Charlotte avait compris que ce n'était pas «son» bateau. Celui-ci arrivait de Tobago, une île quelque part au sud de l'Amérique. Quand les passagers commencèrent à descendre, toute triste, elle allait s'éloigner, lorsqu'elle fut arrêtée par des gens qu'elle avait connus à Bristol et retrouvés la veille à Portsmouth.

– Nous avons des amis à bord qui arrivent des îles. Les voici justement.

On s'empressa de présenter le couple à Charlotte comme étant le capitaine Young et sa femme. Lorsque l'officier sut qui était Charlotte, il s'exclama :

– J'ai été l'adjudant du duc de Brunswick! pendant la guerre de Sept Ans. J'ai eu l'honneur de rencontrer le baron votre époux. Aurai-je le plaisir de renouer connaissance avec lui à Portsmouth?

En quelques mots, Charlotte expliqua la raison pour laquelle elle n'était pas avec Friedrich.

– Je ne suis pas étonné qu'il soit devenu général. Il montrait de belles dispositions et chacun enviait ses capacités. Mais permettez-moi de vous dire à quel point je vous admire, madame, d'envisager un tel voyage avec vos enfants.

Lorsqu'ils furent sur le point de se quitter, il ajouta galamment, en lui baisant la main :

– J'aurai toujours le regret de ne pas vous avoir connue plus tôt, chère madame. J'espère que nous aurons, mon épouse et moi, le plaisir de vous revoir avant votre départ pour l'Amérique.

Un éclair jaillit des yeux de Mme Young, mais elle salua gracieusement.

25

Londres

Charlotte a un geste d'agacement. Pour la dixième fois au moins, Mme Young est sortie de la pièce en claquant la porte. Quand ce n'est pas de la mauvaise humeur, ce sont des jérémiades que s'attire la baronne pour avoir refusé d'accompagner la femme du capitaine à un souper ou à un bal.

La vie n'est pas facile pour elle chez les Young. Aussi se sentelle perdue, regrettant d'avoir suivi leur conseil d'embarquer à Londres, quand le bateau de Lord Germain se faisait tellement attendre à Portsmouth.

Aussitôt dans la capitale, elle s'était dirigée vers le port. Atterrée, elle y avait appris que le navire avait déjà quitté Londres et qu'elle n'avait plus le temps de retourner à Portsmouth pour le rattraper. C'était comme le jeu du chat et de la souris. Mais le capitaine Young, compatissant, lui avait dit doucement : «Venez, madame. Il est inutile de rester sous la pluie et de prendre mal. Ma femme et moi serons heureux de vous héberger.»

Plusieurs semaines ont passé depuis qu'elle s'est ainsi laissé conduire, sans résistance, assommée par cette malchance qui lui a enlevé tout espoir de rejoindre son mari. Que n'est-elle restée à Portstmouth? se reproche-t-elle. Pourquoi s'être laissé influencer par son entourage? Mais il y a tant de mois qu'elle lutte contre les conseils des uns et des autres. Pour une fois, elle a cédé. Elle n'a pas suivi son instinct. Elle a eu tort.

— La situation se détériore, soupire Charlotte. Mme Young est jalouse et volage. Sa figure se transforme d'une manière déplaisante aussitôt que le capitaine s'occupe de moi. Dieu sait pourtant qu'il ne dépasse jamais les bornes de la politesse et de l'honnêteté. Quand elle est furieuse, sa voix monte, suraiguë; aucune porte, aucun mur n'étouffe ses paroles.

«On sait bien, tout ce que fait Mme von Riedesel est parfait. Madame la baronne n'a pas de défaut, elle. Madame est un ange. Madame ne dépense pas! Elle reste chez elle! Eh bien, restez donc avec madame!»

À la première querelle entre le capitaine et sa femme, Charlotte s'était éloignée, indécise sur ce qu'elle devait dire ou faire. Lorsqu'un peu plus tard elle avait croisé son hôtesse, elle avait été surprise du sourire aimable qu'elle lui avait lancé et des mille gentillesses dont elle l'avait entourée. Tout de même, la baronne avait exprimé son désir de chercher un logement ailleurs, disant craindre d'être indiscrète en restant si longtemps. Mais Mme Young, l'air étonnée, lui avait répondu : «Nous en reparlerons quand vous aurez reçu votre argent d'Allemagne. Rien ne vous presse. Nous verrons cela plus tard.»

Et pendant quelques jours elle avait été si prévenante que la baronne avait cru avoir rêvé.

Puis une autre dispute était survenue, et encore une autre… Quand Mme Young ne se plaignait pas du temps que passait Charlotte à dorloter ses enfants, c'est qu'elle prétendait que la raison du refus de la baronne de l'accompagner était due à l'avarice.

Chaque fois, la jeune femme sortait de l'appartement de son mari l'air pincé et disparaissait pour la journée. Le soir, elle réapparaissait plus souriante, plus détendue que jamais.

Ces volte-face survenaient continuellement. Ainsi, Mme Young achetait des tissus, faisait venir la couturière, insistait pour que la baronne se fît faire une robe ou un chapeau. Refus de Charlotte. Nouvelles lamentations ou criailleries de Mme Young. Puis nouvelles excuses.

«Il y a sûrement quelque chose qui ne tourne pas rond», pensait à chaque incident la baronne en regardant le capitaine dont le visage s'assombrissait de jour en jour.

Aujourd'hui, excédée, la baronne se dit que l'atmosphère est devenue irrespirable. Que Mme Young revienne le visage souriant ou non, qu'elle s'excuse ou non, tout est fini! Cette fois, aucune manière doucereuse ne la fera changer d'idée. Charlotte partira.

Le capitaine est absent lorsque les deux femmes se retrouvent seules l'une en face de l'autre. Charlotte n'a pas le temps d'exprimer sa décision de s'en aller. Comme si elle avait deviné les pensées de la baronne et qu'elle voulait la gagner de vitesse pour l'humilier, Mme Young prend un air faussement intéressé et attaque :

— Alors, vous êtes-vous enfin trouvé un logement, chère amie?

Charlotte se sent soulagée. Cette nouvelle attitude de Mme Young, empreinte de mépris, vaut mieux que des excuses ou des gentillesses. Cela facilite sa décision de quitter les lieux. Aussi répond-elle sans sourciller qu'elle se proposait justement de visiter quelques appartements.

— Eh bien, quelle coïncidence! J'en ai trouvé un pour vous. Accompagnez-moi, nous irons le visiter cet après-midi.

Un peu plus tard, les deux femmes descendent de la calèche de Mme Young, dans une petite rue étroite et sans soleil, en face d'une maison à l'allure plutôt délabrée. Avec hésitation, Charlotte suit sa compagne et la logeuse. Comme elle s'y attend, le logement est non seulement sombre et minuscule, mais poussiéreux et même crasseux, de cette crasse qui, pour n'avoir jamais été enlevée, imprègne les boiseries, les murs et les planchers. On sent que jamais on ne pourrait en déloger ni les taches ni les odeurs pourries.

Tout cela est si sordide que Charlotte sort en vitesse, saluant à peine la logeuse.

— Je croyais, fait dédaigneusement Mme Young, que ce logement au loyer modique vous suffirait. Vous avez si peu d'argent.

— Je préfère me restreindre sur les vêtements et les sorties que sur le logement. Mes enfants ont besoin de lumière et d'espace, réplique Charlotte, qui ne dit plus un mot jusqu'au retour, mais dont les yeux, toujours alertes, repèrent dans les rues ensoleillées des logis à louer.

**

Mme de Riedesel réfléchit en présence des Russell dont elle vient de visiter le logement entrevu deux heures plus tôt. Petit mais très propre, situé dans une rue tranquille et respectable, il semble une occasion inespérée de s'éloigner à jamais de l'odieuse Mme Young.

Grande, un peu grasse sans l'être trop, Mme Russell présente l'aspect d'une femme énergique et organisée. Une grande bonté se lit sur son visage. Quand à M. Russell, il bedonne et dépasse sa femme d'un talon. Il a un air bénin. Ses cheveux blancs et son sourire avenant font deviner un cœur de grand-père.

— Ce qui me fait hésiter, dit à un moment la baronne, c'est le prix de la location. Quatre livres, c'est cher pour moi. Obligée de passer l'hiver à Londres, comme je vous l'ai expliqué, j'aurai beaucoup plus de dépenses que ce que j'avais prévu.

— Je sais, mais songez à tous les avantages : propreté, soleil, tranquillité… Et il y a un parc à proximité. Ce sera très agréable pour vos deux mignonnes, fait valoir Mme Russell.

— Et vous ne trouverez pas partout des logements où l'on accepte des enfants et un bébé, ajoute M. Russell en offrant aux fillettes des bonbons dans une jolie assiette en faïence fine de Warburton.

— Même si le logement est moins grand que ce que j'aurais désiré, dit Mme von Riedesel, je le prendrais s'il était un peu moins cher. Je vous promets que je rentrerai toujours très tôt. Les enfants seront sages. Elles font de grandes promenades à l'extérieur, font la sieste et ne se couchent jamais tard. De plus, je suis très rigoureuse avec mon personnel.

Mme et M. Russell se regardent. Un dialogue silencieux s'établit dans le couple, un dialogue que les années vécues ensemble dans l'harmonie rendent imperceptible à l'entourage mais dont les signaux sont très évidents à ceux qui communiquent ainsi sans bruit. Ils échangent de légers battements de paupières, puis le maître de la maison dit :

— Allons-y pour trois livres, chère madame.

Peut-on trouver meilleurs cœurs? Après tous ses déboires, Charlotte en pleurerait de joie. «Quelle chance d'être tombée chez ces braves Russell! Leur vie simple me permettra de ne pas faire des dépenses imprévues cet hiver.»

* * *

Mais la baronne ne put s'en tenir entièrement à ce désir. Lord Germain la convainquit d'être présentée à la cour. Lady Germain s'offrit pour être «sa marraine». Quelque temps après, une missive aux armes de George III lui fut adressée, la convoquant au palais royal. Ne pouvant s'y rendre sans une robe de circonstance, Charlotte dut se chercher une couturière. Heureusement, presque au même moment, la banque l'avisa qu'une somme d'argent importante était arrivée pour elle, d'Allemagne. Elle se prépara donc pour sa présentation aux souverains d'Angleterre.

26

– Maman, est-ce que vous êtes une fée? demanda Frederika d'une petite voix intimidée.

– Je voudrais bien, *liebling*. D'un coup de baguette magique, nous serions toutes transportées auprès de votre père.

Pendant que Lizzie lui attachait son collier, elle se regardait dans le miroir et voyait le reflet de ses deux petites qui n'avaient d'yeux que pour elle.

Soit que son désappointement à la suite des circonstances qui l'obligeaient à passer l'hiver à Londres l'ait déroutée, soit que ses difficultés avec Martha Blair et Mme Young l'aient trop accablée, elle avait peu de goût pour une nombreuse compagnie. Quoique les Londoniens se montrassent d'une grande gentillesse à son égard, cherchant à lui faire oublier les mauvais moments passés, Charlotte avait pris l'habitude de se replier sur elle-même avec sa petite famille.

Aujourd'hui, elle attendait Lady Germain, qui devait la présenter au roi. Elle avait pris plaisir à vêtir sa nouvelle robe de cour, mais se sentait indifférente à l'événement lui-même. Le ravissement de ses deux aînées la remplissait soudain de joie et elle retrouvait pour un moment une certaine excitation en envisageant cette sortie. Elle se sentait rajeunie, plus jolie. Elle avait un petit regret toutefois. Son beau Friedrich n'était pas là pour le lui dire.

Plus tard, lorsque Mme von Riedesel pénétra dans la salle d'audience du palais Saint James, son exaltation tomba d'un seul coup : elle trouvait cette pièce si triste! Plus que jamais, l'absence de son mari lui pesait lourd.

Les invités n'étaient pas tous arrivés. D'ailleurs, Sa Majesté se faisait désirer. Charlotte put donc observer à loisir d'où lui venait sa mauvaise impression de la pièce. D'abord, ce style Tudor ancien lui déplaisait. Les murs de chêne, foncés et sculptés, et les nombreuses tapisseries alourdissaient la pièce. Les vitres plombées en forme de diamant des fenêtres repoussaient la lumière plutôt qu'elles ne la faisaient pénétrer. Bien qu'il fût assez tôt, en ce 1er janvier, pour que le pâle soleil d'hiver se montrât, des ombres tristes se promenaient sur les rangées de dames et de gentilshommes placés de chaque côté de la salle. Charlotte s'ennuya soudain des murs blancs aux reliefs de plâtre en forme de coquilles et de volutes des palais allemands : soleil ou lueur des chandeliers y mettaient une telle luminosité souriante.

Ici, la cheminée immense portait les initiales d'Henri VIII et d'Anne Boleyn. La baronne se rappela vaguement la sombre histoire d'une pauvre reine décapitée par un mari furieux. Pour chasser le petit frisson qu'elle venait d'éprouver, elle ferma les yeux et chercha dans sa mémoire ces poêles de porcelaine aux couleurs pâles et joyeuses, enguirlandés d'or, que l'on retrouvait dans chacune des pièces des maisons allemandes, avec les ronflements de gros animal rassurant.

«Comme ce palais-ci est démodé!» pensa-t-elle. Puis soudain les chuchotements des invités la ramenèrent à la réalité. L'attente commença à la rendre un peu moins sûre d'elle. Comment faire pour ne pas commettre d'impair? L'Angleterre était si différente du continent.

— Lady Germain, on m'a dit que le roi embrassait toutes les dames.

— Mais non, très chère! Sa Majesté n'embrasse que les dames anglaises, et encore, que les marquises.

— Alors que dois-je faire? Une révérence comme à la cour du duc?

— Restez toute droite. Si notre souverain vous adresse la parole, vous répondez tout simplement, sans bouger.

À ce moment, les deux immenses portes face aux invités s'ouvrirent sur un homme d'environ quarante ans, plutôt obèse, suivi de trois courtisans. Le chambellan annonça le roi.

Quand le souverain se fut dirigé vers la rangée à sa droite, justement celle où se trouvait Charlotte, on présenta la reine, elle aussi prénommée Charlotte. L'ex-princesse de Mecklenburg-Strelitz fit son entrée suivie d'une dame d'atours tenant sa traîne. Elle marcha vers les dames et les seigneurs placés à sa gauche. Aussitôt, et d'un même pas, les deux souverains s'avancèrent pour aller saluer un à un leurs invités, ou encore, dans certains cas, leur adresser quelques mots.

Bientôt le roi se trouva devant Lady Germain. Il lui demanda si elle avait apprécié sa soirée au théâtre la veille, puis ses yeux globuleux se tournèrent vers sa compagne et un intérêt certain y apparut.

— Sire, voici Mme la baronne von Riedesel, que Votre Majesté a bien voulu rencontrer.

Par habitude et malgré ce qu'avait dit Lady Germain, Charlotte ébaucha une révérence. George III la retint et l'embrassa sur les joues. Elle fut si surprise qu'elle se sentit rougir comme une fillette timide et faillit rester muette quand le roi lui demanda :

— Avez-vous reçu des lettres de votre époux, madame ?

Heureusement, son habitude des cours la fit se reprendre très vite. Ce bon gros roi à l'allure débonnaire lui plaisait. Elle ne décelait aucune trace de la folie dont on lui avait parlé.

— Oui, sire. Ses dernières lettres me sont parvenues le 22 novembre.

— Nous sommes déjà au 1er janvier. Vous aimeriez sans doute des nouvelles plus récentes. Sachant que vous veniez, je me suis informé pour vous auprès de M. le général Burgoyne, de retour du Canada. Tous là-bas sont satisfaits de votre époux.

Les yeux de Charlotte brillaient de joie. Son sourire irrésistible dut plaire au roi, car il continua :

— J'espère que ce pays de neige ne le rendra pas malade.

— Je crois, Votre Majesté, qu'étant né dans un climat froid il supportera sans mal celui du Canada.

— Je le pense aussi. On m'a assuré que là-bas l'air est très sain et très sec, ajouta le roi en la saluant galamment.

Charlotte, heureuse des paroles du souverain sur le baron, ne put retenir une espièglerie. Lorsqu'elle fut certaine que George III ne pouvait plus l'entendre, elle murmura à sa voisine :

— Après ce baiser, Lady Germain, je suis naturalisée, ne croyez-vous pas?

Le roi continuait son chemin. La reine suivait le même mouvement, mais à l'opposé, réglant son pas sur celui du roi. Les deux époux se trouvèrent donc en même temps au bout de leur rangée. Ils se firent face, se saluèrent comme dans un ballet bien réglé, se croisèrent et se dépassèrent. Pendant que le roi remontait la rangée que venait de descendre la reine, celle-ci remonta devant la ligne que venait de quitter son mari. C'est ainsi que la baronne fut présentée une seconde fois.

— Êtes-vous à Londres depuis longtemps, madame? s'enquit la reine en allemand.

Mme von Riedesel vit le plaisir que ressentait cette dernière à parler dans sa langue maternelle. Elle lui répondit donc en prussien qu'elle était en Angleterre depuis sept mois, mais qu'elle habitait Londres depuis deux mois seulement.

— Est-ce que Londres vous a charmée?

— Oui, Votre Majesté. Il n'empêche, Votre Majesté me comprendra, j'en suis certaine, que je désire ardemment être en Canada.

— Ne craignez-vous point de traverser l'océan? Pour ma part, je dois vous avouer que je n'aurais certes pas le courage de l'affronter.

— Comme Votre Majesté, je n'aime pas non plus cet océan. Il faut bien, pourtant, que j'accepte avec le sourire cette unique façon de rejoindre mon époux.

— J'admire votre courage, madame. Cela doit être particulièrement difficile avec trois enfants.

Mme von Riedesel fut étonnée que la reine connaisse autant de détails sur sa vie.

— Mon mari veut que je le rejoigne, et je trouve du courage et de la satisfaction à le suivre. Je crois remplir mon devoir. Je suis certaine que si Votre Majesté était à ma place elle ferait la même chose.

La souveraine renchérit, d'un ton dans lequel Charlotte crut déceler un peu de froideur :

– On m'a pourtant affirmé que vous entrepreniez ce voyage sans que votre mari le sache.

La baronne retint un geste d'indignation, que son visage et le tremblement de sa voix exprimèrent pourtant.

– Votre Majesté étant princesse allemande, elle ne peut douter que je ne pourrais entreprendre ce voyage sans le consentement de mon mari. De plus, si tel avait été le cas, qui aurait osé me prêter l'argent pour une telle aventure?

– Vous avez raison, madame. J'approuve votre résolution et je vous souhaite tout le succès imaginable. Bien heureux, cet époux qui inspire tant d'affection… Quand vous reviendrez du Canada, vous me présenterez M. le baron von Riedesel. D'ailleurs, d'ici votre départ, faites-moi le plaisir d'amener vos filles à mes appartements.

– Votre Majesté est pleine de bonté.

Après lui avoir fait un signe de la tête, la reine s'éloigna de la baronne et se contenta de brèves salutations aux autres courtisans, pour ne pas faire attendre le roi.

L'entretien entre la reine et la baronne avait été d'une longueur inusitée. Des chuchotements de surprise et probablement de jalousie bourdonnèrent. Lady Germain se pavanait. N'était-elle pas l'instigatrice de cette rencontre?

Après le souper, le roi et la reine se retirèrent. Le général Burgoyne se fit présenter à la baronne et lui parla de son mari aimablement. Ne connaissant pas l'homme, la baronne ne put deviner l'hypocrisie qui se cachait dans le sourire du général lorsqu'il affirma:

– Vous m'honoreriez, madame, si au printemps le navire sur lequel je repartirai devenait le moyen de vous réunir, vous et M. von Riedesel.

Elle le remercia chaleureusement et se sentit prête à donner son amitié à un homme si courtois. Elle ne pouvait savoir qu'au moment même où il l'entraînait dans une danse son esprit tordu et fat pensait: «Vous verrez la différence qu'il y a entre le gentilhomme que je suis et votre petit baron de mari.»

27

Trois-Rivières, le 10 novembre 1776

Leonhard déposa sa plume après l'avoir essuyée soigneusement. Tout l'avant-midi, il avait mis de l'ordre dans les papiers, rédigé invitations et instructions, répondu au courrier selon les directives et les annotations de son chef ou recopié proprement des lettres entières dictées par ce dernier.

Il s'étira.

Il entendit alors un bruit de galop, puis, d'une porte s'ouvrant, de voix et de pas. On cogna à sa porte.

— Une lettre urgente pour le général.

— Entrez, répondit le secrétaire en se levant et en se dirigeant vers la porte, plutôt pour faire bouger ses membres que pour recevoir le militaire.

— Le général n'est pas ici. Il dirige les exercices sur la plaine.

— Dois-je la lui apporter là-bas? fit le courrier en esquissant un geste de retrait.

Leonhard regarda l'horloge. Elle marquait midi moins huit.

— Inutile, il sera ici d'une minute à l'autre. Êtes-vous fatigué? Allez à la cuisine vous réchauffer et vous reposer.

Aussitôt que la porte fut refermée, le secrétaire se sentit furieux contre lui-même. Voilà qu'il adoptait les gestes, les paroles même du général. Quel idiot il faisait!

«Même si je suis les ordres quand j'invite les commissionnaires à se reposer, ne pourrais-je le faire à ma manière? Vrai! je pourris au contact des hauts gradés.»

Le parfum de la lettre qu'il tenait le détourna de ses pensées.

«Le cachet de la baronne. Enfin une lettre de madame. Le baron cessera de pleurnicher!»

Leonhard, encore une fois, fut mécontent de lui-même. Pourquoi se faisait-il narquois?

– Pleurnicher… j'exagère, murmura-t-il.

Au fond, l'anxiété du général, causée par l'absence de sa famille, touchait le jeune homme, car il était peut-être le seul à deviner la profondeur de cette angoisse.

Après des mois à vivre si près du baron, l'ancien étudiant avait appris à le connaître. Il savait que le sévère général n'acceptait ni beuveries, ni pertes d'argent au jeu, ni vols, et encore moins des viols, des duels ou des désertions. Les châtiments qu'il imposait étaient terribles. Mais il était juste et se laissait toucher dans certaines circonstances.

Lui-même n'avait-il pas bénéficié de l'indulgence de M. von Riedesel? Au début, il avait douté de la bonne foi de celui qui l'avait sauvé de la bastonnade. Qui lui disait que son engagement comme secrétaire n'était pas tout simplement un caprice de grand seigneur? Ces nobles s'entichent soudainement d'un être humain comme des enfants gâtés, d'un jouet qu'ils rejettent après l'avoir brisé. Le baron ne ferait-il pas de même avec lui?

N'exercerait-il pas plutôt un certain chantage, et ne se servirait-il pas de lui, Leonhard, en tablant sur sa reconnaissance, pour quelque geste mystérieux : assouvir une vengeance, par exemple? Les nobles ont tous les pouvoirs et sont si changeants.

Pourtant, à force de vivre dans l'ombre de son chef, Leonhard voyait que celui-ci était sincère et non capricieux. «Décidément, c'est moi qui ai l'esprit tortueux», avait-il constaté un jour. Le général avait tenu sa promesse et lui prêtait des livres. Il avait la délicatesse de ne jamais lui reparler du passé. Il leur était même arrivé d'échanger quelques idées philosophiques sur la vie. «Au fond, s'était dit Leonhard, amusé, c'est lui qui a pris un risque en m'engageant. Moi, je n'avais plus rien à perdre. J'ai même gagné un peu de liberté dans cette histoire, et une plume, objet plus intéressant qu'un fusil.»

Si parfois, comme maintenant, il se laissait aller à de légères réactions de sarcasmes sur le général ou de colère contre lui-même, c'est qu'il craignait de trahir ses propres idées, de se laisser amollir par la bonté du général. Aussi, par un retour de méfiance, par peur d'être lâche, il se protégeait avec une armure de cynisme. Heureusement, après réflexion, son esprit de justice lui faisait redécouvrir les qualités de son supérieur.

«Certes, il a certains défauts inhérents à sa race d'aristocrate de l'armée, parce qu'ils sont ancrés en lui depuis l'enfance. Mais il n'en a pas l'égoïsme. Il est généreux, pas de sa bourse, mais de ses gestes et de ses paroles, ce qui est mieux au fond. Et il aime vraiment sa femme et ses filles. Ça, je le sens. Je peux lire son désappointement sur son visage chaque fois qu'on lui apprend l'arrivée d'un bateau et que sa famille ne figure pas parmi les passagers. Ma foi, je crois bien que cette lettre me rend joyeux pour lui», s'avoua Leonhard.

Puis il regarda de nouveau l'horloge. C'était tellement rare que le général soit en retard, lui qui arrivait toujours à midi cinq pile.

Mû par un sentiment spontané qu'il ne prit pas la peine d'analyser, il se précipita au-devant de son chef, la main en l'air, l'enveloppe bien reconnaissable au bout de ses doigts. De cette façon, se dit-il, du plus loin qu'il viendra le baron pourra aussitôt se réjouir à la vue de la lettre de celle dont il se languit tant.

* * *

Friedrich s'enferma dans son bureau. D'une main fébrile, il brisa le cachet et dévora des yeux la lettre de Charlotte.

Tout à sa joie, il en saisissait à peine les phrases. Son sentiment d'exaltation obscurcissait sa compréhension. Mais il continua sa lecture jusqu'au bout, se laissant imprégner par le parfum qui lui rappelait des cheveux soyeux, un cou blanc, un corps désiré; par l'écriture serrée qui lui faisait voir une petite main douce, aussi blanche qu'une plume, traçant des mots; et par ces mots, justement, qui arrivaient malgré tout jusqu'à son cerveau et créaient d'autres images toutes plus chéries les unes que les autres.

Ce n'est qu'après plusieurs relectures que la signification de toutes les phrases se grava véritablement dans sa mémoire. Il put dire, enfin, qu'il avait «lu» la lettre.

C'est encore plein de son bonheur intérieur que le baron s'installa à table pour son repas. Il conservait devant ses gens un calme apparent. Leonhard remarqua pourtant qu'il but un verre de vin de plus qu'à son habitude.

De retour dans son bureau, M. von Riedesel parcourut une dernière fois les feuilles. Il rêva. Peu à peu, son excitation fit place à un autre sentiment : le vide d'une présence que la missive, malgré la joie qu'elle lui apportait, ne pouvait remplacer.

— Leonhard, appela-t-il.

Celui-ci, toujours aux aguets, entra.

— Leonhard, écrivez. Je dois répondre à mon épouse.

Les mains derrière le dos, se promenant de long en large – cet exercice semblait l'aider à clarifier ses idées ou à calmer ses sentiments –, le général dicta.

Trois-Rivières, le 10 novembre 1776.

Mon très cher amour!

Comme je suis reconnaissant d'avoir enfin reçu votre lettre de Bristol, écrite de vos propres mains. J'avoue que j'étais dans une inquiétude mortelle à propos de vous et de nos chères enfants. Votre bonne lettre m'a consolé.

Dieu sait si, en ce moment, vous êtes en mer ou si vous êtes restée en Angleterre. J'ai déjà lu, dans les journaux londoniens, que le Monsieur le Maître *était arrivé. C'est sur ce navire que j'ai envoyé mes premières lettres d'Amérique. Je ne peux imaginer pourquoi vous êtes restée en Angleterre. Je ne comprends pas pourquoi vous n'êtes pas venue, car un grand nombre de navires ont traversé depuis. Mon Dieu! je désespérerais si je devais rester seul, ici, tout l'hiver.*

Ma chérie, vous écrivez de belles choses, mais rien sur votre voyage en France, ni sur votre traversée de Calais à Douvres. Vous ne dites pas si vous avez vu la reine, ni si vous venez. Comme vous me manquez! mon amour, et Dieu sait que j'ai peu d'espoir de vous voir arriver cet hiver; aussi je vous envoie cette lettre afin que, si vous êtes encore en Angleterre, vous ne restiez pas sans nouvelles de moi.

Je suis bien, Dieu merci, mais je suis extrêmement inquiet de vous toutes. En attendant, même si je me serais réjoui de vous avoir ici, je ne dois pas me plaindre si vous ne venez pas. Dieu qui dans sa sagesse infinie contrôle toute chose a pu de cette façon vous sauver de quelque désastre.

Leonhard, qui écrivait consciencieusement chaque mot, pensa dans un éclair : «On se console comme on peut.»

L'incertitude de ne pas savoir le lieu où vous êtes, spécialement à cette époque de l'année, est ma principale angoisse. Ici je vis assez misérablement. La demeure que j'ai louée de M. de Tonnancour est loin du confort de notre maison allemande, mais enfin!

Leonhard ne put réprimer une pensée : «Comme ces gens vivent dans leur tour d'ivoire! Ils sont totalement incapables de se rendre compte combien il y a de pauvreté dans leur propre pays. Si un jour tout bascule, comme je l'espère, ce sera certainement terrible pour eux.»

– Leonhard, Leonhard!

– Oh! excusez-moi, mon général. Je vous en prie, poursuivez.

Le général continua à dicter :

Pour l'instant, rien ne nous laisse croire à des mouvements de troupes avant le printemps, hélas!

Quant aux gens de ce pays, les «habitants» devrais-je dire (c'est le nom par lequel les natifs d'ici se distinguent), malgré la conduite «déloyale» d'un certain nombre envers le roi d'Angleterre, ce sont des hommes d'esprit, robustes et très indisciplinés. Leurs maisons sont simples, elles n'ont qu'un étage, où on trouve quatre pièces très propres. Les habitants sont très courtois et obligeants. Je ne crois pas que nos paysans, dans les mêmes circonstances, se conduiraient d'une manière aussi satisfaisante. Le pays et les paysages du Canada sont très beaux. Je ne déplore qu'une chose, c'est que les habitants négligent trop le jardinage. Mais, pour leur défense, il faut ajouter que la présence militaire ne favorise guère l'horticulture. Je suis certain que vous trouverez ce pays magnifique.

J'aurais tant aimé vous écrire une très longue lettre, mais je dois conclure car le courrier est près de partir pour Québec. Puisse Dieu vous aider et vous protéger, mes amours.

Je vous embrasse, ma chérie, ainsi que nos chères enfants, et je nourris mon imagination de l'idée que vous viendrez, au plus tard, au printemps prochain.

Le baron prit la lettre des mains de son secrétaire et ajouta, avant de signer : «Votre fidèle mari tout à vous».

Pendant ce temps, Leonhard songeait, un petit sourire au coin des lèvres : «Comme il parle souvent de Dieu. Le pire, c'est qu'il est sincère… Baste! Au fond, il a peut-être raison. Qui sait?»

Le général lui tendit une bague spéciale faite d'un «F» et d'un «C» entrelacés et surmontés d'une couronne de baronnie. Ce n'était pas le cachet habituel du général, mais celui qu'il réservait uniquement à sa correspondance avec sa femme.

— Allez, Leonhard! Courez sur la grand-place pour ne pas manquer la poste. Ce serait catastrophique. Les navires en partance pour l'Europe doivent commencer à se faire de plus en plus rares.

Leonhard mit la lettre dans sa poche intérieure et dit, avec un sourire plein d'humour, comme si c'était un proverbe :

— Le temps ne doit rebuter ni secrétaire, ni militaire, ni ex-étudiant. J'y vais tout de suite, mon général.

Pendant que Leonhard se précipitait vers le dernier courrier sous une pluie mêlée de grésil, il se dit qu'il venait sans doute de trouver la réponse à une question qu'il s'était posée, un peu plus tôt, sur son empressement à courir au-devant du général avec la lettre : l'intérêt sincère que portait le général à ses proches éveillait, au fond du cœur de Leonhard, une fidélité dont il ne se serait jamais cru capable envers un maître.

Cela le troubla.

28

M. von Riedesel était arrivé la veille, de Québec, où il avait assisté à un grand bal chez le gouverneur. Il avait profité de ce séjour de deux semaines pour inviter les personnalités de cette ville à la réception qu'il voulait donner chez lui, le 20 janvier, en l'honneur de l'anniversaire de la reine d'Angleterre, qui était aussi princesse allemande.

Comme il n'avait que deux jours pour préparer cette fête, le baron, tel qu'à la veille d'une bataille, mit en branle toute sa stratégie de général afin que soit réussie cette journée.

— Leonhard, voici une liste d'invités. Vérifiez s'ils ont tous été joints. Il doit y en avoir une quarantaine. La plupart seront accompagnés… au fait, vous avez bien convoqué les capitaines de milice de ma juridiction? Je sors. Je vais chez M. Saint-Onge, si l'on me cherche.

Le secrétaire plongea dans la lecture des noms. Vers la fin, il continua à mi-voix :

— Le seigneur James Cuthbert de Berthier, le capitaine Loeder, et le capitaine Breymann…! Le dernier sur la liste et le dernier dans mon cœur. Ce fanatique! Quel être odieux! Comment puis-je oublier que j'ai failli être pendu par sa faute? Cela prend toute mon énergie pour résister à mon désir de me venger.

* * *

Pendant ce temps, le baron se rendait à pied chez M. Saint-Onge, qui habitait tout près. Le grand vicaire – tel était son titre – représentait l'évêque. Il était ainsi le personnage canadien le plus important des Trois-Rivières. Quelqu'un avait dit à son sujet, avec malignité, que la seule personne à qui obéissait

M. Saint-Onge (hormis son évêque, bien entendu) était sa cousine, Mlle Cabenac, qui tenait sa maison. «Ainsi, avait ajouté le malin, toute la ville est sous la férule de cette demoiselle.»

À la recommandation de Carleton, le général s'était lié avec le grand vicaire. Comme la philosophie religieuse du clergé s'élevait contre toute tentative de révolte, les prêtres étaient en général des alliés obligeants du gouvernement. Il était donc de bon ton de les fréquenter pour les amadouer.

De son côté, le grand vicaire recevait amicalement les représentants du gouverneur. Un jour, il avait tenu ce discours à Mlle Cabenac : «Je vais vous confier ma pensée, ma chère cousine, mais soyez une tombe. Il est vrai que je fais bonne figure à tous ces Anglais et à tous ces militaires étrangers, mais rappelez-vous que nous n'avions plus d'évêque en 1760 et que les lois anglaises nous défendaient une juridiction romaine. Avouons que c'est par une ruse, suggérée d'ailleurs par un prêtre d'Irlande, que l'abbé Briand s'est fait consacrer en France, mettant l'Angleterre, qui hait la papauté, devant le fait accompli. Mais il a dû promettre ensuite de n'avoir aucun lien avec le pape et la France. Notre entente est bien frêle. Une révolte du peuple canadien nous ferait perdre, à nous et à l'Église, le peu que nous avons gagné, et la dernière chance de persuader l'Angleterre de nous permettre d'entretenir des relations avec Rome.»

Cependant, malgré les propos de M. Saint-Onge et les raisons pragmatiques du général, en peu de temps, une amitié sincère s'était développée entre ces deux hommes que la religion, le métier et les traditions auraient dû séparer. Ni l'un ni l'autre n'étaient des fanatiques. Tous deux étaient cultivés, fins amateurs de bons vins et d'agapes, et attirés par les beaux-arts et la lecture. L'éducation de M. Saint-Onge, ses manières, son langage pouvaient en remontrer à plus d'un. Si bien que le général et le grand vicaire se fréquentaient non pas, comme au début, par diplomatie, mais bien par plaisir.

Mlle Cabenac fit entrer le visiteur au salon.

– Mademoiselle, votre maison reluit toujours comme un thaler neuf, fit le général.

— Vous voilà de retour, dit M. Saint-Onge. Si vous venez me rappeler votre invitation, soyez rassuré, ma cousine et moi sommes honorés d'avoir été invités.

— J'aurais été déçu de votre absence et vous remercie d'avoir accepté. J'ai plutôt un petit service à vous demander. Voilà. J'ai ici la liste des invités canadiens. J'aimerais que vous me disiez si j'ai oublié quelqu'un… quelqu'un qui pourrait s'offusquer.

Pendant que le vicaire lisait, Mlle Cabenac engagea la conversation.

— Si mon cousin le permet et si cela vous agrée, j'irai vous aider à organiser la maison pour votre gala, puisque vous n'avez pas encore le bonheur de la présence de votre épouse. Un œil de femme voit bien des petits détails.

— Je n'oserais vous donner un surcroît de travail, chère mademoiselle. Si vous désirez contribuer à ma fête, vous me feriez le plus grand honneur en apportant votre violon.

— Mais l'un n'empêche pas l'autre, général.

— Tout est parfait, fit M. Saint-Onge en remettant les feuilles au baron. Acceptez donc l'offre de ma cousine, il n'y en a pas deux comme elle pour détecter ce qui échapperait à la plus minutieuse des gouvernantes. Elle a… je n'oserais dire l'œil de Dieu, mais les yeux d'Argos.

— Fi donc! mon cousin. Vous, un prêtre, me comparer à un dieu païen? s'exclama la cousine d'une voix rieuse.

— Mademoiselle, dit von Riedesel, vous n'avez certes pas la vanité du paon. J'accepte, avec autant de simplicité que vous l'offrez, votre aide généreuse. J'ai d'ailleurs écrit à ma femme quel plaisir elle trouvera en votre compagnie.

— Comptez sur moi dès cet après-midi. Je vous amènerai des filles bien dressées, bien honnêtes pour aider à la cuisine, au ménage et au service.

— Oh! pour le service, j'ai des militaires très doués et un cuisinier hors pair.

* * *

Midi allait bientôt sonner. Les invités étaient presque tous arrivés. Ils entouraient le chirurgien Pendergast, qui avait réussi à parcourir vingt et un milles en quatre heures. Lorsque le soldat promu majordome annonça M. de La Naudière et madame, aussitôt le mouvement de la foule se porta vers les nouveaux arrivants.

Toujours grognon, le capitaine Breymann leva les épaules.

– Qu'ont-ils de si important, ces La Naudière pleins de morgue? Par quel tour de passe-passe ont-ils réussi à être dans les bonnes grâces du gouverneur?

– Tut! Tut! répondit le général Philipps, son père était chevalier de Saint-Louis et conseiller législatif. Ils sont d'ancienne noblesse de Guyenne et alliés à des ducs et des comtes. On dit que sa grand-mère, la seigneuresse de La Pérade, s'est conduite en héroïne quand elle était une demoiselle de Verchères.

– Et Mme de La Naudière? demanda le capitaine Pausch.

– C'est une demoiselle de La Corne, la fille du seigneur de Terrebonne. Son grand-père maternel, M. de Ramsay, a été gouverneur de Montréal, et même gouverneur des Trois-Rivières.

Breymann n'ajouta rien. À son grand regret, il était obligé d'admettre que cet ennemi était intouchable. Il se reprit plus tard, lorsque M. de Tonnancour fit son entrée suivi de ses trois dernières filles, Madeleine, Marguerite et Marie-Josephte. Toutes trois avaient comme atouts la jeunesse, un joli visage et une allure élégante, rehaussée de très beaux bijoux, la richesse ne pesant pas au bout des doigts de leur père. Une grappe de courtisans se détacha du noyau des La Naudière pour aller rejoindre celui des Tonnancour.

– Voilà le propriétaire, fit méchamment Breymann, resté seul avec Pendergast. Espérons qu'il ne vient pas réclamer son loyer.

– N'est-il pas seigneur de la Pointe-du-Lac? demanda le chirurgien, qui ne se rendait pas compte qu'il dévorait des yeux Madeleine, la plus jolie des trois sœurs.

Breymann crut deviner, à l'expression de son compagnon, les sentiments qui agitaient le jeune homme. Comme sa pensée suivait sa vilaine âme, il prêta à ce dernier les idées mesquines que lui-même aurait eues. Il dit en ricanant :

– Et il est riche, le seigneur de la Pointe-du-Lac. Voilà une jolie dot en perspective, n'est-ce pas, Pendergast? Cela ne vaut-il pas la peine de faire la cour à l'une des filles?

Rougissant de colère, Pendergast voulut répondre au lieutenant, mais à ce moment midi sonna et l'on entendit un coup de canon.

Alors, le général von Riedesel porta un toast à la reine, imité par l'assistance.

* * *

L'après-midi passa agréablement, puis, pour la seconde fois de la journée, on se mit à table.

Baum déclara, en piquant sa fourchette dans un morceau de chevreuil, que Riedesel recevait comme un roi.

Après le repas, les fumeurs s'installèrent en demi-lune près de la chaleur d'un bon feu de cheminée. Ils étaient tous animés d'une gaieté un peu bruyante provenant d'un délicieux repas arrosé de vins parfumés, de boutades amusantes et de ces anecdotes spirituelles qu'autorisait l'esprit débonnaire du général et qui produisaient d'autant plus de chaleur, à l'intérieur du corps, qu'à l'extérieur de la maison on voyait des arbres frissonnants ployer sous de lourds glaçons féeriques.

Dans une pièce débarrassée de ses meubles encombrants, certains invités dansaient sur la musique entraînante de cinq musiciens. Dans la salle à manger, quelques gourmands insatiables continuaient à picorer dans les fruits confits et les beignets. D'autres invités s'étaient regroupés dans une petite chambre pour jouer au trictrac et au plus moderne jacquet.

«Quel homme heureux!» se disaient quelques envieux en suivant des yeux le baron chaleureux et attentionné qui passait d'un groupe à l'autre. Et pourtant, s'ils s'étaient donné la peine de mieux observer le sourire aimable de l'hôte, peut-être auraient-ils vu l'inquiétude qui s'y cachait. Bien sûr, von Riedesel recevait avec plaisir, mais ce plaisir, tout vrai, tout sincère qu'il fût, ne faisait qu'apaiser un moment l'ennui qu'il avait de sa famille, un ennui doublé d'une appréhension qu'il ne voulait, qu'il n'osait confier à quiconque. Seul, pour le moment, le discret Leonhard se doutait de cette crainte.

Le sourire du général se maintint tant que dura le bal, c'est-à-dire jusqu'au petit matin.

29

Une fois par semaine, le baron invitait ses officiers par petits groupes, de façon informelle, sous le prétexte de réviser certains points. Ces rencontres avaient lieu le soir, au salon, un verre à la main; on causait d'abord de choses et d'autres avant d'entrer dans le vif du sujet. C'était un moyen pour le général de mieux connaître ses collaborateurs.

Ce jeudi-là, les militaires venaient à peine d'arriver quand Leonhard interrompit la conversation.

— *Herr General,* il y a un capitaine de milice qui veut vous parler de billetage.

— Encore! À cette heure-ci!

— Il insiste, mon général. Il arrive de la Rivière-du-Loup-en-haut et semble pressé d'y retourner. Il a été retardé par le verglas.

— Allons… Veuillez m'excuser, messieurs, fit Friedrich en quittant la pièce.

Une fois seul, il soupira. Quelle aberration, ce billetage!

Il avait tout fait pour loger ses régiments dans des casernes, il avait même fait construire des bâtiments sur la rive sud. Il avait dû faire isoler ceux de Berthier, car ses pauvres soldats y gelaient. Quant aux autres, il les avait placés dans des maisons d'habitants, avec un billet qui ordonnait aux Canadiens de les recevoir comme hôtes.

Il entra dans son cabinet de travail où le capitaine de milice l'attendait respectueusement.

— Alors! Vous avez un problème? Votre nom?

— Jehan de Gerlayse, mon général, capitaine de milice de la Rivière-du-Loup en haut.

— Qu'est-ce qui vous amène?

– Des querelles entre les habitants et les soldats qui sont billetés chez eux, mon général.

– Votre rôle est justement d'apaiser ces disputes. Je vous rappelle que vous avez été élu dans votre paroisse par vos concitoyens. C'est une habitude française qui vous a été conservée, n'est-ce pas? Vous devriez vous en réjouir, capitaine de Gerlayse! Faites en sorte de vous faire obéir lorsque vous transmettez les ordres du gouvernement.

– Mon général, je n'ai rien oublié de tous mes devoirs. J'ai choisi des habitants sûrs pour transporter et fournir des provisions, et je m'assure que les ordres et les lettres militaires se rendent bien d'une paroisse à l'autre. Là n'est pas le problème.

– Alors où est-il?

– Il y a trop de soldats par maison.

Ça, le général le savait; il s'y était opposé, mais en vain.

– Il est vrai que nous avons beaucoup de soldats à billeter. Mais que voulez-vous, il n'y a pas assez de casernes. Nous ne pouvons placer le surplus de soldats chez les seigneurs, qui suivent l'armée ou sont trop occupés, ni dans les relais où ils auraient la tentation de jouer et boire – vous connaissez mes règles sévères sur ce point –, ni chez vous, les capitaines de milice. Vous devez toujours être par monts et par vaux. D'ailleurs, ce n'est qu'une question de patience. Dès le printemps nous partons en campagne. Les habitants retrouveront leur tranquillité.

– Mon général, les maisons des habitants sont petites. On entend tout ce qui se dit à travers les partitions de bois. En hiver, le poêle est au milieu de la pièce principale, la rapetissant encore. Il y a beaucoup d'enfants et souvent ils ont leurs grands-parents avec eux. Alors, trop tassés, les habitants se renfrognent, car ils souffrent de la promiscuité.

– Mon ami, c'est un peu tant pis pour eux. N'oubliez pas que les habitants choisis pour recevoir plusieurs soldats sont «marqués». C'est qu'ils sont soupçonnés de faire alliance avec les colons révoltés. Ils ont été déloyaux. C'est un peu leur punition. En même temps, on peut les observer et les empêcher de recevoir des espions.

– Oui, mais trois soldats par maison, ce serait suffisant; sept et huit, c'est beaucoup trop, mon général.

– Si l'ennemi est à nos portes, il vaut mieux avoir beaucoup de soldats rapprochés afin de pouvoir les rassembler rapidement. C'est pour la même raison qu'en hiver ils doivent être à proximité du champ où ont lieu les exercices militaires. De toute façon, ce sont les ordres du gouverneur.

Le général réfléchit. Voulant profiter de la présence du capitaine de milice pour faire le tour de la question, il lui demanda:

– Votre officier subalterne fait-il ses visites tous les jours?

– J'y ai vu, mon général. Et le colonel fait ses visites toutes les quatre semaines. Je vous en donne ma parole.

– Les soldats coupent-ils les bûches eux-mêmes, en guise de paiement pour leur logement? Y a-t-il des plaintes à ce sujet?

– Aucune à ce jour, mon général.

– Payent-ils pour ce qui ne fait pas partie de leurs provisions de base?

– Les plaintes sont liées à un autre problème. En raison du temps doux et des fortes pluies, il y a eu beaucoup d'inondations, comme vous le savez. La distribution des vivres a été difficile. Les habitants eux-mêmes en manquent. Ils ne veulent pas priver leurs familles et quelques-uns refusent donc d'en donner aux soldats qui ont faim. Seulement quelques-uns: en général ils sont généreux, vous savez.

Il y eut un moment de silence, puis, d'un ton adouci, le baron reprit:

– Je comprends vos problèmes et j'essaierai de faire pression pour qu'on réduise le nombre de soldats là où il y a risque que cela dégénère. Trouvez-moi les noms. Puisque vous êtes ici, autant vous dire que vous recevrez bientôt une invitation, vous et tous les autres capitaines de district. Il y aura un dîner à Québec chez Son Excellence, dans trois semaines. Vous aurez l'occasion de plaider votre cause.

Le capitaine de Gerlayse salua.

– Vous avez mangé? lui demanda Riedesel.

– J'avais tout ce qu'il fallait dans ma carriole.

– Eh bien, allez aux cuisines et demandez un verre de rhum ou du vin, si vous aimez mieux. Cela vous réchauffera pour votre voyage de retour. À moins que vous ne préfériez partir demain matin?

– Merci, général, vous êtes bien bon, mais j'ai l'habitude et il fait maintenant un magnifique clair de lune. Un hiver aussi doux est rare.

– Oui. Savez-vous que votre soleil d'hiver est plus chaud qu'en Allemagne? Et il y a plus de journées ensoleillées ici que chez moi. Mais, par contre, vos vents du nord et du nord-ouest rendent le climat plus froid.

– Bah! Vous vous y ferez, mon général. Mon grand-père, qui est arrivé de Liège à vingt-quatre ans avec le régiment de Carignan, en 1665, n'est mort qu'à soixante-dix-neuf ans, malgré le froid.

– Une vieille famille d'ici?

– La plus ancienne de la Rivière-du-Loup, général.

Et sur ces mots, avec un salut poli, il se retira en suivant Leonhard.

Une fois seul, le général resta pensif un moment. Il aimait la fierté quand elle n'était pas de l'orgueil. Puis ses yeux tombèrent sur son courrier, et il soupira. Aucun journal d'Europe, aucune lettre de Charlotte depuis celles de Bristol. Où était-elle? Que faisait-elle? Pourquoi diable n'était-elle pas venue? Il espérait que les enfants ne fussent pas malades.

De nombreux bateaux s'étaient ancrés à Québec à l'automne. Chaque arrivée avait fait naître une espérance dans son cœur, suivie d'un désappointement et d'une inquiétude. Et pourtant c'était en prévision de la venue de sa famille qu'il avait loué cette demeure, rue Notre-Dame, à Louis-Joseph Godefroy de Tonnancour, seigneur de la Pointe-du-Lac et garde-magasin du roi.

Ce n'est pas que Trois-Rivières fut une grande ville. Elle contenait à peine trois cents maisons, la plupart en bois, sauf certaines qui appartenaient, comme celle-ci, à des seigneurs ou à des marchands. L'extérieur solide et sobre de cette demeure s'alliait bien au paysage. C'était un bâtiment en moellons, à rez-de-chaussée et étage, dont l'encadrement des fenêtres était en pierre de taille; il comptait trois cheminées et, aux coins, un chaînage de pierre. Un four était adossé au pignon sud-ouest de la maison. Deux portes permettaient d'y accéder par l'avant : l'une servait d'entrée principale et l'autre, dans la partie nord-est, conduisait aux anciens magasins de M. de Tonnancour. La nouvelle demeure de Riedesel était recouverte d'un toit à deux versants droits dont l'angle était assez prononcé.

Le général soupira encore une fois.

Puis sa pensée se porta vers son propriétaire, le lieutenant-colonel des milices dans l'administration du gouvernement des Trois-Rivières, l'un des seigneurs canadiens qui n'avaient pas voulu retourner en France après la conquête par l'Angleterre. Son influence était grande, proportionnée à sa richesse, peut-être la plus importante parmi celles des seigneurs canadiens restés au pays, pour la plupart ruinés. Lui, possédait presque le monopole du sel, du poivre, des céréales et du brandy. C'était un fameux marchand, et il avait beaucoup d'esprit, ce Tonnancour. Son attitude mercantile bien connue était mé-prisée par les nobles officiers anglais qui ne pouvaient com-prendre qu'un seigneur s'abaissât à marchander. Il était craint par les marchands anglais dont il était le plus dangereux rival. Riedesel, au contraire, appréciait l'esprit d'entreprise. Lui-même avait ouvert un petit magasin à La Prairie, lors de sa première campagne, pour que les habitants n'abusent pas de ses soldats. Il en avait tiré un profit de quelques thalers, qu'il avait scrupuleusement mis de côté pour la dot de ses filles. Il n'en avait pas honte.

Pendant que le général s'attardait dans ses pensées, ses offi-ciers échangeaient joyeusement des propos dont quelques-uns se rapprochaient des réflexions de leur chef.

— Je me demande bien où notre général s'approvisionne en vin, demanda le capitaine Pausch, venu exprès de Montréal pour l'occasion. Passe pour le madère et le porto, mais les vins français ? Je croyais que tous les produits venant de France étaient prohibés ?

— Ne savez-vous pas que le propriétaire de cette demeure, M. de Tonnancour, est importateur de vin ? C'est un homme charmant, de très vieille politesse française, et ami avec Mme Carleton, en tout bien tout honneur, mais très ami.

— C'est connu, en effet.

— Saviez-vous, aussi, que Mme Carleton a été élevée à la cour de Versailles et est restée fidèle jusqu'à la manie à tout ce qui est français? Le gouverneur, qui aime bien son épouse, ferme les yeux sur l'achat de vin français par M. de Tonnancour, qui en vend à Mme Carleton et à notre général.

— Mais vous, que buvez-vous? demanda le trésorier Johann Godeck à son voisin de droite, le lieutenant-colonel Baum.

— De la bière d'épinette, mon cher. Vous avez essayé?

— J'ai toujours craint ces sortes de boissons, reprit le trésorier. Surtout quand j'ai appris que c'était fait d'aiguilles de pin et d'épinette mêlées à de la mélasse.

— Vous devriez goûter. Cette bière, étrange au début, est rafraîchissante et bonne au palais quand on s'habitue au goût.

— D'autant que c'est un des meilleurs remèdes contre le scorbut, enchaîna le chirurgien Schiller. Aussi vous avez tort de la dédaigner, monsieur le trésorier.

— En tout cas, renchérit le capitaine Pausch, on mange très bien dans ce pays sauvage. Ce maskinongé que l'on a servi comme entrée au repas de la semaine dernière était l'un des poissons les plus savoureux qu'il m'ait été donné de déguster.

Le capitaine Heinrich de Gerlache ajouta :

— Il y a tout, ici : bœuf, porc, mouton, poulet, chapon, oie, canard, lapin… Sans compter les ours et les caribous.

— Mais il n'y a pas de sanglier et pas assez de légumes. Vous voyez, je ne fais pas de miracle.

C'était la voix aimable du général qui, rejoignant ses invités, se mêlait à la conversation.

— Oh! moi, la seule chose qui me manque, général – je ne parle pas de votre table qui est somptueuse, mais des habitudes de ce pays –, ce sont les marinades et la viande fumée, rétorqua de Gerlache.

— Je vous parie que lorsque Mme von Riedesel sera parmi nous elle se fera un plaisir de partager son insurpassable recette de marinade avec quelques bonnes habitantes et que ma table en sera certes garnie.

– Quant à la viande fumée, renchérit de Gerlache, je connais un officier dont le cuisinier vient de la Basse-Saxe, là où l'on fabrique la meilleure. Vous pourriez faire appel à ses talents pour quelque temps, n'est-ce pas, mon général?

– Accordé, Gerlache, trouvez-moi ce cuisinier. Quant à notre prochain festin, messieurs, vous êtes tous conviés à une excursion de chasse à l'ours.

– Mais, mon général, les ours ne dorment-ils pas en hiver dans ce pays?

– Cet hiver-ci est si doux, paraît-il, qu'il ne serait pas étonnant de les voir se réveiller comme au printemps, précisa Riedesel.

– Je me suis même laissé dire, mon général, fit le plus jeune des officiers, qu'on le nomme déjà «l'hiver des Allemands» en raison de sa clémence inhabituelle et en notre honneur.

Le général aborda ensuite l'un des sujets pour lesquels il avait convoqué ses officiers :

– Demain, au petit jour, il y aura un exercice à la façon de ce pays. Un exercice en raquettes.

– Nos soldats ont l'air de gros animaux quand ils chaussent ces pattes d'ours, mon général. Cela fait rire les Canadiens.

– Évidemment, eux, ils sont nés avec des raquettes aux pieds, ajouta ironiquement le capitaine Breymann.

– On pourrait croire, à vous entendre, que vous n'aimez pas beaucoup les habitants. Est-ce que je me trompe, capitaine Breymann?

– En effet, mon général, ces Canadiens, je ne les aime pas vraiment. Pour tout dire, je les déteste.

– Y aurait-il des raisons à cela, capitaine?

– Oui, mon général. Très souvent, les Canadiens, plutôt que de nous faire part de leurs doléances, écrivent directement à Son Excellence le gouverneur.

– Pourtant, répliqua Riedesel, justement ce soir, le capitaine de milice de la Rivière-du-Loup est venu m'informer de ses problèmes.

– Beaucoup agissent autrement. De plus, si vous voulez mon avis, je trouve que ce sont des gens brutaux, et très indisciplinés. Ces Canadiens n'ont aucun respect pour la hiérarchie, aucune tenue, renchérit Breymann. Ils s'adressent à leurs propres officiers sans leur donner un titre. Ils n'ont aucun égard pour les militaires. Ils semblent toujours se moquer d'eux. Les lois ne sont pas assez sévères à leur égard. Après tout, ils ont été conquis. On n'avait qu'à leur faire ce que Frédéric II a fait aux sales Polonais.

Le silence qui suivit fut brisé par une voix coupante qui demanda, en français :

— Et qu'a donc fait le roi de Prusse en Pologne?

Emporté par sa colère, l'officier allemand ne s'était pas rendu compte que Leonhard avait fait entrer un messager afin qu'il puisse remettre en main propre un pli au général von Riedesel, qui l'avait pris sans se retourner. Cela avait permis au nouvel arrivant d'entendre la diatribe du capitaine Breymann contre les Canadiens.

Il était trop tard, lorsque Riedesel s'aperçut que le messager était M. de La Naudière. À l'expression méprisante sur le visage de ce dernier, le général se souvint que le noble Canadien comprenait l'allemand.

Aussitôt, le général, voulant mettre fin à l'incident, s'adressa froidement à Breymann, en français :

— N'étant pas en Pologne, mais en Canada, et Son Excellence le gouverneur n'étant pas le souverain Frédéric II, il serait approprié de penser au proverbe «Autre pays, autres mœurs».

Mais M. de La Naudière, outré, ne voulait pas changer de sujet. Se sentant l'offensé, il continua :

— Je vous en prie, général, mais monsieur l'officier semblait parler de miliciens et non de proverbes.

— Je crois qu'il pensait plutôt aux soldats allemands, répliqua doucement le général.

— Et que disiez-vous donc des soldats allemands? Je suis curieux et j'aime apprendre, dit La Naudière en regardant le capitaine Breymann droit dans les yeux.

— Je disais de mes compatriotes qu'ils souffrent patiemment des coups de canne de leurs officiers.

— Eh bien! monsieur l'officier, moi, je dirais de mes compatriotes que le plus riche, comme le plus pauvre d'entre eux, sait endurer la faim, la soif, le froid, la torture et même la mort avec le sourire, mais qu'aucun ne reçoit jamais un coup de canne, même de son chef, qui ne se permettrait d'ailleurs pas de le fouetter, attendu qu'il le sait fier et qu'il respecte cette fierté. Sachez, monsieur, que mes compatriotes préféreraient, du premier au dernier, jeûner avec les aigles que picorer avec les poussins.

Riedesel aurait pu facilement arrêter dès le début cette bataille de mots, mais il avait senti qu'il fallait laisser parler La Naudière. Toutefois, il voyait qu'il était temps pour lui d'intervenir.

— Et de moi, mon cher La Naudière, voulez-vous entendre ce que j'écrivais à Mme von Riedesel, pas plus tard qu'hier matin, à propos de vos Canadiens?

— Mais j'en serais ravi, monsieur le baron, répondit La Naudière.

Par le titre qu'il venait d'employer, il montrait qu'il ne s'adressait pas à Riedesel en sa qualité de militaire, ce qui l'aurait placé lui-même, en tant qu'aide de camp, en état de subordination, mais qu'il faisait appel à la naissance de son hôte, ce qui les mettait tous deux, de par leur noblesse, dans la même classe. Le général le comprit ainsi et apprécia.

— J'écrivais donc que je les considérais comme des hommes d'esprit et d'une grande courtoisie.

— On ne saurait être plus aimable, à croire que vous fûtes leur maître dans les vertus que vous leur prêtez, répondit joyeusement M. de La Naudière en saluant d'une manière détendue, montrant ainsi à tous qu'il possédait lui-même esprit et courtoisie, et que l'incident était clos.

Puis il ajouta :

— Cela me sera très agréable, mon général, de vous retrouver à Québec, si vous acceptez l'invitation que je viens de vous remettre pour le bal de Son Excellence le gouverneur. Celui-ci m'a répété à maintes reprises qu'il tenait énormément à votre présence.

— Je n'y manquerai pas, soyez-en assuré, monsieur de La Naudière. Et venez vous joindre à nous, le pria gaiement le général, heureux de voir épongée la maladresse de son officier, car il tenait beaucoup à la bonne entente entre son armée et les Canadiens.

30

La brise gonflait les voiles. Le ciel était bleu, sans nuages. L'océan semblait dire : «Vous voyez, je sais être aimable. De quoi avez-vous peur?» Le bercement des vagues, en effet, donnait l'impression de reposer tout doucement dans un hamac.

Mme von Riedesel repassait dans sa tête les derniers événements : le général Burgoyne parti plus tôt sur l'*Apollo*, puis l'offre du banquier londonien de fréter un navire marchand expressément pour elle et, enfin, cette suite agréable à un prix réduit, ce qui lui avait permis, prévoyante comme elle était, de doubler la ration de nourriture conseillée. Elle craignait tant que ses enfants pâtissent de ce voyage.

Charlotte ferma les yeux pour jouir de la pensée que chaque mouvement du navire la rapprochait de Québec. Et aussi pour éviter de participer à la conversation de Miss Blair assise en face d'elle. En effet, dans l'euphorie du départ et à la vue de ce bateau qui lui semblait avoir été conçu pour elle seule, elle s'était rappelé le désir de son mari qu'elle soit accompagnée. Elle avait donc décidé d'oublier le passé et avait offert une place à bord à la jeune femme.

Générosité ou maladresse? La présence de Martha l'ennuyait. Elle avait toujours de ces phrases qui l'exaspéraient. Entre autres, elle avait dit, de cette voix de blâme qui rendait coupable et rappelait le mauvais souvenir de Mme Young : «Chère amie, pourquoi vous fatiguer avec ce bébé dans les bras? Que ne le donnez-vous à sa bonne? Ce n'est pas comme cela que vous vous ferez des galants!»

Comment faire comprendre à cette écervelée le plaisir de sentir son petit oiseau tout chaud contre elle? Celui d'entendre son gazouillis? Pourquoi s'astreindre à répéter qu'un seul homme comptait pour elle?

Elle retourna à ses songes, et se remémora le vaisseau de trente-deux canons, le *Blonde*, donnant le signal de départ à sa flotte de trente voiliers, quatre jours auparavant, le 16 avril 1777 pour être bien précis. Quelle inoubliable image que ces voiles se détachant dans la lumière du jour! Lorsqu'elle avait vu disparaître Portsmouth, elle avait tout de même senti un petit pincement au cœur, mais qui était vite disparu quand ils avaient jeté l'ancre devant une île et regardé appareiller le *Porpoise*. Ce navire, dont le capitaine était un ami de son mari, escortait le convoi afin de le défendre s'ils rencontraient l'ennemi.

Elle en était là de ses réflexions lorsque soudain des airs de fifres et de tambours éclatèrent.

— Maman, venez voir, on danse! cria, tout essoufflée, Augusta qui accourait, suivie d'Adélaïde, venez maman, je vous en prie, c'est si amusant!

Tendant le bébé à la gouvernante, Charlotte, puis Martha, se dirigèrent vers le pont où la musique avait attiré les passagers. Des enfants et quelques mères qui accompagnaient leur mari sous-officier rythmaient des pas, un sourire joyeux aux lèvres.

— Maman, est-ce que je peux danser aussi? demanda Augusta, les yeux brillants.

— Allez, ma chérie, allez avec votre bonne. Lizzie, ne laissez pas sa main et restez au centre. Ne vous approchez pas du bastingage.

— Moi aussi! Moi aussi! supplia Frederika en sautillant.

Charlotte s'empara des mains de sa fille et se mit à tourbillonner avec elle pendant que le capitaine l'invitait à danser. Plus tard, elle se retrouva dans les bras d'un des officiers qui dirigeaient les soixante soldats présents à bord pour assurer la protection de la baronne contre une éventuelle mais peu probable bataille navale.

Une jeune femme s'approcha de Mme von Riedesel et offrit gentiment de faire gambader la petite «pendant que le lieutenant Eberts dansera avec madame la baronne». Était-ce le vent au parfum d'océan? Le bleu du ciel? La pensée qu'elle arriverait bientôt au but de son voyage? Charlotte ne put résister à l'offre de la charmante jeune dame et accompagna volontiers le lieutenant tout rouge et intimidé dans une danse gracieuse.

Qui donc lui avait prédit l'horreur que serait la traversée?

* * *

Dans la soirée, une tempête de vents contraires se déchaîna. Le tangage, auquel s'ajoutait le roulis qui est si propice au mal de mer, eut bientôt l'effet de vider le salon du capitaine de ses invités. Le pont aussi fut déserté très vite : chaque fois que le bateau penchait à tribord, il ramenait, dans un second mouvement, une vague qui s'écoulait à bâbord, inondant le pont en passant. Le temps s'était rafraîchi. La pluie tombait dru et les trompettes résonnaient lugubrement de bateau en bateau, rappelant à tous le danger qu'il y avait de s'éperonner dans la brume épaisse. Transmis par on ne sait quel mystère, le bruit courait que deux navires avaient disparu. L'océan, hypocrite comme le loup du conte, se moquait d'eux.

Pendant la nuit, Mme von Riedesel s'éveilla en sursaut. Elle avait tellement peur d'écraser sa petite Caroline quand le roulis l'entraînait sur le bébé qui dormait à ses côtés. Soudain, une énorme secousse suivie d'un terrible bruit la firent frémir.

«Pour l'amour du ciel, qu'est-ce que c'est? Est-ce qu'on coule? Non! Non! Mon Dieu, vous ne feriez pas cela!»

Elle voulut se lever et n'eut que le temps de s'apercevoir que ses deux aînées n'étaient pas dans la pièce. Un éblouissement la rejeta sur son oreiller, les yeux fermés : «Je n'ai pas assez dormi», se dit-elle, ne voulant pas s'avouer qu'elle avait le mal de mer. Mais était-ce cela, le mal de mer? Et quel était donc cet épouvantable bruit?

Elle ouvrit de nouveau les yeux. Tout bougeait autour d'elle et elle ne distinguait les objets qu'à travers une espèce de brouillard. Après quelques instants, elle se sentit mieux et se souleva, mais fut aussitôt prise d'un tel haut-le-cœur qu'elle décida de ne plus remuer. D'ailleurs, aucun autre bruit n'avait suivi la première secousse. Elle se rassurait lentement lorsqu'on frappa à sa porte. À la faible réponse de la baronne, la gouvernante entra doucement.

— Dieu du ciel! Adélaïde, c'est bien vous? Que se passe-t-il?

— C'est le *Silver East*, madame. Il a perdu son mât, qui est venu se fracasser sur notre coque. Heureusement, personne n'a été blessé. Röckel m'envoie justement vous dire de ne pas vous inquiéter. Le *Silver East* est un très vieux bateau, plus petit que le nôtre qui, lui, semble bien tenir la mer. Le capitaine prétend qu'il n'y a que très peu de dommages et que la tempête va se calmer dans peu de temps.

— Lizzie est avec les enfants, je suppose?

— Lizzie a glissé en bas de son lit, madame. Elle ne veut plus se relever. Elle crie qu'elle va mourir, que nous allons tous couler. Rüpert est malade. Quant à Röckel, il commence à prendre des airs de fantôme. Mais ne vous inquiétez pas pour les filles, elles sont avec moi depuis quelques heures et se sont endormies quelques minutes avant que le temps ne se gâte. Mais vous, madame, est-ce que vous allez bien?

— Ça va. Ça va. Je vous remercie. Je ne sais pas ce que je ferais sans vous!

Adélaïde lui répondit par un sourire et la baronne enchaîna :

— Faites-moi porter à manger, voulez-vous? Si je déjeune, cela ira certainement beaucoup mieux. J'ai mal dormi je crois, c'est tout.

Charlotte se leurrait. La tempête s'étant légèrement apaisée, un matelot lui apporta un bouillon, mais son estomac se souleva tout de même. Elle ne parvint pas à se nourrir. «Dieu merci, Caroline dort comme un ange», se dit-elle. Une heure plus tard, Adélaïde, très pâle à son tour, surgit de nouveau, soutenant Augusta et donnant la main à Frederika. Tout en les bordant, elle murmura :

— Elles n'ont pas gardé leur déjeuner. Augusta surtout a vomi plusieurs fois. Moi-même…

Adélaïde porta la main à sa bouche. Elle était livide.

— Je vous en prie, ayez la gentillesse de sortir, Adélaïde. De vous voir malade me… Allez vous étendre.

– Maman…, fit Augusta en pleurant et en tendant ses petits bras.

Puis elle vomit. Le cœur de la mère se comprima. Et ce fut comme si cette compression retenait sa propre nausée. Serrant les dents, elle se leva, les jambes flageolantes. La sueur coulait le long de son front, ses oreilles bourdonnaient.

– Il faut que je m'occupe d'elle. Il le faut.

Elle prit trois ou quatre grandes respirations et soutint Augusta. Puis elle mouilla un linge qu'elle passa sur le front et la bouche de sa fille. Elle ne sut jamais comment elle parvint à transporter Augusta et à la poser à côté de Caroline. Elle se concentrait sur chacun de ses gestes, et de penser ainsi fortement à une seule chose rendait cette chose si importante qu'il n'y avait plus de place pour son propre malaise.

Elle attendait debout près du lit, puis, se retenant aux meubles, elle marchait. Si elle restait sans bouger, elle s'affaisserait, croyait-elle. Par moments, au contraire, elle demeurait inerte, car faire un pas la rendait toute moite, toute faible.

Frederika s'endormit la première. Augusta se calma, ferma les yeux et s'assoupit à son tour. La baronne eut alors la tentation de s'étendre.

«Non! Non! Je n'aurai plus la volonté de me lever. Je le sens. Je dois demeurer debout. Je vais aller respirer un peu d'air frais sur le pont… Mais avant, il faut que je trouve Röckel pour qu'il surveille les enfants.»

Mais Röckel était introuvable. Il était probablement malade, lui aussi, car la tempête n'épargnait que très peu de passagers.

«À quoi me sert de payer des serviteurs, se disait-elle un peu injustement – mais elle se sentait si mal – s'ils sont incapables de m'aider?» Puis elle se reprenait en se disant que c'était peut-être à ses enfants qu'elle devait d'avoir encore un peu de force…

L'air frais qu'elle prit sur le seuil d'une porte ouvrant sur le pont lui fit tellement de bien qu'elle commanda un brouet. Cette fois, surmontant sa répugnance, elle put avaler le bouillon.

«Ouf! On dirait que je me sens mieux. Si je parviens à bien manger, si je prends de bonnes bouffées d'air, si je m'occupe à quelques travaux, je suis certaine que ces horribles nausées vont disparaître. »

Entre les soins qu'elle donnait à Frederika, qui ressentait encore parfois de petites douleurs, et à Augusta, fiévreuse, la baronne tenait bon. Son appétit revenait. Elle mangeait six fois par jour, par petites quantités. Les repas étaient d'ailleurs excellents.

« Ce qui m'étonne de moi-même, songeait-elle, c'est ce calme qui m'habite. J'ai bien eu quelques peurs, mais j'étais si craintive avant de mettre le pied sur ce navire. Chaque fois que je le peux, je prie Dieu avec une telle ferveur que je sens, je sais, que nous arriverons à bon port. »

La tempête continuait, même si elle semblait parfois perdre de l'intensité. Ce n'étaient que de faux espoirs, car elle reprenait, plus acharnée que jamais. Le troisième matin, la pluie s'arrêta et Charlotte constata que le bateau était plus stable.

— Maman, j'ai faim. Puis-je manger?

— Mon Augusta chérie, que je suis contente! Vous voilà guérie. Allons sur le pont. Non, auparavant vous allez grignoter quelque chose. Cela vous donnera des forces.

* * *

Le temps s'était vraiment calmé. Tels des insectes qui sortent de leurs trous après l'orage, des êtres humains pâles et honteux émergeaient à l'air libre. Pendant qu'elle tricotait un bonnet de laine, Charlotte demanda à son aînée :

— Auriez-vous préféré vous retrouver à Wolfenbüttel? De vous avoir vue si horriblement malade me fait regretter ce voyage. Peut-être que votre grand-mère avait raison, après tout. J'aurais dû vous laisser avec elle.

— Moi, pour retrouver mon papa, je serais encore malade, s'il le fallait, répondit courageusement Augusta.

Et la petite voix de Frederika enchaîna :

— Moi, je veux voir papa. Je ne veux pas retourner à la maison.

Le lendemain, le vent tomba complètement. Le calme plat se mit à régner en maître. Les navires ne pouvaient plus avancer. Mais, sous ce ciel pur sans nuages, c'était un tableau magnifique. On pouvait rapprocher les coques sans danger et se parler de voilier à voilier. Les passagers se rendaient même visite dans de petites embarcations, ou s'adonnaient à la pêche à la ligne.

* * *

Ce matin-là, Charlotte était heureuse. La flotte avait pénétré dans le fleuve Saint-Laurent. Tous pouvaient voir des montagnes qui apparaissaient, vers la gauche. Malgré un fort vent, personne n'était malade, comme si la certitude d'approcher du but donnait le pied marin.

— Capitaine, qu'est-ce que ces points noirs en face de nous?

— Ce sont des voiles. Une multitude de voiles, Miss Blair.

— Pourvu que ce ne soit pas une armada américaine!

— Impossible. Je distingue, maintenant, des drapeaux anglais.

Bientôt, les deux flottes se rencontrèrent. Heureusement, l'embouchure du Saint-Laurent étant immense, les voiliers pouvaient poursuivre leur route en se tenant loin les uns des autres. Ils ne risquaient donc pas de se frapper. Par contre, le vent violent étouffait malheureusement les mots échangés par les porte-voix. Seuls des sons inarticulés parvenaient aux oreilles.

— Oh! je vois des soldats à bord d'un navire, remarqua Miss Blair qui avait emprunté la lunette du capitaine. Se pourrait-il que la guerre soit terminée, capitaine?

— Pourquoi pas, chère mademoiselle?

— Mais alors, cette flotte ramène peut-être une partie de l'armée en Angleterre. Espérons, madame, que votre cher époux n'est pas en train de voyager vers l'Europe. Ce serait désolant pour vous d'être venue de si loin et de ne pas le trouver, conclut Miss Blair en regardant la baronne d'un air faussement apitoyé.

Charlotte parvint à se maîtriser et à sourire :

— Je ne crois pas qu'il soit sur l'un de ces navires.

— Qui sait? fit l'étrange femme, laissant planer un doute.

La baronne garda son sourire et leva les épaules d'un air indifférent. Mais aussitôt qu'elle eut tourné le dos à son interlocutrice, son visage se défit. Elle eut beau se raisonner, dès ce moment une angoisse pénible ne la quitta plus.

Elle était toujours dans cet état d'inquiétude quand, six jours plus tard, la ville de Québec lui apparut soudainement, au détour de la pointe de l'île d'Orléans.

31

Trois-Rivières, le 8 mai 1777

Pendant que Charlotte subissait une traversée difficile, son mari s'entretenait avec des invités dans son bureau.

— Ce sera tout, Leonhard. À ce soir.

Le secrétaire salua et referma la porte. Riedesel se tourna alors vers ses visiteurs. Ses yeux s'attardèrent un moment sur Baum, ce compagnon de longue date à qui il vouait une amitié fraternelle; puis il regarda Philipps, qu'il avait été heureux de retrouver en Amérique, l'ayant connu à Minden.

— Dites-moi, que pensez-vous de la nomination de Burgoyne en tant que commandant en chef de nos armées?

— Comme tout le monde, j'ai été surpris de le voir revenir avec ce titre et les plans de la prochaine campagne, répondit l'officier anglais.

— Que savez-vous de lui?

Philipps regarda un moment dans la lumière le verre de schnaps qu'il tenait à la main. Il sourit.

— Faut-il raconter même les ragots?

Le baron fit un signe qui pouvait tout aussi bien signifier «à votre guise» que «soyez bref».

— Son grand-père serait le fils naturel d'un lord, et son père aurait épousé pour son argent une femme plus qu'ordinaire. Il a étudié à Westminster. Probablement en récompense pour son courage dans une guerre au Portugal, il est devenu membre du Parlement, malgré une condamnation dans je ne sais quel procès. Plutôt qu'à ses dons militaires, son avancement serait dû au fait que son père était juge au banc du roi et, surtout, à l'intervention de sa belle-famille qui lui a pardonné de s'être enfui avec la fille de la maison avant de l'épouser. Il semblerait qu'il ait été très attaché à son épouse, ce qui ne l'empêchait pas de courir les jupons. Elle est morte l'hiver dernier.

– Et vous, Baum, qu'avez-vous observé depuis que vous l'avez connu, l'an dernier?

– Il semble incapable de supporter l'avis d'une autre personne. Il est impulsif et têtu. Je crains cette campagne.

– Alors la décision de Londres de remplacer le gouverneur Carleton par Burgoyne doit vous sembler mauvaise?

– Je suis indigné. Le peu que je connaisse de nos deux supérieurs n'est pas à l'avantage du commandant Burgoyne.

– Et vous, Philipps, c'est aussi votre sentiment?

– Mon inquiétude tient au fait que Burgoyne a été choisi par Lord Germain, qui n'est pas un stratège militaire, mais un stratège sur papier. Il ne connaît ni le climat ni les embûches de ce pays. N'avons-nous pas assez méprisé sa lâcheté à Minden? C'est à se demander comment notre roi a pu le nommer au poste de ministre de la Guerre. Ce que je connais d'ici me confirme dans l'idée que remplacer un homme aussi qualifié que le gouverneur Carleton par un homme de cour tel que Burgoyne, c'est prendre un grand risque.

– Ouais! enchaîna Baum, ce cher Sackville, je veux dire Lord Germain! Lui et Burgoyne semblent s'entendre comme larrons en foire. Mais dites-moi, Riedesel, pourquoi ces questions?

Le baron soupira :

– J'ai toujours senti qu'il ne m'aimait pas beaucoup. Je me demandais si une incompatibilité de caractères me rendait injuste envers lui. Vos réponses me font voir, hélas, que mon malaise ne vient pas d'un mauvais jugement de ma part.

– Ne soyez pas malheureux, fit Baum avec affection, nous sommes là.

Riedesel reprit un air plus gai.

– En effet, je suis heureux de vous avoir tous deux près de moi. Allons, buvons à notre amitié et espérons que notre nouveau commandant cache des qualités inconnues.

* * *

Le lendemain, Burgoyne, arrivé depuis le 6 mai, convoqua les états-majors pour leur expliquer le plan qui avait été conçu à des milles marins de là, dans l'ignorance d'un territoire immense et sauvage.

Une carte était épinglée au mur. Avec une baguette, le commandant indiquait les points principaux ou glissait le long du chemin à parcourir.

— Ici, au sud, l'armée anglaise de Howe remontera l'Hudson sur des barges qui sont pour le moment ancrées à New York. Au nord, partis de Chambly, nous nous emparerons de Ticonderoga et de tous les autres forts jusqu'à Albany où nous ferons notre jonction avec Howe.

Riedesel demanda la parole.

— Vous dites «l'armée anglaise». Que fera-t-on des Hessois arrivés à New York?

— Il va de soi que si je mentionne l'armée de Howe j'y intègre les Hessois, répondit Burgoyne, la lèvre dédaigneuse.

On entendit quelques murmures.

— S'il vous plaît, messieurs… St Leger, vous créerez une diversion à l'ouest, par le lac Ontario, pour faire croire que la véritable attaque est de ce côté-là. Vous prendrez avec vous les volontaires canadiens, les Loyalistes, les Indiens et le régiment de Hesse-Hanau. Vous vous emparerez des forts de la rivière Mohawk, puis vous nous rejoindrez, Howe et moi. Nous refermerons ainsi l'étau sur les colons dissidents.

— Mon commandant, protesta Riedesel, la région après Chambly est boisée et marécageuse, m'ont rapporté mes espions. Ne risque-t-on pas d'avoir de la difficulté à bien coordonner la jonction?

— Nos soldats en ont déjà vu d'autres, rétorqua sèchement Burgoyne, imposant le silence. Croyez-moi, messieurs, tout a été étudié. J'en ai discuté moi-même avec Son Altesse et Lord Germain… Ah! j'oubliais. Le ravitaillement se fera par bateau. Voilà, c'est tout pour le moment.

Mais Riedesel insista :

— Si nous progressons rapidement, nous nous éloignerons des bateaux, donc de notre équipement.

– En effet, mais des soldats feront la navette entre les embarcations et l'armée.

– En nous privant d'une partie de nos hommes, nous affaiblirons l'armée. De plus, celle-ci sera forcée d'avancer lentement puisqu'elle devra attendre le retour de ceux qui la ravitaillent.

– Bah! Nous finirons bien par atteindre des villages qui seront forcés de nous approvisionner.

– Il y aurait une solution, commandant : avoir des chevaux qui transporteraient bagages, tentes, munitions, artillerie et provisions.

– Bah! Nous prendrons des chariots dans les villages américains, voilà tout.

– Les chariots ont le désavantage de briser les routes, mon commandant; les roues se prennent dans les ornières. Ne devrait-on pas plutôt réquisitionner une multitude de chevaux?

– Et quel serait l'avantage? demanda Burgoyne d'un ton irrité.

– Ils vont partout, suivent les flancs de l'armée. Il faudrait des chevaux pour les bagages, que tout le monde aurait ainsi à portée de la main, et d'autres, plus légers, pour des détachements d'avant-garde, surtout pour les dragons afin qu'ils puissent observer l'ennemi.

– Je vous remercie de vos suggestions, général Riedesel, mais nous avons assez de chevaux avec ceux des généraux, répliqua Burgoyne d'une manière qui signifiait la fin de l'entretien.

Le commandant continua pour lui-même : «Si cet Allemand croit qu'il peut me dire ce que j'ai à faire…»

«Baum avait raison, songea Riedesel en quittant les lieux, cet homme ne supporte aucune idée qui n'est pas la sienne.»

Attristé, il pensa à ce bon temps où son maître, le duc, le consultait. Dans la campagne qui se préparait, le baron se sentait rapetissé, humilié et presque inutile.

32

Québec, le 11 juin 1777

Éclatant de tous les bateaux ancrés dans le port de Québec, des salves joyeuses se répercutaient sur les murs et les coteaux de la ville, sous le ciel bleu de cette magnifique matinée de juin. Elles atteignaient jusqu'au cœur Mme von Riedesel, en l'honneur de qui on déchargeait ainsi simultanément des armes à feu.

Charlotte ne pouvait retenir un frisson nerveux, mélange de joie, d'anticipation et d'angoisse. «Enfin, je suis arrivée! Où est donc Friedrich dans cette foule? L'aurais-je croisé dans l'estuaire?»

Les amis qu'elle s'était faits pendant la traversée l'entouraient et la félicitaient. Tous admiraient avec elle cette ville élégante sur son perchoir de roc. Mais l'attention de la baronne se détacha très vite des toits pointus et colorés, car ses yeux fouillaient la foule qui se pressait sur le quai. Puis son regard détailla, vainement, les passagers de la barque qui se dirigeait vers le *Blonde*. Parmi les douze marins dont l'écharpe verte tranchait sur l'habit blanc et dont le casque argenté lançait d'éblouissants éclairs, elle ne distinguait pas le général. Pourquoi ne venait-il pas au-devant d'elle?

— Madame, fit en saluant l'un des officiers de marine, qui venait de monter à bord, voici une lettre que m'a prié de vous remettre en main propre Son Excellence le général von Riedesel avant de partir combattre les insurgés.

Soulagée de le savoir encore sur le continent, mais terriblement déçue de son absence, Charlotte s'empara de la missive et en brisa le cachet d'une main fiévreuse. La vue brouillée, elle lut le bref mot de son mari.

Mai 1777.

Ma chérie,

Si vous lisez cette lettre, c'est que, Dieu merci, vous foulez le sol de Québec. Nous partons dans quelques instants, sur l'ordre du général Burgoyne, pour le lac Champlain. Ne me demandez pas si j'ai hâte de vous voir : j'attends impatiemment que vous me rejoigniez. Plaise à Dieu que cela se fasse avant un engagement contre nos ennemis. Embrassez les enfants.

Vôtre pour toujours,
Friedrich.

Charlotte en aurait pleuré. Si elle avait eu peur de l'Angleterre sans son mari, c'était surtout par crainte de ne pas être comprise dans sa propre langue, ni même en français. Mais seule, ici, sur une terre dont on lui avait dit tant de mal, elle se sentit effrayée. Étrangement, elle n'avait jamais envisagé le fait que Friedrich ne puisse être là pour la recevoir.

«J'ai trop compté sur sa présence rassurante à mon arrivée. Comme Augusta qui était si certaine de trouver son père en Angleterre qu'elle s'est imaginé que la Manche était l'Atlantique… Tant pis! Quels que soient l'heure et le lieu, je partirai aujourd'hui même pour ce lac Champlain.»

Interrompant les pensées de la baronne, un autre officier l'invita à descendre dans la chaloupe qui devait l'amener à terre. Au moment d'acquiescer, elle rencontra le regard éloquent de Miss Blair. Les honneurs qu'on venait de lui faire rendirent la baronne indulgente. Elle demanda à l'officier de prendre Martha à bord en même temps qu'elle. Cette fois, sa générosité sembla toucher la jeune femme qui, en rougissant, la remercia non pas du bout des lèvres comme à son habitude, mais d'un air sincère.

Mme von Riedesel venait à peine de débarquer que s'approcha d'elle un serviteur en livrée suivi de quelques soldats qui écartaient la foule en criant de faire place.

— Ma maîtresse, Lady Maria Carleton, épouse de Son Excellence le gouverneur, vous prie de bien vouloir la rejoindre, avec votre famille et votre maisonnée, à sa calèche à deux pas d'ici.

Il montra une voiture à quatre roues au bout d'une courte haie que les piétons retenus par les militaires formaient bien malgré eux. Ces gens saluaient la baronne poliment, le bonnet à la main, ou l'applaudissaient tout en pressant un peu les militaires pour la voir de plus près. Et ce fut donc rassurée qu'elle passa du quai à la calèche.

«Qui a parlé d'habitants sauvages et frustres? pensa-t-elle. Cette foule semble plus dégourdie que je ne l'aurais cru.»

Mme Carleton, une petite femme blonde et délicate, à peine plus grande que Charlotte, la pria, en français, de grimper dans sa voiture et s'excusa de ne comprendre ni de parler l'allemand. Elle ajouta :

— Me ferez-vous l'honneur de dîner chez moi, vous et votre famille? Oh! un repas tout à fait sans cérémonie. Vous pourrez garder votre costume de voyage.

— Je me réjouis de votre invitation, madame la générale Carleton.

— Comme c'est drôle! J'aime bien me faire appeler madame la générale. Montons dans ma calèche avec les enfants. Deux autres voitures se chargeront de vos gens et de vos bagages, car je compte bien que vous passiez la nuit chez moi. Vous y serez aussi bien logée qu'à Londres.

— Je suis touchée de votre bonté, madame, mais si j'accepte avec plaisir le repas, je dois refuser le lit, au risque de vous déplaire. Comprenez-moi. Il y a si longtemps que j'ai vu mon époux et je suis si désappointée de ne pas le trouver ici. Je me suis donc juré de le rejoindre dès aujourd'hui.

— Je comprends votre désir, madame. Commençons par nous restaurer et nous verrons.

Lady Carleton appela l'un des officiers qui faisaient partie de l'escorte.

— Monsieur, vous allez partir immédiatement pour l'armée. Vous avertirez le général von Riedesel que madame la baronne est arrivée saine et sauve à Québec et qu'elle ira ce soir ou demain le retrouver. Que rien ne vous arrête.

— Comment vous remercier de votre généreuse pensée? fit Charlotte, très touchée.

— Il est de notoriété publique que le général votre époux est très triste d'avoir passé l'hiver sans sa famille. En fait, il est regrettable que Lord Germain ne vous ait pas informée de mon départ de Londres à l'automne. Nous aurions pu voyager de compagnie. C'eut été très agréable.

À la maison du gouverneur, le capitaine du *Pallas* sollicita l'honneur d'être présenté à Mme von Riedesel, car il avait bien connu son mari.

— Nous avons fait route ensemble de Portsmouth à Québec, expliqua-t-il. Un voyage très houleux. Tout le monde, ou presque, fut malade à bord. Mais M. von Riedesel a le pied marin. Il aurait fait un fameux capitaine. Je regrette qu'il n'ait pas choisi la marine plutôt que l'armée.

À deux heures, on passa à table.

— Mon époux m'a dit que vous aviez vécu longtemps à la cour de Versailles, dit Charlotte à son hôtesse, à la droite de laquelle elle était assise. Y avez-vous connu Mme de Saint-Pierre?

— La comtesse de Velours!

— La comtesse de Velours? Que voulez-vous dire?

Lady Carleton parut gênée.

— Oubliez ce que j'ai dit. Cela m'a échappé. À Versailles, les surnoms sont légendaires. On commence par une petite moquerie, pour faire de l'esprit, du moins le croit-on. Le mot court, puis demeure. On ne sait même plus ni où, ni quand, ni comment il est né.

— Je suppose qu'on faisait allusion à son mari qui possède les meilleurs ateliers de tissus.

— Probablement. Mais pour répondre à votre question, en effet, je l'ai rencontrée à quelques reprises. Habillée avec une telle élégance, elle donnait le ton de la mode.

Le repas terminé, on passa au salon où Lady Carleton revint à la charge avec son invitation de rester pour la nuit.

— Je suis bien décidée à partir, répondit Mme von Riedesel d'un ton ferme. Le temps presse. Peut-être qu'en ce moment même on se bat. Si jamais le général était blessé... pis... mourait pendant que je m'attarde en chemin... Être venue de si loin, me trouver si près et risquer de ne pas le revoir vivant, ce serait plus horrible que d'être restée au Brunswick et d'apprendre sa mort là-bas.

— Si vous permettez, madame, fit le capitaine, je dois remonter le fleuve aujourd'hui, dans quelques heures. Vous pourriez me faire l'honneur de votre compagnie, puis poursuivre votre route en calèche.

— J'accepte avec joie.

Au début de la soirée, Charlotte s'éloignait donc de Québec sur un genre de galère, mais où les rameurs étaient des marins bien habillés et non des forçats. Comme à son arrivée, elle était trop préoccupée par le désir de rejoindre Friedrich pour observer la ville. Par contre, elle prit un immense plaisir à contempler l'impressionnant fleuve dont les eaux calmes se perdaient dans un ciel lointain mais rassurant sous les incroyables teintes du soleil couchant.

33

Un peu dégoûtée, Mme von Riedesel regardait les calèches qu'on lui proposait.

— On dirait des chaises à porteurs auxquelles on aurait ajouté deux roues et un siège, soupira-t-elle tout haut.

Aussitôt descendue du bateau, à deux heures du matin, elle n'avait pas craint de frapper au relais de la Pointe-aux-Trembles, près de Québec, non pour y dormir comme l'avait cru le capitaine du *Pallas*, mais bien plutôt pour y louer une voiture. Et voilà tout ce qu'on lui proposait : trois misérables calèches.

— De vrais jouets d'enfant!

Elle eut une pensée de regret pour son magnifique carrosse, chef-d'œuvre de sa conception. Mais que faire en pays inconnu quand on cherche, avant même le petit jour, un moyen de locomotion pour partir sans délai? Elle jaugea encore les trois véhicules.

— Heureusement que nous avons laissé Rüpert à Québec avec le gros des malles… Adélaïde, montez dans la calèche du milieu avec des bagages. Lizzie, dans la dernière que vous, Röckel, vous conduirez. Vous aussi, vous prendrez des bagages. Je monterai dans la première voiture avec les enfants.

Elle se tourna vers le loueur.

— Avez-vous deux cochers?

— Mon fils et moi pouvons vous conduire jusqu'aux rivières du Cap. Là, vous devrez vous trouver un autre véhicule. Mais il faudra payer un homme pour ramener la troisième calèche.

— Entendu. Partons tout de suite. Il me faut absolument rejoindre le général, mon époux… C'est une question de vie ou de mort, ajouta-t-elle, un peu pathétique dans son désir d'aller de l'avant.

— Je vais prendre Caroline, si madame le veut bien, fit Adélaïde. Vous serez plus à l'aise. Et Augusta peut s'asseoir avec Lizzie.

La baronne hésita un moment. Elle observa le cheval fringant d'Adélaïde, et le fils du loueur qui lui sembla jeune pour tenir les guides. Elle regarda ensuite Lizzie, qui était à moitié endormie. Elle sut qu'elle ne serait tranquille qu'avec ses filles auprès d'elle.

— Non, merci, Adélaïde, je ne me sépare pas des enfants. Attachez solidement Frederika à ma droite, dans ce coin, pour qu'elle ne risque pas de tomber par-dessus bord… Bon!… Passez-moi Caroline, je la mettrai sur mes genoux… Voilà… Maintenant, posez mon sac à main sur le plancher, bien tassé entre mes pieds… C'est cela… Augusta, ma chérie, vous qui êtes si raisonnable pour vos cinq ans, vous allez vous asseoir sur le sac, bien appuyée sur mes genoux… Accrochez-vous plutôt à ma jupe… ça y est… Allez grimper dans votre calèche, maintenant, Adélaïde. Et vous, monsieur, vous aurez un pourboire. Plus vite vous conduirez, plus gros il sera.

Adélaïde s'intéressait aux comportements des gens, particulièrement à ceux des femmes. Elle trouvait que la baronne semblait obsédée par la peur de trop dépenser. Bien sûr, pour ce qui était de l'argent, elle était complètement dépendante de son mari, mais elle se sentait tellement responsable de cet argent qu'elle était presque honteuse quand elle s'en servait, même si c'était pour des choses essentielles. Cela agaçait la gouvernante, qui déjà n'acceptait pas qu'on puisse dépendre monétairement d'un mari. Pourtant, ce jour-là, Adélaïde ne put s'empêcher d'admirer comment, lorsqu'il s'agissait de gagner du temps pour retrouver son mari, Mme von Riedesel laissait de côté son obsession, sa culpabilité, et devenait généreuse de ses pfennigs.

— Allez, Princesse! cria le Canadien.

Son coup de fouet fut suivi par l'écho simultané des deux autres, et les trois calèches s'ébranlèrent avec une telle force qu'Adélaïde cessa toute réflexion, pour se retenir en tenant son chapeau.

Dans son impatience et surtout sa crainte d'arriver trop tard, la baronne trouvait qu'on n'allait pas encore assez vite.

– Ne pouvez-vous pas être plus rapide?

– Je peux, madame, mais ça va brasser.

– Que voulez-vous dire? demanda la baronne qui ne connaissait pas ce terme de marine.

– Ça va ballotter comme un bateau dans une tempête.

– Tant pis! Que ça «brasse», comme vous dites. Je vous ai expliqué qu'il me faut arriver avant les combats.

– Alors, brassons! Brassons pour le général.

Et les chevaux filèrent plus vite sous les coups de fouet. Tout cahotait, vibrait, «brassait». Alors qu'avant le départ Lizzie, qui était pourtant à moitié endormie, avait les yeux ouverts, maintenant, bien éveillée par le vent et le galop, fermait les yeux de peur et, la bouche grimaçante, se retenait des deux mains au rebord de la calèche.

– Fi donc! madame! cria soudain le cocher en donnant deux coups de fouet très rapprochés.

– Plaît-il? demanda la baronne.

Le jovial conducteur rit, puis lui expliqua:

– C'est ma jument que j'appelle «madame». Une dame, ça ne court pas, ça marche gentiment. La petite coquine ralentissait, comme pour une promenade. Mais je connais un moyen pour l'empêcher de jouer à la dame.

Et il se mit à chanter d'une voix de basse, forte et profonde. Étrangement, la jument poussa son galop au maximum. Le fils prit la relève du père d'une voix encore plus forte.

Mme von Riedesel, en riant, demanda:

– Votre jument est musicienne?

– Non, madame, c'est le contraire, elle déteste la musique.

– Alors pourquoi galope-t-elle plus fort quand vous chantez?

– Vous allez comprendre. Sauf votre respect, madame, ma jument est comme une femme. Une femme, c'est plus fin qu'un homme. Alors ma jument, elle est plus fine qu'un cheval. Comme elle sait que plus vite elle sera à l'écurie, plus vite je vais cesser de l'ennuyer avec ma voix, alors elle se dépêche pour arriver au bout de sa course le plus tôt possible. C'est tout.

– Si je chante avec vous, peut-être que votre jument volera, avança Charlotte qui, ne connaissant pas les chansons de son guide, fredonna un air du folklore allemand.

La voix d'Augusta monta à son tour, timidement d'abord, puis plus fort quand l'enfant sentit l'encouragement de sa mère. Voyant que la baronne lui faisait signe de les imiter, Röckel, de sa voix de stentor, entonna une chanson de guerre. Bientôt, Adélaïde aussi se mit de la partie. Airs allemands et français se suivaient, parfois se mêlaient ou se faisaient concurrence. On n'entendait guère les paroles, mais peu importait. La cacophonie qui résultait de ces chants provoquait des fous rires qui se terminaient en larmes de joie. La musique avait chassé la peur de la vitesse. Même Lizzie ouvrit les yeux et chanta dans le patois de son village.

À l'auberge où ils s'arrêtèrent pour dîner, le va-et-vient continu étonna Charlotte. Les gens entraient, sortaient, trouvaient tous les prétextes pour venir la voir de près. Certains, trop intimidés pour s'approcher, lui souriaient de loin comme s'ils la connaissaient de longue date. De plus courageux venaient tout près, saluaient en pinçant la jupe ou en enlevant le bonnet, puis s'enfuyaient, gênés de leur audace. Les plus hardis allaient jusqu'à dire : «Bienvenue chez nous, madame la générale», ajoutant parfois des allusions à la simplicité du général ou à l'ennui qu'il avait de sa femme et de sa famille.

Finalement, elle craignit que cette foule aimable ne retardât son arrivée à bon port; elle pressa le repas. Mais elle sortit de l'auberge le cœur réjoui. Elle se dit que ce peuple possédait encore ce qu'on appelait en Europe «la politesse française», qui séduisait tant les autres pays. C'était très différent de la politesse qu'elle avait remarquée à Londres où tout devait être gardé pour soi, afin de ne pas ennuyer le voisin, ne pas choquer.

* * *

– Arriez, Princesse! Arriez!

Les calèches s'arrêtèrent et le Canadien se retourna.

– Vous voilà au Cap où j'ai promis de vous amener, madame. Je ne peux pas aller plus loin. Je vous laisse à l'auberge. Faut que je me trouve un cocher pour le retour.

Pendant que la baronne réglait le loueur et le remerciait, Röckel alla s'informer afin de trouver un autre moyen de transport.

— Allez voir Rodolphe, c'est son métier, dit l'aubergiste en montrant un homme qui buvait une bière.

— Pour ça non, fit le Rodolphe en question, il y a pas de calèches qui traversent aux Trois-Rivières.

— Et pourquoi donc?

— Pour la bonne raison qu'il n'y a pas de pont. Nos calèches ne sont pas des poissons et nos chevaux ne sont pas des hippocampes, que je sache.

— Comment cela, pas de pont? Ici peut-être... mais plus haut? demanda d'une voix angoissée la baronne venue rejoindre son serviteur. N'y a-t-il pas un autre chemin?

— Ici, c'est le chemin ordinaire. Le chemin de tout le monde. Le chemin du roi. Faut prendre le bateau, mais aujourd'hui il n'est pas là. Il y a seulement les canots d'écorce.

— Ce n'est pas possible! Il doit y avoir une autre route avec un pont.

L'homme fit un geste de fatalité et leva les épaules pour signifier qu'il n'y pouvait rien. Charlotte se dit qu'il voulait peut-être la forcer à payer plus cher.

— Monsieur Rodolphe, je vous offre le double de ce qu'on vous paye habituellement si vous me trouvez un moyen d'arriver aux Trois-Rivières aujourd'hui. Je vous en prie. Je dois rejoindre l'armée.

— Je peux juste vous amener par canot, je vous dis. C'est la route la plus courte... D'ailleurs il va faire mauvais, ajouta-t-il comme si cela réglait tout; et il esquissa un pas pour partir.

C'était vrai. Le ciel s'était soudainement couvert. Affolée à la pensée que le mauvais temps pouvait la retarder, Charlotte se décida.

— Allons-y en canot, alors.

Mais à la vue de l'embarcation en écorce qui lui semblait si fragile, elle recula, effrayée. L'homme sourit, rassurant.

— Vous savez, tout le monde traverse de cette façon.

Avec ses vêtements à l'indienne, ses gros sourcils blonds et sa barbe touffue et rousse, il aurait pu paraître menaçant, mais ses lèvres épaisses se fendaient d'un sourire bienveillant et son regard bleu était rieur. Il était solide, musclé. Une force de la nature! Même Röckel paraissait petit à ses côtés.

— Allons! Il faut vous décider, sans cela il sera trop tard. Je me demande même si vous ne devriez pas attendre à demain.

Cette hésitation de l'homme, au lieu de lui faire changer d'idée, la décida.

— Partons immédiatement, fit-elle.

— Alors, si madame le permet…

Le passeur l'enleva si promptement qu'elle n'eut pas le temps de s'étonner : elle était déjà assise au fond du canot, du côté qui pointait vers le large. Aussi vite, elle reçut Caroline et Frederika sur ses genoux. Augusta courait vers la rivière et avait les pieds dans la première vague qui venait lécher la rive.

L'homme grogna, tout en souriant dans sa barbe : «Eh bien, toi, ma petite demoiselle, tu n'as pas froid aux yeux. Mais ça, tes pieds mouillés, je pouvais te l'éviter», et il la déposa en avant de sa mère.

Il entra dans l'eau, tira un peu le canot pour lui permettre de flotter vers l'avant. Il fit signe à Röckel de se caler à l'autre bout du canot, puis il aida Adélaïde à s'asseoir devant Röckel. Quand vint le tour de Lizzie, celle-ci, les yeux agrandis d'horreur, restait figée comme une statue.

— Allez, la Frisette, allez!

Mais comme elle ne bougeait pas, il l'enleva avec beaucoup moins de délicatesse qu'il ne l'avait fait pour la baronne.

— Ma foi, vous vous prenez pour la femme de Loth! dit-il en l'asseyant en avant d'Adélaïde. Pliez vos genoux.

Ensuite, il tassa et sangla les bagages en les équilibrant à gauche et à droite, se gardant une place au centre. Puis, en faisant face au large et en tournant le dos aux trois serviteurs, il entra jusqu'aux genoux dans l'eau, fit glisser le canot et y monta avec une légèreté étonnante pour sa carrure; c'est à peine si les passagers sentirent le mouvement d'oscillation.

Et le canot fila sous les coups d'aviron.

*　*　*

Les voyageurs se trouvent à l'entrée du passage entre la première et la deuxième rivière quand un nuage plus sombre que les autres apporte de la grêle. La tempête se déchaîne si vite, les vagues grossissent si rapidement que Charlotte invoque, sans même réfléchir, ses deux enfants décédés. Elle n'a jamais vu de si gros grêlons. «Pourvu qu'ils ne percent pas le canot d'écorce!»

Après avoir été frappée par un de ces grains de glace, Frederika, affolée, se soulève avec l'intention évidente de se jeter à l'eau. Le canot penche dangereusement. Rodolphe le redresse d'un mouvement vif, mais crie en même temps, très rudement :

– Ne bougez pas, toryab!

Ses yeux rieurs sont devenus si méchants qu'on pourrait croire qu'il est ce diable même qu'il a évoqué d'une manière détournée par son patois.

Cette rudesse fait naître, sous sa peur, la colère de Charlotte contre le passeur, qui continue pourtant :

– Si on bouge, on verse et on se noie.

La baronne serre aussitôt Frederika très fort. Mais la petite se débat, essayant de se libérer des bras qui la maintiennent prisonnière.

– Tenez-la, pour l'amour de Dieu!

– Écoutez-moi, Frederika (la baronne s'aperçoit qu'elle aussi parle rudement), cessez de bouger. Vous allez nous jeter à l'eau.

Absolument hystérique, la petite n'écoute pas. Retenue comme dans un étau par sa mère, elle se met à hurler.

Charlotte lui murmure des mots rassurants, essaye des chansons douces, mais elle comprend que rien n'arrêtera les cris de l'enfant. Sans relâcher son étreinte, elle s'efforce dès lors d'ignorer les hurlements qui concurrencent, dans ses oreilles, ceux du vent et des trombes d'eau.

Tout le long des passes qui unissent les rivières de l'embouchure de la Saint-Maurice, Frederika hurle et Charlotte prie, se forçant à rester immobile.

Ayant constaté que la baronne maîtrise sa fille, Rodolphe, le visage crispé, ne s'occupe plus que des vagues terribles qui se présentent, à cause des vents qui tourbillonnent, de tout bord, tout côté. Avec adresse, il vire à gauche, puis vire à droite afin de toujours prendre les vagues de face. Charlotte, fascinée par sa dextérité, oublie le temps.

Au moment où les courants antagonistes du fleuve et de la rivière roulent des vagues qui s'affrontent en éparpillant leurs lames comme des armées se jettent les unes sur les autres en crachant leur sang, Rodolphe pense : «Il faut que j'évite les brisants en louvoyant sans arrêt, sinon nous sommes bons pour l'Éternité.»

Charlotte regarde avec terreur les épaisses nuées qui forment un dais diabolique du haut duquel des canons invisibles continuent à lancer des boulets de glace. Le rideau de gouttes fumantes et grises est si épais que le canot semble le traverser tel un fantôme pénètre un mur. Le léger esquif d'écorce, tantôt cheval emballé, donne le vertige, tantôt cheval ailé, se projette dans le vide. L'embarcation et ses passagers s'engloutissent alors lentement comme dans du sable mouvant lorsque la face de la vague s'affaisse avec fracas. Puis tout s'arrête. Un moment, Charlotte respire. Mais le canot est de nouveau happé par la houle en furie.

Charlotte ferme les yeux, crispant plus fort que jamais ses doigts sur ses enfants. Augusta s'accroche à elle et la pince cruellement, morte de peur. Sa mère ne se préoccupe pas de cette douleur. Elle sent une terrible secousse à la hauteur des reins et croit que son cœur va éclater.

«Dieu! Nous nous noyons», pense-t-elle. Alors, devant l'inéluctable, elle serre encore plus fort ses enfants.

«Non! Je ne les lâcherai pas. Il faut qu'elles sentent ma présence, surtout dans la mort.»

* * *

Sur les hauteurs des Trois-Rivières, dans le camp des Allemands qui n'ont pas accompagné le gros de l'armée, des sentinelles surveillent la rive sud du Saint-Laurent et l'embouchure de la rivière Saint-Maurice; on craint que des dissidents tentent de traverser le fleuve et attaquent la ville en s'installant sur les îles de la rivière.

Un officier court vers la falaise; il échange quelques mots avec un garde, qui lui répond par un geste négatif. Stoïquement, sous la grêle, les deux militaires restent côte à côte en essayant de percer le voile du mauvais temps. Les vagues jaillissent du fond de l'eau comme d'énormes bêtes surgissant de leurs repaires. Les grêlons creusent le sable et percent les eaux. Le grondement du tonnerre rend la scène encore plus hallucinante.

Tout à coup, le zigzag d'un éclair montre au loin un objet ballotté par les vagues; il apparaît ou disparaît selon qu'il domine la crête ou s'enfonce dans le creux d'une vague. Peu à peu, l'objet se précise : c'est un canot, chargé de personnes, qui lutte contre la tempête.

— Cours chercher du secours et des cordes! crie l'officier en se dirigeant vers la droite où l'escarpement offre un accès plus facile à la plage. Pourvu qu'ils... *Mein Gott!...*

Une vague gigantesque vient de happer le canot par le côté; l'embarcation roule sur elle-même, rejetant deux passagers. Puis elle se retourne une seconde fois, mais ne se redresse pas. Elle flotte à l'envers, vidée du reste de ses occupants. Quelques têtes émergent, des mains s'accrochent au canot, d'autres lâchent prise et s'enfoncent dans les eaux tourbillonnantes.

L'officier ne sait pas nager. Il scrute la rivière, mais se sent impuissant. Il voit les deux premiers naufragés, maintenant, loin de leur canot. L'un d'eux s'agrippe à son compagnon. Ils ont échappé à la fureur de la première vague, mais ils ne peuvent se soustraire à celle de la deuxième qui s'affale sur eux; une seule tête réapparaît sous l'éclair, puis disparaît à son tour sous la troisième vague.

Au même moment, des soldats accourent tout en attachant une corde autour de leur taille. Aussitôt sur la rive, ils se jettent à l'eau, retenus à l'autre bout du câble par des camarades. Mais les vagues repoussent les sauveteurs.

Malgré tout, un soldat, véritable athlète, parvient à atteindre un naufragé qui nage vers le bord. Leurs mains se rejoignent presque lorsque l'homme en détresse coule à pic. Son sauveteur plonge et replonge. Enfin, à la troisième tentative, il ramène le corps. De la foule qui grossit sur la falaise, un cri unanime se fait entendre. Hélas! le pauvre jeune homme est mort. Il ne s'est même pas noyé; foudroyé par la peur ou la fatigue, son cœur a cessé de battre avant même qu'il avale de l'eau.

Sur la rive, l'officier s'efforce, devant ses hommes, de secouer l'horreur qui l'envahit. Il ordonne qu'on longe la grève afin de récupérer les corps qu'inévitablement la rivière y rejettera. Il voit bien que tous les naufragés ont sombré. Il envoie donc un groupe vers l'amont et l'autre vers l'aval. Par acquit de conscience, on met une embarcation à l'eau, maintenant que le nuage maudit s'enfuit.

Comme si l'ouvrage assigné était terminé, le ciel cesse son massacre, le vent s'essouffle et l'eau cesse de bouillonner. Une fois apaisée, la nature ne laisse comme souvenir de sa brusque colère que ce canot renversé au loin, toujours poussé vers l'embouchure.

Soudain, l'un des militaires crie et pointe le doigt vers le sud.

* * *

Charlotte voit Rodolphe planter son aviron, le visage rouge de toute la force qu'il met dans son geste. Elle l'aperçoit dans l'eau. Elle crie, puis comprend qu'il a pied. Le regard moqueur – il a bien vu qu'elle a cru qu'il était tombé –, il esquisse une espèce de pas de danse tout en s'agrippant fortement à la pointe du canot, qu'il tire ensuite jusqu'à ce qu'il touche terre. Sans prendre le temps de réfléchir à ce qui vient de se produire, la baronne se retrouve sur une plage étroite. Elle passe Caroline à Lizzie, puis réussit à calmer Frederika, dont les cris cessent, mais dont la poitrine émet encore de gros sanglots qui vont en décroissant.

Des exclamations, des appels attirent l'attention des rescapés. En tournant la tête vers le nord, ils voient des militaires qui accourent, puis entendent des applaudissements et des vivats. Tout en haut d'une pente ni douce ni raide, des uniformes d'officiers se détachent sur le ciel gris. Le cœur de Mme von Riedesel bondit de joie. Elle reconnaît l'uniforme allemand.

Quelques moments plus tard, tous se réchauffent, qui dans la cuisine, qui dans le salon, selon leur rang, devant un feu de cheminée.

– Je n'ai vraiment compris le danger qu'en plein milieu de la rivière, explique la baronne à l'officier. Je crois que, même par beau temps, jamais plus je ne mettrai les pieds dans un canot d'écorce. Mais comment se fait-il que vous étiez tous là, à mon arrivée? Vous a-t-on dit que je venais?

– J'avoue que ce n'était pas vous que nous attendions, madame. Quelques-uns de nos officiers étaient partis à la pêche. Ils rentraient quand le mauvais temps s'est levé. Nous avons vu leur embarcation chavirer et nous avons vainement tenté de les sauver. Puis nous avons remarqué des personnes qui débarquaient au loin, près de l'embouchure. Votre guide, madame, doit être d'une force peu commune pour vous avoir fait traverser sains et saufs dans une pareille tempête. Ces Métis sont extraordinaires.

Jusque-là, Charlotte avait été si préoccupée de retenir Frederika dans le canot, si concentrée dans ses prières et dans sa volonté de ne pas entendre crier sa fille, si fascinée par la manière d'avironner de leur étrange guide, puis si soulagée de sentir la terre ferme et enfin, si étonnée de se retrouver parmi des militaires de sa nationalité, qu'elle n'avait pas encore réagi vraiment à sa traversée en canot. Soudain, en écoutant le récit de l'officier, l'ampleur du danger auquel elle vient d'échapper l'atteint jusqu'au plus profond d'elle-même. Ses genoux se mettent à trembler.

Adélaïde, qui lui apporte une tasse de thé chaud, voit sa pâleur et croit qu'elle va défaillir. En lui tendant la boisson, elle lui chuchote :

– Quel beau tableau! Madame près du foyer, et tous ces officiers qui admirent l'épouse de leur général en chef. Il est dommage que je n'aie pas mon chevalet avec moi.

Charlotte se redresse alors de toute sa jolie petite taille et s'efforce de contrôler son tremblement en jetant un regard de reconnaissance à la gouvernante qui a su trouver les mots pour calmer ses nerfs à vif.

34

Trois-Rivières

Pendant que le bon feu de bois séchait les voyageurs, l'officier appela une estafette.

— Allez avertir M. Saint-Onge que Mme von Riedesel et sa famille sont arrivées.

Il continua, au profit de la baronne :

— M. le grand vicaire Saint-Onge est le chef spirituel des catholiques de cette région. Il est très lié à votre époux, qu'il a reçu souvent chez lui, car il tient salon; de même, il a assisté plusieurs fois aux repas qu'a donnés le général. C'est lui qui a été chargé de vous conduire à la maison louée par votre époux, ici aux Trois-Rivières.

Peu de temps après, le grand vicaire arriva. Seul son col romain laissait voir qu'il était prêtre. En effet, ses vêtements, quoique sobres et foncés, lui donnait plutôt l'air, par leur coupe élégante, d'un homme de cour. Un petit courant d'air de Versailles entrait avec lui.

Il baisa la main de la baronne avec style.

— Je vois, madame, que Dieu, lorsqu'il créa la beauté, se tenait près de votre berceau, mais je suis plus heureux encore de voir que l'Esprit saint a su mettre son don de force dans une créature aussi fragile.

— Vous me flattez, monsieur le grand vicaire.

— Non, madame. Je comprends simplement l'ennui que pouvait ressentir votre estimable époux d'être éloigné de la mère de ses enfants.

Le grand vicaire avait une voix chaude, vibrante, un langage fleuri dont les syllabes se détachaient, nettes et claires.

La baronne n'avait aucun mal à le comprendre, quoiqu'il roulât ses «r».

— Il vous a beaucoup parlé de nous?

— Beaucoup. Je remercie la Providence de vous avoir conduite saine et sauve jusqu'à ce pays. Cet époux, pour qui vous avez entrepris un si long et si dangereux voyage avec tant d'amour, a bien besoin de vous… Pour tout vous dire, sa santé me préoccupe. Mais votre présence le guérira, j'en suis certain.

— Il est donc malade? Vous m'inquiétez. Je sais, d'après une de ses lettres, qu'il avait pris froid. Mais je le croyais rétabli.

— Il aura voulu vous épargner du souci. Je crois plutôt qu'en recevant l'ordre de se rendre à Chambly, il a été bouleversé de partir alors que vous arriviez. Il en a fait de la fièvre et a pris le lit. Il me disait, le matin de son départ : «Chaque fois qu'elle fait un pas vers moi, un événement me force à m'éloigner comme si je la fuyais. Dieu sait que mon seul désir est d'être auprès d'elle.»

— Comme moi, je le crains, il a peur d'être tué au combat avant que nous nous revoyions.

— Il avait déjà été ébranlé par un incident précédent. Le bruit avait couru qu'un bateau avec une femme et trois enfants à bord avait coulé corps et biens. Cela a dû être affreux pour lui. J'ai rarement vu un homme aussi moralement en détresse. Tant que nous n'avons pas su que la nouvelle était fausse, le général errait comme un fantôme. Il venait chez moi, me parlait de vous, des enfants, de sa petite «inconnue». Il me racontait l'épreuve de la mort de vos deux aînés. Que d'amour dans cet homme! madame. Mais il est de mon devoir de vous avertir que vous le trouverez changé physiquement.

— Pourtant, quand il a su que nous n'avions pas péri dans un naufrage, il a dû se réjouir?

— À peine se relevait-il de ce coup qu'une autre rumeur nous est parvenue. On disait que vous aviez bien embarqué, en Angleterre, mais qu'une fois au large vous aviez eu tellement peur de l'océan que vous aviez supplié le capitaine de vous renvoyer sur la terre ferme.

— Moi! retourner à terre alors que je me suis tant débattue pour embarquer? s'exclama la baronne en commençant un rire qui se termina presque dans les larmes, tant elle revit dans un éclair tous les efforts que lui avait coûtés ce voyage. Quelle absurdité! Au moins, maintenant, il sait par Mme Carleton que j'ai les deux pieds en Canada.

— J'imagine qu'il ne le croira vraiment que lorsqu'il vous verra en chair et en os au fort de Chambly.

— Pourvu que d'ici à demain un ordre ne l'envoie pas plus loin… si ce n'est déjà fait, dit Charlotte avec amertume. Ah! monsieur Saint-Onge, si vous avez la bonté de patienter quelques instants, je vais écrire un message à mon époux pour lui dire que je suis aux Trois-Rivières et qu'il doit m'attendre absolument. Le général Burgoyne, que j'ai rencontré à la cour de Londres, n'aura certes pas la cruauté de nous séparer, alors que nous sommes si près l'un de l'autre. Combien de temps faut-il pour se rendre à Chambly?

— En cette période de l'année, on peut espérer faire la distance en trois ou quatre jours. Vous y rencontrerez plusieurs relais, comme ceux que vous avez vus durant la première partie du trajet. On en compte vingt-neuf entre Québec et Montréal. Un règlement que l'on peut qualifier de sévère oblige les maîtres de poste à avoir en tout temps un assortiment suffisant de chevaux et cela prend tout au plus une quinzaine de minutes pour la relève des bêtes. Quant aux étapes, elles varient entre trois et dix milles selon la situation géographique. On ne trouve point, dans toute l'Amérique septentrionale, de route aussi bien servie.

— Je vais de ce pas demander qu'on envoie une estafette à Chambly, reprit la baronne. Tout ce que vous m'avez raconté m'incite à partir dès l'aurore. S'il n'était pas si tard, je partirais ce soir, même sous la pluie.

— En ce cas, madame, permettez-moi de vous prêter ma propre calèche. Je vous l'enverrai à la première heure. Elle est protégée sur trois côtés et a un toit rigide. Vous y serez à l'abri d'une pluie trop forte ou d'un soleil torride.

Ce soir-là, après s'être installée pour la nuit dans la maison louée de M. de Tonnancour, une fois les enfants plongés dans le sommeil et les serviteurs couchés, Charlotte, incapable de s'endormir, se promena de haut en bas dans la maison. Elle s'imprégnait de l'atmosphère, croyant y retrouver l'odeur de son mari. Elle cherchait son ombre derrière les tentures, la marque de ses pas sur le tapis. Elle mit la main sur la table de travail, la flatta comme si elle caressait la main de celui qu'elle imaginait en train de lui écrire.

Dans la chambre, elle s'étendit sur le lit, s'étira et regarda au plafond comme si une image allait en surgir…

Puis, entendant la voix de Lizzie, elle s'éveilla, encore tout habillée, sur ce lit où le sommeil l'avait prise, enfin.

— Madame, il faut vous réveiller, il est cinq heures. Les chevaux de M. Saint-Onge piaffent devant la maison.

* * *

Depuis qu'ils étaient partis, à six heures du matin, la calèche semblait ballottée par de fortes vagues. Si la baronne avait cru qu'ils jouiraient de plus de confort dans cette grande voiture à quatre roues que dans les petites à deux roues louées à la Pointe-aux-Trembles, elle s'était bien trompée. Comme les chevaux galopaient deux fois plus vite, que les roues étaient moins hautes et que les cailloux de la route étaient assez gros, on y était deux fois plus secoué. Au moindre cahot, on était levé de son siège, puis on retombait brutalement.

Charlotte avait l'impression que ces sauts jetteraient les deux aînées hors du carrosse. Ses yeux allaient de l'une à l'autre et elle tendait instinctivement les mains pour les retenir, oubliant chaque fois qu'elle les avait pourtant attachées. L'air qui lui arrivait de face l'étouffait en lui brûlant la gorge et le nez. De plus, ils étaient très à l'étroit dans le véhicule. Mais elle ne voulait pas ralentir l'élan des chevaux.

— Maman, j'ai mal aux jambes. Ça me picote partout. Je ne sens plus mes pieds.

— Ce n'est rien, ma chérie. Vous avez des fourmis dans les jambes. Vous pourrez bientôt vous dégourdir. Justement, je crois que nous arrivons à un relais.

La calèche s'immobilisa, au grand soulagement de ses occupants.

– Adélaïde, aidez-moi à faire marcher Augusta… Bon, vous voyez, cela passe. Maintenant, Augusta, prenez la main de Frederika et courez toutes les deux. Faites bouger vos bras. Regardez, je fais de même. C'est que nous avons été très tassés dans la voiture. Allez, tout le monde se remue.

La baronne, ne se préoccupant pas de ce que pouvaient penser les curieux, en véritable noble qu'elle était, donna l'exemple en faisant des allers retours devant l'auberge pendant qu'on changeait les chevaux. Elle avait mal au dos et à tous ses muscles.

Puis ils reprirent la route sinueuse qui longeait le Saint-Laurent. La baronne se disait qu'elle n'avait jamais vu un fleuve aussi large.

– Regardez, les enfants, on ne voit même pas l'autre côté. On dirait la mer. Tout est démesuré ici. C'est bien différent de chez nous, n'est-ce pas?

Lorsqu'ils furent arrivés dans un lieu nommé Berthier, la calèche ralentit, puis s'arrêta.

– Madame, ici les routes se croisent. Devons-nous aller à droite ou à gauche? demanda Röckel.

– M. le grand vicaire a conseillé à gauche. Mais demandez des précisions, fit la baronne en montrant quelques curieux qui les regardaient.

Un vieillard d'allure bourgeoise, s'appuyant sur une canne, s'approcha, prévenant.

– Le meilleur chemin pour Chambly, monsieur? s'informa Adélaïde.

– Cela dépend. Si vous prenez à gauche par Sorel, vous franchissez le fleuve et vous longez le Richelieu. Si vous continuez tout droit, vous longez le fleuve jusqu'à Montréal, une bien belle ville que vous pourrez visiter avant de passer sur l'autre rive.

– Lequel est le plus court? s'impatienta Mme von Riedesel, qui n'avait pas l'intention de visiter quelque ville que ce soit.

– Par Sorel, bien sûr, madame.

– Comment traverse-t-on le fleuve? Y a-t-il un pont?

– Pour ça non, madame, il faut prendre un bateau, mais il n'y en a pas le jeudi. Nous nous servons alors de canots.

– Et à Montréal?

– C'est toujours le fleuve, mais là-bas il y a la Traverse-à-Roussin. Roussin est le seul à franchir le cours d'eau à Longueuil. Il serait tenu de vous faire passer sur-le-champ si votre mari est au service du roi. C'est un règlement établi par le gouverneur lui-même.

– Et il en coûte combien?

– Si je me souviens, le coût du passage pour les particuliers est de deux shillings.

– Merci bien, monsieur.

– C'est toujours un plaisir d'aider une jolie dame, fit le bourgeois en saluant gravement.

– Prenez tout droit, par Montréal, Röckel. Pour le moment, je ne peux pas supporter l'idée d'un canot d'écorce.

Comme il était impossible d'aller à un trot d'enfer dans l'étroite rue de Berthier, les voyageurs purent admirer les coquettes maisons sur leur droite, et l'île sur leur gauche.

– Voyez les vaches et les moutons sur cette grande île.

– Oh! Regardez, maman, le joli cheval qui court.

– Vous êtes bien comme votre père, dit Charlotte à Augusta, qui rougit de plaisir à cette comparaison, vous aimez les chevaux.

Pendant plusieurs heures encore, ils voyagèrent ainsi, ne ralentissant que dans les villages. Enfin, à la nuit tombante, ils atteignirent Montréal où, se disait Charlotte, ils passeraient la dernière nuit avant de retrouver Friedrich. Röckel fut chargé de trouver une auberge et de réserver des chevaux pour un départ tôt le lendemain matin.

Malgré une nuit sans sommeil, deux jours d'une course folle et une traversée dangereuse, Mme von Riedesel ne sentait pas encore sa fatigue, dans sa hâte nerveuse d'arriver. Elle ne regarda même pas autour d'elle cette ville que son mari lui avait dit, dans une lettre, préférer à celle de Québec.

* * *

Ils traversaient maintenant Chambly, formé de quelques maisons et cabanes. Le cœur de Charlotte battait à tout rompre. Il lui semblait que, si elle avait couru, sa hâte d'arriver lui aurait donné des ailes; elle serait parvenue avant les chevaux à ce fort qui se détachait, là-bas, sur un paysage dénudé et sauvage.

En arrivant près des remparts, Charlotte, se mordant les lèvres d'impatience, reconnut, dans un groupe d'officiers qui les regardaient venir, l'habit de la Maison de Brunswick, mais elle ne vit pas son mari.

Aussitôt que les chevaux s'arrêtèrent, un homme se dégagea des militaires et s'approcha. Elle reconnut Baum, l'ami de son mari. Elle lui demanda aussitôt s'il savait où était Friedrich.

– Ah! madame! C'est bien vous! Le général sera tellement heureux! Il est justement parti à votre rencontre par Sorel.

– Par Sorel!...

Charlotte sentit soudain tout le poids des derniers jours sur ses épaules et dans tout son corps. Ses yeux se portèrent sur ses serviteurs. Elle ne s'étonnait pas de voir le visage défait de Lizzie. Mais Adélaïde... Mais Röckel... Même eux semblaient désemparés, devant cette nature désolée, si différente de celle de leur pays.

Elle se dit : «Je ne dois pas pleurer. C'est moi, le général de ma vaillante petite troupe. Je dois donner l'exemple. De toute façon, il faut que Friedrich revienne au fort. Je ne bouge plus d'ici.»

Et elle ravala ses larmes. À ce moment, un autre homme s'approcha. Elle reconnut aussitôt le gouverneur, ayant vu son portrait dans le salon de Lady Carleton. Après les politesses d'usage, la baronne lui demanda si son mari, ne la trouvant ni à Sorel ni à Berthier, continuerait jusqu'aux Trois-Rivières pour l'y chercher.

– Madame, vous n'êtes certainement pas passée inaperçue sur votre route. Croyez-moi, le général saura très vite que vous êtes au fort. Il reviendra tout de suite. Demain, au plus tard, il sera ici.

Il se tourna ensuite vers les enfants :

– Voici cette petite Augusta, je crois, dont le général nous a raconté les finesses.

— Et voici Frederika, Excellence.

— Et ce joli bébé, c'est cette petite fille qui vous a empêchée de partir en même temps que votre époux. Nous devrions tous lui en vouloir de nous avoir privés de votre présence aussi long-temps. Mais elle est si jolie que nous serons indulgents.

— Elle se fait pardonner, Excellence, en étant parfaitement sage.

— Madame, je dois, à mon grand regret, vous quitter, alors que je viens à peine d'apprécier votre présence. Je dois retourner à Québec. Mais j'aurai l'honneur de vous revoir bientôt. Vous trouverez ici le général Burgoyne, que vous avez déjà rencontré, mais qui dirige un exercice en ce moment. Je vous laisse donc au soin d'un officier que vous connaissez aussi, je crois, M. de Gerlache.

— En effet, M. de Gerlache était un habitué de la maison, à Wolfenbüttel.

— Il vous conduira au logement que vous a fait préparer M. von Riedesel. Vous devez avoir besoin de vous reposer.

— Merci. Et veuillez me rappeler au bon souvenir de Mme Carleton, Excellence.

— Je n'y manquerai pas, madame. Elle a du être enchantée de vous avoir à sa table.

Sur ces mots, le gouverneur monta dans sa calèche. Quelques instants plus tard, Mme von Riedesel, avec sa maisonnée, suivait M. de Gerlache. Elle lui fit promettre de la réveiller si jamais son mari revenait.

35

Chambly

Charlotte respira avec délice l'air de ce beau matin de juillet, savourant le fait que ce n'était plus elle qui courait les routes, mais plutôt celui-là même pour qui elle avait entrepris cette odyssée, et qui devrait bientôt lui apparaître à l'horizon. Elle s'assit sur un banc placé le long du mur extérieur de la petite maison réquisitionnée par le général pour sa famille. Les propriétaires avaient transporté leurs pénates pour quelques jours chez leur fils nouvellement marié qui venait de se bâtir au bout du terrain paternel, comme cela se faisait souvent au pays.

La baronne observait, plus loin sur le chemin, trois silhouettes. Elle avait eu besoin de calme; l'excitation bien compréhensible des enfants l'énervait. Ayant en même temps pitié de leur impatience, elle les avaient envoyées, sous la surveillance de Röckel, guetter l'arrivée de leur père, assez loin sur la route pour ne pas les entendre, assez près pour ne pas les perdre de vue.

— J'ai de bonnes petites sentinelles, n'est-ce pas, Adélaïde? dit-elle en se tournant vers la gouvernante assise près d'elle, Caroline dans ses bras.

— Et Röckel a des yeux d'aigle, madame. Mais… que madame voie, il fait justement de grands signes.

Charlotte se leva promptement, le cœur battant plus vite.

— Passez-moi Caroline.

Elle se dirigea à grands pas de plus en plus rapides, vers le point noir qu'elle apercevait au loin. Cependant, lorsqu'elle put mieux distinguer l'unique passager de la calèche, elle s'aperçut que c'était un Canadien. Désappointée, elle ralentit le pas.

Tellement habituée aux revirements de situation depuis qu'elle avait entrepris son long voyage, elle sentit le pessimisme l'envahir.

«Voilà! Il m'envoie un messager me dire qu'il n'arrivera que demain ou que je dois aller le rejoindre ou, pis, qu'il a reçu l'ordre de se rendre à New York par Québec.»

La calèche s'arrêta à la hauteur de Röckel et le Canadien en sortit si vite qu'elle pensa qu'il allait tomber, emporté par son élan. Elle le vit adresser quelques mots à Röckel, mais ne put les comprendre. Puis il courut vers les enfants, les souleva toutes deux en même temps et il les serra dans ses bras.

«Mais… c'est lui. C'est lui!»

Malgré ses jambes qui flageolaient, elle courut aussi rapidement que lui permettait le poids du bébé. La voyant, Friedrich déposa ses filles, alla à sa rencontre et l'accueillit sur sa poitrine, étouffant à moitié la petite Caroline, ce qui les força à se séparer.

Ils se regardèrent avec une telle intensité que chacun put déceler en l'autre l'ardeur des émotions qu'ils partageaient : la joie de se revoir, le désir de s'étreindre, la douleur d'avoir tant attendu.

– Mes amours, mes amours! dit Friedrich d'une voix tremblante.

Charlotte, qui regardait son mari, comme si un miracle venait de le ressusciter, avait les yeux remplis de larmes de joie.

Il prit sa petite Caroline et la souleva, à l'horizontale, à bout de bras. La tête levée vers elle, comme s'il avait reçu une étoile tombée du ciel, il admira avec fierté cette petite inconnue dans laquelle il se prolongeait sur terre. L'enfant éclata de rire et chercha de ses petits doigts à tirer sa moustache. Pendant ce jeu, Charlotte put observer son cher Friedrich, et sa joie s'estompa.

«Dieu qu'il a l'air malade… Il est si amaigri… Il a les traits tirés, et il est tout rouge… Ce n'est pas naturel. Le grand vicaire Saint-Onge avait raison.»

Augusta s'agrippait aux jambes de son père. Elle voulait qu'il la prenne encore. Il donna donc Caroline à Röckel, reprit son aînée, la serra très fort et lui dit :

– Mon petit amour, mon papillon chéri, comme je vous aime!

En même temps, il gardait les yeux plongés dans ceux de Charlotte. Celle-ci comprit qu'à travers les mots qu'il adressait à sa fille il lui communiquait ses sentiments pour elle.

– Je suis si contente, papa. Moi aussi, je vous aime.

Le général déposa Augusta en lui donnant un dernier baiser, puis voulut prendre Frederika. Mais elle le repoussa de toute la force de ses menottes, ce que la surprise l'avait évidemment empêchée de faire la première fois. Grimaçant, les sourcils froncés, le regard à la fois furieux et apeuré, elle cria :

– Non! Non! Vous êtes laid! Vous êtes un vilain papa. Mon papa à moi, il est beau!

Désarçonné et un peu déçu, mais ne voulant pas la contraindre, Friedrich la remit sur le sol et se tourna vers sa femme d'un air interrogateur :

– Elle m'a oublié, je crois. Elle était trop jeune quand je suis parti.

– Mais non, mon chéri! Je pense que si elle ne vous reconnaît pas, c'est dû à votre habillement. Pour Frederika, son père a les cheveux poudrés et porte un uniforme brillant et bleu, avec des galons d'or. Afin qu'elle ne vous oubliât pas, je lui montrais cette miniature que vous m'aviez donnée.

Pour appuyer ses paroles, Charlotte désigna le manteau qui semblait avoir été fabriqué dans une couverture de laine et au bas duquel il y avait une frange bleu et rouge.

– Je vois. Comme j'ai des poussées de fièvre, je m'habille chaudement, même si c'est l'été. Qu'à cela ne tienne, j'enlève mon «capot» d'habitant.

Lorsqu'il se fut dépouillé du vêtement, Friedrich apparut dans son costume de militaire. Cette fois, un sourire hésitant se dessina sur les lèvres de Frederika, et elle consentit à embrasser son père, mais tout doucement. Elle se sentait encore un peu méfiante de cet homme qui changeait si vite d'aspect, comme dans les contes.

– Cher petit oiseau, fit le père, tout heureux.

Il plaça sa petite Frederika sur ses épaules, lui retenant un pied avec sa main, et présenta son bras ainsi relevé à Charlotte, qui s'y accrocha. Il donna ensuite sa main libre à Augusta. Adélaïde, venue rejoindre le groupe, portait Caroline, tandis que Röckel ramenait cheval et calèche. Enfin réunie après plus d'une année d'angoisse et de faux espoirs, la petite famille de M. le baron von Riedesel se dirigea à pied, comme de simples bourgeois, vers la petite maison de style breton.

«Quel curieux général», pensaient certains parmi ceux qui les observaient. «Quel homme simple», se disaient d'autres, admiratifs. Et ceux-là, qui auraient pu être choqués de voir un noble, un général par surcroît, afficher aussi ouvertement l'amour qu'il avait pour sa femme et ses enfants, montraient de l'indulgence pour cette «fantaisie», à cause de l'estime qu'ils avaient pour le baron.

Burgoyne seul, quand il apprit l'anecdote, eut un sourire méprisant pour ce général allemand dont il jalousait le génie militaire.

* * *

– Adélaïde, Lizzie, emmenez les enfants se promener et visiter le fort, dit Charlotte, le lendemain matin. Prenez votre temps. S'il n'y a pas d'exercice militaire dans la cour, laissez-les s'y amuser. Si Caroline devient trop lourde, Lizzie, on vous trouvera une femme de militaire prête, pour quelques pfennigs, à vous soulager. Mais ne la quittez pas des yeux.

De son côté, Friedrich s'adressa à Röckel :

– Je vous donne congé pour la journée. Vous le méritez bien. Vous retrouverez d'anciens camarades chez les *Jägers*. Vous serez sûrement heureux de les revoir. Et voici des pfennigs pour aller fêter. Quant à vous, Leonhard, accompagnez ces dames, et vous, Rüpert, voici une liste de choses dont nous avons besoin et que vous trouverez à Sorel.

Quand la maison fut vidée des serviteurs et des enfants, Charlotte et Friedrich se regardèrent, le sourire aux lèvres. Peu leur importait que leurs ordres fussent cousus de fil blanc. La nuit précédente, un peu retenus par les cloisons minces, par une trop longue absence, par trop d'images qui roulaient dans leur tête, par trop de mots qu'ils voulaient se confier, ils avaient pourtant fini par oublier la terre. Mais ils n'avaient pas été rassasiés. Ils avaient encore faim.

Ce matin, le silence régnait enfin autour d'eux.

Friedrich se comporta comme lui seul, fin stratège militaire doublé d'un amoureux fou et généreux, pouvait le faire si bien. La tendre et sensuelle Charlotte, dont la passion avait été exacerbée par une année d'attente angoissante, se laissa glisser dans l'euphorie si désirée.

* * *

Leonhard, pour la première fois depuis des mois, se sent heureux. Certes, il obéit à des ordres, mais il se trouve en compagnie de deux jolies femmes, ce qui n'est pas pour lui déplaire. Et ces deux demoiselles ne sont pas de quelconques filles qui parviennent, on ne sait comment, ou l'on s'en doute trop, à demeurer au milieu des armées. Jusqu'ici, Leonhard, sans avoir une existence d'ermite, n'a guère eu l'occasion de vivre autrement que le général, dont la fidélité à la baronne a toujours été proverbiale. Le secrétaire avait déjà remarqué que M. von Riedesel aimait beaucoup la compagnie de la spirituelle Mme Murray, mais, bien sûr, le mari de celle-ci était toujours présent lorsqu'il la rencontrait; d'autre part, Leonhard avait un jour entendu le baron dire à M. Murray que sa femme ressemblait beaucoup à la sienne.

Aujourd'hui, Leonhard a l'impression qu'on l'a soulagé d'une pierre qui lui pesait depuis de longs mois. Il ne se pose pas de questions sur la situation; il la laisse s'épanouir. Il a vite jaugé Adélaïde; c'est une maîtresse femme qui ne s'en laisse pas imposer. L'étudiant qu'il est resté sous son habit militaire prend plaisir à parler français avec elle et à écouter ce qu'elle raconte sur la peinture. Mais, voyant le petit air boudeur de Lizzie qui, bien qu'elle comprenne le français, a plus de difficulté à utiliser cette langue, il repasse à l'allemand. Certaines facéties d'étudiants lui revenant à l'esprit, il dit et fait quelques bouffonneries qui font rire les enfants et sourire Adélaïde. Quant à Lizzie, un son de clochettes sort de sa gorge. Autant Lizzie peut pleurer, autant elle sait rire. Le jeune homme la trouve charmante.

Comme ils ont tous bien compris qu'il faut étirer le temps, ils vont visiter l'intérieur du fort, là où on leur permet d'aller. Sur les remparts, Leonhard pointe le doigt au-delà de la rivière, puis vers le nord-ouest :

— Voici la route de Montréal d'où vous êtes venues, et celle de Sorel d'où vous auriez dû arriver.

Ensuite, tournant le dos aux deux points, il désigne une forêt qui paraît aux deux femmes plus dense, plus sombre et plus sauvage que celle de Maastricht :

— Et voilà ce qui nous sépare de nos ennemis.

— Ils sont stupides, c'est à cause d'eux que nous sommes ici. Et j'ai si peur ! s'exclame Lizzie, qui ne peut s'empêcher de revoir la scène avec les bandits.

— Peut-être ont-ils de bonnes raisons de se révolter, réplique un peu vertement Leonhard, qui regrette aussitôt sa réponse, voyant que son ton a blessé la fragile Lizzie.

Aussi ajoute-t-il :

— Cela m'a permis de vous rencontrer… mesdemoiselles. J'ai donc une bonne raison de remercier les colons révoltés.

Il s'adresse aux deux femmes à la fois, ne voulant pas montrer qu'il en préfère une à l'autre. D'ailleurs, il n'est pas certain à laquelle va sa préférence : l'une est plus savante, mais l'autre est si fraîche, si naïve au fond.

Devant la forêt qui s'étale devant ses yeux, Adélaïde pense soudain aux contes de Charles Perrault.

— Augusta, Frederika, regardez bien ! Ce soir, je vous raconterai l'histoire de la Belle au bois dormant. Vous n'aurez qu'à revoir ce paysage dans votre tête quand je vous parlerai de la forêt inextricable où se perd le prince.

* * *

Lorsque le groupe revint dans la cour, un soldat qui sortait en vitesse par une petite porte heurta légèrement Lizzie. Toujours un peu dramatique, celle-ci poussa un cri et se retint à Leonhard, qui esquissa un geste pour s'interposer. Mais le soldat s'excusa fort poliment avant de reprendre sa course.

— Il aurait pu faire attention, grogna le secrétaire. Il ne vous a pas fait mal au moins ?

– Non, mais j'ai eu peur de laisser échapper Caroline.

– Passez-la-moi. Vous devez être fatiguée de la porter.

– C'est vrai, où puis-je trouver une femme, comme me l'a recommandé madame?

– Tut, Tut! Et pourquoi faire? Je peux la porter!

– Bien… Un militaire avec un bébé? fit Lizzie en rougissant.

– Ce n'est pas plus mal que notre général.

– Lui, ce n'est pas la même chose, voyons, monsieur Leonhard. Il peut faire ce qu'il veut. Il est le maître.

– Vous croyez? Vous êtes trop soumise, mademoiselle Lizzie… De toute façon, je ne suis pas un vrai militaire, ajouta Leonhard.

– Comment cela?

– Parce que je n'en ai pas l'âme.

– Que voulez-vous dire?

Mais déjà Leonhard regrettait sa confidence. Cette Lizzie était peut-être une petite bavarde, une étourdie qui répéterait ses propos. Mal interprétée, sa phrase pourrait irriter le général.

– Ah! laissez. Je vous raconterai un jour.

Pendant ce dialogue entre Lizzie et Leonhard, Adélaïde était rêveuse. Quand le militaire s'était excusé, il avait jeté un bref coup d'œil à la gouvernante, et elle, en le regardant, avait eu une impression de déjà-vu. Elle le suivait des yeux quand il s'était retourné, comme attiré par cette femme. Leurs regards s'étaient croisés de nouveau. Il avait eu un air étonné et avait semblé fouiller sa mémoire puis, haussant les épaules, il avait continué son chemin.

– Lizzie, avez-vous bien regardé ce militaire… celui qui vous a heurtée?

– À peine.

– Il ne vous rappelle personne?

– Je ne l'ai pas assez vu, vous dis-je.

– Cependant… il me semble…

Quelques moments plus tard, après avoir remis un papier à une sentinelle, le militaire revint vers le groupe. Il plongea ses yeux rieurs dans ceux d'Adélaïde, un sourire ironique sur les lèvres. Elle le dépassa, exaspérée par l'expression moqueuse de son visage. Puis soudain un éclair traversa son cerveau. Ce sourire railleur, ces lèvres surtout… «Ce n'est pas possible! se dit-elle. Mais oui. C'est lui! Ce bandit!»

Adélaïde revoyait toute la scène : l'auberge infecte dans la nuit, l'horrible aubergiste, les bandits au petit matin, le persiflage de Nicklauss, le chef des voleurs qu'elle croyait avoir été tué par les gendarmes.

«Peu importe que cet ignoble individu m'ait défendue contre son misérable acolyte, je le déteste. Que fait-il ici? Mais… est-ce bien lui?»

Comme le général et sa femme prenaient maintenant l'air sur le pas de leur porte, Leonhard raccompagna le groupe jusqu'à la maison et retourna aux quartiers de l'armée. Charlotte, qui baignait dans un bonheur enfin satisfait après tant de vicissitudes, ne remarqua pas la colère qui grondait dans les yeux d'Adélaïde qui méditait sur ce bandit de Nicklauss, ni l'émotion de Lizzie, qui rêvait au beau Leonhard.

* * *

Nicklauss entra dans l'unique auberge de Chambly et parcourut la salle des yeux. À cette heure-ci, il y avait peu de monde. En fait, un seul militaire, qui lui tournait le dos, était attablé, un pichet et un gobelet devant lui.

Le jeune homme n'avait aucun désir de converser. Il s'était arrêté seulement parce qu'il avait une soif ardente. Aussi choisit-il une table éloignée de ce soldat qui, d'après son uniforme, faisait aussi partie de l'armée allemande, mais dans un autre régiment.

À ce moment-là, le soldat frappa sur la table pour appeler l'aubergiste.

— Encore de la bière, dit-il en français, avec un fort accent allemand et une voix désagréablement vulgaire.

Nicklauss tressaillit. «Cette voix, ces manières, cette allure, on dirait… Non, ce n'est pas possible… j'ai la berlue.»

Il se leva et se dirigea discrètement vers la table du buveur. Lorsqu'il le vit mieux, la stupéfaction apparut sur son visage.

Quant à l'homme, déjà très engourdi par l'alcool, il ne semblait pas le voir.

Nicklauss réfléchit. Irait-il ou n'irait-il pas se faire reconnaître par cet ivrogne? Sa curiosité l'emporta. Il s'approcha et s'assit.

— Si tu n'es pas son jumeau, c'est que tu es un revenant ou un miraculé.

L'homme clignota des yeux. Toujours hébété, il balbutia, la langue épaisse :

— Hein? Quoi? Que dis-tu? Un… un miraculé?

— Bon, bon! C'est bien toi! Tu bouges, tu parles, tu bois. Comment as-tu fait? Tu as signé un pacte avec le diable?

Son interlocuteur le regarda longuement en silence, les yeux lourds. Il cherchait évidemment à comprendre les mots qui ne parvenaient que lentement à son cerveau. Enfin, un éclair d'intelligence passa dans ses pupilles, lueur aussitôt suivie d'un rayon de peur. Soudain dégrisé, il se souleva de son siège, fit un saut en reculant et porta la main à son pistolet.

Mais Nicklauss l'arrêta d'un geste et d'un rire calme.

— Allons, Gottlieb! Car c'est bien toi, n'est-ce pas? Je ne suis plus ton chef. Tu ne peux désirer ma place. Et nous sommes tous les deux comme des poissons dans un filet de pêche : des prisonniers soldats.

L'autre, incertain sur ses jambes et encore un peu dans les brumes de l'alcool, hésitait à s'emparer de son arme.

— Ôte ta main, Gottlieb. Elle tremble et tu tires bien seulement quand tu es sobre. D'ailleurs, la dernière fois, même la gorge sèche, ça ne t'a pas réussi. Assieds-toi et causons.

Gottlieb, sidéré par le ton à la fois ferme et gouailleur de Nicklauss, obéit et se laissa tomber lourdement. Toutefois, ses yeux soupçonneux dévisageaient son ancien chef et épiaient ses gestes. Sans se préoccuper de cette visible méfiance, Nicklauss cria :

— Un autre pichet, aubergiste, pour mon compagnon! Et du vin pour moi! C'est moi qui traite!

— Nicklauss, tu… tu… ne m'en veux pas?

— Je devrais t'en vouloir pour sûr. Mais je te jure que j'efface tout de ma mémoire si tu m'expliques comment, t'ayant laissé pour mort dans la forêt de Maastricht, je te retrouve bien vivant dans la forêt du Canada.

– Oui, je devrais être mort. Et si je croyais à Dieu plutôt qu'au Diable, je dirais que c'est un miracle, en effet. La balle que j'ai reçue d'un de ces maudits gendarmes a frappé des pièces d'or à l'intérieur de ma chemise. Elle a ricoché. Sur le coup, j'ai perdu conscience. Je suis vite revenu à moi, mais j'ai continué à faire le mort. On m'a mis dans une charrette avec des cadavres. Pouah! Ça puait. C'étaient des pendus de quelques jours qu'on avait dépendus. Je comptais sur la noirceur pour me sauver.

– Et tu t'es fait reprendre.

Le silence s'installa. Nicklauss réfléchissait. S'il avait interrogé son ancien assistant, c'était plus que par simple curiosité. Il voulait savoir si ce bandit le jalousait encore, et surtout désamorcer sa haine en lui prouvant qu'il n'entretenait aucune rancune à son égard. Il voulait ainsi prévenir un coup bas de cet être obtus. Puis il repensa à la jeune femme qu'il avait reconnue et que, depuis, il avait croisée deux ou trois fois.

«Venir de si loin, songeait-il, traverser des pays, franchir l'océan, me retrouver dans ce coin perdu d'une contrée de sauvages et arriver face à face avec cette bourgeoise qui m'a tenu tête avant mon emprisonnement… Qui plus est, rencontrer cette brute de Gottlieb à qui elle a résisté, le pistolet à la main. C'est toute une coïncidence! On me raconterait une telle histoire que je n'y croirais pas.

L'ancien chef des bandits se leva.

– Allons, oublions le passé. Tâchons de rester vivants.

– On reprendra un pot?

– Oui, oui, répondit vaguement Nicklauss qui ne voulait rien promettre et ne tenait pas à consolider son lien avec cet individu.

36

Retour aux Trois-Rivières

Plus la voiture de la baronne roulait vers le nord-est, plus la distance entre elle et son mari augmentait, puisque l'expédition militaire faisait route vers le sud.

«Allez lentement, très lentement, cocher», avait dit Charlotte au milicien canadien qui les accompagnait et dont Röckel prendrait la relève à Sorel. Il lui semblait qu'en retenant les chevaux elle s'éloignait moins vite de Friedrich. Elle fermait les yeux de crainte que ses larmes ne coulent devant les petites et les bonnes. Chaque tour de roues lui martelait le cœur. Lorsqu'elle soulevait les paupières, elle constatait le contraste entre les lieux de plus en plus civilisés qu'elle traversait et l'environnement sauvage aperçu des bastions du fort de Chambly, forêt impénétrable où s'enfonçait Friedrich comme Orphée aux Enfers.

Cette nouvelle séparation était pour Charlotte une géhenne. Comme pour confirmer sa pensée, le ciel se couvrit soudainement. On se serait cru au soleil couchant alors que l'on était au beau milieu de l'après-midi. Charlotte entendait un bruit étrange ressemblant à un énorme coup de vent, et pourtant les feuilles des arbres ne frissonnaient même pas. Elle fut effrayée.

— Cocher, un orage est sur nos têtes. Arriverons-nous bientôt à une ferme?

Le Canadien éclata de rire et la rassura : ce n'était qu'une noce de tourtes qui cachait le soleil. Bientôt, en effet, le ciel se dégagea et la lumière réapparut.

— Des tourtes? Une noce?

— Ouais! Des pigeons sauvages. Ils arrivent par milliers. On fait la chasse à ces pigeons avec les fusils chargés des plus petits plombs. On fait du bruit : les oiseaux s'envolent. On tire dans le tas. Parfois il en tombe deux cents, trois cents. On tue les blessés à coups de bâton.

— Je n'ai jamais vu autant d'oiseaux à la fois.

— À ce temps-ci de la saison, il y en a tellement qu'on peut en vivre pendant cinq à six semaines. Et ça recommence à chaque année, vous savez. On en fait des tourtières, des pâtés, des soupes, des fricassées avec de la crème et des échalotes. On aime à bien manger ici.

Charlotte, pour un moment distraite de sa peine, sourit en songeant au plaisir de la table qu'éprouvait aussi Friedrich. Elle était toujours étonnée de voir qu'il aimait tant manger mais restait toujours élégant. Puis ses inquiétudes réapparurent. Elle redevint non seulement triste, mais lasse et craintive. Tant que son but avait été de rejoindre son mari, elle ne s'était pas arrêtée au fait qu'elle était dans un pays étranger, parmi des étrangers. Maintenant, l'ayant reperdu après trois jours de bonheur intense, elle se sentait désemparée. Plus encore que dans le cauchemar des bandits, en Europe. La peur de l'inconnu prenait le pas sur la tension de ne plus revoir son Friedrich vivant. Pour cesser de penser, elle se força à examiner les campagnes et les villages le long du chemin.

— Regardez, Adélaïde, ici il n'y a pas de clôture. On semble laisser les troupeaux en liberté, sans gardiens. C'est drôle. Les cochons se mêlent aux troupeaux. Ils ont l'air presque aussi sauvages que des sangliers. Mais ils n'ont pas leurs poils drus ou leurs défenses.

Vers la fin de l'après-midi, un peu avant d'arriver à l'auberge où ils devaient souper, Adélaïde s'exclama :

— Voyez comme c'est beau! ce soleil couchant et toutes ces vaches qui reviennent seules vers la ferme, pour la traite, je suppose.

— En effet, répondit la baronne, c'est beau de les voir se détacher sur ce ciel rose et doré. Et toutes ces maisons de ferme dont les murs peints en blanc font un joli contraste avec la couleur des toits.

– C'est très différent de chez nous, ajouta Adélaïde. Dites-moi, cocher, pourquoi les granges et les écuries ne sont pas collées aux maisons? Il me semble que cela serait plus chaud.

– C'est une habitude du pays, à cause du feu, mademoiselle. Si la grange brûle, on peut sauver plus facilement la maison si elle est éloignée. Pour la même raison, le four à pain n'est pas dans la maison.

* * *

Après une nuit chez un colonel ami de Friedrich, ils reprirent la route, Röckel tenant les guides. Au soulagement de Charlotte, ce jour-là c'était un bateau et non pas un canot qui faisait la navette entre Sorel et Berthier.

Lorsque Trois-Rivières se profila au loin, Charlotte sentit une espèce de joie mélancolique. Elle avait hâte de se retrouver dans le manoir. Pourtant, elle n'y avait passé qu'une nuit. Et une nuit fiévreuse. Mais n'y retrouverait-elle pas l'odeur de Friedrich? Les objets de Friedrich? Le fantôme de Friedrich? Elle avait l'impression qu'elle retournait chez elle. C'était déjà «sa» maison puisque son époux y avait vécu tout un hiver.

* * *

– *Es war... einmal... ein reicher Man und seine Frau...*

– Bravo, Augusta; et toi, montre-moi tes bâtons, Frederika.

La baronne était maintenant installée depuis quelque temps aux Trois-Rivières dont elle appréciait le charme si français. Elle avait cherché à prendre contact avec les connaissances de Friedrich, mais les seigneurs qui passaient l'hiver dans la ville étaient, en été, soit à l'armée, soit dans leur seigneurie. Elle était donc presque seule et goûtait le plaisir de se promener ou d'enseigner l'allemand à ses enfants.

«Vous verrez, lui avait dit Friedrich, vous trouverez aux Trois-Rivières un terrain que j'ai loué. J'y ai fait tracer des allées de sable pour vos promenades. J'ai aussi planté des légumes et des fruits en pensant à vous et aux petites. Je me disais que vous trouveriez du plaisir à manger ce que j'ai semé moi-même «à la sueur de mon front», comme on dit dans la Bible.

Et comme la vie est moins chère dans cette ville qu'à Québec ou à Montréal, vous épargnerez encore sur l'achat de votre nourriture.»

Il était vrai que les enfants s'amusaient à ramasser une partie de leur repas entre deux promenades. Charlotte avait admiré chez son mari sa façon d'aimer la nature en retournant la terre comme un paysan.

Parfois, pour un shilling, elle louait une voiture et emmenait les enfants pique-niquer dans la campagne. Adélaïde en profitait pour peindre. Elle s'extasiait devant l'immensité du paysage, tandis que Mme von Riedesel retenait sa mélancolie : toutes ces forêts entre son mari et elle lui semblaient aussi vastes que l'océan.

Quand les enfants ne lui suffisaient plus pour l'aider à masquer sa tristesse, elle invitait le grand vicaire Saint-Onge et sa cousine, qu'elle croyait sa maîtresse. On lui avait affirmé que tous les prêtres catholiques vivaient ainsi et que, si cela était nécessaire, on envoyait les soi-disant cousines ou servantes mettre au monde leur bébé dans le village voisin, qu'on plaçait ensuite à la crèche pour éviter le scandale. Naïvement, elle avait cru tous ces ragots. Choquée, elle avait d'abord hésité à recevoir le grand vicaire et Mlle Cabenac. Puis elle s'était fait violence, obéissant surtout au vœu de Friedrich, et les avait invités. Elle n'eut pas à le regretter. Elle apprécia très vite leur esprit, leur culture et leur générosité. Ils se fréquentèrent donc assidûment. Et bientôt, elle ferma les yeux sur les calomnies qu'elle prenait toujours pour des médisances.

Malgré les visites du grand vicaire et de sa cousine, malgré les promenades et les bons repas, Charlotte se sentait souvent mélancolique, attendant toujours une réponse favorable du général à ses demandes répétées de le rejoindre.

* * *

Un jour, la lettre tant attendue arriva enfin.

C'est un jeune officier du nom de William Drew qui l'apporta. Comme son père le lui avait suggéré, après le vote à la Chambre des lords, William s'était embarqué pour l'Amérique.

Il observerait, apprendrait et réaliserait un jour son rêve de devenir diplomate, se répétait-il, essayant de se convaincre du bien-fondé des arguments paternels lui suggérant de se faire bien voir des officiers de l'armée avant toute chose.

Envoyé par ordre de Phillips pour régler quelques problèmes aux Trois-Rivières, il s'était aussi vu confier par Riedesel la délicate tâche de ramener avec lui, au fort Edward, la baronne et les siens.

Ce matin-là, donc, Rüpert vint dire à la baronne qu'un officier anglais lui apportait des nouvelles du général.

Était-elle, tout simplement, si heureuse d'avoir un mot de son mari qu'elle entoura immédiatement le messager d'un halo de sympathie? Ou l'élégance de ce blond aux yeux noirs, dont le visage révélait une sorte de candeur timide, suscita-t-elle son intérêt? Quoi qu'il en soit, la baronne se fit encore plus charmante que d'habitude et pria l'officier de bien vouloir revenir prendre le thé la semaine suivante.

— Madame, nous devons repartir dans deux jours, fit le jeune Anglais.

— Vous avez dit «nous»?

— Mais oui, madame la baronne. Si vous prenez connaissance de la missive que je viens de vous remettre, vous…

Sans lui laisser le temps de terminer sa phrase, Charlotte ouvrit la lettre.

— Ah mon Dieu! Que le Ciel soit béni! s'exclama-t-elle en se retournant vers ses filles. Mes enfants, nous partons retrouver votre père.

— Bravo! Bravo! Nous allons revoir papa, fit Augusta en tapant des mains, immédiatement imitée par la cadette.

Le lendemain, Charlotte reçut une fois de plus le jeune Anglais afin de mettre au point quelques détails pour le voyage. Comme Adélaïde était à l'étage avec la petite Caroline et Lizzie, affairée aux préparatifs du départ, elle demanda au jeune homme s'il aurait la gentillesse de s'occuper de ses deux filles, le temps qu'elle règle un problème avec le maître de la paye allemande. Sachant que Charlotte n'abuserait pas de ce privilège, Friedrich avait en effet permis à sa femme d'aller retirer elle-même de l'argent lorsqu'elle en aurait besoin.

– Je vous confie Augusta et Frederika, monsieur Drew. Je reviens à l'instant.

Le jeune homme adorait les enfants et la petite Frederika mit peu de temps à s'en apercevoir.

– Vous voulez bien faire le cheval, monsieur Drew?

– Mais non, Frederika! s'exclama l'aînée, scandalisée.

– Allez, montez, mademoiselle, fit William. Je vais vous prouver que je suis la meilleure monture de toute la ville.

Quand Charlotte revint à la maison, elle trouva l'officier comme l'ambassadeur d'Espagne avait un jour aperçu Henri IV de France avec le futur Louis XIII : à quatre pattes sur le tapis. Il portait sur son dos la petite Frederika, qui riait et faisait semblant de le fouetter pendant qu'Augusta faisait des sons de pas de galop en frappant ses mains l'une contre l'autre.

Le jeune homme déposa délicatement sa jeune cavalière sur un fauteuil tout en rougissant comme s'il avait fait une bévue.

– Je m'excuse, madame, de mon sans-gêne, je…

– C'est moi qui devrais m'excuser auprès de vous de l'effronterie de mes filles, dit-elle en l'arrêtant d'un geste et en regardant les enfants d'un œil sévère.

– Ne les grondez surtout pas, je vous en prie, c'est ma faute.

– Cela vous arrive souvent de jouer au cavalier?

– À Londres, avec mes neveux et nièces… je… j'ai autant de plaisir qu'eux.

– Eh bien, capitaine Drew, quand vous voudrez vous amuser, d'ici à notre départ, ne vous gênez pas, mes filles semblent ravies de votre compagnie. Seulement, comme je ne voudrais pas qu'elles abusent de votre gentillesse, acceptez, entre deux jeux, de vous asseoir à table avec leur mère. Je reçois justement, ce soir, le grand vicaire et Mlle Cabenac. Ils seront heureux de vous rencontrer. En attendant, dites-moi, capitaine, le maître de paye anglais est-il en service aujourd'hui?

– Non, il est absent. Mais puis-je vous aider, madame la baronne?

Charlotte hésita et finalement lui confia sa déconfiture et sa colère contre le maître de paye allemand, qui lui avait refusé l'argent qu'elle demandait sous prétexte que le général pourrait être tué et que l'armée devrait la rapatrier avec ses enfants.

– Permettez-moi, madame, de vous prêter le montant nécessaire… Non, non, ne refusez pas, j'en serais très malheureux.
Je ne joue pas, je ne bois guère. J'ai si peu de dépenses. Vous
me rembourserez quand vous en aurez l'occasion.

– Je n'oublierai pas votre amabilité, capitaine. Je suis très
touchée.

Ce soir-là, elle termina une lettre à sa mère.

*[…] Ici, les fruits sont très rares et coûtent cher, surtout les
poires. Ce n'est qu'à Montréal que l'on trouve des reinettes, et
une sorte de grosse pomme rouge au goût excellent, que l'on appelle
«Bowrassa». Les Canadiens la mettent dans de petits barils
enveloppés de papier collé, car s'ils se brisent les pommes ne se
conservent plus.*

Puis elle ajouta la nouvelle du départ projeté sous la garde
du jeune William Drew, en soulignant, avant de cacheter
l'enveloppe, combien elle avait trouvé l'officier sympathique.

37

Friedrich dégrafa son col et le haut de sa veste. Il sortit son mouchoir et essuya son visage et son cou qui dégoulinaient de sueur.

— Quelle chaleur! Savez-vous, Baum, je préfère l'hiver canadien.

— Cette humidité, surtout, est terrible. Je n'en ai jamais subi de telle.

— Et ce chemin que les soldats doivent tracer dans cette forêt trop dense. À coups de hache… Quelle misère!

L'armée avait quitté Crown Point le 1er juillet et se dirigeait vers le fort Ticonderoga par la droite du lac Champlain. La nature s'était enveloppée dans une brume humide et collante qui présageait une journée encore plus lourde que celle de la veille. Pour ajouter à l'inconfort des hommes, les insectes au dard dangereux cherchaient le moindre petit bout de peau.

Baum se frappa la joue et rejeta le minuscule maringouin écrasé, gorgé de sang. Voulant alléger l'atmosphère, il regarda le général dans les yeux et lui dit, le plus sérieusement du monde :

— Vous avez vu, Friedrich, cette énorme bestiole? Elle a voulu me tuer!

Riedesel secoua la tête en signe d'incrédulité, mais ne put s'empêcher de sourire, remerciant du même coup l'effort de son compagnon de toujours. Puis, après un court moment de silence, Baum ajouta :

— Quand ce ne sont pas ces maudits moustiques qui nous piquent, ce sont ces diablesses de petites mouches noires qui nous arrachent la chair.

– Heureusement qu'elles ne sont pas grosses comme des chauves-souris. Je finirais par croire aux vampires, renchérit Riedesel.

– Le bourdonnement dans les oreilles, c'est à rendre fou.

Soudain, les deux hommes entendirent du bruit. Chacun sortit son pistolet et se glissa derrière un arbre. Des branches sèches craquèrent. Comme des esprits flottant à la hauteur des yeux, des taches lumineuses brillèrent dans le brouillard. Il s'agissait probablement d'une baïonnette ou d'une culasse de fusil. Mais appartenait-elle à un des leurs ou à un ennemi? se demanda le général. Prêt à tirer, il attendait de mieux distinguer celui qui approchait. Il poussa un soupir de soulagement en voyant un habit allemand sortir du nuage de brume.

– Oh! c'est vous, lieutenant! Je craignais que vous ne soyez un *Green Boy*.

Le général faisait allusion aux attaques soudaines qui les surprenaient à tout moment depuis qu'ils étaient en territoire américain. Surgissant, à la manière indienne, de derrière les arbres, les coupe-jarrets qui s'étaient mis au service des insurgés fonçaient sur l'armée quand on s'y attendait le moins. Ils étaient partout. Les attendait-on sur le flanc gauche, ils frappaient à droite. Les pensait-on à l'avant, ils laissaient passer une partie de l'armée avant de tirer. Avant même qu'on puisse riposter, plusieurs soldats avaient déjà été tués ou blessés, ou faits prisonniers. Ces diables verts disparaissaient ensuite aussi vite qu'ils étaient venus.

– Mon général, dit l'officier, ces gredins d'Américains ont obstrué le seul défilé passable avec d'énormes troncs d'arbres jetés en travers du chemin. Ils ont aussi empilé des branches et des broussailles. Voilà pourquoi nous sommes arrêtés.

– Une fois branches et broussailles enlevées, comment sont les troncs? demanda Riedesel.

– Les chariots ne passeront pas, mon général.

– Bon, j'y vais, lança Baum.

– Son Excellence le général Burgoyne fait dire que les hommes du général Phillips s'en occupent. Excusez-moi, mais je dois aller porter mon message jusqu'à l'arrière.

Le général se retourna vers Baum, les sourcils froncés et l'air furieux, et grommela entre ses dents.

— Qu'avez-vous, Friedrich? demanda Baum, qui avait cru l'entendre jurer.

Le général sentit le besoin de se confier à celui qu'il considérait comme son meilleur ami dans cette armée.

— Rappelez-vous, j'avais prédit que nous aurions des problèmes si nous avions trop de chariots; j'avais aussi suggéré que nous ayons des chevaux. Cela aurait permis à nos dragons de faire la chasse à ces *Green Boys*.

— Vous avez entièrement raison, Friedrich. D'ailleurs, c'est complètement insensé de faire marcher les dragons. Je n'ai vraiment pas compris la stratégie du commandant en chef.

— Quelle stratégie? reprit sarcastiquement le général Riedesel. Il n'y a aucune stratégie. Nous avançons, voilà toute la stratégie. Et encore, nous avançons à pas de tortue pendant que ce Burgoyne de malheur passe son temps à pique-niquer. On est à la guerre, bon Dieu! Faudrait peut-être que quelqu'un le lui rappelle.

— Notre équipement est beaucoup trop lourd, renchérit le lieutenant-colonel. Les hommes sont déjà épuisés et nous venons à peine d'entreprendre notre expédition.

Ce n'était pas dans les habitudes du général Riedesel de critiquer les ordres de ses supérieurs. Mais sa frustration était sans cesse grandissante, puisqu'il sentait l'échec imminent. Et le sort réservé à ses hommes le mettait hors de lui. Il se vida le cœur, disant à Baum que la façon cavalière dont le commandant en chef les traitait, lui et les Allemands, ne faisait qu'ajouter de l'huile sur le feu. Baum, habitué au calme de son ami, demeura d'abord bouche bée devant ces réactions, puis s'épancha à son tour.

— Burgoyne est tellement imbu de lui-même. Je suis prêt à parier qu'il se voit déjà racontant ses victoires à de jolies dames dans les salons de Londres. Mais… nous médisons comme des commères au marché, remarqua Baum, l'œil malicieux, en reprenant son ton normal.

— Ce qui m'énerve dans cette «promenade», c'est le thé de cinq heures. Le sacro-saint thé de cinq heures. Les boulets de canon nous tomberaient sur la tête que Burgoyne continuerait de boire en disant : «Ces ennemis manquent de civisme.»

— Avouez, Friedrich, que cette phrase serait drôle dans une pièce de théâtre. Nous devrions peut-être la lui suggérer, ajouta Baum d'un ton narquois.

— On devrait surtout profiter du soleil qui se couche tard pour marcher plus longtemps. C'est ce que j'ai dit à Burgoyne.

— Qu'a-t-il répondu?

— Il m'a regardé avec un sourire poli. C'est à peu près sa seule réaction chaque fois que je fais une suggestion, précisa le général, amer.

Baum regarda son ami avec tristesse. Il comprenait le ressentiment de cet homme qu'il admirait et que des ducs et des princes consultaient, mais qu'ici, bien au contraire, on traitait comme un officier de second rang.

— Bon, proposa le général, allons voir comment en sont les choses.

Suivi de Baum, il se fondit dans la brume.

38

Sous la conduite de l'aimable William Drew, Charlotte était arrivée au fort Ticonderoga où elle avait appris que Friedrich était à Skenesborough. Serait-elle donc toujours à sa remorque? Elle courut à sa suite, pour se faire dire qu'il avait quitté les lieux le matin même.

Le temps semblait toujours s'interposer entre elle et lui, mais Charlotte cacha son dépit à cause des enfants, dont la mine se faisait de plus en plus boudeuse. Elle repartit immédiatement, en direction du fort Sainte-Anne, par cette route construite à l'époque des Français, détruite par les Américains en fuite et rebâtie hâtivement par l'armée allemande.

— Nous regrettons, madame, mais le général nous a quittés il y a deux heures.

Elle avait été si certaine de retrouver son mari à cet endroit qu'elle ne put s'empêcher de s'exclamer, la voix pleine de larmes :

— C'est un véritable cauchemar!

Tout comme à Chambly, quelques mois auparavant, ses fillettes se mirent à pleurer et Charlotte regretta de s'être laissée aller à un mouvement de découragement.

— Voyons, Augusta, vous n'êtes plus une petite fille. Vous avez maintenant six ans. Et vous, Frederika, à trois ans vous êtes assez grande pour comprendre. Vous êtes filles de général. Vous ne devez pas pleurer. Votre père reviendra bientôt.

Sa voix assurée n'était pas au diapason de son cœur. Au fond d'elle-même, il y avait toujours cette crainte que son mari périsse dans une embuscade ou une bataille.

Autour d'elle, c'était la désolation. Le village bâti au pied du fort, près de la rivière, était à moitié détruit. Les champs avaient été tout piétinés par les armées. La vue romantique qu'on avait sur des îles faisait encore plus contraste avec les détritus que des militaires essayaient d'enfouir sous des mottes de terre. Le fort regorgeait de colons dissidents, apeurés et en colère, qui répandaient des histoires horribles d'enfants mutilés, de familles entières tuées et scalpées par les Indiens de Burgoyne.

William Drew, parti s'informer, revint le sourire aux lèvres. Le général avait fait préparer un logement pour sa famille. Tous pourraient s'y reposer et l'attendre, car il devait revenir incessamment. Charlotte suivit donc l'officier jusqu'à une petite maison près de la rivière. Au-dessus du linteau de la porte, sur un écriteau orné de fleurs peintes à la main, on pouvait lire «Red House».

La maison ne comportait malheureusement que deux grandes chambres, dont l'une était déjà occupée par les aides de camp de son mari. Un peu agacée, Charlotte s'informa si toute la famille devait vraiment s'entasser dans une seule pièce.

– Hélas! madame, répondit Drew. On m'a dit que dans toutes les autres maisons on logeait deux et même trois familles par pièce. Cependant, l'entrée sur l'avant peut servir de logement aux servantes. Les aides de camp peuvent entrer, sans les déranger, par une porte de côté qui donne directement dans leur chambre à eux. Quant à la pièce que vous occuperez, elle a aussi une porte privée, qui ouvre sur la cour. Comme vous pouvez voir, c'est une cour fermée, au fond du jardin, par une très belle grange, et clôturée de chaque côté. Les enfants pourront y jouer et courir sans danger. Si vous le permettez, je m'installerai avec Röckel et Rüpert dans la grange, du moins jusqu'au retour du général, au cas où vous auriez besoin de mes services.

– Capitaine, vous êtes vraiment généreux. Je m'en souviendrai. En attendant, faisons contre mauvaise fortune bon cœur. Et soyez assuré de ma reconnaissance.

* * *

Le lendemain matin, des nuages gris couraient dans le ciel. Pour calmer son impatience et dans le vague espoir de voir arriver Friedrich, la baronne décida d'aller se promener. Les petites étaient très fatiguées et elle les trouvait pâlottes, aussi les laissa-t-elle sous la garde des deux servantes.

— S'il pleut, je les ferai entrer dans la grange, dit William Drew.

Accompagné de Röckel, la baronne grimpa la côte, dépassa le fort et traversa une partie du camp militaire. Elle se retrouva soudain devant le campement indien.

— Tiens, je n'ai pas encore eu la chance de voir de près comment vivent les sauvages. Allons-y, Röckel.

À ce moment, ils entendirent des cris et des bruits de course. Au centre d'une place autour de laquelle étaient montées des tentes, une foule entourait un mât vers le haut duquel toutes les têtes convergeaient. Au pied du poteau, un militaire se démenait et hurlait. Suivant les regards, la baronne aperçut une espèce de drapeau or et rouge qui flottait au vent. Des soldats accouraient près du jeune homme, qui continuait à gesticuler. Quelques Indiens s'étaient approchés et parlaient entre eux dans leur langue gutturale. D'autres, au contraire, disparurent dans les tentes.

— Est-ce que je me trompe, Röckel? On dirait une chevelure. Quelle horreur! Allez voir ce qui se passe. Je ne me sens pas le courage d'avancer.

Lorsqu'il revint, Röckel lui expliqua :

— C'est la chevelure de la fiancée royaliste d'un lieutenant anglais. Les Indiens l'ont tuée et scalpée, et ont accroché son scalp comme un trophée au bout d'un mât. Elle était d'une famille loyale à l'Angleterre et qui a fui les insurgés. Miss McCrea — c'est son nom — ayant appris que son fiancé se trouvait ici, dans l'armée britannique qui avançait victorieusement, venait le rejoindre afin de l'épouser. Devenue femme d'officier, elle aurait pu suivre notre armée en compagnie des autres dames. Malheureusement, comme elle traversait le bois dans sa robe de mariée, elle a été aperçue par des Indiens en maraude qui l'ont prise pour une dissidente. Les uns disent qu'ils l'ont immédiatement tuée et scalpée; d'autres prétendent qu'ils se sont disputés entre eux pour la garder et que l'un d'eux, par jalousie, l'aurait tuée plutôt que de la laisser à son compagnon. Enfin, il est très difficile de savoir la vérité. De toute façon, les responsables du scalp sont en ce moment devant Son Excellence, qui doit juger de leur cas.

— Venez! C'est trop pour moi. Je ne peux regarder cette horreur plus longtemps. Ramenez-moi.

Très déprimée par ce qu'elle venait de voir, Charlotte se précipita dans sa chambre, pour ne pas montrer ses sentiments à ses enfants. Elle y trouva une missive du général Burgoyne. Il lui avait fait envoyer une calèche afin qu'elle vienne le saluer à Duer's House, la magnifique maison qu'il s'était réservée, un peu à l'écart du village. Elle décida d'accepter l'invitation.

Encore mal remise de son émotion, Mme von Riedesel ne put s'empêcher de parler au général de l'assassinat de Miss McCrea.

— Avez-vous trouvé les criminels, Excellence?

Le général parut embarrassé.

— Ma chère baronne, c'est un incident regrettable, bien sûr, mais que voulez-vous, on n'y peut rien.

— Un incident, dites-vous, général?

— Enfin, cette jeune fille a été tuée par accident. Quant au scalp, c'est une pratique que j'ai acceptée dans mon entente avec les Indiens. Je leur ai en effet donné la permission de scalper les morts. C'est le seul moyen de conserver leur amitié.

— Comme cela, général, si jamais en me promenant je me faisais tuer, vous permettriez qu'on me scalpe?

— Mais, madame, cette jeune fille était américaine. Ils ont pensé qu'elle était une ennemie. Son fiancé a eu tort de ne pas aller la chercher lui-même.

Au moment de partir, la baronne entendit un rire venant de la pièce voisine et qui lui rappelait quelqu'un. Elle salua Burgoyne et s'en alla, troublée.

— Röckel, demanda-t-elle, pendant que vous m'attendiez, avez-vous entendu un rire?… Un rire de femme. J'ai… j'ai cru le reconnaître, mais je n'en suis pas certaine.

— Oui, madame, je l'ai entendu, et il m'a fait penser à Miss Blair.

Le serviteur fit des yeux durs à l'évocation de cette dernière, n'ayant pas oublié qu'elle l'avait fait passer, durant la traversée de l'Atlantique, pour un voleur, et que, n'eurent été de la baronne et de ses amis, Dieu sait, sous l'influence de cette Miss Blair, quel châtiment le capitaine du vaisseau lui aurait réservé.

— Mais c'est impossible, Röckel. Que ferait-elle ici?

— Je me suis peut-être trompé, madame.

La baronne baissa la tête.

— Espérons-le, Röckel, espérons-le.

Ce soir-là, Charlotte commença une lettre à sa mère. Elle ne lui parla pas de la mort de Miss McCrea, ne voulant pas l'effrayer. Elle lui raconta plutôt comment les petites s'étaient attachées à William Drew. En terminant, elle lui exposa l'idée qui lui était venue dès le premier jour où elle avait connu le capitaine.

Je sais, chère mère, que ma sœur Elfie est en âge de se marier. Mais je vous prierais d'attendre avant de lui trouver un mari. Ce jeune William Drew a toutes les qualités pour la rendre heureuse : intelligence, caractère, éducation, douceur et dévouement. Je vous promets qu'il ne pourrait que lui donner du bonheur. Cette guerre finira bientôt; nous avons déjà reconquis plusieurs forts. J'aurai donc bientôt le plaisir de vous le présenter.

* * *

— Lady Harriet demande si madame la baronne peut la recevoir.

— Faites entrer, Röckel, fait Mme von Riedesel, heureuse d'avoir la visite d'une personne qu'elle estime.

D'une certaine façon, Lady Harriet a des choses en commun avec la baronne. Comme dans l'armée allemande on a pris l'habitude, parce qu'on l'aime, de désigner Mme von Riedesel par le nom de «Lady Fritz», dans l'armée anglaise on a pris celle de nommer la fille du premier comte d'Ilchester «Lady Harriet». Toutes deux aiment leur surnom. Elles se sont rencontrées à Montréal où Lady Harriet, à son arrivée de Londres, a accompagné son mari, le major Acland. Celui-ci, membre du Parlement, connaît le père de William Drew. Blessé une première fois à Chambly, il a été soigné, dans une petite cabane, par sa femme. Blessé une seconde fois à Hubbardton, il a été de nouveau soigné par Lady Harriet accourue de Montréal. Amoureuse de son mari, elle a cette fois refusé de retourner au Canada et elle le suit partout. Charlotte, qui trouve que cet amour ressemble au sien, se sent en confiance avec cette femme d'une grande douceur.

Par contre, si la baronne aime la comtesse, elle trouve le major ennuyeux et rude. De plus, comme il est toujours entre deux verres de vin, elle préfère recevoir sa femme seule. Aujourd'hui, Lady Harriet tombe bien, car elle semble toujours être au courant de ce qui se passe dans le camp.

Les deux femmes échangent quelques propos sur la mort de Miss McCrea, la baronne ne se gênant pas pour dire à quel point l'attitude de Burgoyne l'a horrifiée et comment jamais elle ne pourra admirer cet homme. Puis, malgré sa discrétion naturelle, elle se décide à poser la question qui lui brûle les lèvres depuis la veille.

— Dites-moi, Lady Harriet, connaissez-vous cette dame qui rendait visite à notre commandant en chef, hier?

— Qui rendait visite? Vous voulez dire… qui vit avec Son Excellence.

— Oh! vraiment? Je croyais qu'il était veuf.

— En effet, il est veuf. Seulement, depuis quelque temps… voyons… Je me permets de vous le dire crûment, car c'est de notoriété publique, il a une maîtresse.

— Et comment s'appelle cette dame?

— Miss Blair… Mais peut-être la connaissez-vous. N'est-elle pas arrivée de Londres en même temps que vous?

Toujours franche avec les gens en qui elle a confiance, la baronne ne peut s'empêcher de laisser échapper un «Hélas» qui rend Lady Harriet encore plus volubile.

— Voyez, ma chère, comme vous êtes mal logée, vous, la femme du général en chef des armées allemandes. Eh bien, à Duer's House, cette… demoiselle a tout un étage pour elle. Il paraît qu'elle a dit à son amant qu'elle voulait être seule avec lui, sinon elle retournait en Canada ou même à Londres. Si vous saviez le nombre de chariots qu'elle possède pour transporter tout ce qui lui appartient. N'aurait-elle que sa chaise percée! Mais elle traîne avec elle jusqu'à un bonheur-du-jour. Elle a je ne sais combien de malles pleines de robes, comme si elle devait se présenter à la cour tous les jours. Nous avons énormément de militaires qui souffrent de dysenterie; mademoiselle, elle, a un chariot rempli d'eau pure et de vin qu'elle garde pour elle seule. Je sais que le commandant a refusé l'achat de chevaux pour les dragons, mais madame se promène sur un cheval andalou.

Charlotte laisse parler Lady Harriet. Elle ne l'écoute plus. Il lui semble soudain qu'avec l'arrivée de Miss Blair dans l'entourage de Burgoyne, les choses ne peuvent que se gâter. Elle essaye de chasser cette pensée, mais son cœur s'alourdit.

39

«Il y a des journées qui semblent paradisiaques.»

Du seuil de la porte de sa chambre, Mme von Riedesel observait la vaste cour où régnait un tilleul à sept troncs. Le feuillage de l'arbre formait un immense dôme qui ombrageait les lieux et les gardait dans une fraîcheur agréable. Le mois d'août était ensoleillé, mais d'une chaleur un peu lourde et humide. Aussi appréciait-on cette voûte aux feuilles d'une grosseur surprenante, certaines ayant presque la largeur d'un pied anglais.

— Lizzie, Lizzie, n'oublie pas le saladier! cria Adélaïde.

Sous le colossal roi de verdure, on avait installé des tréteaux; on y avait posé de longues planches recouvertes de simples nappes écrues. Depuis, dans un va-et-vient continu, Lizzie, Adélaïde et Röckel apportaient, de la maison à l'interminable table, des plats et des ustensiles.

— Maman, supplia Augusta, demandez à ma bonne de me laisser l'aider. Elle veut m'envoyer jouer dans la grange. S'il vous plaît, maman!

— Madame, je crains qu'elle ne se brûle.

Et Lizzie montra le coin de la cour où un soldat tournait, au-dessus d'un feu de braise, la broche piquée à travers trois cochonnets qui rôtissaient lentement, répandant une odeur de viande grillée, d'herbes et d'épices.

La baronne hésita.

— Vous ne vous approcherez pas du feu? Vous ne vous mettrez pas devant les gens pour risquer de les faire tomber ou de vous blesser?

À ce moment, William Drew apparut à la porte du jardin.

— Si vous le permettez, je vais installer une table pour les enfants derrière l'arbre. Elles seront près de nous et loin du brasier, et Augusta pourra y mettre le couvert, sous ma surveillance.

– Moi aussi! Moi aussi! s'écria Frederika.

– Merci, capitaine. Vous arrivez toujours au bon moment. Augusta, n'oubliez pas les places pour vos bonnes, qui dîneront avec vous.

La baronne, rassurée grâce au capitaine Drew, retourna à ses pensées. Parfois, se dit-elle, on ne réalise pas combien la chance nous sourit. En prendre conscience, c'est doubler le plaisir; c'est atteindre le septième ciel. Ces deux derniers mots évoquèrent pour elle des images précises où dominait son mari.

Revenu au fort aussitôt qu'il avait appris l'arrivée de sa famille, le général avait eu peine à ne pas faire éclater sa joie devant toute l'armée. Lui, si avare de paroles au sujet des opérations militaires, lui qui se serait tiré une balle dans la tête plutôt que de révéler à l'ennemi un seul mot des décisions prises entre chefs, il ne craignait pas, lorsqu'il voyait apparaître sa belle, sa merveilleuse, sa chère Charlotte, de montrer devant tous le plaisir qu'il ressentait.

Il avait aussitôt envoyé son aide de camp vaquer à d'autres occupations, loin de la maison. Il avait prié Lady Harriet de recevoir chez elle les enfants, sous la garde d'Adélaïde. Et, avec un sourire narquois, il avait donné congé à Leonhard en lui suggérant d'aller s'occuper de Lizzie qui avait, elle aussi, besoin de repos. Le général était fin observateur. Les yeux extasiés de la petite bonne à l'arrivée du secrétaire et la timidité surprenante de celui-ci à la vue de Lizzie ne lui avaient pas échappé.

À peine les époux s'étaient-ils retrouvés seuls qu'ils s'étaient étreints.

– Vous avez pris du poids, Friedrich, j'en suis bien heureuse, avait dit la baronne quand elle avait repris son souffle.

– Vous aussi, ma chérie.

– Pour l'amour, ne me dites pas cela, lui avait-elle répondu, d'un air boudeur.

– Je vous taquine. Mais il me semble que je rêve. Êtes-vous vraiment là, devant moi, en chair et en os? Venez, il faut que je m'assure que ce n'est pas un rêve.

Et il l'avait attiré vers le lit. Il y a de ces moments dans la vie, de ces instants précieux, où l'on est seul à deux. Où rien n'existe que l'autre et soi-même. Où l'on ne sait pas si l'autre est soi ou si soi-même on est l'autre. D'ailleurs, on ne peut vraiment pas le savoir parce qu'on ne peut qu'être. En fait, on n'est même pas, on flotte dans l'infini. On est l'infini, et l'infini s'appelle bonheur. Ç'avait été ainsi pour Charlotte.

— Maman, est-ce que je peux mettre une assiette pour ma poupée?

Mais Charlotte avait fermé les yeux. Elle revoyait l'après-midi d'extase, oui, c'était bien le mot : extase. Elle pensait à ces tableaux religieux où l'on voit des saints soulevés de terre. C'était comme cela qu'elle s'était sentie. En lévitation. Dieu a bien fait les choses, se disait-elle.

— Maman, répéta Augusta, est-ce que je peux mettre une assiette pour ma poupée?

La baronne, cette fois, entendit la question.

— Bien sûr, ma chérie; et une pour celle de Frederika, si elle veut.

Et Mme von Riedesel se détacha à nouveau du monde pour retrouver ses images. Malgré la petitesse de la maison, malgré la promiscuité, elle n'avait pas été aussi heureuse depuis des jours, des semaines, des mois, en fait depuis que Friedrich avait été nommé chef allemand de la guerre d'Amérique.

Quand ils étaient revenus sur terre, ils étaient restés longtemps sans parler, savourant le plaisir de savoir l'autre tout près. Puis Friedrich avait murmuré :

— Ma petite madame Fritz, nous l'avons échappé belle.

— Que voulez-vous dire, mon amour?

— Il faut que vous sachiez… Je ne sais d'ailleurs pas si je ne vous ai pas entraînées, vous et les enfants, dans un grand danger. Cela me fait si peur. En même temps, je suis tellement heureux de vous avoir près de moi. Et pourtant, je me sens si égoïste.

— Expliquez-vous. Je ne comprends pas où vous voulez en venir.

— Eh bien, nous sommes coupés du Canada. Nous avons avancé vers le sud, mais les Américains se sont faufilés entre la frontière et nous.

– Cela signifie que, si j'avais tardé à venir, nous n'aurions pu nous rejoindre et aurions été séparés pour le reste de la guerre. Quelle chance d'être venue à temps… Mais… vous le regrettez, mon amour?

– Non… Oui… C'est si dangereux. Il me semble que les Américains sont de meilleurs soldats que je ne le croyais. Et je me sens vraiment inconscient de vous avoir fait venir, vous et les enfants, jusqu'ici. Je ne pouvais me passer de vous. Je n'arrêtais pas de penser à vous. Votre peau douce me manquait. Quand je regardais le ciel, vos yeux me hantaient. Si au moins ce diable de Burgoyne avait montré de l'intérêt pour mes conseils… Quand je sortais d'une rencontre avec lui où je m'étais senti inutile, votre sourire me poursuivait, avait terminé Friedrich en soupirant.

– Eh bien, je suis là. Et votre égoïsme, comme vous dites, me rend très heureuse, si heureuse que… je pense que…

Et cette fois, c'était elle qui avait voulu prouver qu'ils ne rêvaient ni l'un ni l'autre.

Aujourd'hui, le miracle continuait. Car n'était-ce pas un miracle, après tous ces jours d'angoisse, de fatigue, de sourires forcés, de regards autour de soi pour prévenir, réfléchir, organiser, oui, n'était-ce pas un miracle que d'être ici tous ensemble? Et, se disait Charlotte, c'était un bonheur de sentir sur soi la brise légère. D'entendre les oiseaux et les voix joyeuses. De respirer les effluves du repas qui se préparait et qui serait, elle le savait, délicieux. De voir le ciel bleu au-dessus d'une nature si verte. Mais, surtout, c'était un bonheur de savoir qu'elle n'avait qu'à se retourner pour l'apercevoir, lui, penché sur une petite table et écrivant calmement.

* * *

D'où elle est, elle sent sa présence, son odeur, son amour. Et lui doit sentir sa présence à elle, son odeur à elle, son amour à elle, car il se lève et vient la rejoindre dans l'embrasure de la porte. Comme elle, il voit le roi aux sept troncs, les tables, les couverts où jouent les ombres et les lumières; il entend les voix des enfants, des servantes, des soldats engagés pour la circonstance, les oiseaux qui chantent et les insectes qui bour-donnent; il observe la couleur du ciel et respire les arômes qui flottent dans l'air. Mais c'est le parfum du corps de Charlotte qui lui semble le plus puissant.

Alors, il tire sa belle vers l'intérieur. Il referme la porte et la barre. Et c'est à nouveau l'infini, mais plus silencieux, plus calme que la veille. Au lieu d'un sirocco passionné, c'est un zéphyr tout en douceur.

* * *

Plusieurs jours avaient passé. Entre la grange et l'arrière de la maison, la famille Riedesel continuait à s'amuser ferme. Si les bruits, les rires et les senteurs parvenaient jusqu'au chemin, ils étaient quand même à l'abri des regards indiscrets, en compagnie d'amis, toujours les mêmes. Ils avaient fini par former un genre de petit cercle auquel appartenaient tout natu-rellement Lady Harriet et le major Acland. S'étaient joints à eux le major Henry Harnage et le lieutenant Reynel, chacun accompagné de son épouse. Évidemment, le jeune William Drew était de toutes les tablées. Parfois, quelques aides de camp s'ajoutaient au groupe.

Les Riedesel et leurs amis mangeaient à l'extérieur tous les jours. Une seule fois, une pluie chaude mais abondante avait forcé tout le monde à dîner dans la vaste grange. Les odeurs du foin et des chevaux de l'autre côté de la cloison s'étaient mêlées à celles des fleurs et des mets. Quand le major Acland avait entendu les animaux piaffer et hennir, il n'avait pu s'em-pêcher de dire : «Vous avez engagé un orchestre, général?»

La guerre semblait si loin. Il n'y avait plus d'attaques-surprises. Même les canons, depuis plusieurs jours, s'étaient tus. Une certaine insouciance s'était installée dans l'armée anglo-allemande. Un jour, sur les instances de Lady Harnage, Charlotte avait prié Adélaïde de faire des croquis de chacun. Une autre fois, au moment où les fillettes tendaient leurs joues avant d'aller dormir, Lady Reynel avait demandé à Augusta de réciter un poème allemand, et Lady Harriet avait invité Frederika à chanter une comptine. Le petit récital avait suscité des applaudissements. On se serait cru à Wolfenbüttel.

Au début d'une nuit exceptionnellement chaude, alors que les adultes discutaient encore autour de la table en prenant un alcool, le major Harnage avait suggéré qu'ils allassent se promener. Ils avaient alors admiré, dans la nuit sans lune, les feux de camp qui encerclaient la vallée et scintillaient comme si les étoiles étaient descendues sur terre.

— Quelle féerie! avait dit Charlotte, au bras de Friedrich.

Ils étaient tous heureux, joyeux. La vie se déroulait comme si la guerre n'existait plus.

* * *

Ce jour-là, ils en étaient au dessert. Tous les yeux convergeaient vers le lieutenant Reynel, qui racontait une histoire. Les convives riaient de le voir mimer, car il était bon acteur. Ils attendaient avec impatience la conclusion, qui serait certainement drôle. Le lieutenant avait une façon bien à lui d'étirer ses récits par des rebondissements inattendus qui dilataient les yeux jusqu'aux larmes.

Röckel vint vers la baronne et lui chuchota quelques mots. Celle-ci fronça les sourcils et demanda tout bas :

— Est-elle seule?

— Elle est seule, madame. Mais je peux lui dire que vous êtes occupée.

— À quoi bon? Elle reviendra.

Voyant que tous étaient suspendus aux lèvres du lieutenant, elle se leva discrètement et se dirigea vers la maison, où jouaient les enfants. Une dame, qui tournait le dos à la baronne, était accroupie près d'Augusta et de Frederika.

— Vous verrez, ils sont mignons, leur disait-elle. Vous viendrez chez moi et, si vous les aimez, je vous les prêterai.

— Madame, fit la baronne d'une voix un peu changée.

La femme se leva et se retourna : c'était Miss Blair.

— Ma chère baronne, je suis si heureuse de vous retrouver. Quelle joie de revoir ces mignonnes petites. Elles ont grandi, c'est extraordinaire! Comment est le bébé?

La baronne restait silencieuse, se demandant si Miss Blair était hypocrite ou inconsciente. Elle savait que le rire qu'elle avait entendu chez le général Burgoyne, à son arrivée, était bien celui de Martha Blair. Lorsqu'elle et Friedrich avaient décidé d'inviter des gens, elle s'était demandé si elle inviterait le général Burgoyne. Mais à la pensée qu'il serait accompagné de sa maîtresse, elle avait préféré s'en tenir à ses amis.

Déjà, elle avait perdu toute amitié pour Burgoyne. Les quelques plaintes qui avaient échappé à Friedrich sur le mépris de son chef envers ses idées avaient raffermi Charlotte dans sa répugnance envers le commandant. De plus, elle n'avait pas le courage de faire des sourires à Martha, dont elle n'approuvait pas la vie, et qui avait été si méprisante envers elle, et si méchante envers son serviteur, l'honnête Röckel, qu'elle avait accusé, pendant la traversée, d'avoir dérobé du vin. Charlotte avait heureusement découvert que la propre femme de chambre de Martha était la voleuse. La générosité naturelle de Mme von Riedesel lui eût peut-être fait pardonner les attitudes de Martha à son endroit, mais la méchanceté gratuite envers son vieux serviteur si dévoué et qu'elle connaissait depuis l'enfance, non, cela, elle ne pouvait l'oublier!

Martha Blair regardait Charlotte avec des yeux candides.

— Je disais à Augusta et à Frederika que j'avais de beaux petits chiens qui leur plairaient. Elles pourraient venir chez moi pour jouer avec eux.

— C'est bien aimable à vous, répondit d'un ton sec la baronne; cependant, mes filles ne sortent guère sans moi et je suis moi-même fort occupée.

— Je vous comprends, madame, après ce que j'ai fait, murmura Martha en penchant la tête comme si elle était honteuse.

La baronne fit un geste de surprise. Miss Blair s'empara soudain de ses mains et lui dit, d'une voix angoissée :

— Madame, je vous en prie, écoutez-moi.

— Est-ce que ce sera long, car j'ai…

— Oui, je vois que vous avez des invités. Ce sera court, gémit-elle en abandonnant les mains de Charlotte et en joignant les siennes. Je voulais seulement m'excuser pour ma manière d'agir. J'ai si honte.

La baronne, méfiante, la regardait sans montrer d'expression, essayant de lire au fond de la pensée de cette fille qui s'était si mal conduite à son égard.

– Madame, il faut que je vous explique. Quand je vous ai connue, je venais de subir une lourde épreuve amoureuse et j'étais bouleversée. J'étais peut-être… comment dire… jalouse de votre bonheur. Non, pas jalouse… plutôt malheureuse, très malheureuse de ce qui aurait pu être et dont vous étiez l'image. Vous comprenez, n'est-ce pas? Votre grand amour me rendait folle d'envie. Je ne sais pas si vous comprenez. J'explique si mal…

– Mais oui, je comprends, répondit la baronne, émue malgré elle.

– Maintenant, c'est fini. Depuis que j'ai rencontré le général et qu'il m'aime, j'ai oublié ma peine. Je suis redevenue moi-même. Et j'ai tellement honte de mon attitude. Je vous en conjure, pardonnez-moi, madame.

Elle s'empara encore une fois des mains de Charlotte et, s'agenouillant presque, les yeux pleins de larmes, elle répéta plusieurs fois d'une voix étranglée :

– Je vous en prie, madame. Pardonnez-moi.

Devant ces larmes, la bonté de la baronne reprit le dessus.

– Relevez-vous, voyons. Je ne pouvais pas imaginer votre malheur. Vous auriez dû m'en parler. J'y compatis, et je suis heureuse pour vous que la vie se présente sous un meilleur jour.

– Alors, vous ne m'en voulez pas?

La baronne hésita un moment. Elle ne savait pas pourquoi elle avait un reste de méfiance. Puis elle se dit que c'était un relent d'orgueil blessé. Alors elle tendit la main à Martha et lui dit avec le sourire :

– Allons, tout est oublié.

– Vous êtes généreuse. Je vous remercie. Et soyez assurée que je n'oublierai pas votre bonté. Mais je vous quitte et vous laisse à vos invités. Adieu, madame.

– Adieu, Miss Blair.

– Et j'attends avec impatience les enfants. Elles raffoleront de mes chiens.

Lorsque la maîtresse de Burgoyne fut sortie, la baronne resta songeuse quelques secondes. N'ayant plus devant elle les beaux yeux éplorés de Martha Blair, elle sentit le charme se rompre et revenir sa méfiance.

Elle eut un mouvement d'épaule, comme si elle chassait temporairement cette pensée. Elle caressa la tête de ses enfants et retourna vers la cour où des voix joyeuses l'appelaient.

* * *

— Chère madame, je suis venue vous apporter des nouvelles de New York. Malheureusement, la guerre ne va plus aussi bien pour nous.

Dans son jardin, la baronne offre du thé à Martha Blair.

— C'est vrai, vous avez de la famille à New York. Mais, dites-moi, Miss Blair, comment font-ils pour que leur courrier arrive jusqu'à vous? Comment réussissent-ils à contourner l'armée ennemie?

— Chère madame, les nouvelles ne viennent pas de ma parenté. C'est le général Clinton lui-même qui a envoyé une missive. Et disons que j'ai eu le privilège de prendre connaissance de quelques détails. Ainsi, je sais que le général Howe est parti pour la baie de Chesapeake avec la plus grande partie de l'armée. Ce qui signifie qu'il ne pourra se trouver au rendez-vous avec notre armée et celle du colonel St Leger. Il sera donc impossible de réaliser la jonction prévue et prendre en souricière les rebelles américains.

— Pardonnez mon étonnement, mais je suis grandement surprise qu'un général de la qualité du général Clinton donne ainsi le mouvement de l'armée dans une lettre.

— Oh! mais je croyais que vous aviez compris qu'il ne s'agissait pas d'une banale missive. C'était, il va de soi, une lettre codée.

— C'est terrible. Si vous avez réussi à la décoder, nos ennemis sauraient le faire aussi. C'est dangereux.

Martha se retint, contrairement à son ancienne habitude, de prendre son petit air supérieur. Cela aurait déplu à la baronne, elle le savait bien. Elle ne voulait donc pas risquer de compromettre la relation de confiance qu'elle essayait de développer avec l'Allemande.

— Il n'y a que le général Burgoyne qui possède une loupe spéciale permettant d'en déchiffrer le contenu.

Bouche bée, la baronne regarda Miss Blair. Burgoyne était-il épris au point de faire passer sa passion avant son devoir?

Martha lut dans les yeux de son hôtesse que son étonnement se transformait en indignation. Elle chuchota :

— Je ne l'ai fait que pour vous. Je vous considère la discrétion même. J'ai pensé que vous voudriez connaître toute la vérité sur notre situation. Je ne croyais pas vous vexer. Pardonnez-moi. Il est bien entendu que nous garderons cela pour nous.

— Il vaut mieux, en effet, garder le silence. Mais, je vous en prie, même si j'apprécie votre bonne intention, ne recommencez pas une chose pareille pour moi. Vous savez, il y a toujours des espions dans un camp. Qui sait, mon cuisinier peut en être un, sans que nous en ayons le moindre soupçon. Il serait malheureux de divulguer, même sans le vouloir, des secrets de l'état-major.

— Je comprends. Soyez certaine que je voulais seulement vous être agréable.

Lorsque Martha piqua son cheval pour retourner au galop à Duer's House, un mystérieux sourire qui tenait plus du diable que de l'ange, retroussait ses lèvres charnues.

40

Red House

Un silence lugubre régnait. On attendait la réaction du général.

Debout, les mains derrière le dos, il regardait l'un après l'autre les militaires qui lui faisaient face.

Il avait demandé à l'un des quatre-vingt-cinq dragons restés au camp durant la bataille de lui amener les hommes qui venaient d'arriver de Bennington. L'officier était revenu avec les sept survivants des cent cinquante dragons de Baum. Sales, gris, blessés, épuisés, ceux-ci parvenaient à peine à se tenir debout.

— C'est tout? demanda le général d'un air étonné.

Les soldats penchèrent la tête comme s'ils avaient honte de ne pas être morts.

— C'est bien, mes enfants. Je voulais être le premier à vous féliciter d'être libres et en vie. Je sais que, même si vous étiez encerclés par des ennemis vingt fois plus nombreux, vous avez réussi à les repousser deux fois et à percer leurs rangs, également deux fois. Je sais aussi que, vos fusils étant devenus inutiles, vous vous êtes défendus avec vos sabres pendant votre retraite, une retraite ordonnée par vos chefs et pour laquelle vous n'aviez pas de chevaux, hélas!

De l'amertume perça dans le ton du général, et seul son sens de la loyauté envers tout supérieur l'empêcha d'ajouter qu'il avait pourtant tout essayé pour qu'on lui fournisse des chevaux.

— Allez, mes enfants, allez vous reposer. Je vois à vos blessures que vous l'avez mérité. N'oubliez pas de prier pour vos compagnons qui sont morts en braves ou qui ont été faits prisonniers. Et vous, ajouta-t-il en s'adressant à l'officier, vous leur donnerez double ration de pain et de bière.

Le silence régna de nouveau après le départ des soldats. Leonhard regarda son chef. Il lut tant de tristesse sur son visage que, gêné, il détourna les yeux.

Le général n'était pas au bout de ses peines. L'annonce de la disparition presque totale de son régiment de dragons l'affectait déjà énormément, mais d'autres mauvaises nouvelles allaient suivre. En effet, une heure plus tard, Leonhard lui annonça qu'un cornette demandait à le voir immédiatement.

— Que voulez-vous, cornette? demanda Riedesel.

— Mon général, c'est le capitaine Gerlache qui m'envoie. Il est désolé de ne pouvoir vous l'annoncer lui-même, mais il tenait à ce que vous sachiez le plus tôt possible que…

— Venez-en au fait, fit le général de la voix sèche qu'il prenait quand il voulait cacher son émotion.

— C'est à propos du lieutenant-colonel Baum.

— Si c'est pour me dire que le lieutenant-colonel a été fait prisonnier à Bennington, je suis au courant.

— C'est pire, mon général. Quand le lieutenant-colonel a été pris, il était blessé… gravement blessé… et depuis…

— Allons, finissez! Il est mort?

Le ton du baron était encore plus dur.

— Ou… Oui…, mon général.

Le baron devint si rouge que Leonhard fit un pas vers son chef. Mais après un moment, celui-ci demanda, apparemment sans émotion :

— Avez-vous des détails?

— Tout ce que l'on sait pour le moment, mon général, c'est qu'il a été enterré avec tous les honneurs militaires à Bennington même, ce matin, par les Américains.

— C'est bien, merci. Remerciez votre capitaine, M. de Gerlache.

Le baron avait réussi à se maîtriser devant le cornette; aussitôt qu'il fut seul avec son secrétaire, cependant, ses épaules s'affaissèrent. Il laissa son menton s'appuyer sur son corps. Leonhard n'osait bouger. Enfin, le général releva ses yeux bleus et dit, d'une voix brouillée :

— Leonhard, je dois rentrer à Red House. Restez ici et prenez les messages. S'il y a urgence, vous m'enverrez chercher. Seulement s'il y a urgence, répéta-t-il d'un ton las.

* * *

Il arrivait à Leonhard, quand il était seul, de chercher les côtés négatifs du général. Si quelque incident l'avait rendu furieux et qu'il avait été obligé de retenir sa fureur, le baron lui servait de tête de Turc. Au fond, Leonhard savait bien qu'il était injuste. D'ailleurs, aussitôt qu'il se retrouvait en présence du général, ses sentiments profonds refaisaient surface. À quoi bon en vouloir à un chef aussi généreux!

Aujourd'hui, son écœurement à la vue des sept rescapés et le choc qu'il avait ressenti à l'annonce du décès du lieutenant-colonel Baum le mettaient dans une colère terrible. Il en avait écrasé sa plume trois fois, tant sa rage pesait sur ses doigts crispés. S'il n'avait appris à retenir ses ressentiments, il aurait balayé du revers de la main tout ce qui embarrassait la table de travail et crié son dégoût, quitte à se retrouver en prison. À l'université, il aurait gueulé, fait des discours, ameuté les étudiants.

Qu'est-ce qui l'empêchait d'avoir un geste de révolte? Au fond, il sympathisait avec cet homme bon qui souffrait. Il devinait son amertume. Combien ce devait être difficile d'accepter les erreurs d'un Burgoyne imbu de lui-même, et surtout de payer le prix de cette hécatombe. Mais éprouvait-il seulement de la pitié? Leonhard découvrait ses vrais sentiments. Il se rendait compte qu'il était profondément peiné pour le baron. Le chagrin de Riedesel devenait le sien, à lui, Leonhard. Non, il n'avait pas seulement de la pitié pour le général, mais une véritable affection.

Soudain, il ressentit un grand, un très grand besoin de voir Lizzie.

* * *

Dès que Friedrich entra dans la chambre, Charlotte sut tout de suite qu'une chose terrible était arrivée. Son visage était ravagé. Lui, qui se tenait toujours très droit, traversa la pièce le dos courbé, comme sous un poids très lourd. Il s'assit sur le lit sans dire un seul mot, et demeura parfaitement immobile, la tête penchée.

Charlotte restait elle-même comme une statue, malgré son désir de se précipiter vers lui pour lui demander ce qui l'avait mis dans cet état. Quand elle aperçut soudain les épaules de son mari tressauter et qu'elle comprit qu'il pleurait, elle sortit de sa léthargie. Elle bondit vers lui et le prit dans ses bras.

— Mon chéri, mon chéri. Je vous en prie, dites-moi ce qui se passe.

Pendant des heures, il avait réussi à se maîtriser. Mais maintenant qu'il était chez lui (enfin, dans cette pièce qui lui servait pour le moment de chez-lui), il n'avait pu se retenir d'éclater. Il n'aurait pas voulu inquiéter Charlotte, mais il lui fallait partager sa peine avec elle.

— Mes dragons ont presque tous disparu… On m'a même rapporté que ceux qui ont été faits prisonniers meurent à raison de trois ou quatre par jour… Chaque jour!… À l'hôpital des Américains.

— Mon pauvre amour.

— Et il y a Baum, mon ami Baum que nous ne reverrons jamais, Charlotte.

La baronne se raidit. Elle aimait Baum, et sa mort l'attristait. De plus, elle savait que, dans l'armée, il avait été le meilleur ami de son mari. Aussi, la douleur de Friedrich lui étant plus pénible que la sienne propre, elle se laissa glisser à ses pieds et, tout en caressant ses mains, lui demanda doucement :

— Racontez-moi tout, Friedrich. Cela vous fera du bien. Je suis certaine que devant les autres vous vous êtes retenu de montrer vos sentiments.

Il hésita un moment avant de parler, puis il évoqua la bravoure de Baum et le courage de ses hommes; le manque de munitions, les bottes trop lourdes, les vêtements trop chauds pour un temps si humide. Finalement, il mentionna combien les Américains étaient beaucoup plus nombreux que Burgoyne ne l'avait escompté.

— Mais je croyais que le lieutenant-colonel Breymann devait soutenir notre ami Baum avec ses grenadiers et ses chasseurs.

— Breymann a été retardé par un orage qui a fait fuir les chevaux, et par un vent furieux qui a brisé les chaînes retenant les bateaux qui formaient un pont. L'eau qui ruisselait dans les coteaux a creusé les routes. Les chariots de provisions et de munitions s'y enlisaient ou versaient. Alors ils sont arrivés trop tard pour sauver la petite armée de Baum… et mon pauvre Baum lui-même.

Cette dernière phrase, Friedrich l'avait à peine chuchotée. Charlotte se releva et embrassa tendrement son mari, tout en lui murmurant des mots d'apaisement, puis commença à détacher lentement les boutons de sa casaque militaire…

* * *

Ils reposaient, comblés, Friedrich ayant soulagé sa peine et sa tension entre les bras d'une Charlotte chaleureuse et maternelle à la fois. Après un moment de calme, celle-ci craignit que son mari ne retombe dans ses idées noires, et elle le ramena donc vers des considérations toutes militaires.

— Dites-moi, Friedrich, cette défaite a-t-elle une grande importance stratégique sur l'issue de la guerre?

— Difficile à dire. Qui sait quel impact cela aura chez les rebelles? Pour ma part, je crains que cela ne leur redonne confiance.

— Je sais combien vous aimiez votre régiment et Baum, votre ami. Songez pourtant qu'il fallait s'attendre à un événement semblable à un moment ou à un autre. Vous êtes venu faire la guerre.

— Vous avez raison, Charlotte. Je suis là à m'apitoyer sur mon sort. Je commence peut-être à me faire vieux.

— Vous, vieux! Allons, après un peu de repos, ça ira beaucoup mieux.

— Vous avez raison, ma Charlotte. Ma peine s'atténuera. Mais je suis amer, car tout cela aurait pu être évité… Du moins en partie, si notre commandant en chef, ce cher général Burgoyne, avait bien voulu écouter ce que j'avais à dire. Baum était prêt dès le 22 juillet. Le commandant ne lui a donné l'ordre d'avancer que le 11 août. Les Américains ont eu le temps de se préparer. Le général Burgoyne n'a pas tenu compte de la stratégie que j'avais élaborée. À la dernière minute, il en a adopté une autre.

— Tout cela est donc de sa faute?

— Je suis persuadé que mon plan était meilleur. À l'heure qu'il est, Baum serait probablement victorieux et nous aurions certainement subi beaucoup moins de pertes en vies humaines.

Le général sembla soudain frappé par une idée.

— Dites-moi, Charlotte, comment savez-vous que Breymann était parti au secours de Baum?

La baronne raconta la visite de Martha Blair et comment les nouvelles volaient d'une oreille à l'autre. Elle ajouta qu'elle était inquiète, que jamais, dans les camps où sa mère et elle avaient vécu, les décisions de l'état-major ne circulaient ainsi. Tout y était secret. Ici, tout le monde, surtout les femmes, savait d'avance quels mouvements l'armée entreprendrait.

— Mais c'est incroyable! s'exclama Friedrich. J'essayerai d'en discuter avec le commandant en chef. Peut-être, à la suite de nos échecs répétés, acceptera-t-il enfin de m'écouter.

— Je regrette, mon chéri, d'ajouter ce souci à votre peine, mais je ne pouvais rester silencieuse. Il en va de notre sécurité.

— Vous avez bien fait. Et je vous remercie du soutien que vous m'avez démontré aujourd'hui. Si vous n'aviez pas insisté pour me suivre, si vous n'aviez pas eu le courage de venir me rejoindre, je me sentirais bien seul. Par moments, ce serait carrément l'enfer.

Embrasé par ses propres paroles, Friedrich enlaça de nouveau Charlotte.

41

À douze ans, Lizzie avait quitté son village natal, munie d'une lettre du pasteur luthérien pour la baronne. Mme von Riedesel était sévère sur le choix de son personnel. Elle se sentait responsable de la vertu de sa nouvelle servante et du rôle que celle-ci aurait à tenir dans une maison de la haute hiérarchie allemande. Aussi avait-elle surveillé de très près l'éducation de la bonne. Comme Lizzie était malléable, honnête, dévouée, soumise, et loin d'être bête, la baronne supportait avec indulgence ses craintes et ses bavardages plus naïfs que méchants. Les aléas du voyage en Canada, assez exceptionnel, auraient dû aguerrir la petite servante, mais il n'en était rien. Elle restait émotive et peu sûre d'elle. Puis voilà que Leonhard avait surgi dans sa vie! Très vite, le sentiment qu'elle avait développé à son égard avait rempli son imagination. La seule pensée qu'un homme savant puisse s'intéresser à elle la valorisait. Elle en était méconnaissable, même à ses propres yeux.

Aussi rêvait-elle, quand elle vit venir l'objet de ses rêves.

— Puis-je vous poser une question indiscrète, mademoiselle Lizzie? Vous n'y répondrez que si le cœur vous en dit.

— Allez-y, je vous écoute, monsieur Leonhard.

— Comment se conduit le général avec vous?

— Que voulez-vous dire?

— Eh bien, vous traite-t-il comme une simple bonne ou démontre-t-il de la gentillesse à votre égard?

— Ça m'étonne que vous, son secrétaire, me posiez une pareille question! Il a toujours été très poli envers moi, et d'une si grande gentillesse.

— Il ne vous a jamais traitée comme un meuble?

Elle réfléchit longuement.

– Comme un meuble, dites-vous? Vous voulez dire comme si je n'existais pas? Non, jamais. Au contraire. Il me salue toujours, me demande comment je vais… Même qu'un jour, je me souviens, j'avais attrapé une vilaine rougeole en prodiguant des soins à Mlle Augusta. Mme la baronne avait fait venir son propre médecin à mon chevet. Lorsque je fus en mesure de quitter le lit, M. le baron m'a dit qu'il me trouvait encore bien pâle et que l'air me ferait du bien, alors, dans les jours suivants, il m'a souvent envoyée au jardin me reposer.

– C'est normal. Il voulait vous retrouver en forme pour travailler plus fort.

– Ma sœur, chez le comte où elle est placée, quand elle est malade, faut qu'elle travaille quand même.

– Et la baronne, elle vous traite bien aussi?

– Bon, voilà les questions qui continuent… Eh bien oui, madame a toujours été, elle aussi, très bonne avec moi. Elle s'impatiente parfois, mais c'est toujours de ma faute. C'est surtout quand j'ai peur et que je pleure. Ça énerve madame.

– Vous lui obéissez toujours?

– Naturellement que je lui obéis. Je ne suis que la bonne! Le pasteur me l'a répété bien des fois : je dois obéissance et reconnaissance à mes maîtres. Heureusement, j'ai la chance d'avoir de bons maîtres. Et je connais mon devoir.

– Vous croyez que c'est le lot des serviteurs d'obéir aveuglément. Moi, au contraire, je n'accepte pas que certaines personnes aient des droits sur leurs semblables.

Devant l'air scandalisé de Lizzie, Leonhard s'empressa d'atténuer ses propos.

– Ce que je tente de vous expliquer peut vous sembler choquant, mais je ne suis pas le seul à avoir de telles idées. J'avoue cependant que je suis moins catégorique dans mes idées que dans mes paroles; moins qu'autrefois, en tout cas. Avant, je séparais mes idées en deux comme avec un couteau. Par exemple, je disais qu'on pouvait diviser les gens en deux catégories, ceux qui étaient bons : vous, moi, le peuple, et ceux qui étaient mauvais : les pasteurs, les militaires, les nobles. Mais, à vivre près du général, j'ai compris que ce n'était pas tout à fait juste. Il ne faut pas être si tranchant. Mais, mademoiselle Lizzie, il ne faut pas, non plus, être trop humble ni avoir, comme l'autruche, la tête dans le sable lorsque naissent de nouvelles idées.

Elle réfléchit quelques instants avant de répondre.

— Vous semblez dire, si j'ai bien compris, que tout n'est pas noir ou blanc. C'est ça? Certaines choses, qu'on pense blanches, sont plutôt noires, ou le contraire.

Leonhard la regarda avec satisfaction.

— Oui. Vous voyez que vous comprenez! Il y a même, et surtout, du gris.

Elle rit :

— Du gris foncé, du gris souris, du gris pommelé, du gris gorge-de-pigeon.

— Tout à fait. J'ai compris qu'il ne fallait pas tout mettre dans des petites boîtes. Les méchants dirigeants d'un côté, et de l'autre les bonnes gens simples comme vous, moi, Adélaïde.

En entendant le prénom de la gouvernante, Lizzie plissa le front.

— Vous l'aimez bien, Adélaïde, hein! monsieur Leonhard?

— Oui, c'est une femme charmante qui sait ce qu'elle veut et ce qu'elle vaut.

Lizzie baissa la tête, le visage morose. Elle reprit, d'un ton amer :

— Évidemment, elle a tellement de talent. Elle est si forte aussi!

Leonhard observa la jeune fille. Ses yeux se firent rieurs.

— Oui, quelle femme, cette Adélaïde! fit-il en appuyant sur le mot «femme» et en poussant un long soupir.

— Elle doit vous plaire; elle partage vos idées, n'est-ce pas?

— En effet. Elle est très ouverte aux idées nouvelles. Elle et moi pensons souvent de la même façon… sauf que…

Leonhard s'arrêta de parler et releva le menton de Lizzie. Il vit ses yeux mouillés. Alors il continua, d'un ton plus grave :

— Sauf qu'elle n'est pas aussi charmante que vous, Lizzie.

— Vous dites cela à toutes les jeunes demoiselles, j'en suis certaine, protesta-t-elle en éloignant brusquement la tête et en prenant un air fâché pour ne pas montrer sa gêne.

– Il fut un temps, peut-être, mais certainement plus aujourd'hui, dit Leonhard en lui mettant la main sur l'épaule.

Lizzie repoussa sa main.

– Ce n'est pas bien de vous moquer de moi, monsieur Leonhard. J'ai bien compris, dans vos beaux discours, que vous méprisiez les gens peureux et soumis comme moi.

– Je ne méprise personne, ma petite Lizzie. Et je crois bien que tout cela n'a pas d'importance.

– Je sais. Je ne suis pas importante. Je me le dis souvent.

– Mais non, petite sotte. Ce n'est pas vous qui n'êtes pas importante. Au contraire. Ce sont mes idées. Quand je vous regarde, elles ne comptent plus.

– Pourquoi?

– Parce que… ma foi… vous êtes très jolie, mademoiselle Lizzie, très jolie et… bien tentante.

Leonhard lui donna alors un rapide baiser sur les lèvres.

– Monsieur Leonhard! protesta-t-elle en rougissant.

– Allons, ne soyez pas timide, et laissons tomber les cérémonieux «monsieur» et «mademoiselle». Le permettez-vous?

– À la condition que vous ne recommenciez plus vos extravagances, répliqua la jeune fille, mais en ne sachant trop si elle désirait être obéie.

– Je croyais que vous m'aimiez un peu. Je vous aime, moi.

– Je vous trouve gentil, mais…

– Seulement? Bon, je comprends. Vous faites semblant de résister. Je n'aurais pas cru que vous étiez le genre à coqueter. Je vais vous montrer que je sais être plus gentil encore.

Leonhard, la reprenant tout contre lui, attrapa le cordon de son corsage et essaya de détacher la boucle, mais la petite bonne le repoussa avec une force à laquelle il ne s'attendait pas.

– Non, ce n'est pas bien, monsieur Leonhard.

– Cessez ce petit jeu. J'ai lu dans vos yeux, je sais que vous m'aimez et que…

– Vous savez bien lire dans les livres, mais pas dans ma tête, lui dit-elle tout en continuant de le repousser. Même si je vous aimais, ce ne serait pas une raison pour faire des… choses que le pasteur défend.

– Vous me cassez les oreilles avec votre pasteur!

Elle renifla et des larmes se mirent à couler sur ses joues.

– Lizzie, ma petite chérie, ne pleurez pas. Je vous demande pardon. Mais c'est vrai que je vous aime, croyez-moi. Je vous observe souvent. Votre fraîcheur, votre franchise m'ont séduit. Tenez, en ce moment même vous montrez que vous n'êtes pas si soumise que cela. Voilà la preuve que, si c'est important, vous savez vous défendre. J'admire cela.

Voyant que Lizzie avait cessé de pleurer, Leonhard ajouta :

– Avouez, c'est la bague au doigt qu'il vous faut? Ne rougissez pas, petite peste, je m'en doutais. Je vois bien qu'il faudra en passer par là.

Il fit semblant d'être excédé et continua, en levant les yeux au ciel :

– Misère de moi! Jusqu'où dois-je sacrifier ma liberté?

– Si c'est un si grand sacrifice…

– Le danger avec vous, c'est que vous me prenez au sérieux quand je badine et que vous ne me croyez pas quand j'étale mes vrais sentiments. Si je promets de rester sage, puis-je vous embrasser? termina-t-il en lui prenant la taille.

– Je le voudrais bien, répondit froidement Lizzie, mais je vois monsieur et madame qui viennent vers nous.

Leonhard se retourna. Il n'y avait personne en vue.

– Je savais bien que vous étiez une coquine, fit-il, l'entendant rire. Ne triomphez pas si vite. Leur venue ne m'empêcherait pas de vous embrasser. J'en serais quitte pour demander immédiatement votre main au général, au lieu de mettre mes gants blancs, plus tard. Et, plus tard, il ne refuserait pas et vous seriez obligée d'obéir. Tant pis pour vous si tout cela n'était que coquetterie de votre part.

Il l'embrassa longuement et, cette fois, Lizzie ne résista pas.

42

Schuyler's House, quartier général du commandant Burgoyne

Le chef indien s'enfonçait dans la forêt, se dirigeant vers le Canada avec ses quatre cent cinquante guerriers ramenés de Bennington. «Hier, le soleil clair et brillant annonçait la victoire. Aujourd'hui, les nuages épais et noirs apportent le désastre. L'horizon est trop sombre…» Telle avait été la dernière phrase qu'il avait prononcée, dans un français qu'il parlait mieux que Burgoyne.

Le commandant en chef se retourna, l'air furieux, aussitôt que la forêt se referma sur l'homme des bois. Il jeta un regard méprisant sur la cinquantaine d'Indiens qui lui restaient, en se demandant quand ceux-là le laisseraient tomber à leur tour. Il se dirigea vers Riedesel, qui se choisissait un des chevaux qu'il avait achetés à ceux qui venaient de briser leur alliance.

— Voilà, mon cher, voilà les procédés de ces sauvages instables. C'est facile d'utiliser une défaite sans conséquence comme raison pour ne pas tenir ses engagements.

Friedrich retint la réponse cinglante qui lui venait à l'esprit. Il n'admettait pas que le commandant minimisât les résultats de l'insuccès de Bennington. Justement, la défection des alliés indiens n'en était-elle pas le premier contrecoup?

— C'est dommage qu'ils nous aient abandonnés. Leur façon silencieuse de se déplacer en faisait les meilleurs éclaireurs, dit-il tout simplement.

— Bah! Nous trouverons des Loyalistes robustes et armés de bons fusils qui vaudront bien toutes les flèches de ces énergumènes. Laissons ce sujet. Il faut décider quels seront les prochains déplacements de nos troupes. L'état-major se réunira chez moi, demain matin.

— Pourquoi pas ce soir, commandant?

— Impossible. J'ai un souper d'anniversaire avec Miss Blair. Mettons-nous en selle et suivez-moi, Riedesel. Je vous montrerai mon installation.

Tout en s'épongeant régulièrement le front à cause du temps chaud et humide qui persistait, les deux cavaliers se dirigèrent vers le village de Saratoga, qui était constitué d'une église et de quatre maisons et, de l'autre côté de la rivière, d'une vaste bâtisse à trois étages où logeait Burgoyne. Détruit par les Américains au moment de leur fuite, le pont avait été remplacé par des bateaux reliés entre eux et aux deux rives par de larges planches. Les deux généraux s'y engagèrent.

En approchant de la maison, le baron remarqua d'abord la porte hollandaise et, surtout, le nombre extraordinaire de fenêtres qui lui donnaient un aspect chaleureux et aéré; on pouvait respirer là-dedans!

Burgoyne lui fit visiter toute la maison : les vastes pièces de chaque côté de l'entrée, les cuisines et le cellier au sous-sol, puis les chambres, toutes meublées avec goût, et même, sous les toits, les chambres des serviteurs. Lorsqu'ils revinrent au salon, ils furent accueillis par Martha Blair, qui leur servit le thé.

— Alors, général, que dites-vous de ma demeure?

— C'est la plus belle maison que j'aie vue jusqu'ici en Amérique. Elle est magnifique. Elle me semble même supérieure aux maisons seigneuriales du Canada.

— Et regardez ce mobilier, ajouta Martha Blair. Le propriétaire, le général américain Schuyler, a du goût et de l'argent. Quand je pense que Mme Schuyler a tout abandonné.

— Elle aurait eu le temps d'emporter ses meubles, ma chère. Un de mes espions m'a raconté qu'elle a préféré utiliser les quelques heures qu'elle avait devant elle pour mettre le feu à ses ballots de blé. Et elle a ordonné aux militaires de vider les celliers et de chasser les troupeaux devant eux.

— Quelle mesquinerie! À sa place, j'aurais pris tous mes meubles.

— Mettez-vous justement à sa place, Miss Blair, dit le général von Riedesel. Elle ne voulait pas laisser de quoi nourrir les ennemis que nous sommes. C'est de bonne guerre, même si c'est dommage pour nous. Je dirais même que cette femme est une bonne patriote.

Pendant cet échange, Burgoyne fouillait dans son courrier. Il tendit une lettre au baron.

– Voici ce que je voulais vous montrer. Vous voyez le montant exagéré que nous réclame un chef loyaliste pour ses cent hommes, qui n'ont même pas combattu à Bennington mais sur lesquels nous comptions? Regardez plus loin aussi : quinze pounds pour un cheval perdu et je ne sais plus combien pour un Loyaliste supposément dépecé par nos sauvages – c'était peut-être un insurgé, allez donc savoir –, deux pounds pour ses vêtements déchirés au combat et deux cents dollars pour des chevaux bridés et sellés donnés aux sauvages du Canada. Si ça se trouve, ce sont ceux que vous avez rachetés. Quel toupet! Je refuse qu'on abuse ainsi de l'armée. Demain, nous en discuterons avec l'état-major et j'espère que vous me soutiendrez contre ces demandes, Riedesel.

Avant qu'il puisse répondre, Martha demanda :

– N'est-ce pas en grande partie la faute de ces Loyalistes si vous avez essuyé des pertes à Bennington? Vous comptiez sur eux et ils ne sont pas venus. Vous devriez les punir. Et ne rien donner du tout à ce voleur de Loyaliste!

– Oui, vous avez raison. Leur part de responsabilité est importante.

Riedesel était estomaqué d'entendre Martha Blair mettre leur défaite sur le dos des Loyalistes. De plus, il était indigné que Burgoyne accepte de discuter d'un sujet aussi grave avec cette femme. Il préféra partir avant d'être étouffé par la colère.

– Vous m'excuserez, mon commandant, je dois aller voir à l'installation de la baronne dans la ferme que je lui ai trouvée.

– Allez, général! Mes hommages à votre chère épouse.

– Monsieur le baron, ajouta Martha d'une voix douce et avec un sourire enjôleur, veuillez lui renouveler mon amitié et embrasser pour moi vos adorables petites filles.

Le général s'inclina. Quoique la beauté de la jeune femme le laissât froid, il comprenait que Burgoyne puisse en être amoureux. Et comment, dans ce cas, pouvait-il, lui, Friedrich, jeter la pierre à un homme qui aimait?

* * *

Un silence morne, aussi lourd que l'air humide, régnait dans la pièce. Tous les officiers affichaient une expression déçue. Le général von Riedesel, plus que les autres, avait un visage sombre. Son pessimisme faisait surface. Jusqu'ici, de mystérieuses rumeurs avaient laissé croire à la victoire de St Leger à la rivière des Mohawks. Hélas! elles étaient fausses. Apparemment, l'armée américaine avait été informée des projets de St Leger et avait surgi derrière les Canadiens.

— Vous avez bien dit, demanda le lieutenant Reynel, que St Leger a quand même réussi à se replier sans que ses hommes soient blessés ou faits prisonniers.

— C'est cela. Quant aux sauvages qui l'accompagnaient, ils ont décidé que la guerre était terminée pour eux. Ils avaient promis de participer à une seule opération. Que la bataille soit gagnée ou perdue leur importait peu. Comme ils considèrent avoir tenu parole, ils sont tous repartis chez eux. Quant aux Canadiens, devant le nombre croissant des troupes colonialistes, ils ont jugé préférable de battre en retraite pour échapper à un massacre inutile. Voilà, en gros, ce que m'écrit St Leger qui, pour sa part, est retourné en Canada.

— J'aurais forcé ces Canadiens à se défendre jusqu'au dernier, grogna Breymann. Ils ne valent guère mieux que les sauvages!

— Vous oubliez qu'ils sont volontaires, Breymann, fit le major Acland. Nous ne pouvons les forcer à rester à nos côtés.

— Nous représentons le gros des troupes et quand nous aurons rejoint le général Howe, nous serons encore plus nombreux, plaida Burgoyne.

— Il est absolument essentiel que la jonction avec Howe se fasse au plus tôt, remarqua Riedesel.

Plusieurs voix approuvèrent le général allemand. Embarrassé, Burgoyne s'éclaircit la gorge.

L'optimisme de Riedesel était au plus bas. La défection des Indiens, l'échec de St Leger au fort Stanwick, les problèmes croissants liés à l'approvisionnement et le silence anormal de Howe l'inquiétaient au plus haut point. Aussi jugea-t-il qu'il était temps d'aborder la question des chariots, même si cela contrarierait son chef.

— Si vous me permettez, commandant, à mon avis il faut se débarrasser des chariots. Ce sont eux qui nous empêchent d'avancer aussi vite que nous le voudrions.

— Les abandonner? s'exclama Burgoyne. Vous n'y pensez pas! Et que ferons-nous du matériel alors?

— Bien sûr, il faut garder l'essentiel, mais sans plus. J'estime qu'un seul chariot par personne pour le transport de ses objets personnels est amplement suffisant.

Pendant plus d'une heure, ils débattirent le sujet. Finalement, les arguments du général von Riedesel l'emportèrent.

La rencontre terminée, Burgoyne alla retrouver sa maîtresse et lui fit part de ce qui avait été décidé à propos du transport. Elle poussa une sorte de rugissement.

— Un seul chariot! Mais vous savez bien que c'est impossible. Nous en avons trente à nous deux, dont un uniquement pour mes vêtements. Et moi qui voulais emporter quelques meubles d'ici.

Martha eut beau lui faire du charme, son amant tint bon… puis finit par lui permettre trois voitures en disant qu'il prétendrait que deux d'entre elles cachaient des armes.

— Mais qui a eu cette fâcheuse idée, dites-moi?

— Le général von Riedesel.

— Lui… Ça ne m'étonne pas.

Martha rageait, mais elle n'osa pas formuler toute sa pensée : «Il ne perd rien pour attendre, ce Riedesel.»

* * *

Friedrich galopa en direction de Taylor's House où, la veille, il avait installé sa famille. Le chemin longeait des champs de seigle, et traversait une épaisse forêt sur une distance de trois milles et demi. Lui apparut enfin la solide maison qui trônait au milieu de plusieurs bâtiments, entourée d'un grand jardin et de quelques champs.

271

Après que Röckel se fut chargé de son cheval, le général se hâta d'aller embrasser sa femme.

— Comment fut votre journée? demanda Charlotte.

Comme le général ne répondait pas, elle continua :

— Vous semblez perplexe. Peut-être préférez-vous ne pas en parler?

— Pour être franc, je crains que nous ne devions nous préparer à une guerre plus longue que celle que nous avions prévue. Comme je crois vous l'avoir dit, mes officiers sont impressionnés par le tir des Américains, qui semblent tous être nés avec un fusil à la main. Enfants, ils tiraient sur l'ours, maintenant ils tirent sur l'homme. Seule la cible a changé. Je ne suis pas aussi confiant qu'au début. Si je vous en parle, c'est pour vous avertir que, même si je sais que nous serons vainqueurs, vous devez vous armer de patience.

— Tant que vous serez là, tout près, je ferai bonne contenance.

Elle se tut un instant, puis voulut, par le badinage, lui changer les idées :

— Dois-je faire preuve d'autres qualités? Dois-je être résistante, coriace, tenace, grave?…

— Ah non, par exemple, ne soyez surtout pas «grave».

— Comme vous voulez. Stoïque, alors, sereine, placide, et quoi encore?

— Quoi encore? Elle a l'impudence de me demander «quoi encore»? Vous avez oublié le principal sans lequel tous ces beaux mots ne comptent pas.

— Quel est-il, s'il vous plaît?

— Amoureuse, madame! Amoureuse! Je vous veux amoureuse.

Quelques moments plus tard, Charlotte et Friedrich n'étaient plus en Amérique, ni même sur terre.

43

La chaleur humide, si inhabituelle pour un 18 septembre, était intolérable. On pouvait croire que la nature avait cessé de vivre, que la terre ne respirait plus. Une vapeur immobile ternissait le soleil et atténuait le bleu du ciel sans nuages. Ni chants, ni danses d'insectes. Aucun gibier en quête de liberté. Rien.

Le seul mouvement perceptible était celui des femmes et des hommes muets, et qui, courbés ou accroupis, ramassaient avec des gestes lents les pommes de terre d'un jardin abandonné par son propriétaire en fuite. Parfois, une silhouette se redressait et ployait vers l'arrière pour détendre des reins fatigués. On voyait alors briller une broche de corsage ou un bouton d'uniforme.

Derrière les arbres, des yeux épiaient ces officiers allemands et ces femmes qui ne pensaient à rien sous le poids de leur sueur, sinon qu'ils auraient enfin de quoi se mettre sous la dent.

Puis soudain, un coup de feu fendit l'air. Une femme s'abattit sans même crier. L'affolement changea aussitôt le tableau. Le silence fut remplacé par des hurlements et le sifflement de balles. Certains se jetèrent à terre, d'autres tentèrent de fuir le massacre. Mais ceux qui réussissaient à échapper aux projectiles se retrouvaient entre les mains des scouts du dissident Daniel Morgan, qui encerclaient le potager.

Quand des militaires, attirés par les cris perçants et les coups de feu, vinrent au secours des malheureux, les ennemis s'étaient déjà retirés avec leurs prisonniers. Une trentaine de morts et de blessés jonchaient le sol.

Rüpert, qui venait d'imaginer un bon plat de pommes de terre comme il les aimait, n'en goûterait plus jamais la saveur. Son sang se figeait déjà là où une balle l'avait frappé, en plein front.

Il ne pouvait savoir, Rüpert, où le mènerait sa destinée lorsque, ce matin-là, il était accouru, tout joyeux, vers le général pour l'informer qu'il avait découvert un potager immense.

On avait faim dans le camp. Les vivres étaient de plus en plus rares et Burgoyne avait réduit les rations. La découverte de Rüpert avait réjoui le baron.

En apprenant la mort de son serviteur, la baronne ne cacha pas sa peine. Elle ne pouvait oublier combien de fois, dans cette folle équipée qui l'avait conduite en Amérique, son cocher avait fait beaucoup plus que son devoir. Alors, elle lui rendit hommage devant ses compagnons, hommage qu'elle termina par ces mots :

— Rappelez-vous toujours avec quel sang-froid il a entraîné les chevaux loin des bandits qui nous menaçaient.

Elle demanda à Röckel de lui creuser une tombe, pour lui seul, sous un arbre, sur le tronc duquel elle fit graver son nom.

* * *

Sous bonne garde, on ramassa les corps pour les enterrer. Après une brève cérémonie devant l'immense fosse où reposaient, alignés, tous les officiers allemands, Burgoyne, qui aimait bien les discours, fit une envolée pathétique. Il déplora la perte de tant d'officiers, perte qui priverait l'armée de valeureux chefs.

— Aujourd'hui, nous constatons la lâcheté des Américains. Car comment peut-on appeler ces gens qui se cachent derrière des arbres pour tirer, sinon des lâches? Chez nous, c'est bravement qu'on se bat, dans la plaine, face à l'ennemi vers qui on avance fièrement.

Comédien-né, le commandant savait utiliser sa voix pour créer un effet.

— Ces hommes que nous enterrons aujourd'hui demandent vengeance. Leur mort est une insulte à tous ceux qui respectent le déroulement normal d'une bataille, tel qu'il a été conçu et enseigné depuis des millénaires en Europe.

Il s'arrêta un instant, sentant avec satisfaction la haine monter dans le cœur de ces hommes qui ne comprenaient pas, en effet, cette manière de se battre, si différente de la leur.

– Où sont les beaux faits d'armes? Les phrases pour la postérité? Les ennemis qu'on reconnaît à leurs couleurs, avec qui on peut même se montrer galant et courtois? Ici, tout n'est que fadeur, costumes verts et gris qu'on ne discerne même pas dans la nature et qui démontrent bien l'hypocrisie de ce peuple d'insoumis, de gens sans panache et sans gloire. Ces morts que nous enterrons aujourd'hui étaient des frères, des amis. Nous les vengerons.

Adélaïde écoutait le discours près d'une deuxième fosse, où l'on avait placé les femmes et les soldats peu dignes d'être enterrés avec les officiers. Lorsque Burgoyne eut fini, elle dit : «C'est ça! Les pauvres femmes, elles peuvent bien se faire tuer, mais elles n'ont guère d'importance, alors on n'en parle pas.»

Une voix derrière elle prononça :

– Seul Dieu est propriétaire de la vie humaine.

Curieuse, Adélaïde se retourna. Dans la foule, elle crut reconnaître Nicklauss. L'homme garda cependant un visage impassible. Elle reprit sa position initiale, en secouant la tête d'incertitude.

Aussitôt qu'elle lui tourna le dos, le grand Nicklauss laissa errer ses yeux sur la chevelure abondante de la jeune femme. Il la détailla avec plaisir. Un sourire railleur apparut sur ses lèvres avant qu'il ne s'éloignât, fendant avec nonchalance la foule des petites gens.

44

Freeman's Farm, le 19 septembre 1777

Le matin du 19 septembre, Mme von Riedesel se leva à l'aurore. Pendant qu'elle faisait ses ablutions, elle pensa tout à coup à son père. Elle le revoyait après qu'il eût pris sa retraite, et cela la fit sourire.

Le général von Massow n'avait pas abandonné sa routine militaire. Il se levait à la première lueur du jour et faisait un tel tapage qu'il en éveillait tout le château. Qu'on le veuille ou non, on se retrouvait à table avec lui pour le premier repas. Peut-être voulait-il rattraper le temps perdu et profiter de la présence de sa famille. Mais un jour, excédée, sa femme lui avait dit qu'elle et ses enfants ne faisaient pas partie de son état-major et que tous désiraient reprendre leur propre routine…

Mme von Massow et ses enfants purent dormir à leur guise : le baron avait compris. Il aurait donc déjeuné seul si Charlotte, matinale aussi, ne lui avait tenu compagnie. Ensuite, père et fille avaient pris l'habitude de longues promenades à pied ou à cheval, au cours desquelles ils échangeaient parfois quelques idées. Le plus souvent, cependant, ils se contentaient du silence qui les rapprochait.

Un sourire mélancolique sur les lèvres, Charlotte se rendit compte que la mort de son cher *Papchken* datait de quinze mois déjà.

«Comme le temps passe!… Mais si je ne me dépêche pas, je ne pourrai faire ma petite surprise à Friedrich. C'est peut-être une folie. J'espère qu'il ne sera pas fâché. Après tout, c'est drôle. N'est-ce pas que ce sera drôle, *Papchken*?»

La veille, la baronne avait mijoté un changement dans son habillement et avait envoyé Lizzie trouver ce qu'elle voulait.

Quoique encore hésitante sur la portée de son geste, Charlotte enfila un pantalon militaire. Non, elle ne s'embarrasserait plus de ses longues jupes quand elle irait au camp rejoindre son mari. Sur les terrains sauvages, inégaux, pleins de racines, elle ne se sentait pas à l'aise, assise en amazone. Elle avait aussi l'impression de participer à une chasse à courre, tandis que les pauvres soldats allaient peut-être vers leur mort.

En sortant de Taylor's House, elle huma l'air frais et regarda le ciel qui rosissait. Le temps avait brusquement changé. Le fond de l'air la fit frissonner légèrement. Quel contraste avec les autres jours! Son vieux serviteur, à qui elle avait donné des ordres précis le soir précédent, lui amena son cheval.

– Merci, Röckel. Vous n'avez pas oublié la selle de cavalier, je vois. Vous avez bien fait de mettre à cette brave bête une couverte espagnole, il fait froid. Au revoir. Surveillez bien la maison.

Elle pensa de nouveau à son père.

«Pourquoi pensé-je si fort à toi, *Papchken*? Parce que c'est l'aube, probablement. L'idée d'un déjeuner très tôt, d'une course à cheval dans cette lumière du matin, dans cette fraîcheur qui sent un peu celle de la Prusse, cela me ramène à ma jeunesse avec toi.»

Ses yeux se mouillaient. Cependant, à mesure qu'elle approchait de son but, la figure de son père s'estompait, remplacée par celle de Friedrich. Alors, elle allongea le pas de son cheval.

* * *

Depuis l'événement qu'il appellera désormais «L'Assassinat du Potager», Burgoyne a soif de vengeance. Il sait maintenant que Howe ne viendra pas, mais qu'a-t-il besoin de Howe? N'a-t-il pas une armée imposante et disciplinée? Des militaires prêts à faire payer cher la mort cruelle d'officiers, prêts à donner une leçon de courage à ces lâches qui se cachent?

Riedesel aurait préféré qu'ils attendent et se fassent une meilleure idée de la position et, surtout, du nombre de leurs adversaires. Mais Burgoyne a décidé d'attaquer immédiatement.

Pendant que Charlotte, à quelques lieues de là, se prépare à se rendre au camp, Burgoyne discute avec ses officiers.

— Résumons les décisions prises hier. Avec les 9ᵉ, 20ᵉ, 21ᵉ et 62ᵉ régiments, je forme la colonne du centre et je me dirige vers l'ouest à travers un bois montagneux jusqu'à une ferme en contrebas appelée Freeman, puis j'oblique vers Middle Ravine. Et vous, général Fraser?

— Je forme l'aile droite avec le 24ᵉ régiment, deux compagnies de Hesse-Hanau, les grenadiers anglais et ceux du colonel Breymann. Nous grimpons vers l'ouest à travers la forêt en longeant South Fork. Nous redescendons en obliquant vers le sud-ouest par le chemin qui conduit à Freeman's Farm pour faire notre jonction avec vous, à Middle Ravine.

— Comme votre route est la plus longue, vous partirez le premier, Fraser. À mi-chemin, vous nous avertirez par un coup de canon, et le reste de l'armée s'ébranlera à son tour. Et vous, général von Riedesel?

— Je serai à gauche. Mon avant-garde sera formée de mon infanterie légère et des quelques dragons qu'il me reste. Mes Brunswickers suivront. Viendront ensuite l'artillerie légère de Specht et l'arrière-garde des Hesse-Hanau. En partie à travers champ et en partie sur la route parallèle à l'Hudson, nous marcherons vers le sud jusqu'au canal de Mill Creek. Nous attendrons le signal, un coup de mousquet aux trois minutes, et nous remonterons dans les terres vers l'ouest pour faire notre jonction avec vous à Middle Ravine.

— Très bien. De là, nous repartirons tous ensemble vers Bemis Heights, où se tient l'état-major des dissidents. À votre tour, général Philipps.

— Je suivrai l'aile gauche avec les canons, l'artillerie lourde, le ravitaillement et les renforts.

— Parfait. Y a-t-il d'autres questions?… Allons, messieurs, bon appétit!

* * *

Après leur rencontre avec Burgoyne, Riedesel et Philipps, l'air soucieux, entrèrent sous une tente.

– Je ne sais pas si nous pourrons exécuter ce plan tel que nous l'avons conçu. Pensez-y, Philipps, hier ce Morgan a surgi comme un fantôme. Pourtant nous avions fouillé le bois.

Un soldat vint alors dire qu'un messager demandait à voir le baron. Dans la pénombre, les deux hommes virent la silhouette menue qui se détachait dans l'ouverture claire de la tente, mais ne purent distinguer le visage. Sans attendre qu'on lui donnât la permission de parler, le messager dit d'une voix grave et avec l'accent prononcé d'un paysan allemand :

– Faites excuse, vous auriez pas la bonté de me donner une tasse de thé? J'ai soif!

Les deux généraux restèrent interloqués. Qui était ce malotru? Comment la sentinelle l'avait-elle laissé passer?

Il s'agissait sans doute d'un enfant, se dit Friedrich. Ne voulant pas effaroucher le garçon, il lui parla doucement.

– Ton nom, mon petit?

– L'Innocent, répondit le gamin, d'une voix haut perchée cette fois.

– Que fais-tu dans l'armée?

– Je marche et je dors. Là, j'ai faim et soif.

– Sais-tu qui nous sommes?

– Ça me dérange pas, j'ai soif, se plaignit l'inconnu.

Sa voix était repassée de l'aigu au grave, comme si elle muait. Le garçon s'étouffa puis émit une sorte de gargouillement.

Après un court silence, Friedrich, l'air courroucé, s'adressa à Philipps :

– Ne croyez-vous pas que cet effronté mérite le fouet? Ça l'éduquera.

Son compagnon hésita avant d'entrer dans le jeu. Malgré l'accent qu'elle avait pris, il venait lui aussi de reconnaître l'espiègle baronne.

– Il est bien jeune. Soyons indulgents, baron.

– Puisque vous le demandez… Remerciez le général Philipps de plaider votre cause, jeune homme. Pour ne pas être en reste, je vous invite même à déjeuner.

Et, partant d'un rire heureux, Friedrich tendit les mains à sa femme.

– Je vais chercher du thé chaud, madame, fit avec délicatesse le général anglais, les laissant seuls.

Reprenant son air sérieux, Friedrich détaillait sa femme. Sensible à son changement d'expression, celle-ci crut qu'il était fâché de la voir en pantalon et qu'il s'était montré joyeux seulement à cause de la présence d'un tiers. Aussi dit-elle, intimidée :

– C'est un peu ridicule, cet accoutrement, n'est-ce pas? Une idée folle, peut-être? Je croyais cela plus commode pour circuler parmi les soldats. Si vous y voyez une objection, je retournerai immédiatement me changer.

Friedrich lui fit un large sourire.

– Vous m'avez bien eu, pour quelques minutes. Ce n'est pas ridicule. C'est même charmant, et je ne suis pas irrité. Je me demandais seulement si nous aurions le temps de déjeuner ensemble.

– Ainsi, dans ce costume, je ne suis pas indigne d'être la femme d'un général?

– Vous êtes sûrement le plus élégant officier de mon escorte. Je dirais même, le plus joli garçon de mon armée.

– Alors, quand Son Excellence le général en chef des armées allemandes cessera de railler, aura-t-elle la bonté de me sustenter? se moqua-t-elle.

– Pas avant de vous avoir embrassée, mon petit soldat.

* * *

Au moment où Fraser, en réunissant ses soldats, donnait l'éveil à ses adversaires qui l'épiaient du haut des collines sur l'autre rive de l'Hudson, Charlotte avait déjeuné en toute quiétude avec Friedrich comme elle en avait souvent l'habitude. Son mari ne lui avait pas encore avoué qu'une offensive se préparait; toutefois, elle remarqua bientôt les manœuvres de Fraser et s'enquit des raisons de ce mouvement.

– Nous nous méfions depuis la triste histoire du potager et nous nous mettons en ligne de défense. Je ne vous cacherai pas que cette maudite façon qu'ont les Américains de faire la guerre nous cause beaucoup d'ennuis. Pardonnez-moi, ma chérie, je vous agace sûrement avec tous mes problèmes.

– Vous savez bien que vous ne m'importunez jamais. Le simple fait d'être à vos côtés me comble de bonheur.

– J'ai bien peur d'être obligé de vous demander de vous retirer plus tôt aujourd'hui. Je dois me rendre sur nos chantiers. Il y a toutes ces routes, ces ponts détruits par l'armée en fuite et que nous devons reconstruire.

– À la guerre comme à la…

Charlotte n'eut pas le temps de terminer sa phrase. Le baron enleva sa femme dans ses bras et la mit en selle.

* * *

Comme à son habitude, Burgoyne avait octroyé à Riedesel un poste où il pourrait difficilement briller sur le plan militaire. Peut-être se retrouverait-il nez à nez avec une patrouille du sud, mais le véritable enjeu de la bataille serait à l'ouest.

Le général regardait ses soldats travailler à reconstruire des ponts. C'était une besogne ardue, à travers des marais où pieds et jambes s'encrassaient, où instruments et outils s'embourbaient.

«Cela relève plus de leur habileté manuelle que de leur bravoure, pensait-il mélancoliquement. Mais aucun ouvrage n'est inutile. Il faut en prendre son parti.»

Au bout de la route qui longeait l'Hudson, et qu'il devait rejoindre aussitôt le troisième pont reconstruit, se trouvaient les fortifications du canal de Mill Creek. Il y aurait donc une bataille avant qu'il puisse faire la jonction avec Burgoyne. Mais l'expérience et l'instinct militaires du baron lui disaient que ses hommes et lui n'étaient pas prêts.

– Voyez-vous, Leonhard, cela m'inquiète que nous ne sachions pas combien d'adversaires nous aurons à combattre. J'ai toujours l'impression que des yeux nous observent des hauteurs. Et quand je dis « nous », je parle des Anglais comme de mes Allemands. Nous campons dans la vallée. Il aurait fallu s'installer sur les coteaux.

Le secrétaire de Riedesel, ne l'ayant pas encore vu se battre, se demandait ce qui motivait ses hésitations. Voulait-il retarder le combat parce qu'il avait peur? Son orgueil entrait-il en ligne de compte? Était-il lâche?

Des coups de feu empêchèrent Leonhard d'approfondir ses pensées. Le tir s'arrêta comme il avait commencé : brusquement. Le général leva les épaules.

– D'après l'endroit d'où proviennent les tirs, ce doit être Fraser, à environ deux milles d'ici. Il semble que ce ne soit qu'une escarmouche.

À peine finissait-il de parler qu'une lueur attira son attention. Il observa l'autre rive, ne vit rien et pensa : «C'est le soleil, entre les branches.» Mais il garda une sensation étrange en son for intérieur.

Une heure plus tard, ses hommes donnaient le dernier coup de masse au deuxième pont lorsque le même phénomène se reproduisit, et plus d'une fois.

– Comment le soleil peut-il envoyer des rayons de l'est à cette heure-ci? *Mein Gott*, ce sont des signaux avec un miroir. Regardez, Leonhard!

– En effet, ce sont des héliographes.

– Les Américains sont donc pressés. Sinon, au lieu de signaux, ils enverraient des messagers par eau et par terre. On peut conclure qu'ils nous voient très bien et avertissent Gates de nos positions.

À ce moment, on entendit des tirs de mousquet.

– Écoutez! Les sons viennent de plus bas. C'est Fraser, descendu du haut de Middle Ravine. Il semble avoir été attendu par forte partie. Il y a donc un bon moment qu'on connaît notre marche. Inutile d'aller plus loin. Le commandant aussi doit être sous bonne surveillance! Pausch, il me faut deux canons de Philipps. Venez me rejoindre dans le sentier qui conduit au plateau qu'on peut voir là-bas. J'y attendrai les ordres du général Burgoyne. Laissez un régiment sur la route en position de défense, au cas où nous devrions continuer jusqu'au canal comme prévu, ou encore si l'ennemi décide de venir à notre rencontre.

Leonhard admira l'esprit de décision de Riedesel qui, aussitôt sur la butte, s'organisait.

– Vous, capitaine, allez avertir le commandant que nous sommes prêts à intervenir aussitôt qu'il le désirera.

Il fit signe à ses Brunswickers de s'asseoir.

– Chargez vos mousquets. Soyez prêts à réagir au moindre signal. En attendant, reposez-vous, mais gardez l'esprit bien éveillé.

Riedesel observait à l'ouest la fumée des canons qui tonnaient au loin. Puis ce fut le silence total.

– Que je n'aime pas ce silence! Et que fait donc l'estafette?… Et Pausch?…

Les canons reprenaient leur tir. La fumée recommençait, puis régnait de nouveau un silence impressionnant.

– Que j'aimerais savoir ce qui ce passe… Ah! enfin! Voilà Pausch.

– Le général Philipps est remonté vers l'ouest, mon général. Il souhaite rejoindre le gros de l'armée, comme nous, puisque ça ne se déroule pas comme prévu. Il m'a donné deux canons. Pardonnez mon retard, mais les charrettes de munitions se sont embourbées.

– Nous pousserons donc vers l'ouest. Il y a un ravin assez profond à traverser. Entre-temps, un ordre du commandant devrait arriver, si mon courrier est toujours vivant.

– Je vais chercher un chemin plus facile pour mes canons, dit Pausch. Je pourrais peut-être contourner les marais. Le ravin semble moins profond vers la droite.

* * *

Comme si elle avait hérité du sens dramatique de son commandant, l'armée de Burgoyne avance dans une tenue irréprochable. On se serait cru un jour de parade sur Babel's Platz, à Berlin, ou sur le Prater, à Vienne.

Tout d'abord, des régiments anglais, aux uniformes couleur de sang clair, marchent bravement, d'un pas lent. Puis, viennent les *jägers* allemands, en vert et droits comme les chênes de leur pays, suivis des tambours imberbes dirigés par le plus âgé d'entre eux, qui a bien seize ans.

Quand le ra des tambours s'arrête, par intervalles, on n'entend plus que le halètement des canonniers tirant les longs et énormes câbles des quatre canons, et le grincement des roues des charrettes de munitions qui ferment la marche.

Précédant leurs hommes ou virevoltant à leurs côtés, les chefs aux uniformes dorés et couverts de médailles, sur leurs chevaux élégants et luisants, épée ou sabre à la main, donnent parfois d'une voix joyeuse des ordres précis.

C'est un très beau spectacle! Le régisseur a fait du bon travail. Côté jardin, le 20e régiment de Burgoyne près d'un champ de maïs. Côté cour, ses trois autres régiments.

* * *

Au pas rythmé de son cheval, Burgoyne suit son armée sur le côté. Soudain, il retient ses guides.

– Halte!

À son cri, tambours et cadences cessent. Ce serait le silence si, au loin, on n'entendait l'attaque contre Fraser. Deux militaires s'avancent vers la ferme. Rien ne bouge. Ils approchent, l'arme au poing. Tout est calme. Ils sont à la barrière. Deux coups de feu claquent. L'un des volontaires tombe sur le sol, blessé à mort. L'autre a pu se jeter à terre, sain et sauf.

Les fusiliers courent. Malgré les clôtures et les haies, les Britanniques, nombreux, s'emparent assez facilement de Freeman's Farm, la riposte des guetteurs étant faible. Minoritaires, ils ont en effet fui vers le bois, ne laissant derrière eux qu'un mort, mais tuant plusieurs officiers anglais.

Des tirs ennemis se font maintenant entendre derrière le champ de maïs.

– Installez les quatre canons dans ce champ et pointez-les vers la forêt, ordonne Burgoyne.

La tactique des rebelles est toujours la même : pas de volée de balles mais un coup de feu de temps en temps. Chaque fois, un homme s'écroule. On ne peut jamais prévoir d'où viendra le coup. Aussi le champ se couvre-t-il de taches rouges.

Bientôt les canons de Burgoyne se taisent. Le dernier de ses canonniers gît sur le sol. On l'entend appeler à l'aide. Son cri devient un gémissement qui va en s'affaiblissant. Puis, c'est le silence. Les brancardiers ont bien essayé d'aller le chercher, mais chaque fois une balle les recevait.

Juchés comme des oiseaux de proie dans les arbres ou tapis sournoisement comme des bêtes sauvages dans un fourré, les patients ennemis attendent. Il ne leur sert à rien de s'emparer des canons abandonnés : ils n'ont pas d'allumettes.

* * *

Fraser parvient lui aussi à Freeman's Farm. Il envoie ses canonniers remplacer ceux de Burgoyne.

Enfin la canonnade reprend. Mais pas pour longtemps. Et le champ de maïs est marqué de nouvelles fleurs rouges.

– Qu'on envoie des fantassins, ordonne Burgoyne. Il n'est pas dit que ces maudits nous auront.

Mais, tout comme les canonniers décimés, les fantassins ne résistent pas aux longs fusils. Pour la troisième fois, les canons se taisent. Le champ de maïs est maintenant un immense tapis rouge.

Pendant quatre heures, Burgoyne et Fraser se battent courageusement. C'est même un miracle si le commandant en chef n'a pas été tué. Une balle qui lui était destinée a plutôt frappé un jeune Allemand qui arrivait au galop avec un message de Riedesel.

Entre les granges de la ferme, qui regorgent de fantassins et d'artilleurs blessés ou mourants, Burgoyne et Fraser regardent, désespérés, vers le champ de maïs. Une rangée de soldats américains a surgi. On devine les nombreux renforts frais et dispos qui sortiront bientôt du bois, rangée par rangée, comme les Vikings descendant de leurs drakkars, vague par vague, au VIIIe siècle, pour envahir l'Angleterre.

Mais soudain les Brunswickers du général von Riedesel bondissent des fossés et des haies derrière lesquelles ils étaient cachés. En voyant émerger ces grands gaillards en bleu, le chant à la bouche, l'air souriant et désinvolte, le mousquet à la main ou la baïonnette au canon, les Américains prennent peur.

La bataille est de courte durée. Riedesel galope en avant de ses hommes, le sabre haut. Pourtant de taille moyenne, il semble un géant tant il fait corps avec son cheval, tant son visage resplendit de détermination. Entraînés par son enthousiasme, ses soldats courent derrière lui, comme si un mystérieux cordon invisible les rattachait à leur chef.

Sidérés, les ennemis fuient dans tous les sens. Comme ils n'ont pas de chevaux, seule la forêt leur offre une chance de survie.

Pausch tire un coup de canon en signe de victoire.

* * *

Burgoyne avait apprécié le dénouement théâtral dans lequel Riedesel avait joué le *deus ex machina*. N'empêche que le bel épilogue, devant lequel il n'avait été que spectateur, attisait sa jalousie. Pendant qu'il réfléchissait aux derniers événements, un messager s'approcha de lui avec une lettre, qu'il décacheta en vitesse, le parfum lui révélant qui l'envoyait.

> *Mon chéri, je ne fais que penser à vous. Je m'inquiète. Quand donc mettrez-vous fin à ces vilains coups de canon, que je puisse m'étendre près de vous, que je puisse vous caresser? Nous fêterons notre victoire au champagne, car vous serez vainqueur, j'en suis certaine.*
> *Dépêchez-vous. Je me languis de vous.*
>
> Votre Martha.

Pendant qu'il lisait, Philipps, Fraser et Riedesel arrivèrent devant Burgoyne, sur leurs chevaux.

— Qu'y a-t-il, messieurs?

— Commandant, ne devrions-nous pas poursuivre l'ennemi?

— Mais la nuit tombe, répondit Burgoyne d'un air surpris.

— Les rebelles sont à notre merci, mon général. Il faut profiter du clair de lune. Ils sont désemparés. Une partie se traîne sur le chemin plat de Bemis Heights. Nous pourrions en abattre plusieurs et faire de nombreux prisonniers.

Burgoyne hésita. Ce serait en effet logique de poursuivre l'ennemi. Il était sur le point d'acquiescer, quand une silhouette se profila derrière les trois généraux. Le commandant se raidit. Une soudaine chaleur l'envahit. Parce qu'il sentait bien que la décision qu'il prenait était mauvaise, il répondit brusquement :

— C'est inutile. La bataille est terminée. Et après cette victoire, messieurs, nous avons tous besoin de repos.

Riedesel se demanda si on pouvait parler de victoire quand on avait perdu plus d'hommes que l'ennemi.

Ne voulant plus discuter, Burgoyne, la tête haute, passa devant ses subalternes et se dirigea vers l'ombre, qui n'était autre que Martha.

Tous deux disparurent entre les feux de bivouac qui s'allumaient peu à peu dans la nuit tombante, tandis que la colère grondait au cœur des officiers.

45

À Taylor's House, Charlotte, désolée, regardait les deux blessés. Le lieutenant Reynel, le visage exsangue, était inconscient. Du sang tachait le pansement sommaire qui entourait son crâne. Quant au major Harnage, il gémissait doucement, les mains posées sur son ventre bandé avec sa chemise. Un mouvement de défaillance fit tomber son bras et le bandage se déplaça; un trou béant apparut, montrant l'intérieur du corps.

En dépit du choc qui les avait saisies, Lady Reynel et Lady Harnage s'occupèrent de leur mari pendant qu'un geste de la baronne ordonnait à ses serviteurs de se mettre au service du chirurgien.

Le troisième blessé était un officier d'à peine seize ans, «presque un enfant», se dit Charlotte. Sa jambe était horrible à voir : elle n'était que boue, tissus déchirés, os émiettés et chairs sanguinolentes. Comme il n'avait personne pour prendre soin de lui, la baronne voulut remplacer cette mère qu'il appelait à travers ses plaintes.

Au soulagement de Mme von Riedesel, surgit Martha qui lui offrit de surveiller les enfants confinées dans leur chambre. Reconnaissante, tranquillisée par cette présence, Charlotte retourna à son jeune blessé, qui refusait d'être amputé. Elle le veilla toute la nuit, épongeant son front brûlant et lui faisant prendre de temps en temps quelques gorgées de bouillon chaud.

Le lendemain, l'officier céda aux adjurations de la baronne et consentit à l'opération. Mais la gangrène avait déjà fait ses ravages. Deux jours plus tard, il mourait. Jusqu'à la fin et malgré la senteur infecte qu'il dégageait, Charlotte lui tint la main, lui murmurant des mots apaisants. Le soir même du décès, malgré sa fatigue, elle écrivit aux parents de l'officier pour leur annoncer la triste nouvelle.

On enterra le pauvre jeune homme dans une fosse avec deux de ses compagnons, également morts des suites de leurs blessures.

Leonhard, que le baron avait envoyé porter un message à sa femme, assista à l'enterrement. Le même soir, il commença une lettre à son ami de Paris. Il lui écrivait souvent, se disant qu'il lui expédierait ses lettres dès qu'il en aurait l'occasion. Il décrivait divers aspects de la vie en Amérique, par exemple la façon dont on faisait la guerre sur ce continent. Il termina sa lettre ainsi :

Dans ce pays et dans cette drôle de guerre, on fait moins de différence entre les gradés et les simples soldats. Les fosses communes ne sont plus seulement pour ces derniers. La seule distinction que l'on fait encore entre les officiers et les soldats, c'est de réserver à chaque groupe sa propre fosse commune. Nous avons enterré, aujourd'hui, trois jeunes officiers ensemble. Le plus âgé n'avait pas dix-sept ans.

* * *

Le lendemain, il y eut encore plusieurs enterrements successifs, qui tinrent occupés ministres protestants et prêtres catholiques. Quand on jeta la dernière motte de terre sur les corps bien alignés au fond de la dernière fosse, Burgoyne fit l'éloge des morts et, à la surprise de Charlotte, termina par un remerciement chaleureux et honnête envers Friedrich pour avoir sauvé l'armée *in extremis*, faisant même allusion à l'aide apportée par Breymann à Fraser.

Lorsque, ce soir-là, Burgoyne rédigea son rapport au ministre de la Guerre, Lord Germain, Martha vint lire par-dessus son épaule.

— Pourquoi attribuez-vous la victoire à ce Riedesel et ses Allemands? demanda-t-elle. Après tout, il n'est arrivé qu'à la dernière minute.

– Il attendait mes ordres. C'est moi qui aurais dû l'appeler plus tôt.

– Allons! Allons! Vous lui avez rendu hommage aujourd'hui, ça suffit. Ne parlez pas de ce ridicule Prussien et insistez plutôt sur le courage des Anglais.

Elle s'empara alors du rapport inachevé, en fit une boulette qu'elle jeta à ses chiens et tendit une autre feuille au général.

Puis elle ajouta, avec son sourire le plus enjôleur :

– Votre devoir de commandant accompli, je ferai mon devoir de femme.

Mais les ébats furent écourtés car une lettre du général Clinton arriva. Au petit jour, le commandant convoqua ses officiers supérieurs.

* * *

En attendant Burgoyne dans la maison de Freeman's Farm, Riedesel, Fraser et Philipps examinaient un fusil ayant appartenu à un des hommes du dissident Daniel Morgan.

– Voici un mousquet de ces grands fabricants de veuves anglaises et allemandes, dit Philipps.

Puis, en habile canonnier qu'il était, il entreprit de démonter l'arme exceptionnellement longue.

– Vous voyez les rainures en spirale du canon de ce fusil? Il n'est pas étonnant qu'il ait une si longue portée, en raison de l'effet de vrille.

– *By Jove!* s'exclama Fraser, il a certainement une meilleure précision qu'un mousquet conventionnel.

Riedesel fit remarquer qu'on ne pouvait y ajouter une baïonnette.

– En effet. Il paraît qu'à l'origine c'était un fusil de chasse. Mais puisqu'il a une aussi longue portée, la baïonnette est moins nécessaire.

– Je comprends, maintenant, pourquoi on n'attrape presque jamais ces maudits francs-tireurs. Ils visent de tellement loin.

Sur ces entrefaites, Burgoyne entra. Il ne voulut pas étudier le mousquet, refusant d'admettre que «ces misérables révoltés» puissent créer une arme efficace.

– J'ai reçu de New York une lettre du général Clinton, dit-il en montrant le message codé. Une lettre encourageante. Écoutez!

Si vous pensez que deux mille hommes peuvent vous être d'une quelconque assistance, je ferai une avance jusqu'au fort Montgomery dans une dizaine de jours. J'attends des renforts d'une journée à l'autre.

– La lettre est datée du 12 et nous sommes le 21. Même si le général Clinton retarde un peu, il sera près d'ici bientôt. Je suggère donc qu'on attaque Gates et qu'on le repousse jusqu'à Albany. Quand Clinton nous rejoindra, nous attaquerons cette ville ensemble.

– Nous avons perdu énormément d'officiers, intervint Riedesel. Nous avons peu de sauvages et de Canadiens, nos meilleurs éclaireurs. Et nous n'avons pas réussi à faire reculer les Américains malgré… notre victoire. Comment pourrons-nous refouler Gates jusqu'à Albany? Attendons au moins les deux mille hommes de Clinton. D'ailleurs, deux mille hommes de plus, est-ce vraiment suffisant?

– Je suis certain que les Américains ne s'attendent pas à une attaque aussi prompte. Nous les prendrons par surprise.

– Si vous le permettez, je proposerais plutôt de retraverser l'Hudson pour y observer l'ennemi. Le général Clinton nous y rejoindra plus vite et nous pourrons décider d'une stratégie avec lui, reprit le général allemand.

– Un Anglais ne recule jamais! lui répondit théâtralement Burgoyne.

Riedesel rougit de colère au sous-entendu insultant qui les excluait, lui et son armée. Mais il reprit vite son sang-froid.

– Général, dit Philipps, gêné de l'attitude de son commandant, nous n'avons des vivres que pour quelques semaines. Si nous les rationnons encore plus, les soldats risquent de se révolter ou de s'enfuir.

Devant l'opposition des officiers, Burgoyne songea à un compromis.

– D'accord, nous n'attaquerons pas demain; nous attendrons les renforts, sans toutefois reculer par la rive sud. Nous nous transporterons sur les hauteurs et fortifierons le camp. Nous ferons ensuite une reconnaissance pour vérifier si nous sommes en mesure de chasser les Américains. Sinon, nous retournerons à Ticonderoga.

Encore une fois, le général Riedesel se sentit mortifié : Burgoyne faisait sienne une idée qu'il avait lui-même émise avant la bataille. C'est en arrivant qu'il eût fallu s'installer sur les plateaux, pensa-t-il. N'était-il pas trop tard, maintenant?

46

Seconde bataille de Freeman's Farm, le 7 octobre 1777

Depuis trois mois que l'armée était stationnée à Freeman's Farm, l'attente devenait intolérable. Certains en étaient venus à souhaiter une bonne bataille dans laquelle les nerfs de chacun y trouveraient leur compte. Quelques officiers s'étaient retirés à Taylor's House, où l'on s'était tassé pour leur faire de la place. Ils appréciaient la présence de Mme von Riedesel dont le calme et la gaieté détendaient l'atmosphère. En différentes occasions, Charlotte était parvenue à faire oublier la guerre, et à redonner à ce lieu l'illusion du petit paradis qu'il devait être en temps de paix. Justement, ce jour-là, elle avait organisé un grand repas et c'est en songeant aux futurs plaisirs de la table que, le matin, chacun avait rejoint l'état-major, à la demande du commandant Burgoyne.

Charlotte se recula pour apprécier le décor. On avait dressé une table à tréteaux. D'un des coffres de son mari, elle avait fait tirer les nombreux ustensiles de cuisine et la vaisselle que depuis le début de la campagne le général transportait parmi ses bagages, pour lui et ses invités d'occasion.

Le couvert mis, les serviteurs finissaient d'orner la pièce sous sa gouverne. Elle avait elle-même paré la table de quelques fleurs sauvages. Des branches coupées et fournies de feuilles aux couleurs automnales avaient été habilement accrochées aux murs, aux poutres et aux cadres des portes. Ces tons qui vont du rouge vif au bourgogne, du jaune d'or à l'orange brûlé, ces nuances tachetées de brun prune, de vert olive et de cuivre roux donnaient à la pièce l'illusion d'un boisé.

Elle regrettait de ne pas avoir de verres en cristal et de l'argenterie, mais au moins elle avait pu trouver assez de victuailles, dont un porc qui grillait maintenant dans l'immense cheminée.

Ses invités retardaient un peu, mais Charlotte ne s'en faisait pas trop. Elle avait entendu des coups de fusils et en conclut qu'il y avait eu une escarmouche. Depuis le 19 septembre, il y en avait chaque jour.

Puis elle crut entendre les canons. La fusillade s'intensifierait-elle? «Mais non, voilà justement mes invités», se dit-elle en entendant des pas et des voix qui approchaient.

* * *

La mission de reconnaissance ne se déroula pas comme l'avait prévu Burgoyne, mais plutôt comme l'avait craint Riedesel. En apprenant par leurs espions un tel déploiement de forces, les insurgés crurent à une attaque en règle. Voulant parer le coup, de soi-disant agressés, ils se firent assaillants.

Le résultat fut catastrophique. Il ne resta bientôt plus que les redoutes du comte de Balcarre et de Breymann aux mains des armées anglo-germaniques, malgré une superbe défense.

Réfugié avec ses Allemands derrière les doubles barricades de la redoute, Friedrich confirma à Balcarre le bilan des trois attaques simultanées des Américains prenant Fraser dans un étau, attaquant la colonne des Brunswickers au centre, et mettant en déroute les grenadiers anglais d'Acland fait prisonnier. Heureusement, Riedesel avait rassemblé ceux-ci, empêchant leur débandade. Burgoyne, après avoir courageusement pris la tête des hommes de Fraser, gravement blessé, eut tout juste le temps de se mettre à l'abri à la suite du général allemand.

Commença alors la défense de la redoute de Balcarre jusqu'où parvenait, venant de loin, le bruit des tirs contre la redoute de Breymann.

* * *

À Taylor's House, Mme von Riedesel fut bouleversée lorsque les militaires entrèrent avec Fraser. Le visage crispé du général ne laissait aucun doute sur sa grande souffrance.

— Vite, ordonna-t-elle à ses serviteurs, enlevez les couverts, puis allez chercher un matelas et mettez-le sur la table. Nous y déposerons le général.

La baronne aida elle-même à débarrasser la table et, quelques minutes plus tard, Fraser était prêt à passer entre les mains du chirurgien.

Charlotte avait à peine eu le temps de se demander pourquoi Adélaïde était sortie, son chevalet sous le bras.

* * *

Les Américains encerclent presque entièrement la redoute de Breymann. Les Allemands mourront sur place s'ils ne s'enfuient pas par la seule issue qui leur reste, et qui se divise en deux routes : celle qui passe à droite de North Fork le long de Freeman's Farm, et celle qui grimpe à gauche de North Fork et conduit à Great Redoubt, au-dessus de Taylor's House.

— Ordonnez la retraite, commande avec rage Breymann, qui ne peut supporter l'idée d'abandonner la redoute, mais qui ne veut pas non plus que ses hommes meurent inutilement.

Au son des tambours et des clairons, les Brunswickers reculent en se bousculant, puis reprennent les rangs et défilent du mieux qu'ils peuvent devant leurs chefs qui les pressent du haut de leurs chevaux.

Breymann est un brave, il regardera le régiment passer devant lui jusqu'à la fin; comme un capitaine de vaisseau, il partira le dernier. Breymann est aussi un être primitif, obtus, d'un orgueil démesuré. L'odeur de la poudre et du sang, le bruit des batailles, le ra des tambours indiquant la défaite soulèvent son courroux, son mépris, sa honte, qui débordent de son âme comme la lave d'un volcan.

— Que font-là ces crétins?

Il a aperçu trois jeunes tambours figés comme des statues.

— Courez, imbéciles! leur crie-t-il, heureux de passer son fiel sur quelqu'un.

Les jeunes militaires tremblent. Leurs yeux pleins d'effroi semblent ne pas le voir. Ils sont incapables d'avancer.

— Oust! Marchez droit! *Gehweg!*

L'un d'eux se met à courir. Dans sa peur, il ne sait plus ce qu'il fait. Il rebrousse chemin et se dirige vers l'ennemi. Breymann le soupçonne de vouloir déserter.

Bouillant de colère, il n'est plus capable de réfléchir. Pour lui, c'est comme si ce garçon était responsable de la défaite. Le sabre haut, le général se précipite avec son cheval, rejoint le fuyard et lui décolle la tête. Le corps, sous l'impulsion des nerfs, fait encore quelques pas, puis tombe. Le visage de Breymann n'exprime plus que la haine. On dirait que ce crime a ouvert chez lui la soupape d'une jouissance furieuse. Il se retourne et fonce vers le second tambour, qui est encore sous l'effet de la torpeur infligée par le tableau qu'il vient de voir. En un instant, il est lui aussi sans vie sur le sol.

Le dernier tambour a pris la fuite, et il ne s'est pas trompé de direction, lui; il court comme un chevreuil vers le chemin qui conduit à Great Redoubt. Il espère que son chef verra qu'il fait son possible, qu'il veut bien grimper la butte. Hélas! le cheval de Breymann est vif, sous la douleur des étriers, il s'énerve. Il lève les pattes de devant et les fait retomber sur l'enfant, le jetant au sol. Le sabre de Breymann fait le reste.

Soulagé, sa colère éteinte mais l'écume encore aux lèvres, Breymann s'est arrêté. Il passe sa main gauche sur son front et remet son sabre au fourreau. Il revient dans la réalité. Il aperçoit alors un soldat qui le met en joue.

Nicklauss s'était arrêté un moment derrière un buisson pour réarmer son fusil. Il se demandait même s'il ne déserterait pas. Au fond, il se moquait de cette guerre. Ce n'était pas la sienne et les colons contre qui il se battait avaient peut-être raison. La propagande qu'ils avaient réussi à faire entrer dans le camp rejoignait ses propres idées sur la liberté.

En Europe, après avoir frappé le fils d'un bourgeois qui l'avait insulté, il avait dû fuir les gendarmes. Accueilli par une troupe de bandits de grand chemin, il était rapidement devenu leur chef. Il partageait avec eux sa haine des riches qui abusaient de leur autorité, mais il voulait surtout leur inculquer le désir politique de liberté. C'était difficile, la plupart ne pensant qu'à voler pour s'enrichir. Comme ce Gottlieb Hess, qu'il avait bien cru mort.

Ici, les Américains étaient-ils sincères lorsqu'ils parlaient de liberté? Mais alors, que fallait-il penser du pauvre vieillard nègre qu'il avait trouvé enfermé dans une cave, abandonné ou oublié par ses maîtres en fuite, sans nourriture depuis plusieurs jours?

C'est pendant qu'il se posait ces questions qu'il a vu Breymann tuer les trois tambours.

Révolté, Nicklauss n'hésite pas une seconde et vise le front du militaire. Breymann s'écroule raide mort.

Tout en haut d'un coteau, accouru pour encourager cette partie de son armée, Riedesel a, lui aussi, vu à travers sa lunette les meurtres de Breymann.

– Il est devenu fou. Je dois l'empêcher de commettre d'autres assassinats.

Quand celui-ci est abattu à son tour, Friedrich préfère laisser aller le justicier. Un procès ne ferait que ternir la réputation d'un officier, et par conséquent celle de l'armée. Or, ce Breymann, si peu aimable, si peu aimé, s'est conduit en brave plus d'une fois par le passé. Ne vaut-il pas mieux qu'on croie qu'il a été atteint par la balle d'un ennemi plutôt que par celle d'un justicier?

Entendant le galop d'un cheval, Nicklauss lève la tête et aperçoit un cavalier qui s'éloigne. «Heureusement, se dit-il, cet officier ne semble pas m'avoir vu tirer sur mon chef.»

Nicklauss s'apprête à retourner se mettre à l'abri dans les fourrés lorsqu'il s'arrête, interdit. À l'orée du bois, sous un arbre auquel est attaché un cheval, une femme a installé un chevalet; elle peint le jeune tambour dont la tête gît à quelques pas du corps.

«Est-ce que je rêve? Mais ce n'est pas possible!... C'est cette Adélaïde!...»

– Hé! vous, là-bas! Que faites-vous?... C'est un champ de bataille ici...

Mais la jeune femme n'entend rien, envoûtée par sa folle ambition de peindre la mort en direct. Aucun homme n'aura réussi une toile aussi vraie, aussi authentique, pense-t-elle.

Nicklauss sourit, mi-moqueur, mi-admiratif. Au même instant, il sent une vive douleur aux jambes et à l'épaule droite.

Puis sa tempe semble éclater et il tombe, éclaboussant le sol de son sang.

***

En quittant Taylor's House, Adélaïde exultait.

«Enfin, j'ai l'occasion de peindre le tableau qui prouvera qu'une femme peut reproduire un sujet que les hommes se croient seuls capables de maîtriser. Fini les mignons enfants, les grandes dames, les messieurs empesés. Je pourrai enfin représenter la Grande Faucheuse, celle qui d'un seul geste met sur un même palier hommes et femmes, nobles et vilains, bons et méchants. Je montrerai aussi la folie des hommes qui font la guerre.»

Au début, elle ne rencontre à peu près personne, puis croise de plus en plus de militaires, qui ne font même pas attention à elle. Tout à sa passion, les conséquences de la retraite lui échappent. Certains soldats courent, un air de lièvre apeuré sur le visage. Plusieurs soutiennent un compagnon blessé. D'autres marchent lentement, ahuris, épuisés. Parfois l'un d'entre eux s'écroule. Alors un camarade le soulève, le prend sur son dos.

Adélaïde trouve qu'ils sont trop nombreux. Avant de s'installer, elle cherche une image, un visage qui la satisferait.

Enfin, elle atteint, en passant à travers les fourrés, le champ où la folie meurtrière de Breymann vient de prendre fin. En apercevant le corps décapité du premier tambour, elle éprouve immédiatement de la répulsion, mais lutte contre son envie de se sauver et de planter là tout son matériel. Elle sait qu'elle le regretterait pour toujours si elle ne saisissait pas cette occasion de peindre pareille vision de la mort. Aussi fait-elle un effort surhumain pour contrôler sa peur, son dégoût, sa tristesse. Elle repousse tout sentiment sauf son désir de reproduire le reflet de la mort sur le visage des soldats. Elle est dans une espèce de transe. Elle se sent hors du monde, comme dans une bulle.

Absorbée par son travail, elle n'entend même pas les plaintes de Nicklauss qui a réussi à se traîner près d'elle.

Il a de la difficulté à rassembler ses idées. Il soulève la tête et croit distinguer une ombre. «Est-ce un ennemi qui va m'achever?… Ou un camarade venu me sauver?… Mais non, ce n'est pas un homme… c'est une femme… Qui est cette femme?… La mémoire me revient, c'est cette femme qui…»

Nicklauss esquisse un geste de la main gauche et demande son aide. «Elle ne m'entend pas… Ou plutôt elle ne veut pas m'entendre… Saleté de bonne femme. C'est sa faute si j'ai été blessé… C'est la surprise qui m'a… je n'ai pas fait attention… Quelle garce!… Je perds mon sang… je vais crever… sur cette terre maudite… Madame… au secours… Madame… j'ai mal… mais venez donc, espèce d'idiote. Vous n'allez tout de même pas me laisser mourir…» Il délire. Il croit parler, mais ce n'est qu'un murmure. Il croit hurler, mais ce n'est qu'un faible gémissement.

Adélaïde refuse d'entendre. Rien ne compte que son tableau. Cependant, les plaintes finissent par atteindre son cœur. Elle jette un coup d'œil vers ce bruit qui l'importune et aperçoit le blessé. Elle ressent d'abord de la compassion, mais la colère s'installe en elle lorsqu'elle reconnaît ce bandit de Nicklauss. Elle reprend avec rage son pinceau. «Qu'il crève!»

Mais, presque aussitôt, elle rejette son pinceau avec mauvaise humeur. «Je n'ai plus la grâce. Je ne réussis plus à me concentrer. Mon désir de réussir me rend-il égoïste… criminelle même? Après tout, même si c'est un bandit, il a le droit de vivre. Et puis, il m'a déjà sauvé la vie.» Elle se lève brusquement et va vers le blessé. «Il est sans connaissance. Mort peut-être? Tant mieux! Je pourrai continuer mon tableau.» Adélaïde regrette aussitôt cette pensée. Elle sort son mouchoir et essuie le sang sur la tempe de Nicklauss. Elle met sa main sur sa bouche et sent un léger souffle. Il vit. Elle est soulagée. Émue même. Sa haine disparaît. A-t-elle jamais vraiment eu de la haine pour lui?

Dès qu'elle a décidé de sauver cet homme, Adélaïde devient efficace. Elle déchire sa cape et fait des pansements pour arrêter le sang. Elle va chercher le cheval, lui fait ployer les genoux. Entre-temps, Nicklauss a ouvert les yeux. Il esquisse un léger sourire.

— Tenez-vous après le mors en vous aidant de votre bras gauche.

La jeune femme tire, pousse, parvient à le soulever. Il s'aide en se mordant les lèvres pour ne pas crier. Après force grimaces, il est enfin en selle. Son dernier mouvement lui a fait pousser un hurlement. Il a senti une douleur jusqu'au cerveau et a de nouveau perdu connaissance. Pour qu'il ne tombe pas, Adélaïde l'attache avec ce qui reste de sa cape, puis ordonne au cheval de se lever. Elle n'oublie pas son tableau. Il fait froid, mais elle a chaud, si chaud.

Adélaïde regarde la tête de Nicklauss, appuyée sur le col du cheval. Elle se demande s'il est toujours vivant. Elle est émue par ce corps qui s'abandonne à la mort. Elle passe sa main sur les cheveux et descend doucement le long du visage si pâle. La joue a un frémissement. Il vit. Elle se sent étrangement soulagée… heureuse peut-être.

«Il commence à faire sombre. Pourvu que je ne me perde pas.»

Elle fait pivoter le cheval, puis s'arrête immédiatement, le cœur battant. Devant elle, deux ombres immobiles l'observent en silence; l'une d'elles la tient en joue. Dans la nuit qui descend, elle ne distingue pas les uniformes.

— Ne bougez pas, fait une voix en anglais. Qui êtes-vous?

Adélaïde hésite à répondre, ne sachant pas si ces hommes sont des amis ou des ennemis.

— Cet homme est blessé, mourant peut-être, fait-elle doucement en montrant Nicklauss.

— Mais c'est une femme! Allons, réponds : quel est ton nom?

Le militaire s'approche d'Adélaïde et il lui prend brusquement le bras. La jeune femme pense qu'elle va laisser échapper son tableau. Sa crainte de voir son œuvre gâchée prend le dessus sur sa peur d'être faite prisonnière par des ennemis. La moutarde lui monte au nez.

— Faites attention et lâchez-moi, espèce d'abruti, de *dumkopf*, de *stupid idiot*!

Dans sa colère, ses injures sortent en trois langues. Aussitôt, le militaire abandonne sa prise et dit, étonné :

– N'êtes-vous pas la gouvernante française de la baronne von Riedesel?

– En effet.

Embarrassé, le militaire s'excuse de son attitude et explique que le général von Riedesel lui a ordonné de venir chercher le corps du général Breymann. Soulagée de ne pas être seule dans la nuit pour se rendre à la grange qui sert d'hôpital, Adélaïde assure les deux militaires qu'elle ne leur en veut pas. De part et d'autre, on avait craint avoir affaire à des Américains.

Adélaïde songe que la baronne lui en voudra sûrement beaucoup de s'être absentée sans lui demander sa permission. Cependant, elle se dit aussi que l'orage passera mais que son tableau restera.

47

La retraite

Charlotte s'était retrouvée encore une fois au chevet d'un mourant. Si Harnage et Reynel semblaient récupérer, Fraser, lui, avait la mort inscrite sur son visage. Sentant la fin approcher, le général anglais avait formulé ses dernières volontés, dont celle d'être enterré au sommet de Great Redoubt, au coucher du soleil. Il n'avait pu prévoir la suite des événements.

— Mais c'est ridicule, Friedrich! S'il avait su qu'on retarderait la retraite pour lui, notre pauvre ami n'aurait jamais fait une telle demande.

— Vous avez raison, ma chérie. Un repli doit toujours se faire vite. C'est ce que j'ai fait remarquer au commandant. Mais celui-ci prétend qu'il doit respecter l'ultime vœu d'un mort. Comme toujours, c'est lui qui a le dernier mot. Par contre, il ne peut vous obliger à assister à la cérémonie. Faites immédiatement harnacher les chevaux et partez sans m'attendre.

Le général se retourna pour s'en aller, mais Charlotte s'accrocha à lui. Les événements des derniers jours avaient été trop pour elle, elle avait vu tant de blessés. Elle avait essayé de soulager leurs souffrances, mais un si grand nombre d'entre eux étaient morts. Quant à la retraite, elle la voyait comme le signe d'une défaite. Cependant, l'acceptant comme la seule issue possible, elle s'inquiétait maintenant qu'elle soit retardée, puisque chaque minute comptait. Elle voyait bien que là-haut, à Great Redoubt, ceux qui assisteraient à l'enterrement seraient plus exposés aux balles et aux boulets.

Friedrich détacha les doigts crispés de sa femme.

— Allons, Charlotte mon amour, ne pensez qu'aux enfants. Il n'y a aucun danger. Quand les Américains sauront que c'est un enterrement, ils cesseront leur attaque. Ce qui est important, c'est qu'ils ne sachent pas que nous nous replions. Préparez-vous à partir, dans le plus grand silence pour ne pas donner l'éveil. À plus tard.

* * *

Les calèches étaient groupées devant la grange qui servait d'hôpital. Les chevaux pointaient leur nez vers le pont de l'Hudson. On avait entouré leurs sabots de chiffons pour assourdir leurs pas.

Charlotte avait retiré sa calèche de la file. Elle attendait des nouvelles. Les grondements continuaient. Si jamais Friedrich était atteint, elle voulait l'emmener avec elle, mort ou vivant.

— Que faites-vous là, madame? lui demanda le major Harnage, qui se traînait péniblement vers la calèche de Lady Harnage.

— Je ne partirai que lorsque je saurai ce qu'il est advenu de mon époux. Mais vous, major, comment vous sentez-vous?

— Mes blessures m'empêchent de me battre. Alors je pars. Je ne veux pas être fait prisonnier. Je ne veux pas vivre sous un autre drapeau que le mien. Plutôt crever.

Il grimpa dans sa calèche, soutenu par sa femme. Au même moment, un boulet tomba non loin, et les chevaux s'affolèrent.

— Qu'attendez-vous pour faire monter ces enfants dans la calèche? fit le major à Lizzie et à la gouvernante qui tenait Caroline. Et vous, madame, je vous en prie, préparez-vous à nous suivre.

— Je vous en supplie, major, ne partez pas tout de suite. Je veux m'assurer qu'il n'est rien arrivé à mon époux.

— Alors j'emmènerai vos enfants avec moi. C'est trop dangereux de rester ici.

Comme pour prouver les dires du major, un second boulet fit sauter le coin d'un baraquement. Charlotte comprit qu'il valait mieux écouter Harnage. Elle installa tout le monde, bousculant un peu Lizzie qui hésitait. Le convoi s'ébranla, toutes lanternes éteintes et les essieux bien huilés.

Lizzie, qui avait pris Frederika sur ses genoux, retenait ses larmes. Elle aussi aurait voulu attendre. Elle s'inquiétait pour Leonhard.

* * *

Martha était demeurée malgré les ordres enjoignant aux dames de partir en tête. L'enterrement terminé, le commandant lui fut reconnaissant d'être restée. Pour lui, c'était une preuve de son amour. Si seulement il avait connu ses véritables motifs.

Depuis quelque temps, Martha rongeait son frein. Combien de fois s'était-elle imaginée marchant triomphalement au bras de son amant devant une armée victorieuse? Et voilà qu'elle se retrouvait plutôt au milieu de troupes en débandade, en compagnie d'un vaincu. Pendant l'enterrement, seule dans sa chambre, elle s'était laissée aller à la colère et avait brisé quelques objets. Puis elle avait pensé prendre la tête des calèches pour montrer son mépris pour ce général sans gloire.

Elle avait rejeté cette idée, cependant, parce que les autres femmes croiraient qu'elle avait peur. Elle avait ensuite voulu passer du côté des Américains, en leur faisant croire que le commandant l'avait retenue de force, mais elle risquait d'être abattue par une balle perdue.

De plus, elle ne voulait pas s'éloigner de la baronne von Riedesel. Elle détestait cette femme, cette Allemande qui ne se préoccupait que de son cher petit mari et de ses enfants. Martha mijotait un plan qui assouvirait sa haine. Elle voulait que les Américains capturent Charlotte.

Pour mener son projet à terme, elle devait faire preuve d'un peu de patience encore. Elle avait donc décidé que, pour arriver à ses fins, elle cacherait sa colère et son mépris à Burgoyne et chercherait plutôt à retarder la fuite de l'armée.

Un peu plus tard, donc, elle convainquit son amant de s'arrêter à la maison du général Schuyler pour y passer la nuit. Elle proposa même qu'il reçoive à souper.

Envoûté par Martha, Burgoyne ne réfléchit même pas aux risques d'un tel arrêt. Demain, se dit-il, ils seraient à Ticonderoga, en sûreté. En attendant, il était heureux de retrouver la belle maison de Schuyler.

Le repas obtint beaucoup de succès. Martha puisa dans ses propres réserves pour servir pâtés et gâteaux, et fit même aux invités la grande surprise de leur verser du champagne. Les convives mangèrent, burent et chantèrent une bonne partie de la nuit.

* * *

La baronne, elle, avait dormi dans une maison de Saratoga, avec ses enfants et son personnel. Comme les propriétaires avaient eux-mêmes six enfants, ils s'étaient tous trouvés très tassés.

Charlotte aurait préféré poursuivre la route, malgré le froid et la pluie qui s'était abattue sur eux, pour se rapprocher de la frontière du Canada et se mettre à l'abri dans un fort. Mais les ordres venaient de Burgoyne.

Elle avait à peine sommeillé. Et maintenant Lizzie lui racontait qu'on avait ri et chanté jusqu'à l'aube chez le commandant.

* * *

— Êtes-vous bien certaine de ce que vous avancez, Lizzie? Il vous arrive d'exagérer, ma chère enfant, vous le savez bien.

— Oh! madame, c'est M. Leonhard qui me l'a dit lorsqu'il a apporté le mot que M. le baron vous envoie chaque matin.

Sur ces entrefaites, Röckel entra avec le capitaine Drew, qui portait un grand chaudron couvert.

— Madame, voici du bouillon chaud. Le partageriez-vous avec moi?

— Vous en avez sûrement plus besoin que moi, vous qui n'avez pas de calèche pour vous protéger des intempéries.

— Je vous en prie, madame. Si vous aviez la fièvre, après la pluie d'hier, que deviendraient vos chères filles? Ce bouillon vous tiendra au chaud. Pour moi, la moitié me suffira.

Charlotte vit qu'il n'en démordrait pas. Il la regardait avec tant d'admiration et de respect. Elle accepta donc pour ne pas le chagriner.

— Vous me choyez terriblement, mon cher capitaine. Je saurai bien vous remercier un de ces jours, lui dit-elle, les yeux rieurs, car elle repensait à son projet de lui faire épouser sa sœur.

Vers sept heures, un peu avant que s'ébranle le convoi, Lizzie, toute pâle, vint voir la baronne.

— Madame, il y a le feu là-bas. Une grosse fumée noire et des flammes.

— Mon Dieu! Les Américains nous auraient-ils rejoints?

— Je vais m'informer, madame, dit le capitaine.

Il revint presque aussitôt. Apparemment sur les ordres de Burgoyne, on avait mis le feu au moulin et à la maison du général Schuyler, afin de couvrir la retraite.

Mme von Riedesel bondit de colère :

— Il ne manquait plus que cela! Brûler cette belle maison! Il eût mieux fait de marcher toute la nuit… Nous n'étions pas si loin du but. Vraiment, cet homme est odieux.

Devant un autre officier, elle aurait retenu sa mauvaise humeur, mais elle connaissait le dévouement de Drew et ne craignait pas son bavardage. Cela lui faisait du bien de sortir le trop-plein de ses sentiments.

— Mais pourquoi, pourquoi a-t-il donné cet ordre? termina-t-elle d'une voix exaspérée.

* * *

Adélaïde a laissé Caroline, maintenant âgée d'un an et dix mois, dans les bras de Lizzie. Puisqu'on a décidé de retarder le départ, elle a demandé la permission de s'éloigner un quart d'heure.

— Du moment que vous laissez vos pinceaux ici, répond sa maîtresse, un sourire atténuant ce qu'a d'ironique sa phrase.

Quand Adélaïde était revenue après avoir laissé Nicklauss aux soins d'un médecin, elle avait été reçue froidement par Mme von Riedesel. Mais celle-ci avait été trop occupée par les préparatifs du départ pour lui demander des explications. À un moment donné, par hasard, elle avait aperçu le tableau. Elle s'était arrêtée, admirative : quoique inachevée, la toile prouvait l'immense talent d'Adélaïde.

Pendant la retraite, la baronne apprit le courage dont avait fait preuve Adélaïde en sauvant un militaire. Elle s'adoucit et félicita même Adélaïde, et pour son courage et pour le tableau. La gouvernante protesta qu'elle ne méritait aucunes félicitations, car elle n'avait pu laisser ce soldat mourir. La baronne prit cette réplique pour de l'humilité. Mais Adélaïde disait pourtant le fond de sa pensée. Elle se sentait coupable envers Nicklauss.

Aussi, aujourd'hui, cherche-t-elle à savoir ce qu'il est devenu. On vient de lui dire que des blessés suivent les calèches. Elle va donc jusqu'aux charrettes et aperçoit, dans la première, celui dont elle s'inquiète.

À demi étendu, accoté sur son barda, les yeux fermés, Nicklauss semble dormir. Elle s'approche et reste quelques secondes à le regarder, ne sachant si elle peut lui dire qu'elle est heureuse de voir qu'il semble s'en sortir, ou si elle doit se contenter de savoir qu'il est probablement hors de danger.

Il ouvre les yeux, la regarde et dit, avec son habituelle expression moqueuse et sa voix gouailleuse :

— Alors, vous venez constater si le bandit de grand chemin est toujours vivant? Comme vous voyez, le diable n'a pas encore voulu de moi. Que voulez-vous, ma carcasse n'est même pas digne d'être reçue par Lucifer.

— Votre ironie me montre que vous êtes fâché contre moi.

— Moi? Fâché contre vous? Ce serait bien trop fatigant, dans l'état où je suis.

— Eh bien, si vous ne m'en voulez pas, moi je m'en veux. J'étais venue m'excuser.

Nicklauss change de couleur. Il veut reprendre sa voix ricaneuse, mais c'est sur un ton amer qu'il s'exclame :

— Vous excuser! Vous! l'imposante grande artiste! Quel honneur!

— Nicklauss, je suis certaine que vous avez de la rancœur. J'ai été égoïste, je le sais. Comprenez-moi. Je... voulais tant prouver... C'était une chance unique de... je n'étais pas moi-même...

Nicklauss éclate de rire. Il sait bien qu'Adélaïde fait plus que lui plaire. Il la désire. Mais sa dignité ne lui permet pas d'avouer ce sentiment. Elle rirait certainement de lui. Mais pourquoi se moquait-il tant d'elle? «Au fond, c'est une carapace contre mes propres sentiments. Je me moque d'elle parce que je veux prévenir son ironie.» Il a soudain peur qu'elle ne parte avant qu'il puisse au moins lui montrer son estime.

— Adélaïde... vous permettez que je vous appelle par votre prénom? (Elle acquiesce de la tête.) Adélaïde, vous m'avez sauvé la vie. C'est moi qui dois vous remercier.

— Taisez-vous. Je vous ai laissé souffrir inutilement. J'étais... enfin, je n'étais pas dans la réalité, mais ce n'est pas une excuse, je sais. Cependant, soyons amis, voulez-vous?

— Je vous dois bien cela. Merci, Adélaïde! fait Nicklauss, tendant sa main gauche.

— Allons! Je vous quitte. Madame la baronne va s'impatienter. Elle n'était pas très contente de mon escapade sur le champ de bataille. Faites tout pour guérir. Cela me fera plaisir.

Et Adélaïde lui sourit, puis tourne les talons. Nicklauss la regarde jusqu'à ce que les calèches lui cachent sa silhouette.

Il sait que, désormais, il ne sentira ni ses blessures ni le cahotement de la charrette quand elle se remettra en marche. Il n'est plus dans cette guerre fratricide, mais dans la paix d'un sentiment profond.

48

La maison Marshall

— Allez porter ceci à madame, fit le général à Leonhard. Elle doit se rendre immédiatement à la maison Marshall. Accompagnez-la. Aidez-la. Faites vite. Je compte sur vous.

Dans ces six phrases brèves dites sur un ton de commandement, l'esprit subtil du secrétaire décela pourtant une espèce de prière : le général avait peur. Pas pour lui-même, Leonhard le savait maintenant, mais pour sa famille.

Normalement, le baron se servait d'un de ses aides de camp pour envoyer des messages à Charlotte. Mais depuis qu'il avait vu se développer un sentiment sérieux entre Lizzie et Leonhard, il envoyait de préférence celui-ci, à moins d'en avoir un urgent besoin, car il aimait bien que les deux serviteurs fassent des projets d'avenir.

«Après la guerre, j'amènerai Leonhard avec moi, à Wolfenbüttel, se plaisait-il à penser. Il est excellent. S'il épouse Lizzie, ce sera une bonne chose : elle est déjà de la maison et Charlotte l'a bien en main. Cela évitera d'avoir à dresser une étrangère.»

Aujourd'hui, le baron n'avait pas le temps de penser au retour en Europe. Depuis un moment les boulets tapaient dru; les Américains avaient surgi aussi silencieusement que les Britanniques avaient fui quatre jours auparavant. On avait ignoré que le 8 octobre, avant la retraite, neuf cents hommes de Gates longeaient l'autre rive. Ils n'étaient pas nombreux bien sûr, mais déployés le long de l'Hudson, ils donnaient l'illusion d'une forte armée. D'où l'ordre de fuir que venait d'envoyer Friedrich à sa femme.

* * *

S'étant échappée de Saratoga sous les boulets, Charlotte poussa un soupir de soulagement en apercevant la maison Marshall. Tout était si calme ici.

Plantée à mi-pente d'une colline douce qui dominait l'Hudson, la maison en déclin présentait une toiture aux combles français, toit brisé ou à deux pans mis à la mode sous Louis XIV par Hardouin-Mansart. Elle comptait trois cheminées. Le corps de logis était profond, éclairé à droite par deux fenêtres sur chacun de ses deux étages, sous les combles et non sous les brisés. Sur la façade, on accédait à l'intérieur par un petit balcon surmonté d'un auvent. La lumière pénétrait par quatre fenêtres réparties également de chaque côté de la porte double de l'entrée. Une aile, à gauche, un peu en retrait, montrait une porte simple ornée aussi d'un auvent, mais plus petit et soutenu par deux colonnes. Deux croisées à douze carreaux, comme toutes les autres, encadraient le tout.

Cinq ormes magnifiques comme des ombrelles géantes, sous lesquels on aurait pu imaginer facilement de belles dames et de beaux gentilshommes échangeant des propos galants, donnaient une telle image de paix que la baronne respira enfin. Hélas! elle eut à peine le temps d'admirer le paysage que deux cris simultanés, poussés par Röckel et Leonhard, suivis de coups de feu, la forcèrent à précipiter ses filles au fond de la calèche et à se jeter au-dessus d'elles pour les protéger.

— Vite, madame, entrons pendant qu'ils rechargent leurs fusils!

— Aidez ce soldat qui vient d'être blessé, prit le temps de dire Charlotte en allant se mettre à l'abri avec ses enfants et ses servantes.

Le silence avait suivi la décharge, mais la baronne, maintenant, se méfiait du calme. Bientôt, la maison se remplit d'officiers blessés, de soldats avec leurs femmes, leurs enfants et même des bébés nés au cours de cette étonnante campagne. Parmi tous ces gens, la baronne aperçut enfin les Harnage et Lady Reynel. Puis entra Martha, avec le chien qui lui restait (elle avait fait cadeau de l'autre à Frederika quelques jours auparavant), suivie de sa servante et accompagnée d'un aide de camp de Burgoyne qui cherchait quelqu'un des yeux.

– Ah! madame la baronne! M. le commandant sera heureux d'annoncer au général votre époux que sa famille est saine et sauve. Il vous prie de bien vouloir accepter la compagnie de Miss Martha Blair, qu'il met sous votre protection.

L'aide de camp était à peine parti que le silence des armes à feu des ennemis s'expliqua. On avait été chercher une batterie qu'on installait vis-à-vis de la maison. Bientôt les boulets commencèrent à pleuvoir. Il y eut un craquement terrible, puis un grand bruit de vent, comme celui d'une tornade. Une des fenêtres vola en éclats. Le souffle du projectile jeta Mme von Riedesel et Adélaïde au sol. Pendant que les uns s'élançaient pour relever les deux femmes et voir si elles n'étaient pas blessées, et que les autres, dont Lizzie tenant le bébé, s'éloignaient des fenêtres pour se placer au centre de la pièce, Martha, voyant que personne ne la regardait, échangea subrepticement son chien contre celui qu'elle avait donné à Frederika. Elle s'approcha de la porte d'entrée, fit flairer une balle au petit animal, puis la jeta au loin. Le chien s'élança à la suite de son jouet.

Martha retint Augusta qui essayait de rejoindre sa mère et l'entraîna vers la porte ouverte.

– Votre maman va bien, Augusta. Ne vous inquiétez pas. Occupez-vous plutôt du chien qui est en danger. Frederika est trop petite, elle, pour le sauver.

Augusta se mit à courir aussitôt en appelant :

– Tasso! Tasso! Viens ici!

Frederika, qui imitait toujours sa sœur et cherchait justement son chien, se précipita à la suite d'Augusta en criant elle aussi le nom de l'animal.

Le chien, qui avait maintenant la balle dans sa gueule, se retourna vers Augusta et s'arrêta pile. Il se rendit compte du bruit des tirs. La fillette, à ce moment-là, buta contre une pierre et s'étala de tout son long. Un éclat passa au-dessus de l'enfant et frappa Tasso. Quand Augusta se releva, elle vit le chien couché, ensanglanté. Elle s'agenouilla et le serra contre elle.

Quelques secondes plus tôt, Charlotte avait vu Frederika sortir. Elle s'était précipitée et l'avait rattrapée. Au même moment, elle avait aperçu Augusta qui se jetait sur son chien. Une seconde, elle avait hésité : courir vers Augusta, c'était abandonner Frederika. Mais Adélaïde avait compris ce qui se passait et lui avait crié qu'elle s'occuperait d'Augusta.

Ayant rejoint l'enfant, elle vit d'un coup d'œil que le chien était mort. Elle l'arracha des bras d'Augusta et souleva la petite, qui se débattait.

— Tasso! Laissez-moi emporter Tasso!

Adélaïde tint fermement Augusta. Elle courut en zigzaguant, presque pliée en deux. La baronne, qui avait ramené Frederika à l'intérieur et l'avait confiée à Martha, revint vers la porte, les jambes chancelantes, aussi pâle qu'une mie de pain blanc. Elle était si émue qu'elle ne trouva pas son souffle pour gronder, car sa peur s'était changée en une colère nerveuse. Augusta aussi était en fureur; sa furie était celle d'une enfant contrariée et malheureuse. Non seulement elle n'avait pas rapporté le chien à sa sœur, qui serait triste, mais l'avait abandonné à cause d'Adélaïde.

— Vous êtes vilaine. Vous avez tué Tasso. Je vous déteste.

— Mademoiselle Augusta, Tasso était mort. Croyez-moi.

— Non, il était tout chaud. Il me regardait. Je vous déteste. Je vous déteste! cria-t-elle, puis ajouta, en voyant à travers ses larmes tous ces gens qui la regardaient : Je vous déteste tous. Vous êtes tous vilains.

Soudain, l'enfant blessée tira la langue à la gouvernante, puis se jeta en sanglotant dans les bras de sa mère. La baronne, en d'autres temps, aurait sévèrement puni Augusta pour sa grossièreté. Mais elle savait bien que jamais, dans des circonstances normales, sa fille n'aurait fait ce geste. D'avoir cru à la possibilité de sa mort éteignit sa colère.

Martha s'approcha alors et offrit le deuxième chien à Augusta, pour remplacer Tasso.

— Vous êtes bien généreuse, mademoiselle, fit la baronne, de vous départir coup sur coup de vos deux favoris.

Martha sourit, puis, quand les fillettes se furent assez éloignées, elle souffla à leur mère :

– Celui-là, je crois qu'elles feront attention de ne pas le laisser s'échapper.

Et elle s'éloigna, de crainte que la baronne ne veuille des détails. Mais celle-ci était beaucoup trop préoccupée par la canonnade qui s'intensifiait pour se poser des questions sur la façon véritable dont s'était passé l'événement.

– Si cela continue, les boulets vont crever les toits et nous y passerons tous. Leonhard, aidez-moi à trouver une entrée de cave. Lizzie, ne bougez pas, Caroline dort. Adélaïde, ayez la bonté de surveiller les petites… Je suis certaine d'avoir vu un soupirail.

– Il y a une porte à l'extérieur qui doit conduire sous la maison.

– Non! Non! Il n'est pas question de passer par dehors. C'est trop risqué avec ces tirs.

Ce fut Leonhard, fin observateur, qui remarqua une trappe, dans une armoire de cuisine. Charlotte s'y engouffra avec sa maisonnée. Quand elle eut inspecté la cave voûtée, elle envoya Röckel avertir tous les autres gens de descendre.

La cave les protégerait peut-être des boulets, mais l'endroit convenait mal au groupe qu'ils formaient. Il faisait noir et cela sentait mauvais. L'air renfermé de la cave devint vite pestilentiel quand s'y ajoutèrent les senteurs de sueur de toutes ces personnes qui avaient peur et qui ne pouvaient se laver. Mais le pire, c'était l'odeur fétide des blessures.

– Dors, ma chérie, tu en as besoin. Demain, ce sera mieux, je te le promets.

– Je ne peux pas, maman, avec tous ces bébés qui pleurent!

– Vous voulez bien, Augusta, que je vous raconte une histoire? chuchota Adélaïde.

– Oh! oui! répondit la fillette. Racontez-moi *L'oiseau d'or à musique*.

Adélaïde comprit que l'enfant, par ces mots, s'excusait de sa colère et commença le conte russe. Bientôt, un certain silence régna, coupé par quelques pleurs d'enfants, quelques gémissements de blessés.

Au milieu de la nuit, Frederika s'éveilla encore captive d'un affreux cauchemar. Le capitaine Drew, appuyé à un mur, tout près, imita les meuglements d'une vache, puis ceux d'un veau. Aussitôt calmée par ces sons qui devaient la faire rêver à quelque pâturage, l'enfant se calma et s'endormit à nouveau.

* * *

Au petit matin, Mme von Riedesel, qui s'était à peine assoupie pendant la nuit, fit signe à Röckel d'ouvrir la porte donnant sur le jardin. Elle observa l'autre côté de la rivière. Il lui parut que l'ennemi dormait encore.

— Cela ne peut durer. Le cœur me lève dans cette cave. Nous serons tous malades. La propreté d'abord et tout ira mieux. Röckel, Leonhard, cher capitaine William, veuillez réveiller tout le monde en leur demandant de faire silence.

Comme s'il était naturel de vivre dans une cave et comme si ce lieu était son domaine, Charlotte prit la parole quand elle vit que tous la regardaient.

— À moins d'un ordre contraire, et j'en doute, nous devrons rester encore ici. Nous ne pouvons passer une autre nuit dans de telles conditions. Profitons de l'accalmie pour nous installer plus proprement.

En un rien de temps, elle organisa sa petite armée; la cave fut bientôt nettoyée, lavée et rangée. Röckel jeta du vinaigre sur du charbon brûlant qu'on répandit sur le sol, et l'air vicié, par cette fumigation, s'en trouva désinfecté.

Quand elle vit que les lieux étaient habitables, la baronne rassembla son monde.

— Écoutez bien. Cette cave est bâtie en trois arches qui la divisent en trois parties. Sous la voûte du fond, vous mettrez les malades qui ne peuvent se déplacer. Et tous les officiers et les militaires blessés s'y installeront. Celle du milieu sera réservée aux femmes des blessés, aux mères et à leurs enfants. La dernière servira aux pères de famille valides, à ceux qui ont aidé, à Lady Harnage, à Lady Reynel, à Miss Blair, et à messieurs les officiers qui peuvent circuler – vous êtes trois, je crois – et à moi-même. Quant aux autres militaires indemnes et aux femmes sans enfant, vous vous rendrez à la forêt, là-bas, où campent nos soldats. Nous serons trop nombreux ici et vous dormirez mieux là-bas, d'ailleurs. J'oubliais : ceux qui n'ont pas de paillasse, prenez du foin dans l'écurie pour vous en fabriquer une.

Tous les gens à qui la baronne avait octroyé une place étaient à l'abri lorsque brusquement la canonnade reprit. Des boulets se remirent à tomber sur le toit.

— Venez nous rejoindre, vint dire Lady Harnage à Charlotte. Nous avons installé un rideau dans un coin.

— Non! merci. Si le feu prenait à l'étage et que nous soyions forcées de sortir, je préfère que les enfants soient près de la sortie.

— Madame, fit William Drew, ces deux officiers et moi-même prendrons chacun l'un de vos enfants sur nos chevaux, si cela devenait dangereux.

— Je vous remercie, capitaine. Röckel, vous sellerez un des chevaux aussitôt qu'il y aura une accalmie pour que je puisse sauter immédiatement en selle et suivre mes enfants, s'il le fallait. Quant à vous, Leonhard, je vous confie Miss Blair puisque M. Burgoyne me l'a recommandée. Et vous, Röckel, vous vous débrouillerez pour aider Lizzie et Adélaïde. Mais espérons que nous n'aurons pas à en arriver là.

* * *

La deuxième nuit dans la cave de la maison Marshall fut plus agréable que la première pour tous ceux qui avaient eu la permission de rester. Encore une fois, les tirs cessèrent au coucher du soleil. On était moins nombreux, mieux organisé; chacun avait un lit, une paillasse ou du foin pour s'étendre et l'air était meilleur. Tout cela grâce à la baronne.

Pourtant, celle-ci se réveilla brusquement au milieu de son sommeil. Une idée terrible lui était venue. «Si l'armée recevait l'ordre de reculer sans les blessés, les femmes, les enfants, nous deviendrions tous prisonniers.» Bien sûr, pendant la journée, le général, par deux fois, avait envoyé un mot pour l'assurer qu'il se portait bien. Mais Burgoyne pouvait, depuis, avoir donné l'ordre de fuir sans s'embarrasser de ceux qui retardaient la retraite.

Charlotte se leva doucement, enjamba le corps de ses enfants et de ses servantes, et sortit. La nuit froide et humide la fit frissonner. Mais elle revint rassurée : elle avait distingué des soldats et des feux de bivouacs au loin.

Alors elle se rendormit.

***

On remuait sous les voûtes, en parlant bas pour ne pas éveiller ceux qui dormaient, les enfants surtout. On cuisinait dans les grandes cheminées du rez-de-chaussée, car tout semblait tranquille sur la rive opposée et on en profitait.

— De l'eau, murmura un blessé.

Cette petite phrase se répéta bientôt, venant de tous les coins. Le chirurgien s'approcha de la baronne et, très biblique, il dit :

— Madame, ils ont soif.

— J'aimerais faire des miracles, répondit tristement Mme von Riedesel. Il n'y a plus d'eau. J'ai même donné du vin à mes enfants.

— Il n'y a même plus d'animaux dont on pourrait boire le sang, soupira Harnage. Toutes les bêtes ont été tuées et leurs carcasses parsèment la route.

— Il y a bien l'Hudson, mais c'est dangereux, constata la baronne. Essayons. Y a-t-il un volontaire pour aller chercher de l'eau à la rivière?

Le militaire qui se proposa n'avait qu'une seule main. Il inspecta l'horizon. Rien ne bougeait. Dès qu'il se risqua à descendre la pente, une fumée jaillit derrière un arbuste, et le soldat s'écroula, tué net. Un second militaire, le crâne bandé, rampa tout doucement. Il atteignit le bord de l'eau. Déjà la chaudière était pleine. Mais en la soulevant, il souleva aussi l'épaule. Le tireur caché visait bien : l'épaule se tacha de sang. Après un moment, le militaire revint, en rampant toujours et en s'aidant de sa main valide; il n'avait pu ramener le contenant.

Sur le seuil de la porte, la baronne était déçue de la tentative ratée. Elle cherchait désespérément des yeux un endroit qui indiquerait une source, un puits caché, comme si Dieu allait faire un miracle. Soudain un enfant se précipita à terre, prit quelque chose au creux de ses mains, qu'il porta à sa bouche. Avec dégoût, Mme von Riedesel vit qu'il buvait de l'eau stagnante restée dans un trou creusé par le sabot d'un animal.

– Petit malheureux. Tu auras des fièvres. Cela ne peut pas durer! Je ne peux pas croire que ces Américains tireront sur une femme.

Elle se tourna vers le groupe des femmes de militaires, le regard inquisiteur. Soudain, Adélaïde passa près d'elle, deux seaux à la main. Grande, le port de tête haut, elle marchait d'un pas sûr et ferme vers le rivage. Elle était certainement le point de mire de tous ces soldats cachés qui dirigeaient leur fusil vers la maison. Le cœur de Charlotte battait la chamade. Elle joignit les mains dans une sorte de prière. Adélaïde s'accroupit, remplit les deux contenants, se releva, tourna résolument le dos à l'ennemi et regrimpa la pente. Avait-elle étonné ou impressionné les dissidents? Aucun coup de feu n'avait été tiré sur elle. Par contre, des applaudissements et des cris de joie l'accueillirent.

– Je bénis le jour où je vous ai rencontrée, Adélaïde, je suis heureuse d'avoir écouté mon instinct et non mes préjugés.

* * *

Depuis la débandade, et surtout depuis qu'elle était enfermée dans cette cave où, la nuit, les ronflements, les gémissements, les cris la tenaient éveillée, Charlotte pensait aux drames qui avaient frappé les gens autour d'elle. «Harnage souffre encore de sa blessure, Rüpert a été tué dans le potager, Mme Acland est allée rejoindre son époux blessé chez les Américains, Fraser et Baum sont morts... Suis-je donc la seule à être épargnée? Friedrich semble être le seul à n'avoir été ni blessé, ni fait prisonnier, ni...»

Le matin, elle chassait ces pensées, mais elles restaient enfouies au fond de son cerveau. C'est pourquoi elle ne put s'empêcher de croire qu'un malheur était arrivé quand elle aperçut une estafette parlant à Lady Harnage et à Martha Blair.

Lady Harnage fixait le soldat, pétrifiée et accablée. Et quand Martha Blair, les mains jointes, s'élança vers elle, une expression si bouleversée sur le visage, si pleine de commisération, Charlotte comprit tout de suite qu'il était arrivé quelque chose de grave à Friedrich.

Elle poussa un grand cri et tomba à genoux.

– Non! Non! Dites-moi au moins qu'il n'est que blessé. Il n'est pas mort, n'est-ce pas?

Personne ne comprit les mots qu'elle balbutiait, sauf ce «non» déchirant. Mais tous comprirent sa pensée. Lady Harnage se précipita vers elle, la prit par les épaules et essaya de la relever tout en lui disant quelques mots pour la réconforter, mais les oreilles bourdonnantes de Charlotte la rendaient sourde. Enfin, quelques sons parvinrent à son cerveau comme au travers d'un voile.

– Soyez rassurée, disait Lady Harnage. Il n'est rien arrivé au général.

– Pardon, madame, je regrette que vous ayez mal interprété mes gestes, ajouta Martha, cachant sous un dehors timide le plaisir qu'elle avait eu à annoncer, par son attitude, la mort du général.

La baronne se tordait les mains. Elle croyait qu'on lui mentait. Enfin, par le sourire de Lady Harnage, par les regards gênés de Martha, elle comprit que les apparences l'avaient trompée. Elle avait cru à un malheur parce qu'elle était prête à y croire.

– Je voulais seulement vous demander de… d'annoncer une mauvaise nouvelle à… à…

Martha s'arrêta net, car Lady Reynel, attirée par le cri de la baronne, était devant elle. Pâle et rigide, Lady Reynel venait de comprendre : si ce n'était pas du général von Riedesel dont il était question, c'était de son mari à elle.

Au même moment, confirmant cette pensée, deux militaires entraient dans la cave en tenant un drap au creux duquel gémissait le lieutenant Reynel. Mme von Riedesel et Lady Harnage durent soutenir Lady Reynel qui s'évanouissait d'horreur en voyant qu'un boulet avait arraché le bras de son mari à partir de l'épaule.

49

– Le prisonnier est là, mon commandant. Il baragouine toujours trois noms : Clinton, Montgomery, Albany.

– C'est peut-être un envoyé de Clinton. Faites entrer, ordonna Burgoyne, l'air aussi morose et abattu que tous ceux qui l'entouraient depuis que, quelques heures auparavant, son état-major et lui avaient donné leur parole à Gates qu'ils acceptaient la défaite.

Celui dont il était question, encadré de deux militaires anglais, fut poussé plutôt qu'amené sous la tente. Par son air patibulaire et ses habits sales et déchirés, il n'avait pas les apparences d'un émissaire.

– Permettez que je l'interroge, demanda le général von Riedesel, puisqu'il semble ne comprendre que l'allemand. Je devinerai peut-être si c'est un espion.

– Merci, général. Sans doute cela vaut-il mieux.

L'interrogatoire se déroula donc en allemand, Leonhard traduisant à mesure au bénéfice du commandant en chef et des officiers anglais de son état-major.

– Tu prétends être allemand et appartenir à l'un de mes régiments. Lequel?

– Hanau, *Herr General.*

– Ton nom?

– Gottlieb Hess, *Herr General.*

– Attention de ne pas mentir. Nous te confronterons à tes supposés camarades.

– Je n'ai pas peur, c'est la vérité, *Herr General!*

– Pourquoi cet habit? Tu es déserteur?

– Non, *Herr General.* J'ai eu l'honneur de rendre service à Miss Blair. Elle m'a reconnu et m'a demandé de retourner à

Freeman's Farm. Elle avait oublié un objet dans l'un de ses chariots abandonnés. J'ai pu éviter les sentinelles américaines et le rapporter.

Gottlieb enleva le pansement de son poignet et, souriant fièrement, exhiba une bague. Burgoyne l'examina et la mit dans une de ses poches :

— C'est bien à Miss Blair; on verra s'il la lui a volée.

Gottlieb protesta, mais, sur un signe, continua son récit.

— Au retour, je suis tombé par hasard sur un officier anglais, un couteau entre les omoplates. J'ai trouvé dans ses basques une lettre adressée au capitaine du *Pallas*. J'ai cru que c'était important, aussi, toujours en me cachant, j'ai apporté le message sur le bateau que j'ai rejoint au lever du soleil.

Burgoyne grogna :

— Cela expliquerait le retard des navires.

— Et pourquoi répétais-tu ces trois noms quand nos soldats t'ont pris pour un espion? questionna Riedesel.

— J'étais presque rendu au camp, mais, sur la rive sud, j'ai entendu courir et je me suis terré. Deux hommes semblaient poursuivis : on entendait des cris au loin. L'un des deux, blessé, s'est écroulé. Il a dit à l'autre, en allemand : «Va annoncer au général Burgoyne que le général Clinton a pris le fort Montgomery et se dirige vers Albany.» Mais les Américains ont surgi et tiré sur celui qui fuyait. J'ai attendu longtemps; puis j'ai rencontré les soldats anglais, à qui je ne pouvais pas m'expliquer. Je ne parle pas cette langue-là.

— Qu'on le confronte avec ses camarades et qu'on le mette en présence de Miss Blair, ordonna Burgoyne. S'il a menti, il sera pendu.

* * *

Burgoyne, les mains derrière le dos, arpentait la tente. L'atmosphère baignait dans le silence. Enfin, il se tourna vers ses officiers.

— Messieurs, je vous remercie. Aussitôt que je saurai par Miss Blair si cet homme a dit la vérité, je vous demanderais de revenir discuter de ce que les victoires de Clinton pourraient changer à la situation.

Une fois seul, Burgoyne continua à faire les cent pas, sans parler, mais avec de grands gestes comme un acteur devenu aphone. De temps en temps, il s'arrêtait au-dessus d'une carte étendue sur une table. Avec le doigt, il parcourait le chemin qu'avait dû suivre Clinton, revenait vers Saratoga, s'arrêtait à l'endroit où les armées anglo-allemandes étaient encerclées. Alors, il secouait la tête. Son visage exprimait tantôt l'anxiété, tantôt la colère. Parfois une réflexion profonde lui faisait froncer les sourcils, parfois une idée qui semblait se former peu à peu lui contractait les mâchoires. Finalement, il releva la tête, une lueur d'espoir dans les yeux et un sourire de contentement aux coins des lèvres. À ce moment-là, Martha Blair entra, ayant repoussé la sentinelle qui voulait l'annoncer.

— John, vous m'avez fait demander, dit-elle calmement, sans se précipiter vers celui qu'elle n'avait pas vu depuis quelques jours.

Repoussé par cette froideur, Burgoyne s'exclama :

— J'aurais cru à plus de joie après ces heures affreuses qui m'ont séparé de vous!

Martha méprisait cet homme maintenant qu'il ne pouvait plus lui être utile pour satisfaire sa soif de vengeance. Mais elle était encore sous son autorité. Avec ce contrôle d'elle-même qui la caractérisait quand elle le voulait, elle contint son amertume initiale. Elle adopta une attitude plus amicale.

— Je ne voulais pas vous déranger par ma présence et… mes sentiments de tendresse, dans un moment aussi important de votre vie.

— J'admire votre sagesse, Martha, et vous en remercie, fit Burgoyne. Alors, parlez-moi de ce… Gottlieb.

— Il vous a dit la vérité! J'avais tant de peine lorsque je me suis aperçue que la bague qui me venait de vous n'était plus dans mon coffre à bijoux! Je l'avais cachée dans mon «bonheur-du-jour» (elle dit le mot en français). Je suis si sentimentale quand je pense à vous. Je croyais que ce meuble nous porterait «bonheur», si la bague y séjournait, à cause du nom, vous comprenez? C'est superstitieux, je le sais.

Burgoyne, tout ému, lui prit les mains en disant :

– Mais vous aviez raison, très chère, cette bague m'a porté bonheur. Si vous n'aviez pas caché votre bijou, si vous ne l'aviez pas oublié, si vous n'aviez pas envoyé votre Gottlieb le chercher, ce dernier ne serait pas tombé par hasard ni sur mon estafette assassinée, ni sur ces deux envoyés de Clinton. Il ne me reste plus qu'à savoir si ce dernier est enfin à Albany.

– Et s'il s'est emparé d'Albany, que ferez-vous?

– Il ne sera plus question de se rendre aux Américains. Mais il me faut un éclaireur pour vérifier ces dires. Votre Gottlieb, tout sincère qu'il soit, n'a fait que répéter des paroles qu'il a entendues. Il n'a pas vu de ses yeux.

Martha baissa les siens pour cacher la joie que lui donnait une question qui venait de surgir en elle : devait-elle persuader Burgoyne de laisser tomber Clinton pour respecter la parole donnée à Gates, qu'elle tenterait de séduire, ou profiterait-elle de l'occasion pour se venger de Charlotte? Cette Charlotte! Comme elle l'exécrait. Mais encore moins que son frère Anton. Ah! celui-là, elle le maudissait. Faire mal à Charlotte, n'était-ce pas torturer Anton? Allons, il serait toujours temps de corrompre un de ces Américains pour exécuter son plan machiavélique. En attendant, pas de grâce pour Anton.

– Je connais un militaire qui ferait l'affaire. C'est un gentil officier anglais du nom de William Drew. Il n'est certainement pas connu de nos ennemis. J'ai eu le temps de l'observer. Il est discret et patriote. Il se ferait hacher menu plutôt que de parler, s'il était fait prisonnier.

– Et comment connaissez-vous si bien ce jeune homme? demanda Burgoyne, déjà jaloux.

– Oh! il me fait un brin de cour, mentit effrontément Martha, mais il est si timide et si jeune.

– Va pour ce William Drew. À bien y penser, il faudrait deux éclaireurs. Voyez ce qui est arrivé à celui que j'ai envoyé au capitaine. S'ils avaient été deux, l'autre aurait pu rejoindre le bateau dès la nuit.

– Et il faut les envoyer séparément pour qu'ils ne risquent pas d'être faits prisonniers en même temps, comme les éclaireurs de Clinton… Mais j'y pense, John… pourquoi n'envoyez-vous pas un Allemand?

– Je suis étonné de votre suggestion. Depuis quand vous préoccupez-vous de «ces gens-là», comme vous les appelez d'ordinaire?

– Au fond, ne vaut-il pas mieux faire plaisir à ce geignard de Riedesel qui se plaint toujours d'être mis de côté… Ne niez pas… je l'ai entendu de mes oreilles. Et pourquoi risquer la vie de deux Anglais? J'ai une idée. Vous devriez choisir le secrétaire du général von Riedesel, ce Leonhard Koch. Il est plein de morgue, mais il est très intelligent et parle anglais sans accent.

– Merci de ce bon conseil. Et maintenant, ma chérie, je dois encore convoquer mon état-major.

Martha quitta son amant en lui envoyant un baiser du bout des doigts. Elle triomphait. N'avait-elle pas réussi en un rien de temps à bâtir un plan qui risquait de faire perdre la vie à deux personnes qu'elle détestait parce qu'elles appartenaient à l'entourage du baron et de la baronne? Elle s'admira de savoir profiter aussi vite des occasions offertes.

* * *

Le général Burgoyne était de nouveau entouré d'officiers.

– Vous semblez certain que l'incroyable histoire de cet hurluberlu est vraie, remarqua Harnage, surpris, et que Clinton a pris le fort Montgomery.

– Il est certain que cet individu est allemand. À aucun moment je n'ai trouvé trace d'un accent étranger. Son accent est tellement vrai qu'il faut être né dans une masure de Hanau pour l'avoir. Croyez-moi, il n'est pas le premier de son espèce que je rencontre.

Cette réflexion venait du général von Riedesel qui, en Europe, dans son réseau d'espionnage, avait employé des gens de toutes les nationalités allemandes.

M. de Gerlache enchaîna à la suite du baron :

– Vous avez raison, général. J'étais présent lors de la confrontation. Ses compagnons l'ont formellement reconnu comme l'un des leurs. Un certain Nicklauss a juré qu'en Allemagne il avait été «dans l'obligation de le fréquenter», ce sont ses propres paroles. Il a ajouté que même si le dénommé Gottlieb voulait se vendre aux Américains, ceux-ci n'en voudraient pas. Ils ont tous ri. Je ne crois pas qu'il soit très aimé de ses camarades, mais il n'a pas menti sur ce point : il est allemand.

— De toute façon, messieurs, continua Burgoyne, nous ne pouvons douter de la parole de Miss Blair, qui a reconnu l'anecdote de la bague.

Burgoyne exposa ensuite son plan d'envoyer des éclaireurs, un Anglais et un Allemand, vers Albany. Et il nomma William Drew et Leonhard Koch.

— Commandant, je préférerais que vous me laissiez mon secrétaire. Il m'est fort utile. C'est un homme de valeur qui parle plusieurs langues. Il est habitué à ma pensée et sait mettre en mots mes idées.

— C'est justement parce que j'ai remarqué son intelligence et ses connaissances que j'ai songé à lui.

— Permettez, commandant…

— Ayez la bonté de ne pas insister, général. Cette mission est l'une des plus importantes de cette campagne. J'ai besoin, pour cela, d'un homme intelligent et loyal. Je connais le dévouement de votre secrétaire. S'il est vrai qu'Albany est entre les mains de Clinton, j'aurai un projet à discuter avec vous tous. C'est tout pour maintenant.

Le baron était surpris que Burgoyne connaisse aussi bien Leonhard.

«Qu'il insiste pour envoyer un Allemand, je le comprends, se dit-il. Il regrette probablement, vu la tournure des événements, de ne pas avoir assez tenu compte de mon armée et de mes avis. Mais pourquoi insiste-t-il autant pour que ce soit Leonhard?»

* * *

À l'orée de la forêt, Friedrich regardait au loin, du côté de la maison Marshall. Il pensait à sa femme. «Dieu que j'ai hâte de voir Charlotte. Ce qu'elle doit être malheureuse. J'espère que les Américains ne nous sépareront pas.»

— Vous m'avez fait demander, mon général?

– Ah!… Leonhard!… J'ai failli ne pas vous reconnaître sous votre déguisement. Je ne voulais pas que vous partiez sans que j'aie un entretien avec vous.

– À moins d'un ordre contraire, je serais venu de toute façon, mon général. J'ai encore un quart d'heure! Voici la lettre pour Son Excellence le duc. Je l'avais terminée quand on m'a avisé de ma mission. Il ne reste plus que votre signature à apposer. J'ai joint la feuille des noms des officiers anglais qui témoignent que le général Burgoyne a admis être seul responsable de la défaite.

– Merci, Leonhard. Merci aussi pour le travail que vous avez accompli jusqu'ici. C'est une tâche dangereuse qu'on vient de vous confier.

Dans les mots du général, il y avait, bien sûr, tout un sous-entendu que, par délicatesse, il ne voulait pas formuler. «Je peux être tué, c'est ce qu'il veut dire, pensa le secrétaire. Et si je suis fait prisonnier, on m'accusera d'espionnage. Un espion n'a pas l'honneur d'être passé par les armes, on le pend comme un maraud. Triste perspective. Bah! De toute façon, par la corde ou le fusil, je serai mort.»

– S'il m'arrivait de disparaître, mon général, puis-je vous demander une faveur?

– Allez-y. J'écoute.

– J'ai écrit un mot à Lizzie. Je préfère ne pas la voir avant de partir. Je n'aime pas les adieux. Et que pourrais-je lui dire?

Le général regarda le jeune homme avec une curiosité tolérante. C'était bien du Leonhard que de se permettre une demande aussi personnelle, comme seul un vieux serviteur l'oserait.

– C'est entendu. Je ferai le nécessaire. Autre chose?

– J'ai des lettres, ou plutôt une espèce de journal, pour un ami de Paris. Je ne pouvais les expédier puisque la France s'est alliée aux Américains… Un envoi à Paris pourrait me faire passer pour un traître, et la bonté extraordinaire que vous avez toujours eue…

– Ça va! Ça va! l'interrompit le général. Si vous ne reveniez pas, soyez certain que votre ami recevra votre correspondance.

J'avoue que je ne partage pas cette idée de vous envoyer en mission. Mais je ne doute pas que vous vous en acquittiez avec courage.

Pendant qu'il finissait sa phrase, le baron sortit une petite boîte de l'intérieur de sa veste.

— Prenez, Leonhard. Elle m'a été donnée par Son Excellence le duc.

Le secrétaire ouvrit l'objet et aperçut une médaille retenue par un ruban. Étonné au plus haut point de cet honneur, le secrétaire resta quelques secondes sans broncher. À son grand dam, il se sentit si ému qu'il rougit, puis si reconnaissant qu'il pâlit. Enfin, il reprit ses esprits et dit, d'une voix dans laquelle perçaient ses multiples sentiments :

— Mon général… je suis sûr qu'elle sera mon porte-bonheur.

— Vous pensez bien que si je n'étais certain de votre retour, je ne vous ferais pas ce cadeau : ce serait le laisser aux mains des ennemis. Je compte sur vous pour me revenir sur vos deux pieds.

Puis, voulant chasser son émotion, il rit et ajouta :

— Je vous l'ordonne, même. Vous comprenez, Leonhard ? Je vous l'ordonne.

— Je vous obéirai, général. Par cette médaille, je resterai vivant, c'est promis.

***

Leonhard et le capitaine Drew avaient pris des chemins différents pour exécuter leur mission. Après une demi-journée de marche, par prudence et pour reposer ses jambes, le secrétaire voulut s'arrêter. Il repéra le creux d'un arbre centenaire caché derrière des buissons. Il en chassa quelques araignées et s'y cacha à moitié, sortant une croûte de pain. Il réfléchit sur les derniers événements et soudain un détail le frappa.

«Pourquoi, se demanda-t-il, a-t-on confié ce message dangereux à deux hommes si près du général ? Hasard ? Vengeance ?»

Leonhard n'était pas sans ignorer les difficultés entre Burgoyne et Riedesel.

«Passe encore pour Drew. C'est un officier. Mais moi? Je sais. Je parle anglais sans accent. Tout de même, il y a quelque chose là-dessous que je saurai bien découvrir quand je reviendrai… si je reviens… Ah! ne sois pas stupide, Leonhard! Tu reviendras.»

À ce moment, il perçut un son. Il leva les yeux vers le haut de l'arbre et vit une ombre bondir sur lui.

* * *

Après son tête-à-tête avec Leonhard, Friedrich avait enfin rejoint sa femme, qui le força à s'étendre. Fatigué, il aurait dû dormir mais les mêmes images le poursuivaient constamment : le manque de munitions, les troupeaux mangés par les loups, l'armée réduite par des désertions, la maladie et la mort des soldats à bout de souffle, Burgoyne qui voulait discuter d'un éventuel traité de paix. Et la dernière nouvelle selon laquelle Clinton faisait des ravages chez les Américains. Tout cela tournait dans sa tête.

* * *

— Messieurs, annonça Burgoyne, j'en suis venu à la conclusion que nous devons poursuivre la lutte en unissant nos forces à celles du général Clinton.

— Avons-nous donc déjà des nouvelles des émissaires? Ce n'est pas possible!

— Non! Non! Cependant, après mûre réflexion, je ne vois pas pourquoi ce Gottlieb Hess aurait menti. Et surtout, réfléchissez bien, nous avons demandé un cessez-le-feu. Le général Gates exige que nous capitulions. Pourtant cet Américain, si dur dans ses premières exigences, nous concède soudain ce cessez-le-feu. Pourquoi cette soudaine souplesse? N'est-ce pas étonnant? À mon avis, c'est qu'il a appris les victoires du général Clinton avant nous. Probablement par les deux prisonniers aperçus par ce Gottlieb. Il a peur!

— C'est évident, commandant, vous avez raison. Cela expliquerait son revirement, dit un officier.

— Mais, commandant, la nouvelle n'est peut-être pas tout à fait juste. Elle n'est peut-être vraie qu'en partie. Tant que l'un de nos envoyés ne confirmera pas l'entrée de Clinton dans Albany, il y aura un doute. Tant que nous ne connaîtrons pas les intentions de Clinton, surtout, nous ne saurons pas comment agir. Et il ne reste que pour cinq jours de nourriture, se rebiffa Riedesel.

— Cinq jours! C'est assez pour ralentir les pourparlers avec Gates, sous n'importe quel prétexte, pendant que nous nous préparons.

— Nous pourrions prétendre qu'il a menti en disant que son armée était quatre fois plus nombreuse que la nôtre. Nous exigerons d'aller contrôler ses dires. Cela nous donnera le temps de former un plan avec le général Clinton, dit l'un des officiers qui soutenait son commandant.

— Mais nous avons déjà donné notre parole d'honneur de signer le traité verbal, remarqua Philipps; ils se vengeront. Et quel déshonneur pour nous!

— Comme il y a deux opinions absolument contradictoires, je demanderais le vote, commandant, réclama le général Riedesel.

Burgoyne n'osa pas refuser. N'avait-il pas avoué publiquement à son état-major, quatre jours auparavant, ne pas avoir assez tenu compte des avis de ses officiers?

— Messieurs, fit-il après le décompte, huit d'entre nous croient à la possibilité de s'unir au général Clinton, quatorze considèrent que nous devons signer le traité tel que nous l'avons promis. Mais tout de même, j'essayerai de gagner du temps jusqu'au retour de nos émissaires, qui devraient nous dévoiler le plan de Clinton quand celui-ci aura appris notre position.

* * *

Friedrich, l'âme en peine mais l'esprit clair, s'approchait de la maison Marshall. Qu'on attende ou non des nouvelles de Clinton, c'était la fin de cette guerre mal menée. Avant de voir à ses affaires, il voulait rassurer sa famille, qu'il devrait probablement remettre aux Américains.

Justement, Charlotte prenait l'air sous le porche. Comme tout le monde, elle était au courant des pourparlers, mais ne pouvait en connaître les résultats. La trêve avait pourtant permis à tous de sortir quelques moments de cette cave insalubre. Elle regardait son mari venir quand son cœur s'arrêta; un individu à l'aspect inquiétant avait surgi à côté de Friedrich, mais elle se rassura quand elle vit les deux hommes s'entretenir et surtout quand le nouveau venu s'éloigna aussi vite qu'il était venu. Elle s'étonna de ne pas voir courir vers elle son mari, comme il en avait l'habitude. Au contraire, Friedrich ne bougeait pas. La tête penchée, il semblait réfléchir. Puis il la regarda et, au lieu de s'approcher, lui fit signe de venir vers lui. Quand elle fut près de lui, elle constata qu'il avait le visage défait.

— J'ai une mauvaise nouvelle, ma chérie. Vous saurez mieux que moi l'annoncer à votre femme de chambre. Je serais trop brusque. Cet homme à qui vous m'avez vu parler est un de mes espions, qui vit parmi les Américains. Il vient de me raconter que Leonhard a été pendu par les insurgés.

— Votre secrétaire? Oh! mon Dieu, Lizzie! Est-ce possible, Friedrich? N'est-il pas toujours avec vous?

— Quelle mort inutile!

— Comment est-ce arrivé? Ne sommes-nous pas en trêve?

— Je ne peux vous l'expliquer maintenant. Plus tard, Charlotte, si vous le permettez. Je dois retourner à mes affaires et je vous enverrai une lettre qu'il avait écrite à votre fille de chambre, en cas de malheur. Remettez-la-lui, voulez-vous? Ne vous inquiétez pas, quoi qu'il arrive. Je reviendrai ou je vous ferai parvenir un mot, selon les circonstances, mais, encore une fois, soyez tranquille. Je veille sur vous. Embrassez bien les petites pour moi.

Le baron tourna brusquement les talons. Il n'avait aucun désir d'assister à la scène que provoquerait, chez le personnel de sa femme, la mort de Leonhard. Il commencerait donc par rédiger une lettre au duc de Brunswick pour lui raconter les derniers malheureux développements. Il s'occuperait de sa famille après.

Le général s'était attaché à son secrétaire; son sérieux, sa débrouillardise, ses connaissances, son intelligence aiguë lui manqueraient. Et puis, tout être humain n'est-il pas fier de savoir qu'il ne s'est pas trompé dans le jugement qu'il a porté intuitivement sur un autre? Sous sa carapace de philosophe anti-militaire, l'étudiant s'était montré un être franc, honnête et dévoué. Voir fondre sous sa propre influence quelques «préjugés» (du moins c'est comme cela que le baron appelait les idées de Leonhard), cela était flatteur pour Riedesel. Au fond, le désir qu'il avait eu de choisir lui-même sa carrière, à l'encontre des ordres de son père, n'avait-il pas rendu le général indulgent envers ce jeune homme épris de liberté?

Fatigué par cette campagne désastreuse, amer du peu de cas qu'on faisait de son habileté, il luttait contre sa colère, sa peine, son moral attaqué. La perte inutile de son secrétaire était la goutte d'eau qui faisait déborder le vase. Il lui fallait un esprit clair pour expliquer les déboires de cette guerre à son maître, le duc.

***

Quoique la baronne annonçât avec le plus de délicatesse possible la mort de Leonhard, la réaction de la jeune bonne fut violente. Tombant sur les genoux, elle arracha son bonnet et en déchira la dentelle, tout en hurlant.

— Ma vie est maudite! Maudit soit le jour où je suis née! C'est injuste! Je hais la vie! Je hais ce pays! Je hais la guerre! Pourquoi lui?

Elle agrippait ses cheveux qui lui tombaient devant le visage tellement elle secouait la tête. Adélaïde dut lui retenir les mains car elle s'égratignait avec ses ongles.

Mme von Riedesel avait de la difficulté à trouver l'argument qui pourrait adoucir la peine de la malheureuse fille.

— Je sais que vous aimiez Leonhard. Je vous comprends, il avait de grandes qualités puisque mon époux l'estimait. Il faut prier pour trouver la force de passer à travers cette épreuve. Rappelez-vous que si vous voulez que Leonhard revive, il vous faut d'abord vous calmer.

— Comment cela, Leonhard revivre? parvint à balbutier Lizzie.

– Quand vous serez plus posée, vous penserez à lui en paix et vous verrez qu'il vous parlera dans votre cœur.

Mais Lizzie n'était pas sûre de comprendre et, pour elle, ces mots n'éveillaient pas assez l'image concrète de Leonhard.

– Je le veux, lui. Il m'aime, lui.

Et elle se remit à sangloter parce qu'elle avait employé le présent, par habitude. Alors, la baronne essaya la brusquerie.

– Ce n'est pas une raison pour vous enlaidir et faire fuir tout le monde. Un peu de dignité, ma fille. Vous n'êtes pas la seule ici à avoir perdu un être cher. Relevez vos cheveux. Passez-vous de l'eau froide sur le visage. Et allez prendre un peu d'air.

Ni la douceur ni la sévérité de la baronne ne firent effet. Lizzie épuisa ses sanglots. Quand on sentit que la fatigue avait émoussé son énergie, Adélaïde, sur un signe de sa maîtresse, souleva la jeune bonne hébétée et d'une main ferme la recoiffa.

– Madame la baronne a raison, un peu d'air vous fera du bien. Et si Madame le permet, je vous accompagnerai.

Quelques instants plus tard, les deux femmes marchaient à l'extérieur. Adélaïde, après un long moment de silence, amorça un dialogue.

– Un homme n'est qu'un homme. Avec le temps, il se remplace.

– Jamais, non jamais j'en aimerai un autre, gémit Lizzie en faisant de grands gestes de négation. On voit bien que vous n'avez jamais aimé pour parler de la sorte.

– Je dois vous dire que j'ai un mari. Mais après un certain temps, certaines choses sont devenues plus importantes que lui.

Lizzie lui lança un regard noir :

– La peinture, par exemple?

– Comme la peinture, en effet.

– C'est parce que vous ne l'aimiez pas vraiment.

– Croyez-vous? Alors, aucun homme n'aime vraiment son épouse car tous font passer leur métier avant leur femme. Les rois ne pensent qu'à leur pays. Les bourgeois, qu'à leurs affaires. Les paysans, qu'à leur pain.

Mais Lizzie, trop à son malheur, ne voulait plus écouter la philosophie d'Adélaïde.

– Vous ne comprendrez jamais. Vous ne pensez qu'à votre peinture. Et puis…, vous ne devez pas aimer les hommes!

Adélaïde, surprise du ton vindicatif de sa compagne, si douce et si malléable habituellement, ne s'en formalisa pourtant pas et sourit.

– Vous vous trompez, j'aime les hommes. En tout cas, si cela peut mettre un peu de baume sur votre cœur, soyez certaine que le passage de Leonhard dans votre vie a été un bienfait pour vous. Il a laissé sa trace. Il vous a appris à ne pas toujours plier. Vous comprendrez plus tard que, même s'il est mort, cette tête que vous levez aujourd'hui, c'est une partie de la sienne si fière qui renaît en vous. Toutes les femmes n'ont pas cette chance.

50

Lizzie marchait lentement le long du fleuve. Les heures avaient passé. Elle était moins agitée, plus raisonnable. Entendant des rires, des appels, des sifflets, la jeune bonne regarda de l'autre côté de l'Hudson. Des soldats américains s'amusaient à attirer l'attention de cette jolie fille que la trêve leur permettait d'admirer. Elle tourna le dos à ces insolents et remonta la pente en longeant un petit bois.

Puis elle entendit un autre sifflement, juste derrière des arbustes. Ennuyée et légèrement apeurée, elle se dirigea, courant presque, vers la maison. Derrière elle, on cria :

— Hé! Depuis quand vous sauvez-vous de moi?

Elle s'arrêta pile. Non, ce n'était pas possible… Cette voix!… Elle se retourna et vit un paysan avancer à grands pas vers elle, les bras tendus, souriant. Elle tomba à genoux, incapable de continuer.

— Eh bien! Ne dirait-on pas, jeune fille, que je suis un ennemi à qui on demande grâce?

— Vous… vous… mais… vous êtes mort!

— Me voici un fantôme, maintenant. Attendez que je vous embrasse et vous allez sentir que je suis bien vivant, fit Leonhard, joignant le geste à la parole.

Quand Lizzie, à moitié pâmée, se dégagea des bras de son amoureux pour le contempler, elle s'exclama :

— On m'a dit!… on m'a remis votre lettre…

— Et c'est parce que vous me croyez mort que vous faites des beaux yeux aux Américains par-delà la rivière?

— Mais, protesta vivement Lizzie, je ne faisais pas…

— Tut! Tut! J'ai tout vu. Vos grands gestes pour attirer ces soldats…

– Non! Je me sauvais, au contraire.

– Il faudra, ma chère, vous faire à l'idée que je ne meurs pas comme cela, et qu'il ne sied pas à une jeune fille de faire les yeux doux aux ennemis. Premièrement parce que ce sont des ennemis. Deuxièmement parce que je surgirai au moment où vous vous y attendrez le moins, comme maintenant.

Lizzie allait protester encore quand elle remarqua enfin les yeux railleurs de Leonhard.

– Vous vous moquez de moi, n'est-ce pas?

– Si cela vous fâche, je peux retourner d'où je viens. D'ailleurs, j'y retrouverais quelqu'un que j'ai quitté avec regret.

– Ah! qui donc? fit Lizzie en fronçant les sourcils.

– Quelqu'un à qui je plaisais tellement qu'en me voyant pour la première fois elle s'est jetée à mon cou. Quelle caresse, ma chère!

– Ah! bon! répliqua Lizzie d'un ton agressif. Que n'êtes-vous resté avec elle?

– Elle avait trop mauvais caractère. Elle était d'une jalousie! Pire que la vôtre. Je n'ai pas aimé me faire égratigner par ses ongles effilés.

– Moi aussi, je peux faire pousser mes ongles.

– Elle m'a même laissé quelques marques, continua Leonhard en dénudant sa poitrine striée de longues cicatrices, dont le sang coagulé montrait qu'elles étaient récentes. Votre jalousie m'amuse. La sienne m'a fait peur. C'était elle ou moi. J'avais un couteau. Regrettable pour elle. Je l'ai égorgée.

– Vous l'avez égorgée, parce qu'elle était jalouse et qu'elle vous a égratigné?

– Mais non, pauvre Lizzie. Je vous taquine. En fait, il s'agissait d'une bête très futée. Un blaireau. Un «carcajou», comme disent les Canadiens. C'est une bête vraiment sauvage, méchante. Elle fait peur même aux Indiens.

Lizzie, reprenant ses esprits, comprit enfin que Leonhard avait été attaqué par un animal. Elle lui en voulait un peu de s'être moqué de sa naïve jalousie. Elle était surtout partagée entre le choc d'avoir cru à sa mort et celui de le savoir vivant.

Leonhard lisait toutes ces pensées sur le visage transparent de son amie. Il la regarda avec tendresse.

– Lizzie… Je pense que je suis vilain. J'aime vous voir jalouse… un peu… pas trop. Ne soyez pas fâchée. Ces taquineries d'étudiant, c'est ma manière à moi de rejeter le tragique et de vous aimer. M'acceptez-vous quand même dans votre vie?

* * *

Quand le général von Riedesel avait appris de la bouche même de son secrétaire qu'avec une chance inouïe il était revenu d'une seule traite et avait confirmé une victoire des troupes anglaises se dirigeant vers Albany, il avait été si heureux de le retrouver qu'il n'avait pu contrôler ses émotions et, à la grande surprise de Leonhard, il l'avait serré dans ses bras. Lorsque l'émotion s'était évanouie, d'un mouvement brusque il s'était détaché, presque repentant, et il avait ajouté :

– Je suis très heureux de vous revoir vivant… Nous croyions que vous aviez été pendu.

– Je crains, mon général, que ce ne soit le capitaine Drew qui ait subi ce sort. Lorsque nous sommes partis, il m'a demandé de changer de parcours avec lui. Comme il était un citadin, il disait moins bien se débrouiller en forêt. Il préférait faire face à cent ennemis sur un chemin qu'à un ours. Pour ma part, l'un ou l'autre m'était égal. Je n'ai rencontré qu'un carcajou d'ailleurs. Et je suis bon nageur. J'ai réussi à gagner du temps en traversant l'Hudson de nuit. Votre médaille a dû me porter chance : au retour, j'ai trouvé un cheval perdu. J'ai réussi à calmer son affolement. Je n'ai dormi que deux heures en tout.

– Allez vous reposer, Leonhard. À Marshall, depuis la trêve, on dispose de quelques chambres. Voici un mot pour Mme von Riedesel afin qu'elle vous en laisse une quelques heures. Vous y serez mieux que sur le sol.

* * *

Leonhard, tenant Lizzie par la taille, avait été accueilli avec joie par Mme von Riedesel qui, obéissant au mot de son mari, chargea Adélaïde de préparer un lit sous les toits. Mais elle retint Leonhard un moment, et lui demanda s'il avait des nouvelles du capitaine Drew. Il refit son récit et avoua sa crainte à propos de William.

Malheureusement, un peu plus tard, Friedrich vint confirmer à sa femme ce que Leonhard avait pressenti.

— Un Loyaliste est venu m'avertir qu'un de nos officiers était tombé sur un groupe de miliciens qui s'étaient, si on peut dire, déguisés en Anglais, et qu'il a été pendu.

— J'ai beaucoup de peine, Friedrich. Depuis si longtemps, il nous aidait. J'avais songé à lui faire épouser ma sœur. Il avait tant de belles qualités. Il me manquera. Il nous manquera.

Friedrich se leva. Il prit sa femme dans ses bras et l'embrassa.

— Je vous demande encore une fois le courage d'annoncer une mort. Ne dites pas aux enfants qu'il a été pendu. Je compte sur vous pour les consoler. Je voudrais vraiment être avec vous; vous aider à essuyer les larmes qu'elles verseront. J'ai l'air de vous abandonner mais je ne serai pas moi-même à la fête, tout à l'heure, je vous le jure. J'ai besoin de tout mon jugement, ce soir. C'est la fin.

— Vous avez raison, mon chéri. Partez et revenez-nous le plus tôt possible, que nous soyons enfin réunis pour de bon.

51

Les officiers se pressaient autour de leur commandant en chef. Le teint terreux de celui-ci, ses poches sous les yeux, ses traits tirés, ses bajoues d'homme âgé, tout en lui donnait l'impression qu'en une nuit il avait vieilli de dix ans. D'une voix aussi indignée qu'étonnée, il leur dit, en montrant la lettre qu'il tenait d'une main tremblante :

— Messieurs, j'ai reçu la réponse de Gates. Cet Américain de malheur nous refuse l'inspection de son armée.

— Et quelle raison donne-t-il, commandant? demanda Philipps.

Riedesel, lui, n'avait aucun goût de discuter. Il lui semblait tellement évident que l'armée ennemie était quatre fois plus nombreuse que la leur. Et, même si la demande de Burgoyne était valable, il avait prévu une réponse négative.

Burgoyne ne répondant pas à sa question, Philipps ajouta :

— Croyez-vous que, sachant les victoires de Clinton, il a deviné que nous voulions gagner du temps? Il aurait peur que cela favorise Clinton?

Burgoyne ne répondit que par un haussement d'épaules.

— Gates ne fournit pas de raison. Par contre, il nous donne sa parole d'honneur qu'il a au moins neuf mille hommes, en pleine forme, prêts à se battre.

— Cela ne fait que deux hommes contre un des nôtres, releva un jeune officier.

— Il y a pis. Il nous donne une heure pour accepter ou refuser. Après quoi, la trêve est terminée, fit Burgoyne.

Cette fois, le général von Riedesel prit la parole.

— Je crois que nous sommes plutôt un contre quatre. Même à un contre deux, ils nous élimineront tous et il leur restera encore une partie de leur armée.

– Oui, mais quels héros nous serions! ajouta le même officier.

– Sauf qu'un de mes espions est persuadé que, si nous ne tenons pas notre parole donnée de rendre les armes, Gates fera massacrer tous ses prisonniers. À quoi serviraient ces massacres? Si, encore, cela nous conduisait à une victoire! Mais nous sommes sûrs de perdre. Ils sont bien nourris; ils peuvent nous affamer facilement et nous regarder mourir sans même avoir à lever le doigt sur le cran de leur fusil. Mieux vaut sauver la vie de ceux qui restent, termina le général Riedesel.

Burgoyne reprit :

– Dans la dernière partie de sa lettre, Gates consent à substituer le terme «convention» au mot «capitulation». Nos soldats seront donc désignés comme étant «les troupes de la Convention» au lieu de «prisonniers de guerre». Aussi, nous pourrons embarquer à Boston pour l'Angleterre, si nous donnons notre parole qu'aucun de nos soldats ne reviendra se battre en Amérique.

– Voilà qui me convainc de signer le traité et de cesser le combat, dit Philipps. Avant, à l'idée que nous aurions été la première armée anglaise à être faite prisonnière, j'avais envie de me battre à mort.

Le général Riedesel avait beaucoup lu sur les stratégies militaires, le passé historique étant pour lui la meilleure leçon. Il chercha dans sa mémoire ce que lui rappelait la clause proposée par Gates. Quand il eut trouvé, il se dit : «Pourvu que les Américains ne sachent pas que pendant la guerre de Sept Ans, à Kloster, l'Angleterre a violé sa promesse de ne pas renvoyer ses soldats se battre, sinon ils ne ratifieront jamais cette clause.»

Le conseil de guerre britannique vota donc en faveur du traité imposé par Gates.

* * *

Adélaïde, accroupie, pencha le seau et l'emplit de l'eau de la rivière. Elle le redressa et vint pour le soulever.

– Vous permettez? dit une voix en même temps que deux bras passaient de chaque côté de ses épaules.

Une main d'homme s'empara de la poignée et une deuxième se posa sur la sienne, la repoussant doucement pour retenir le récipient. La jeune femme tourna la tête et vit Nicklauss, à moitié penché, qui lui souriait. Il lui tendit la main pour l'aider à se relever. Elle se sentit envahie d'une grande joie. Agacée par ce sentiment, elle lui fit un sourire poli et prit un ton neutre.

– Ah! bon! Vous voilà, vous. Guéri, je suppose. Très bien! Très bien! J'en suis contente pour vous. Et que faites-vous par ici?

– Je veux traverser l'Hudson à la nage.

– Comment! Vous voulez vous donner aux Américains alors que l'on est peut-être en train de signer un traité de paix? Et en plein jour, devant tout le monde? Vous m'en direz tant!

– Non, je veux lancer le défi à ces dissidents que je peux nager plus vite qu'eux. Si je les bats, la victoire est à nous. S'ils gagnent, nous serons leurs prisonniers. Mais n'ayez crainte, je suis un excellent nageur.

– Vous avez toujours de ces idées brillantes? demanda Adélaïde qui ne put s'empêcher de sourire avec chaleur. Il n'empêche que si les guerres se gagnaient par une joute entre nageurs, ce serait merveilleux.

– Et peut-être tout aussi injuste. Pour être franc, je ne cherchais pas à jouter, car je n'ai pas d'illusions sur la sagesse des hommes. J'étais venu rendre la visite que vous m'aviez faite dans mon carrosse doré.

– C'est très aimable à vous. Les boulets s'en sont pris à la toiture, dit-elle en montrant des soldats qui réparaient les toits, mais m'ont épargnée, comme vous voyez.

Ils étaient maintenant sous le porche. Nicklauss fit un pas vers la jeune femme, la regarda sans parler un moment, puis commença d'une voix étrange :

– Adélaïde… je voulais vous dire…

Il s'arrêta. Surprise, elle le fixa à son tour dans les yeux et ce qu'elle crut y lire la bouleversa. Ne sachant trop pourquoi, peut-être sous l'effet de la gêne, elle se raidit. Nicklauss ne vit que la froideur d'Adélaïde. Ce qu'il dirait ou ferait lui déplairait, pensa-t-il. Il n'osa continuer le geste qui eût dévoilé ses sentiments. Il le termina en salutations.

— Bon, maintenant que je vous ai rendu la visite de politesse que vous m'aviez faite pendant la retraite et puisque tout va bien pour vous comme pour moi, je vous laisse.

Adélaïde retint à son tour un mouvement vers lui. Elle le salua d'un signe de tête et répondit ironiquement :

— Rendez-vous bien.

Quand il se fut éloigné, elle grommela, en prenant son seau et en entrant dans la maison : «Politesse! Politesse! Comme si c'était une visite de politesse que je lui avais faite.»

Quelques minutes plus tard, elle fouillait dans ses malles et sortait des esquisses qu'elle avait crayonnées. Elle les rejeta brutalement. Il lui sembla tout à coup que la peinture n'avait plus d'attrait. Elle n'avait pour le moment que le désir de revoir Nicklauss.

52

La capitulation, le 17 octobre 1777

Burgoyne a laissé plusieurs de ses charrettes à Saratoga, mais il lui est resté assez de biens pour choisir le plus élégant de ses uniformes, la plus poudrée de ses perruques, les plus soyeux de ses bas, ses bottes au cuir le plus souple. Rouge aux joues, bagues aux doigts, médailles au revers de sa casaque, un pistolet damasquiné au côté, il parade, le sourire aux lèvres, devant la belle Martha. Il fait des moulinets avec son épée, comme s'il ne devait pas la remettre un peu plus tard à Gates, mais, au contraire, comme s'il pourfendait l'ennemi.

Martha, très élégante dans une robe blanc et or, se pavane elle aussi, un air ravi sur le visage. Cette expression, Burgoyne la prend pour lui. Mais Martha songe que sa beauté séduira quelque général américain pour qui elle abandonnera ce vaniteux de Burgoyne. En attendant, puisqu'elle accompagne le commandant en chef, et même s'il a été vaincu, elle veut faire belle figure.

Quand Burgoyne prend la tête de son état-major, il est suivi directement des généraux Riedesel et Philipps. Friedrich est plus sobrement vêtu que le commandant, ayant renvoyé en Canada tout son superflu pour donner l'exemple. Monté sur son cheval, il avance, suivi de ses aides de camp, de ses officiers, de son chirurgien et de son secrétaire.

— Ce qui compte, leur a-t-il dit un peu plus tôt, c'est un maintien digne mais sans morgue et une tenue impeccable. Arborez vos médailles.

Et, s'étant approché de son secrétaire, il lui a murmuré :

— Vous aussi, Leonhard. Je veux voir à votre poitrine la médaille que je vous ai donnée. Observez et retenez ce que vous verrez. Vous le consignerez ce soir dans mon cahier.

Burgoyne brille. Riedesel a fière allure.

* * *

L'armée britannique suit ses chefs au son de *La Marche des Grenadiers* que battent les tambours. Aux oreilles du général von Riedesel, cette musique qui incite aux pas cadencés résonne sans enthousiasme; les tambours ont perdu leur joie. Le baron repense à son arrivée sur le champ de bataille, quand il a sauvé Burgoyne à Freeman's Farm. Conscients qu'ils allaient peut-être vers la mort, quelle exaltation avaient montrée ses joueurs de tambour, cette journée-là! Maintenant que la paix est signée, les survivants ne sentent-ils pas qu'ils font face à un autre genre de mort, une mort de l'âme, celle que ressent tout vaincu?

Arrivés au camp ennemi, ils doivent passer entre deux allées de soldats américains.

«Heureusement, marmonne le baron pour lui-même, ils n'ont pas l'air hostiles.»

Même en tenant la tête bien droite, le général a une excellente vision périphérique, ce qui fait dire à Charlotte qu'il a les yeux de ses chevaux, à force de les aimer. Aussi, sans bouger le chef, il remarque la belle tenue de ses ennemis. «Drôles de soldats, qui ne portent pas d'uniforme pour la plupart. On dirait qu'ils s'en vont au champ ou à l'église. Pourtant, ils tiennent leur baïonnette ou leur fusil sans broncher, comme de vrais militaires. Je regrette de ne pouvoir les enrôler. C'est un plaisir de les regarder. On oublie leurs mauvais habits. Ce sont de rudes combattants!»

Pas très loin de lui, Leonhard passe par des sentiments qui ressemblent à ceux du général. Ses yeux perçants observent; sa mémoire enregistre; son esprit critique; son cœur se serre. Anglais et Allemands portent des uniformes qui distinguent chaque régiment; les Américains semblent avoir créé leurs costumes personnels. On en voit de toutes couleurs et de toutes formes. Tous, pourtant, portent des perruques, mais de différents modèles et de différentes longueurs. Cette variété n'est pas toujours heureuse, d'ailleurs, ce qui fait sourire Leonhard.

L'observateur qu'il est se rend compte tout à coup que sa première réaction a été un certain mépris pour les Américains. Après réflexion, il se moque de lui-même. «Comme l'éducation première est ancrée au fond de soi! Voilà que moi, l'étudiant contestataire épris de liberté, moi qui devrais admirer cette armée si peu conforme à des traditions qui, justement, me rebutent, j'ai comme premier mouvement du dédain, alors que je devrais, au contraire, avoir de l'estime pour ces hommes. Je crois que cette guerre me rend fou.»

Leonhard lève la tête et reste saisi : au loin, sur un plateau, des soldats se détachent sur le ciel, si nombreux qu'on n'en voit pas la fin. À mesure qu'il approche, il distingue, au bas de la falaise, entouré d'officiers, un homme assis sous la marquise d'une tente immense. Dans la cinquantaine, les cheveux gris, cet officier regarde venir les vaincus à travers ses petites lunettes rondes et épaisses. «C'est sûrement le général Gates», se dit le secrétaire.

En effet, l'homme se lève aussitôt que Burgoyne, seul en avant de l'armée britannique, descend de cheval. L'Anglais s'avance, l'Américain fait un pas vers lui et tend sa main gauche pour s'emparer de la courte épée de parade que Burgoyne lui offre de sa propre main gauche. En même temps, les deux mains droites se serrent.

Leonhard ne comprend pas les mots que les deux commandants échangent, mais il voit le vainqueur remettre ensuite l'épée au vaincu.

Le général Friedrich von Riedesel s'avance à son tour afin de participer à cette gestuelle symbolique de la soumission. Complètement décontracté, lié à son lipizzan, les bras immobiles, les doigts seuls agissant sur la volonté de sa bête, le baron ne pense qu'à celle-ci.

On dirait que l'animal sait que lui et son maître sont le point de mire de milliers d'yeux. Malgré les cailloux, les racines et les bosses du terrain, la bête adroite ne bute pas une seule fois.

Elle s'achemine dans le véritable sens du terme équestre : elle marche droit devant, comme si une ligne était tracée sur le sol. Elle s'arrête, piaffe légèrement sur place avec élégance, puis lève une patte et replie le paturon comme une danseuse plie sa cheville pour pointer. Elle recommence avec le pied gauche ce qu'elle vient d'accomplir avec le droit. Enfin, se levant sur ses jambes postérieures, les genoux avant pliés de façon que les canons antérieurs soient parallèles au bréchet, le cheval termine sur cette courbette avant de s'immobiliser pour laisser descendre son cavalier.

Gates ne peut s'empêcher d'être émerveillé et félicite le baron en lui rendant son arme.

Leonhard, lui, a admiré. Les animaux sont plus touchants que les hommes. Il se sent mal à l'aise. Il comprend la colère de cette colonie contre la mère patrie. Il aime le mot liberté. Pourtant, ces gens qui se battent pour elle les retiennent prisonniers. Il est vrai que cette liberté lui a d'abord été ravie par ceux-là avec qui on le confond. Quel imbroglio! En même temps, il n'aime pas être vaincu. Et il a appris à aimer son maître. Quel mot horrible! Non, il a appris à aimer un homme digne d'admiration. Cette cérémonie l'émeut et pourtant elle l'horripile. Où est sa place dans cette guerre? D'abord, il n'a jamais voulu faire la guerre. Une boule oppresse son estomac. Tout est trop mêlé pour lui qui n'aime que les pensées claires et nettes. Seul le réconforterait l'amour. Mais où est sa petite Lizzie?

* * *

Jamais Charlotte n'oubliera ce 17 octobre 1777. Tous ces sept l'obsèdent. Elle a à peine dormi. Elle n'a jamais été aussi fatiguée, même tout au long de son voyage. Elle ne s'est jamais sentie aussi nerveuse, même au milieu des boulets, même pendant la fameuse tempête sur l'océan. Pour la première fois, elle ne peut retenir le tremblement qui l'a soudain prise et qui parcourt son corps des pieds à la tête. Elle se rappelle avoir tremblé après sa traversée en canot aux Trois-Rivières; ce n'était qu'une réaction venue après qu'elle eut compris le péril encouru. S'y mêlait, tout de même, la joie d'être hors de danger. «Et si on veut me séparer de Friedrich? Je ne le supporterai pas. Et de mes enfants! Quelle idée, ils ne doivent pas être des monstres. Je les supplierais tant. Il me semble qu'ils ne résisteraient pas aux larmes d'une mère. Nous mettront-ils en prison? Et s'ils donnaient mes enfants à des sauvages qui les emporteraient loin de moi? Non, c'est impossible. Il faut que j'arrête ces pensées folles.»

Un peu plus tôt, un billet de Friedrich apporté par un jeune valet lui demandait de venir le rejoindre dans le camp ennemi, aussitôt que possible. Lui-même, avec tous les officiers, partait rendre son épée. Elle soupire en regardant le timide visage du messager qu'elle devra suivre, aussitôt qu'elle sera prête. Comme elle regrette William Drew. S'il avait été encore vivant, c'est lui qui aurait été son guide. Elle se serait sentie plus rassurée, moins énervée d'aller vers ces gens qui les détestent probablement. Elle est encore plus malheureuse quand elle entend pleurer Frederika.

— Je veux M. Drew! Où est-il?

On lui a expliqué qu'elle ne le reverrait plus, mais elle ne veut pas comprendre et s'obstine à le demander.

— Pour l'amour de Dieu, Frederika, taisez-vous! s'impatiente la baronne exaspérée, en secouant l'enfant.

Peu habituée à voir sa mère dans cet état, la petite se tait. Elle aurait peut-être recommencé à pleurnicher, mais Augusta vient la serrer dans ses bras. Elle lui a apporté le petit chien.

— Merci, Augusta. Quelle bonne et brave enfant vous faites, dit Charlotte.

Elle a honte de s'être emportée. Elle ferme les yeux : «Se contrôler! Se contrôler!» Elle les rouvre et rencontre le visage attentif d'Adélaïde et la figure chiffonnée d'appréhension de Lizzie qui, pourtant, pour une fois, ne se lamente pas. Elle remarque soudain que Röckel a terriblement vieilli. Elle baisse de nouveau les paupières.

«Allons, ma petite madame la générale, dit-elle en soupirant pour elle-même, employant le terme tendrement moqueur de son mari, vous avez déjà fait face à des dangers et vous vous en êtes sortie jusqu'ici, grâce à Dieu. Vous devez cacher votre peur à vos enfants et à votre personnel. C'est votre devoir de mère; c'est votre devoir de baronne. Obéissez à votre époux et rendez-vous à vos ennemis. Soyez brave et espérez en leur clémence.»

Sa pensée s'arrête, cependant, sur un dernier sentiment d'accablement; oh! comme elle voudrait se dissimuler dans sa paillasse; s'y coudre, comme elle l'a fait pour les drapeaux allemands au cours de la nuit précédente.

En effet, à la demande de Friedrich, elle les a cachés dans un matelas. Le fier Riedesel ne pouvait supporter l'idée de les remettre aux vainqueurs. Ils les aurait brûlés plutôt, avait-il affirmé à Charlotte, comme l'avait fait, paraît-il, le général français M. de Lévis à la prise de Montréal par l'Angleterre.

Au rappel de ce bon tour joué aux vainqueurs, la baronne sourit. Puis, l'image d'une Charlotte cousue dans un matelas allonge ce sourire. Elle se redresse. Elle sent alors que son expression et son attitude détendent ceux qui l'entourent et attendent ses ordres.

— Organisons notre départ, parvient-elle à dire en maîtrisant sa voix.

C'est avec un calme apparent qu'elle continue :

— Lizzie, venez vite. Vous repasserez ma robe et celles des filles : les vêtements que je vous avais désignés pour les événements importants. Je veux que cela ait l'air d'une fête. Adélaïde, faites chauffer de l'eau. Nous donnerons un bain aux enfants et leur laverons les cheveux. Vous-mêmes, ensuite, vous mettrez vos plus jolis vêtements. Je veux que mon personnel me fasse honneur.

Puis, se tournant vers Röckel :

— Préparez les chevaux. Frottez les harnais et les cuivres. Que la calèche reluise. Attachez bien les malles, surtout la bleue. Celle-là, Röckel, ne la perdez jamais de vue. Elle contient mon matelas. Je ne peux m'en passer, quoi qu'il arrive, vous le savez. Arborez vos médailles, vous méritez de parader avec elles.

Elle s'arrête un moment pour réfléchir, puis ajoute, très fort, pour que tous puissent l'entendre :

– Il faut montrer à ces gens que, bien qu'ils soient nos vainqueurs, nous valons autant qu'eux.

Et c'est la tête haute et les yeux secs que, quelques heures plus tard, elle grimpera dans la calèche, entourée de son petit monde.

53

Quatre ans plus tard
Québec, le 16 septembre 1781

Appuyée à la terrasse de bois, la baronne von Riedesel regarde, au-delà des toits de la basse-ville, les voiliers se berçant sur le fleuve Saint-Laurent.

On est dimanche et la journée a été magnifique. Déjà, à gauche, l'île d'Orléans prend de merveilleuses couleurs automnales. Charlotte sait que la couleur des feuilles n'a pas encore atteint son apogée et que d'ici quelques jours les rouges et les oranges seront encore plus flamboyants sous le soleil ou plus rutilants sous la pluie. Elle respire longuement l'air sec et frais, jouissant de cette fin d'après-midi.

Après quatre ans d'attentes, d'illusions, de promesses, de déceptions et d'espoirs, elle et son mari, prisonniers enfin libérés, ont débarqué six jours auparavant du *Little Deal*, ce damné navire qui les a ballottés de New York à Québec. Quand le nez du bateau a dépassé la pointe de l'île d'Orléans, la baronne a enfin senti se lever l'horrible poids qui alourdissait son âme toutes ces années. Elle avait souffert de la faim et de la fatigue, du froid et de la chaleur, senti le mépris des uns et la pitié des autres.

Et, même si elle avait su désarmer les chefs américains par son charme, et sa simplicité naturelle qui ne lui enlevait en rien de sa dignité et de son savoir-faire; même si elle avait consacré des heures à rendre la vie plus agréable en organisant des soirées musicales qui adoucissaient l'atmosphère de vaincus dans laquelle on vivait, pour faire place au rêve illusoire d'une paix rassurante; même quand elle écartait par des gestes quotidiens certaines difficultés ou obtenait, par des démarches répétées, du bien-être pour sa famille, la douleur d'être tous prisonniers demeurait, d'une manière latente, comme une pierre sur son cœur.

Enfin! tout cela semble terminé. Comme elle s'est sentie légère quand elle a aperçu la ville de Québec! Elle s'est rappelée la salve qui l'avait accueillie à son premier séjour. Cependant, à ce moment-là, elle n'avait pas pris le temps de bien observer la cité. Cette fois-ci, elle a détaillé la résidence des gouverneurs juchée sur le cap Diamant. Elle a remarqué les huit énormes contreforts hauts de deux ou même trois étages et la terrasse où elle rêve en ce moment.

La monotonie des trente fenêtres réparties sur trois étages, à partir de la terrasse, est heureusement corrigée par une toiture en pente divisée par des coupe-feu et percée de mansardes. Une dizaine d'étroites et longues échelles font pendant aux nombreuses cheminées. Elles servent, chaque mois, aux descendants des ramoneurs savoyards qui, à l'époque de la Nouvelle-France, avaient été engagés. Plusieurs avaient pris souche en épousant des filles du pays. Leurs fils, petits-fils et arrière-petits-fils avaient gardé le métier des ancêtres.

Cette explication, Charlotte la doit à l'un des trois secrétaires du gouverneur Haldimand, Allan MacLean, qui était monté à bord du *Little Deal*, vis-à-vis de l'île aux Coudres pour souhaiter la bienvenue aux Riedesel.

La baronne, cessant de penser à son arrivée, respire à pleins poumons puis se retourne vers le salon. Par les portes-fenêtres ouvertes, elle observe son mari qui s'entretient avec les invités du gouverneur. Il a perdu un peu de son élégance et son visage est encore enflé.

«Comme il a changé depuis son insolation en Virginie. Il supporte si peu la chaleur. Mais il guérira sûrement. Je le trouve plus animé, plus détendu. D'avoir retrouvé son ami Haldimand lui est bénéfique.»

Le gouverneur et le général s'étaient en effet connus pendant la guerre de Sept Ans. Suisse de Neuchâtel, Haldimand, ancien mercenaire de Frédéric II de Prusse, avait sympathisé avec le baron. Lui que ses intimes surnomment pourtant «Le Grognon» a illuminé son visage d'un sourire pour recevoir son «cher baron».

Une dame Johnson, que Charlotte a connue à sa première visite, l'interrompt dans ses pensées en venant la rejoindre sur le balcon.

— La résidence a bien changé, n'est-ce pas? Son Excellence a transformé l'ancienne caserne. Il a fait mettre des boiseries et a meublé les pièces d'acajou importé d'Angleterre. Il paraît qu'il n'est pas encore satisfait et qu'il projette de bâtir une vaste maison pour les réceptions et les bals juste en face, de l'autre côté de la rue. Votre venue semble l'amadouer.

— Que voulez-vous dire?

— Son Excellence passe pour être hostile aux femmes. Nous avons remarqué qu'il est tout sourire avec vous.

— N'est-il pas aimable, lui qui a voulu être le parrain de votre fils?

— Poli, oui. Aimable, parfois. Avec vous, il est non seulement affable, mais chaleureux.

— Pourtant, soupire Charlotte en pensant à ses trente-cinq ans et à ses quelques rides, je n'ai plus ni la fraîcheur ni l'élégance d'autrefois. Ces quatre années chez les Américains n'ont pas été faciles... surtout à New York quand j'ai failli perdre du choléra deux de mes filles. J'ai cru devenir folle d'anxiété.

— Bah! Tout le monde sait qu'une dame qui a de beaux yeux reste belle même à quatre-vingts ans. Vous ne risquez jamais d'être laide, même quand vous serez vieille. On ne verra que le bleu de vos yeux.

— Cela est vrai, ajoute Mme Murray venue rejoindre ses deux amies. Et vous voilà en Canada, la guerre terminée pour vous. Votre mari est vivant. Tout ira bien. On m'a dit que vous avez une autre enfant?

— Oui. À New York, il y a sept mois, j'ai accouché d'une fille que j'ai appelée Amérika.

— Une quatrième, je crois?

— Oui, Augusta a dix ans maintenant, Frederika, sept, et Caroline, presque cinq. C'est l'âge qu'avait l'aînée quand nous sommes parties d'Europe. J'avoue que, cette fois, mon époux a montré du désappointement que ce ne soit pas un fils.

À ce moment, la voix du majordome retentit :

— Monsieur Jack Carr et madame.

Les trois femmes, qui sont revenues dans le salon, regardent vers les grandes portes de chêne qui viennent de s'ouvrir. Suivi d'un jeune esclave noir tenant un petit chien blanc dans ses bras, entre un grand et gros vieillard bedonnant, habillé richement et à la dernière mode. Il donne le bras à une élégante Mme Carr, beaucoup plus jeune que son mari.

Mme Johnson murmure :

— Tiens! Voilà le marchand favori de Son Excellence. Mais… qu'avez-vous, baronne?

— Rien, rien. Dites-moi, cette dame qui accompagne M. Carr, c'est son épouse?

—. Bien sûr. C'est une Américaine ou, plutôt, une Loyaliste. Leur mariage a fait jaser, à cause de leur grande différence d'âge. Il paraît qu'il est fou amoureux et qu'elle est très dépensière. Il pourrait nous acheter tous. Avouons qu'elle est belle et lui, plutôt lourdeau. Selon les ragots, elle l'a épousé pour son argent. Elle a mis la main sur le marchand le plus riche du Canada.

Charlotte a peine à cacher son trouble. En Mme Carr, elle vient de reconnaître Martha Blair.

«Comment se fait-il qu'elle soit à Québec, et mariée? Pourquoi n'a-t-elle pas suivi le général Burgoyne? Elle jurait l'aimer pour la vie», se demande Charlotte tout en se composant une attitude car elle voit venir vers elle celle qui l'intrigue.

— Chère, très chère baronne. Comme je suis heureuse de vous revoir! Enfin, vous êtes sortie de ce vilain pays! Et l'on m'a affirmé que vous aviez un adorable bébé. Tout ce temps, je m'informais de vous et déplorais le fait qu'on ne voulait pas vous échanger contre d'autres prisonniers.

— Nous voyons que vous êtes en pays de connaissance, fait Mme Johnson, un sourire aux lèvres mais le regard froid. Nous vous quittons.

— Oui, enchaîne Mme Murray, M. et Mme de St Leger arrivent. Mesdames, veuillez nous excuser, nous vous reverrons plus tard.

Et les deux amies s'éloignent. Martha Blair, ou plutôt Martha Carr, fait un sourire aimable et timide à la fois.

— Vous devez être surprise, n'est-ce pas, de me retrouver mariée?

— J'avoue que je ne m'attendais pas à vous rencontrer en Canada. Je vous croyais en Angleterre.

— Si nous allions sur le balcon? suggère Martha. Je pourrais me permettre de vous expliquer mon mariage.

Un peu ennuyée, car elle a senti que ses deux amies les ont laissées plus par dédain que par discrétion, Charlotte suit Martha, autant par curiosité que par politesse.

— Je n'ai vraiment pas de chance avec mes amours, madame.

— Le commandant vous a quittée?

— Ah! chère baronne, les hommes… les hommes sont lâches et méchants. S'il n'y avait eu M. Carr, je désespérerais de leur honnêteté.

Il y a des larmes dans sa voix.

— Vous savez comme j'aimais le commandant. Je lui ai sacrifié ma réputation. Puisqu'il m'avait sauvée du désespoir, je ne voulais pas voir quel homme il était réellement. Quand les Américains ont consenti à l'échanger, je m'attendais à le suivre en Angleterre. Il m'avait promis le mariage et je l'avais soutenu tout au long de cette affreuse guerre. Il a refusé net.

— Sous quel prétexte? demande Charlotte, mal à l'aise.

— Les convenances. J'ai beau être alliée aux familles Van Horne, je n'étais ni assez noble ni assez riche pour lui. Je lui ai rappelé sa promesse de m'épouser. Il a nié. Alors j'ai promis de ne rien exiger, de vivre cachée. Ni mes larmes ni mon désespoir ne l'ont ébranlé. Il m'a traitée comme une fille à soldat, termine Martha, le visage bouleversé.

Charlotte tend les mains, croyant que Martha va se trouver mal. Cependant, cette dernière, par un effort visible, se redresse et continue, la voix tremblante :

— Quel coup! J'ai failli en mourir. La dame chez qui je logeais, après le départ de John, a eu pitié de moi. Elle était loyaliste mais ne le disait pas. Sa parenté espionnait pour le compte du Canada. Elle a réussi à me faire passer à Québec.

Ah! madame, comme j'ai eu peur, seule dans les bois avec les sauvages qui m'ont conduite jusque chez M. Carr, à qui ma logeuse me recommandait. Il m'a reçu chez lui. Il a eu toutes les bontés. Il m'a traitée comme un père traite sa fille.

— En effet, il pourrait être un père pour vous, ne put s'empêcher de dire Charlotte, dont les sentiments envers Martha oscillaient toujours entre la méfiance et l'indulgence.

— C'est ce qu'il fut pour moi jusqu'au jour où il m'avoua être amoureux de moi. J'avais développé une grande reconnaissance, une grande affection même, pour cet homme de bonté. Je croyais ne plus être capable d'aimer. Je ne lui ai rien caché de ma vie, de mes sentiments qui n'étaient que filiaux. Il m'a répondu que cela ne le dérangeait pas, qu'il serait honoré si je voulais l'épouser et qu'il serait peu exigeant. Il s'est fait si pressant que j'ai fini par accepter. Et savez-vous, avec le temps, je vois que mon affection évolue. Je crois que je serai capable de l'aimer d'amour.

La baronne écoute avec attention cette femme qui surgit toujours dans sa vie au moment où elle s'y attend le moins. Encore une fois, elle se sent fléchir devant les infortunes d'une Martha pathétique.

«Cette pauvre fille se jette dans les malheurs de l'amour comme un poisson dans un filet. Espérons pour elle que cette fois elle ne finira pas dans une poêle à frire», pense Charlotte, puis elle ajoute, à haute voix :

— Je vous souhaite enfin le bonheur que vous méritez, madame Carr.

— Je vous remercie. La seule chose qui me dérange, c'est son petit chien hargneux. Il a même acheté un esclave spécialement pour lui, pour laver, nourrir, dorloter, promener l'animal, et l'emmener partout où va M. Carr. Mon époux ne peut se séparer de son chien. Je crois qu'il l'aime encore plus qu'il ne m'aime.

— S'il n'y a que ce nuage dans votre ménage, je ne crains pas pour vous, lui répond Charlotte.

Puis, les immenses portes de la salle à manger s'étant ouvertes, les deux femmes rejoignent leurs maris pour passer à table.

La conversation allait bon train. Son Excellence le gouverneur Haldimand présidait le souper. Rarement volubile et même habituellement silencieux, il se mêlait pour une fois aux propos de ses invités, démontrant ainsi son amitié pour le baron et la baronne.

— Alors, général, je crois que tous, ici, partagent ma hâte d'entendre quelques anecdotes de vos quatre ans chez nos ennemis.

— Hélas! ce n'est pas une histoire gaie. Jusqu'à Boston, mes soldats ont marché de village en village, parfois sous les insultes, parfois sous un silence glacial. Autant les hommes contre qui nous nous étions battus étaient aimables, autant les civils étaient méprisants. Il faut dire que parfois des gens étaient assez généreux pour nous apporter à boire.

— Permettez, Friedrich, interrompit la baronne. Le général Schuyler, entre autres, fut d'une grande bonté pour nous et les enfants. Et, à ma connaissance, il ne reprocha jamais au général Burgoyne d'avoir brûlé sa maison.

— Cela est vrai. Nous n'avons guère eu à nous plaindre des officiers américains. Pendant tout ce temps, j'encourageais mes soldats à endurer leurs épreuves, croyant qu'à New York on nous embarquerait pour l'Angleterre.

— Le Congrès a refusé l'entente que vous aviez avec le général Gates, n'est-ce pas?

— En effet. Et quand la population a appris qu'elle devait nourrir mon armée, elle a protesté et est devenue encore plus hargneuse. Pour éviter une révolte, le Congrès nous a dirigés vers la Virginie. Mes soldats ont dû marcher six cent soixante-dix-huit milles. Comme c'était novembre, cette marche forcée s'est faite par grands froids, dans des tempêtes de neige terribles. Les bottes usées à la corde prenaient l'eau, les pieds gelaient. Il a fallu couper des jambes. La populace nous refusait même un croûton de pain. Un grand nombre de mes hommes sont morts affamés. J'imagine qu'au printemps les chemins étaient couverts de cadavres, car on ne pouvait les enterrer tous. Nous avons marché douze semaines.

– Mais en Virginie vous deviez être mieux. Il y fait chaud assez tôt, dit-on.

– Le contraste, justement, était terrible. Sous le soleil torride, les baraques étaient étouffantes. Construites en vitesse pour nous recevoir, elles n'avaient pas encore de toit. On a séparé les soldats de leurs officiers, ce qui est très mauvais pour eux puisque c'est l'officier qui doit remonter le moral des soldats. Puis la rumeur courut qu'Adams voulait nous pendre. J'ai reçu un mot de M. Washington nous conseillant de nous suicider tous.

– Quelle horreur!

– Cependant, M. Thomas Jefferson, le gouverneur, fut extrêmement bon. Nous avons vécu sur une plantation, dans une grande maison que j'ai fait construire. Je connais et j'aime l'horticulture. Alors, j'ai jardiné et j'ai encouragé mes soldats à se faire des jardinets derrière les baraques. Je leur donnais des conseils. Nous avons pu manger à notre faim.

– Hélas! fit Charlotte, mon époux a attrapé une terrible insolation et, depuis, il souffre d'affreuses migraines.

– Bah! C'est la seule séquelle de cette longue guerre.

– Il n'empêche! Quand on vous a ramené du jardin, le visage bleu, incapable de parler, les yeux fixes, les mains blanches et glacées, le front couvert de sueur, j'ai cru que vous étiez mort. Heureusement que vous vous en êtes remis.

Charlotte précise ensuite, pour le bénéfice des autres :

– Le médecin lui a prescrit les eaux. C'est durant notre séjour au spa, en août 1781, que mon époux a reçu la permission de se rendre à New York. Le Congrès avait enfin consenti à l'échanger contre des officiers américains prisonniers en Angleterre.

La conversation dévia ensuite sur des sujets plus anodins, ce qui permit aux invités de bien apprécier les plats qu'on leur avait préparés. Ils en étaient au troisième service lorsque la baronne demanda :

– Est-ce vrai que M. de La Naudière n'est plus en Canada?

– En effet, le chevalier a rejoint M. Carleton, à Londres, répondit le gouverneur. Je l'ai à peine connu. Par contre, j'ai eu à régler un petit problème avec le seigneur de la Pointe-du-Lac, votre ancien propriétaire, M. de Tonnancour. Cela concernait le chirurgien Pendergast, à qui j'ai permis d'épouser l'une des filles de M. de Tonnancour, malgré l'opposition de celui-ci qui, depuis, me boude. Mais j'ai M. Carr qui fait très bien l'affaire quand il s'agit d'importation et d'exportation. N'est-ce pas, monsieur Carr? Il réussit même, par quelques tours de son cru, à brasser des affaires avec les Américains sans que ceux-ci s'en doutent.

— Que deviennent M. le grand vicaire des Trois-Rivières et sa cousine? demanda la baronne.

— M. le grand vicaire se portait comme un chêne, aux dernières nouvelles. Mais on m'a dit que Mlle de Cabenac souffrait beaucoup de rhumatisme.

Martha Carr, qui avait été silencieuse jusque-là, s'anima soudainement. Elle regarda Haldimand d'un air admiratif.

— Ce qui me réjouit le plus et que nous devons à la bonté de Son Excellence, c'est la bibliothèque publique.

— Où est-elle située? voulut savoir Mme von Riedesel, lectrice passionnée.

— Dans le palais épiscopal.

— Je ne crois pas savoir où il se trouve, fit la baronne.

C'est le docteur Mabane, médecin du gouverneur et ami de Carleton avec qui il entretenait une correspondance suivie, qui lui répondit :

— Vous connaissez la côte de la Montagne? Eh bien, c'est le bâtiment en pierre de taille près de la porte Prescott.

— Avec un portail qui ressemble à du marbre brut?

— C'est cela, madame, confirma Mgr Briand. Son Excellence nous a convaincus des avantages d'une bibliothèque publique.

— Vous avez une grande quantité de livres, Excellence?

— M. Mathews, qui se charge de mon courrier anglais, en a obtenu de Londres huit cent quatorze. Et M. Genevay, secrétaire de mes dépêches françaises, a écrit en Suisse et en France. Combien de livres français avons-nous, Genevay? demanda le gouverneur en s'adressant au Suisse assis au bout de la table, à côté de Leonhard, avec ses deux autres secrétaires.

— Mille, Excellence. Ils sont arrivés par Londres, puisque aucun bateau français n'a le droit d'entrer dans le fleuve Saint-Laurent.

– C'est merveilleux, fit Charlotte. Et quelles sortes de volumes y a-t-il?

– De tout, madame; jusqu'à des grammaires. Parmi les livres français, on compte les trente-cinq tomes de l'encyclopédie de d'Alembert et de Diderot, et les ouvrages de Voltaire.

– À cet égard, remarqua Martha, Son Excellence fait preuve de beaucoup d'ouverture d'esprit.

Le général von Riedesel jeta un coup d'œil malicieux à Leonhard en pensant que cette littérature lui plairait certainement.

* * *

Lorsque les dames passèrent au salon et les messieurs, au fumoir, le gouverneur profita du brouhaha pour entraîner le général dans un petit salon.

– Écoutez, Riedesel, je compte sur vous, je dirais même sur votre épouse. Vous avez tous deux fait une forte impression sur la population canadienne. Quant à moi, je ne suis pas en très bon terme avec elle, même si je parle français. Je sais aussi que vous êtes un spécialiste de l'espionnage. Je suis entouré d'espions. J'ai donc bien besoin de vous.

– Mais je ne demande qu'à vous aider, Excellence.

– Les Américains recommencent à parler d'invasion. Cela attire encore une fois quelques rêveurs canadiens. De plus, étrangement, plusieurs soldats désertent. Accepteriez-vous le poste de Sorel, mon ami?

– Avec plaisir et reconnaissance, Excellence.

– C'est le poste le plus important, Riedesel. Le Richelieu, c'est le chemin des envahisseurs. Nous le savons puisque nous le prenons nous-mêmes. Alors c'est entendu, vous allez à Sorel. Vous verrez, j'y ai déjà ajouté des casernes et des magasins. Je vous y ferai bâtir une maison digne de vous.

– Combien y aura-t-il de militaires?

Haldimand se mit à rire:

– Vous aurez plus d'Allemands sous vos ordres que d'Anglais, qui ne sont que mille deux cents. D'ailleurs, depuis septembre 1779, vos compatriotes sont plus nombreux que les soldats de Sa Majesté. Ironique, n'est-ce pas?

54

Chez les Potier

— Vous avez bien l'air songeur, papa, je dirais même, de mauvaise humeur.

Maxime Potier retira sa pipe.

— Ouais! De mauvaise humeur, c'est le mot, ma fille.

— Pourquoi? Ça vous fatigue tant que ça, notre visite?

— C'est pas de la visite. Cette femme avec ses petites, elle nous a été imposée par l'Haldimand. Si ça a du bon sens! Moi qui avais déjà deux de ses soldats allemands à nourrir. Ça fait bien du monde dans ma maison.

— Pensez-y, papa : au fond, nous avons de la chance. Chez les Saint-Martin, ils ont quatre soldats allemands. Avec leurs sept enfants, ils sont treize.

— Écoute, ma Julie, la baronne avec ses quatre enfants, ses deux servantes, les deux soldats, moi, toi et Charles Migneron, ça fait douze. C'est pour ainsi dire comme chez nos voisins.

— N'oubliez pas qu'elle est bien aimable. Depuis qu'elle est là, il y a une théière chaude en permanence sur le poêle. Vous qui aimez ça, le thé, vous avez le droit d'en prendre tant que vous voulez, elle vous l'a offert.

— Il ne manquerait plus que ça. Je suis chez moi ici!

— Soyez juste. Le thé, c'est à elle. Et quand elle donne des gâteries à ses filles, elle n'oublie jamais Charles. Tenez, l'autre jour, elle vous a fait cadeau de tabac.

— Ouais! Mais on n'avait pas besoin de tout ce va-et-vient. On n'est jamais tranquille.

— Voyons, papa. Aujourd'hui il n'y a personne. Les deux bonnes sont parties avec les enfants. Elles ont même emmené Charles.

– La belle affaire. J'avais besoin de lui à la grange.

– Pas tant que ça puisque vous avez déjà fini. N'oubliez pas que les deux Allemands vous ont donné un bon coup de main. Savez-vous que la baronne m'a promis qu'elle me montrerait comment faire une espèce de sauce aux tomates avec des épices? Il paraît que c'est une spécialité dans les Allemagnes. Ça s'appelle des marinades.

– Des épices, ça coûte cher. On n'a pas ça comme du sirop d'érable, même pas comme de la mélasse du Sud.

– Elle va les fournir, et elle va m'en laisser en partant.

– C'est bien gentil tout ça. Mais toi, ma fille, ça te fait bien du travail.

– Pas plus. Les deux servantes m'aident de temps en temps. Et vous êtes bien content que Nicklauss et Christian fendent votre bois.

– Ils sont obligés. De plus, ils mangent comme des défoncés, ces deux-là… Surtout le Nicklauss (il exagéra la prononciation allemande). Paraît que ça veut dire Nicolas. Appelle-le donc Nicolas, ça étirerait moins la bouche.

Le beau rire de Julie s'éleva.

– Cher papa. Quand vous cherchez des puces, vous!

Un silence suivit. Le père, à bout d'arguments, réfléchissait, sentant que sa fille n'avait pas complètement tort.

– As-tu remarqué, ma fille, que ceux qui n'ont pas de soldat billeté, ou bien juste un, c'est ceux qui sont amis avec le gouvernement… comme d'habitude.

– Comme qui par exemple?

– Tiens… les Valois, à l'autre bout.

– Vous savez, Jean Valois, c'est un enseigne. Il a fait la guerre contre les Américains. Il s'est battu à la rivière des Mohawks. Si M. de St Leger n'avait pas renvoyé ses hommes avant la perte de Saratoga, Jean aurait peut-être été fait prisonnier. Alors le gouverneur a dû juger que les parents Valois avaient assez donné en leur prêtant leur fils, qui a été blessé.

– Tu en sais bien des choses, ma fille.

– C'est Louis qui m'a expliqué.

– Ouais! Il y a aussi les Laforêt. Et les Dandonneau. Veux-tu savoir mon idée, Julie? Je pense que les Laforêt, c'est parce qu'ils sont apparentés à l'officier de milice de Gerlayse, à la Rivière-du-Loup. Les Dandonneau, eux, ils ont dû faire jouer des cordes. C'est les anciens seigneurs de l'Île-du-Pas. Les seigneurs, ça se tient entre eux… Ou bien ils partent. Si notre seigneur de Ramesay n'était pas retourné en France en 1760, je serais pas obligé de donner mes redevances à John Bonfield, un maudit Anglais qui est pas capable de dire un maudit mot français.

— Papa, vous ne pensez pas que vous mêlez les affaires?

— Pantoute. Et il paraît que le tyran d'Haldimand, qui met tout le monde en prison parce qu'il pense que tout le monde est espion des Américains – tu vois, j'ai pas besoin de ton Louis Saint-Martin pour en savoir des choses –, paraît qu'il va acheter la seigneurie de Sorel.

— Vous devriez être content; il parle français, lui, il ne parle même pas l'anglais.

— Sauf qu'un gouverneur, ça a besoin de plus d'argent. Il va monter les redevances. Ça va nous coûter plus cher.

— Vous ne pensez pas que vous voyez tout en noir? Attendez d'être certain qu'il le fasse pour vous fâcher.

— Moi, ma fille, je ne me suis pas mêlé de cette guerre-là. Je me suis contenté de semer et de récolter. L'armée était bien contente d'avoir du pain pour ses soldats. Pour me récompenser, l'Haldimand m'impose un tas de gens, comme si j'étais un rêveur… Tiens! Ton Louis, lui c'est un rêveur, il pense qu'on serait mieux avec les Américains. J'en sais long, ma fille, sur lui.

Julie regarda instinctivement autour d'elle.

— Papa, ne parlez pas de ça. Ne lui faites pas de tort. Moi, je le sais pourquoi c'est nous que le gouverneur a choisi pour héberger Mme von Riedesel, en attendant que son logis soit prêt. Elle me l'a dit. Demeurer à Québec avec ses enfants pendant que son époux dirigeait le fort à Sorel lui semblait insensé. Après tout, elle n'a pas traversé l'océan pour rester loin de lui. Le gouverneur lui a alors promis ce manoir qu'il leur fait bâtir, pas trop loin du fort.

— Justement, je l'oubliais, son mari. Quand ça lui arrive de venir du fort, ça me fait un convive de plus.

— Il apporte toujours du vin et de la viande. Avouez-le, papa, on mange mieux ces jours-là.

— Ça c'est vrai. Mais lui, il est général. Il mange à sa faim. Quand même qu'il fournirait un peu de viande quand je le nourris…

— Vous trouvez pas ça beau, vous, que pour se rapprocher de son époux la baronne accepte de vivre toute tassée chez des habitants comme nous, elle, une dame habituée à des châteaux?

— C'est bien beau! C'est bien beau!

— En tout cas, c'est tout le contraire de ce que vous pensez. Elle m'a expliqué qu'elle avait eu plusieurs choix. Qu'elle nous avait préférés parce qu'on était seulement trois et qu'elle dérangerait moins de monde comme ça…

— Tu veux dire qu'elle, elle est moins tassée.

— Peut-être pour les deux raisons. Mais surtout, c'est parce qu'elle a su que vous aviez sauvé Charles de sa maison en flammes. Puis que vous l'aviez adopté parce que toute sa famille était morte dans l'incendie. Elle s'est dit qu'on était du bon monde et que c'était un bon exemple pour ses filles. Savez-vous que Mme von Riedesel a aussi dit que, puisque Charles était devenu muet à la suite de cette terrible histoire, ça se pourrait qu'il retrouve la parole un jour? Je la crois parce qu'elle est très savante. Ça serait merveilleux pour Charles, hein?

— Je sais pas comment tu fais pour être aussi jasante avec elle.

— Elle trouve que nous autres, les Canadiens, on a gardé la vieille politesse française, qu'on est bien élevés. Elle dit qu'elle aime discuter avec moi.

— Si tu es bien élevée, c'est parce que, après la mort de ta mère, je t'ai envoyée chez les sœurs. Tu étais ma seule enfant, et je voulais pas me remarier. En tout cas, je me mettrai pas à parler l'anglais ou l'allemand.

— Vrai, papa, vous le faites exprès? Mme von Riedesel s'exprime toujours en français. Savez-vous, au fond, pourquoi vous en voulez à la femme du général d'habiter ici? C'est parce que c'est une baronne et parce que ça vous gêne de vivre à côté d'une grande dame dans une si petite maison. Elle n'est pourtant pas gênante.

– D'abord, ma maison est pas si petite que ça. Et ma terre, c'est à moi. Je suis pas un laboureur, moi. Je suis un habitant et j'en suis fier.

Maxime Potier se leva lentement. Il s'approcha du poêle pour rallumer sa pipe, puis il se tourna vers Julie.

– Crois ce que tu crois, ma fille. La seigneuresse de Ramesay, quand elle entrait dans ma maison, elle m'a jamais gêné.

– Oui, mais elle ne restait pas à coucher. Elle venait pour discuter de ses affaires… Enfin, papa, on est le 14 octobre. Bientôt, Mme von Riedesel va partir. Sa gouvernante, Adélaïde, m'a dit que l'agrandissement du manoir avançait bien.

– Tant mieux, ma fille, tant mieux, fit le père Potier en sortant sur le pas de sa porte. En attendant, j'espère qu'elle remarquera pas trop ce qui se passe chez nos voisins…

Et il referma la porte en grommelant pour lui-même : « Ton Louis, là, ton Louis, son commerce d'armes avec les Américains va nous amener des ennuis. Tous ces étrangers-là, c'est pas du pain béni. Faudrait pas qu'ils aient les yeux trop clairs. »

* * *

Un peu après la conversation entre Julie et son père, Mme von Riedesel revint à la ferme. Elle demanda à la jeune fille de lui montrer la cave froide où l'on conservait la nourriture en hiver.

– Vous m'avez dit que vous feriez boucherie bientôt et vous comprenez, Julie, j'ai entendu parler de ces caves, mais je n'en ai jamais vu.

La fille de Maxime Potier conduisit aussitôt la baronne vers la grange. Dans un coin, elle souleva une planche qui servait de trappe. Elle désigna la cavité qu'on avait creusée dans le sol, dont les côtés étaient soutenus par des madriers.

– Vous voyez, madame, quand il fera assez froid, on va remplir la fosse avec de l'eau, qui va geler. Puis, on va déposer une grande planche sur la glace et entasser la nourriture là-dessus. La trappe, c'est pour que les petites bêtes ne s'y glissent pas. Les Indiens se font des caches du même genre quand ils partent pour plusieurs semaines. Sur le chemin du retour, ils ont toujours de quoi manger.

– C'est leur auberge personnelle, en somme, commenta Charlotte en riant.

– On se fait aussi une réserve de poissons.

– Vous pêchez même l'hiver?

– On perce un trou rond dans la glace. Oh! ce ne sont pas de gros poissons. Mais frits à la poêle, ils sont délicieux. Vous verrez, je vous en ferai goûter, si vous le désirez.

* * *

Le soir même, la baronne écrivait à sa mère. Elle en était à décrire la cave froide quand elle fut interrompue par un froissement près de sa porte, suivi de craquements dans l'escalier. Elle souffla l'unique chandelle dont elle se servait pour ne pas déranger le sommeil de ses filles et alla à la fenêtre, d'où elle aperçut deux ombres qui se rejoignaient à mi-chemin de la grange. Ses yeux d'aigle reconnurent aussitôt les silhouettes.

«Adélaïde et ce soldat qu'elle a sauvé. C'est un secret de polichinelle qu'elle plaît à ce Nicklauss.»

Charlotte vit ensuite qu'Adélaïde semblait résister aux tentatives ardentes de son protégé. Un peu gênée de son involontaire indiscrétion, la baronne hésitait sur ce qu'elle devait faire : se retirer, car elle savait Adélaïde capable de se défendre, ou se montrer afin de calmer l'ardeur du jeune homme qui était peut-être violent. Adélaïde se dégagea. Les deux jeunes gens échangèrent quelques mots, puis la gouvernante fit un pas pour partir, mais Nicklauss la rattrapa et, coulant ses bras le long du corps de la jeune femme pour la retenir, il se mit à genoux et sembla la supplier. Alors, Adélaïde se pencha et l'embrassa légèrement, puis s'enfuit brusquement.

Mme von Riedesel l'entendit monter avec une précaution de souris. Regardant une dernière fois à l'extérieur, elle vit Nicklauss, toujours à genoux, immobile telle une statue. Enfin, il se releva et se dirigea vers la grange où lui et son compagnon avaient été relégués à l'arrivée de la famille du général. À ce moment, l'autre soldat, Christian Schumpff, que le père Potier s'entêtait à appeler Jomphe, se montra dans l'une des ouvertures du bâtiment. Un rayon de lune éclaira son visage, sur lequel apparaissait une grimace railleuse. Il dut proférer quelque moquerie, car Nicklauss le bouscula d'un coup d'épaule avant de disparaître dans l'ombre de la bâtisse.

Charlotte, pensive, retourna s'asseoir à la petite table, devant son écritoire. Ses doigts jouèrent un moment avec sa plume, qu'elle déposa enfin en se disant : «Demain. Pour l'instant, je vais dormir.» Mais le sommeil ne vint pas, et elle continua à réfléchir. «Ce garçon l'aime, c'est évident. Quant à Adélaïde, elle est si froide avec lui devant nous. Elle ne semble pas partager ce sentiment. Pourquoi est-elle allée le retrouver ce soir, alors? On dirait qu'elle ne sait pas ce qu'elle veut. Elle peut être si intarissable quand elle discute de peinture; si vivante, si comédienne quand elle raconte des histoires à mes filles; si décidée parfois. Mais quand ce Nicklauss est présent, elle est peu bavarde, elle est même de glace, je dirais. Et pourtant… hier… à la cuisine, ce regard que j'ai capté, quand il lui tournait le dos… si ce n'était pas plus que de l'amitié… J'aimerais bien tirer cette histoire au clair : je ne veux pas d'ennuis avec mon personnel… Je crois qu'elle doit être tiraillée entre son engouement, ou plutôt sa passion, pour la peinture, et l'affection qu'elle a pour ce jeune homme qui l'aime… Évidemment, si c'était moi, je n'hésiterais pas.»

Sa pensée erra un moment sur Friedrich et un sourire apparut sur ses lèvres. Elle sentait ses yeux s'alourdir; pourtant une dernière pensée l'effleura.

«Dieu merci! tout est limpide entre ma brave petite Lizzie et son Leonhard. Ces deux-là, au moins, me rassurent. C'est charmant de les savoir si amoureux l'un de l'autre. Trois ans déjà qu'ils sont mariés! Comme Lizzie a changé, depuis. Elle est plus posée. L'amour l'a transformée. Je me demande s'ils auront des enfants. Il est vrai que, moi-même, ce n'est qu'après quatre ans…»

Sur ce, la baronne s'endormit.

* * *

Le lendemain, Charlotte continua sa lettre à sa mère, dans laquelle elle lui donnait une foule de détails sur la vie des habitants.

S'il est vrai que je reste pour un temps chez un fermier, il ne faut pas vous en faire, les maisons du pays étant très bien construites. Même si elles ne sont qu'en bois, elles sont chaudes.

On nettoie les demeures de fond en comble une fois par année, alors elles sont très convenables. Les lits aussi sont excellents et propres. On les installe dans une grande pièce commune et ceux des parents sont entourés de rideaux. Cependant, les gens chez qui j'habite ne sont que trois, à l'encontre de la plupart des familles d'ici. Alors, évidemment, mes servantes, les petites et moi-même sommes à l'étage, sous les combles.

Chaque maison possède un verger, un pâturage, une grange et une étable, ces deux bâtiments n'en formant souvent qu'un seul. Les potagers sont entourés de fleurs; des fines herbes sont cultivées à côté de certains légumes pour chasser les insectes que ces différentes plantes attireraient. Par exemple, au pied des tomates, on trouve toujours du basilic. Figurez-vous, cependant, qu'on ne connaît pas les concombres en Canada. Comme Friedrich a ramené des graines de Virginie, j'en ai distribué.

Ici, la soupe est substantielle. On y jette du lard, de la viande fraîche et des légumes qu'on retire ensuite du bouillon pour les servir en entremets. Comme dessert, on fabrique un sirop avec la sève des érables. C'est délicieux mais un peu sucré. Il paraît que c'est bon pour les poumons.

Les hommes fument sans arrêt. Ils ont pris cette habitude des Indiens. Parfois c'est étouffant dans leur habitation, à cause de cette fumée et parce qu'ils n'ouvrent pas leurs fenêtres en hiver.

Ils sont en bonne santé, mais j'ai vu plusieurs femmes avec le goître. Ils vivent vieux. J'ai remarqué que, lorsque leurs enfants se marient, ils se bâtissent sur la terre de leurs parents. Quand ils sont nombreux, cela forme des îlots de maisons très jolis à voir. Les grands-parents ont ainsi leurs petits-enfants et même leurs arrière-petits-enfants près d'eux. Ça leur permet de venir le soir et de les endormir en leur chantant des chansons que leurs aïeux ont apportées de la France. Parfois, ils en inventent (surtout ceux qui ont fait du commerce chez les Indiens). Les habitants chantent tout le temps. Ils sont hospitaliers et joviaux. Même quand ils sont timides, ils savent se présenter.

Quant à moi, je vais chaque jour, ou presque, jusqu'à la demeure que Son Excellence le gouverneur a achetée au nom de la couronne pour nous loger. J'ai soumis à l'architecte les plans de l'intérieur. Je dois, d'ailleurs, vous quitter pour aller examiner les travaux. Le cocher de Friedrich vient me chercher en calèche, bientôt. Parfois, Röckel le remplace. Ce dernier est toujours aussi dévoué et vaillant. Souvent, avec cinq ou six autres militaires, il surveille toute la nuit le sommeil de Friedrich. Sorel étant le poste le plus important, on craint que les Américains essayent d'enlever mon époux.

Je donnerai cette lettre au cocher. Après m'avoir déposée, il ira la livrer au bateau qui apporte le courrier à Québec. Elle sera transmise au voilier partant ces jours-ci pour l'Angleterre, d'où on vous l'expédiera.

Je vous embrasse, très chère mère, en espérant des nouvelles de vous. Il y a si longtemps que je n'en ai reçu.

Votre fille reconnaissante qui se languit de vos lettres,
Charlotte.

55

Chez les Saint-Martin

Leurs rires éraillés réveillaient l'écho de la nuit et leurs voix pâteuses se rapprochaient de la demeure. Joseph Saint-Martin était trop éreinté de sa journée pour se sortir du sommeil; il se contenta de grommeler. Catherine, sa femme, souleva la tête et tendit l'oreille.

«P'tit Jésus. Les deux Allemands qui reviennent. Ils sont saouls. Pourvu que Louis ne se fâche pas. La dernière fois, il a dit qu'il les écrabouillerait.»

Dérangé, le petit dernier se mit à pleurer. La mère voulut se lever et repoussa les rideaux, mais sa fille Amélie était déjà près du ber. Elle fit signe à sa mère de rester couchée. Les deux femmes entendirent les soldats se diriger vers le côté de la maison. La noirceur qui y régnait dut les impressionner car ils baissèrent le ton. Ils entrèrent par le bas-côté et traversèrent la cuisine d'été. Il y avait une marche entre celle-ci et la salle commune; l'un d'eux s'enfargea. Il se serait étalé si son compagnon, un peu moins ivre, ne l'avait retenu.

— *Donnerwater*, sacra-t-il.

— *Ruhig! Sie shlaffen*, fit l'autre d'une voix forte mais croyant chuchoter.

À peine éclairées par les lueurs du poêle, quelques têtes se dressèrent puis retombèrent, apeurées, disparaissant sous les courtepointes.

L'escalier était à gauche. Les deux hommes commencèrent à le monter en titubant sans se rendre compte que plusieurs paires d'yeux les observaient. Amélie sentit que son frère aîné était venu la rejoindre. Elle craignit sa colère et mit sa main sur le bras du jeune homme pour le retenir.

– Je t'en prie, Louis, laisse-les faire. Regarde, maman aussi te fait signe de rester calme.

Ils entendirent des pas hésitants au-dessus de leurs têtes puis le bruit d'objets qui tombaient.

– Tu vois, ils enlèvent leurs bottes. Dans trois minutes ils vont dormir.

– N'aie pas peur. Je ne ferai rien pour le moment, mais ils vont payer un jour.

L'aîné des Saint-Martin regarda dehors, puis se recoucha. C'était encore noir. Il attendit, les yeux ouverts. Bientôt, plus rien ne bougea dans la maison. Seuls les ronflements d'un des deux soldats lui parvenaient à travers le plancher. Quand la barre du jour apparut, Louis se leva doucement. Avec des précautions d'Indien, il sortit de la maison.

* * *

Le lendemain matin, Amélie n'avait pas encore ouvert la porte de l'écurie qu'elle entendit hennir et piaffer son cheval, qui la reconnaissait. Aussitôt entrée, elle aperçut dans la pénombre ses yeux inquiets, du moins ce fut son interprétation du regard jeté par l'animal. Il la salua d'un second et faible hennissement. La jeune fille appuya sa tête sur son encolure tout en lui caressant le museau.

– Bonjour, mon Vaillant. Je sais que tu es vieux et fatigué. N'aie pas peur. Je ne viens pas te chercher pour travailler ; même si je sais que si je te le demandais tu accepterais ton licou avec courage. Tu as toujours été si brave. Tu as fait ta part. Il faut que tu te reposes maintenant. Tu entends ? Jamais plus tu iras défricher.

À ce moment, un ébrouement, venant d'un coin sombre, interrompit ses propos. Amélie donna une petite tape amicale à son compagnon.

– Attends ! Je reviens. Il faut être poli. Tu comprends, il est nouveau ici, il doit se sentir perdu. Je vais le rassurer. Il deviendra vite ton ami… Ah ! j'y pense… C'est ça. Tu as peur que je te laisse tomber. Sois tranquille, c'est toi que j'aime. Lui, il va labourer à ta place. Il ne faut pas être jaloux. Au contraire, comme ça on pourra se voir plus souvent, toi et moi. Tu seras comme un prince.

Elle soupira en se dirigeant vers le jeune cheval que son père venait d'acheter. Elle lui fit une caresse, lui parla à l'oreille, puis revint vers Vaillant.

— Oui, je vais te dorloter. Je sais que mon père se débarrasse de ses chevaux trop âgés. Mais de toi, Vaillant, il n'osera jamais se séparer. Il t'a donné à moi. Tu es mon cadeau. Et depuis si longtemps. Il sait comme je t'aime.

Elle bichonnait le cheval tout en continuant son monologue, ou plutôt son dialogue, car de son regard confiant, de ses oreilles, de son museau qui frémissait, ainsi que de sa queue qui s'agitait, l'animal semblait lui répondre.

— Il est vieux, ce cheval, fit une voix d'homme à l'accent allemand prononcé.

Amélie sursauta et se colla à Vaillant tout en se retournant. Reconnaissant Lukas Schmitt, l'un des deux enivrés de la nuit précédente, elle s'exclama, la voix légèrement tremblante :

— Ah! c'est vous! Je ne vous avais pas entendu venir.

— Je m'excuse, mademoiselle Amélie. Je ne voulais pas vous faire peur. Je venais chercher une corde.

— Ça va. Je disais à Vaillant qu'il ne tirerait plus la charrue. Mon père le remplace par un plus jeune.

— Je sais. Mon père aussi, il avait des chevaux. Quand ils étaient vieux, il les tuait.

— Bien sûr, ça coûte cher un cheval qui ne sert plus. Mais Vaillant, c'est différent. Mon père m'en a fait cadeau. C'est mon cheval.

— C'est de l'argent perdu, mademoiselle Amélie. Chez nous, quand on tue un cheval, ensuite on le mange.

— Quelle horreur! Vous le mangez?

— On mange bien du cochon, du bœuf et des poules, mademoiselle.

— C'est pas pareil!

— Pourquoi donc? C'est bon, très bon du cheval. C'est… *delikatessen*.

Amélie frémit. D'un ton sec, elle répliqua à l'Allemand, qui venait de trouver la corde et l'enroulait sur son épaule :

– En tout cas, Vaillant, c'est mon cheval; et il va mourir de sa belle mort. Personne ne va le manger.

Sa voix tremblait de colère. Lukas la regarda d'un air surpris.

– *Gut! Gut!* Mais faut pas… *wie sagen Sie?*… se lier à des bêtes… On est triste…

Et il sortit en secouant la tête et en répétant plusieurs fois : « *Traurig… sehr traurig…* plus tard… »

* * *

Le lendemain, vers la fin de l'après-midi, chez les Saint-Martin, on se préparait à souper.

– Treize à table, se lamenta Catherine, pour au moins la dixième fois. Ça va nous porter malchance un bon jour.

– Arrête donc, répondit son mari. Le curé serait pas content de t'entendre… Les femmes… c'est superstitieux.

Amélie, qui mettait le couvert, sourit à sa mère.

– En tout cas, si c'est malchanceux, ça serait pas, comme vous dites, un bon jour, mais un mauvais.

– C'était une façon de dire.

– Je sais bien. Je vous fais étriver… Michel, va quérir Louis… Laisse faire, le voilà. Va presser les Allemands en haut, qu'ils descendent.

– C'est ça, fit la voix ironique de l'aîné qui secouait ses bottes. Va les presser comme un champignon-du-diable. Ça pète et il sort de la poussière grise qui pue.

– Louis! le morigéna sa mère, à travers les rires des plus jeunes.

Un peu plus tard, au milieu du repas, Michel demanda s'il restait du pot-au-feu. La réponse étant négative, il grogna en regardant avec colère les quatre soldats au bout de la table.

– C'est encore à cause de ceux-là. Ils mangent tout. On n'a plus rien.

Amélie donna une bourrade à son jeune frère et lui chuchota :

– Tais-toi. Les Anglais n'ont pas encore envoyé les rations. C'est pas de la faute des Allemands.

– N'empêche… Qu'ils retournent chez eux. La guerre est terminée.

– Pas tout à fait. Et, s'il t'entend, ça envenimera les choses, continua sa sœur en désignant Louis perdu dans ses pensées.

L'oreille fine de Louis avait perçu leurs chuchotements. Il dit :

– Ça sera pas long. Tu vas pouvoir manger à ta faim, Michel, comme avant. On va se débarrasser des bêtes puantes.

– De quelle façon?

– Laisse faire, dit Amélie, continuant à parler bas. Toi, Louis, prends garde. Ils ne sont pas sourds. Ça fait un bout de temps qu'ils sont ici. Ils te comprennent plus que tu penses.

Le père apostropha Michel :

– Il y a du monde dehors. Va voir au lieu de poser des questions.

En effet, on entendait des cliquetis d'armes à l'extérieur. Avant que le garçon ne se lève, des coups rudes ébranlèrent la porte qui s'ouvrit brusquement sous la poussée d'un officier allemand. L'air hautain, il salua d'un geste raide en se présentant :

– Capitaine Braun.

Hoffman et Schmitt se regardèrent et pâlirent. Ils sentaient d'instinct que l'arrivée de cet officier n'annonçait rien de bon pour eux. Une espèce de géant, Helmut Degenhardt, fit la grimace. Par hasard, Gottlieb regardait Louis, qui semblait totalement indifférent. «Trop indifférent, songea-t-il, ça cache quelque chose. Mais quoi? Où est-il allé ce matin? Je l'ai vu arriver quand je me suis levé pour pisser… et il ne venait pas de la grange… plutôt du côté du village.» Son soliloque fut interrompu par la voix métallique de Braun.

– Soldat Hoffman, soldat Schmitt! Ce n'est pas la première fois que je reçois des plaintes à votre sujet. J'ai fait une enquête. Vous avez joué aux dix épingles et parié. Même que vous, Hoffman, vous avez perdu une grosse somme, plus importante que celle de votre compagnon, ce qui n'est pas une excuse pour vous, Schmitt. Vous savez que jeux, paris et dettes sont défendus par ordre du général Riedesel. De plus, vous êtes partis de l'auberge en chantant, en criant, incapables de marcher droit. J'ai des témoins. Je suppose que vous avez dérangé vos hôtes, ajouta-t-il en français, le reste de ses commentaires ayant été émis en allemand.

Les deux comparses se tenaient au garde-à-vous. Ils savaient bien ce qui les attendait. La sueur coulait le long de leur tête. Schmitt, surtout, tremblait.

— Vous avez déjà eu un premier avertissement. Sortez dans la cour. Trente coups de *schlague*, chacun, vous y attendent et vous donneront de la mémoire.

L'officier, pour le bénéfice des Saint-Martin, résuma sa harangue avant de se diriger vers la porte pour suivre les deux malheureux.

Gottlieb, pendant cette diatribe, continuait son monologue intérieur : «J'y suis, c'est Louis qui les a rapportés. C'est de chez le capitaine qu'il arrivait ce matin.» Il ne put se retenir et montra le poing à Louis : «C'est toi, le *schwein*, le cochon qui est allé se plaindre?»

Le capitaine Braun se retourna. Le visage de Gottlieb ne dut pas lui plaire.

— Toi aussi, dehors! *Du auch! Heraus!*

— *Herr Hauptman*, j'ai rien à voir avec ça… *nicht*… je me suis couché tôt.

— *Heraus!* Je ne le répéterai plus. Hoffman et Schmitt vous ont demandé d'aller avec eux. Vous saviez donc où ils se rendaient.

Gottlieb jeta un regard noir à Louis. Il était certain maintenant. Qui donc pouvait avoir raconté qu'Helmut et lui avaient été pressés par leurs camarades de les accompagner, sinon Louis?

— J'ai dit dehors. *Schnell!*

— C'est vrai, *Herr Hauptman*, fit Helmut. On n'est pas sortis. Demandez aux gens de la maison.

— Ce n'est pas assez. Votre devoir était de les rapporter. *Lass es genug sein!* C'est assez. Vous parlez trop. Dehors, vous aussi!

Braun hurlait et levait sa cravache. Les deux militaires sortirent aussitôt. En passant, Gottlieb regarda Louis avec haine. Ses yeux lui disaient qu'il payerait pour son geste.

Tout émue, Catherine joignit les mains et regarda son mari. Ses yeux lui demandaient d'intervenir. L'air ennuyé, celui-ci jeta un coup d'œil au visage fermé de son fils aîné et ne répondit pas à l'appel muet de sa femme.

– C'est vrai qu'ils dormaient, fit Amélie. Dites-le donc au capitaine, papa.

– Laisse le père tranquille, Amélie. C'est pas de nos affaires, remarqua Louis.

Les coups pleuvaient dru. Malgré les fenêtres fermées, on les entendait, ainsi que les gémissements qui les accompagnaient. Les plus jeunes voulurent se précipiter vers la croisée, mais leur père leur ordonna de rester à table. Mme Saint-Martin, les yeux fermés, murmurait des prières. Amélie regardait Louis. Était-il le délateur? Elle était inquiète, terriblement inquiète pour son frère. Chaque fois qu'elle entendait des coups, sa bouche se crispait, comme si chacun d'eux augmentait le danger pour Louis. Enfin, les bruits diminuèrent. L'officier rentra. Joseph, comme s'il ne le voyait pas, se leva et sortit par l'arrière.

– Je les ai envoyés se laver au puits et je les emmène pour une petite marche forcée au pas de course jusqu'au village, aller et retour. Ils ne vous ennuieront plus la nuit.

– C'est bien beau! hurla Louis, mais j'aurais plutôt pensé que vous nous en auriez débarrassés.

L'officier fronça les sourcils et son bras nerveux frappa l'embrasure de la porte avec colère.

– Mes hommes sont ici pour rester, que cela vous plaise ou non.

– On n'a plus de vivres. Ça fait plus d'une semaine qu'on les nourrit, reprit Louis.

– C'est à l'Angleterre à fournir la nourriture. Plaignez-vous à Son Excellence.

– Ça va prendre des semaines. Pendant ce temps-là on va crever de faim. Votre faute ou celle des Anglais, qu'est-ce que ça change pour nous autres? On n'a pas à leur donner du pain et on ne leur en donnera pas! renchérit Louis, en criant ces derniers mots presque au visage de l'Allemand.

Celui-ci recula avec dédain et s'épousseta du revers de la main, comme si le fait d'être si près de Louis était salissant. Puis, il le menaça de sa cravache.

— Toi, tu jappes trop. Couche! Ferme-la avant que je te la ferme!

Plus sous l'effet des verbes que sous la menace, Louis bondit et attrapa l'instrument tout en hurlant :

— Tu es dans la maison de mon père, ici, espèce de menique, de voyou! C'est moi qui vas te la fermer!

Louis était moins grand que le capitaine, mais plus musclé; il avait des poignets plus développés et des épaules plus larges, fruit de durs labeurs à la ferme. Il allait probablement arracher l'objet des mains de Braun, peut-être même, dans sa colère, frapper l'officier, quand Catherine décida de laisser tomber son habitude de n'agir qu'avec l'approbation de son mari. Par peur des conséquences, elle cria, comme lorsqu'il était tout petit :

— Louis, laisse ça, je te l'ordonne!

Le jeune homme desserra aussitôt sa main et dit :

— Vous avez de la chance que ma mère soit bonne.

— Toi, tu lui dois une fière chandelle, à ta mère. Chez moi on te pendrait pour moins que cela, tête de mule!

Et sur cette phrase qui laissait deviner qu'il n'oublierait pas de sitôt les événements, l'officier salua Catherine, tourna les talons et sortit sans même daigner fermer la porte. Amélie s'en chargea.

— P'tit Jésus, mon Louis, tu l'as insulté, fit la mère.

— Et moi? Il ne m'a pas insulté par hasard? Soyez tranquille. On ne les aura pas longtemps sur le dos. Les Américains s'en viennent… À partir d'aujourd'hui, les quatre Allemands vont boire de l'air et manger des nuages. Fini. Plus rien dans leur assiette. Vous m'avez bien compris, maman?

— Voyons, ça n'a pas de bon sens.

— Pourquoi donc? Louis a raison, s'exclama Michel, qui admirait son frère.

— Vous aimez mieux que les petits soient privés? Ils grandissent, eux. Ils ont besoin de manger.

— C'est vrai, soupira Catherine, mais j'ai peur que les Allemands se vengent.

— C'est le seul moyen pour qu'ils se révoltent contre leurs chefs. Ils savent qu'on a raison. Et je le répète, les Américains s'en viennent.

– J'ai bien peur que tu te trompes, dit Amélie.

– Je le sais. J'en suis sûr même. C'est… c'est une dame bien importante qui me l'a dit. Mais faut garder ça secret, répondit Louis en pensant à la séduisante dame qui lui apportait des armes.

– Tu penses qu'on serait mieux avec eux, mon Louis? En tout cas, nourrir les Allemands ou pas les nourrir, c'est ton père qui va décider.

* * *

À midi, le lendemain, quand la famille Saint-Martin se mit à table, Catherine servit d'abord son mari, comme d'habitude. Ses yeux inquiets n'osaient pas regarder les soldats que, par politesse, elle avait toujours servis les deuxièmes. Louis, voyant son hésitation, se leva et tendit son bol, que sa mère remplit, la main tremblante. Michel imita son frère. Amélie, comprenant le supplice de la pauvre femme, se leva, prit fermement la louche et força Catherine à s'asseoir. Elle continua la tournée des membres de la famille, se versa elle-même du potage et se rassit sans s'occuper des Allemands.

Ceux-ci étaient si surpris qu'ils restèrent figés, se demandant quelle raison pouvait expliquer la façon d'agir des Saint-Martin. Helmut, luthérien convaincu, se dit que certains jours de l'année les catholiques devaient suivre un mystérieux rite. Hoffman se gratta la gorge et demanda timidement :

– Et nous?

– On n'a oublié personne, répondit Louis, d'un ton sec.

– Tu vois bien qu'ils se vengent et veulent qu'on se serve tout seul maintenant, grogna Schmitt.

Il se leva et regarda à l'intérieur du chaudron. D'un air désolé, il montra à ses camarades qu'il ne restait plus rien. Louis ricana.

– Il n'y en a plus. Comme ça doit être. À l'avenir, demandez à vos Anglais qu'ils vous apportent à manger.

Un long silence suivit. Schmitt fut le premier à comprendre qu'ils ne tireraient rien de cette famille : le père, les deux fils aînés et même la jolie Amélie n'affichaient qu'un entêtement

dur sur leur visage. La mère, la plus vulnérable, fixait obsti-
nément son assiette. Il fit un mouvement pour s'approcher
d'elle, mais les regards menaçants de Joseph et de Louis le
retinrent. Il monta à sa chambre, suivi de Helmut. Hoffman
ne prit guère de temps pour venir se jeter sur son lit à son tour.
Seul Gottlieb s'obstina à rester. Cette crapule crut pouvoir
intimider les enfants.

— Toi, le jeune, va me chercher à manger! cria-t-il en tendant
son assiette.

L'enfant rougit et regarda son père, qui lui fit de gros yeux.
Il baissa la tête et porta sa cuillère à sa bouche.

Gottlieb se leva avec colère, ce qui fit tomber sa chaise. Il se
retourna, la ramassa et, la lançant de toutes ses forces sur le
plancher, la fit voler en éclats. Michel, d'un bond, se précipita
vers Gottlieb, malgré les supplications de sa mère. Les cris de
Catherine l'ayant alerté, le soldat, qui se dirigeait vers la porte,
l'accueillit d'un puissant coup de poing, et le jeune rebelle
s'écrasa, inconscient, contre le mur. À son tour, Louis se leva.
Il allait rendre la monnaie de sa pièce à l'Allemand quand celui-
ci s'empara d'un morceau de la chaise qu'il venait de fracasser;
il s'apprêtait à lui en asséner un coup sur la tête lorsque Joseph
Saint-Martin s'écria, tout en pointant une arme vers le soldat
allemand :

— Ça suffit! Sortez d'ici.

Mais Gottlieb ne semblait pas du tout impressionné par le
geste du père. Plutôt, il semblait envoûté par l'arme menaçante
pointée dans sa direction. Surpris et inquiet de l'attitude de
Gottlieb, Joseph répéta ses mots en haussant le ton afin de lui
faire comprendre le sérieux de sa menace. L'Allemand retrouva
ses sens et sortit en claquant la porte. Il aurait eu plaisir à tuer
les hommes de cette famille, et même, oui, même à violer cette
Amélie, mais la perspective d'avoir toute l'armée à ses trousses
le retenait. Il lui fallait de l'argent pour pouvoir déserter cette
saleté d'armée.

À l'intérieur, un calme relatif avait suivi la tempête.

— Il va falloir être beaucoup plus prudent, dit Joseph en regardant ses deux fils. Cette histoire est bête. Si ça continue,
on va attirer l'attention sur nous. Ça pourrait nous coûter cher!

56

Au cri, tous se figèrent. Un court silence suivit. Presque aussitôt des lamentations quasi inhumaines percèrent l'air sec du matin, comme celles d'une louve retrouvant l'un de ses petits, blessé à mort. Les plaintes se changèrent en syllabes inintelligibles. En se rapprochant, elles se précisèrent en une suite de mots dont trois se détachaient plus clairement : «Lukas! Forban! Bandit!»

Toutes les têtes se tournèrent vers le militaire, qui rougit mais parut étonné. Puis, d'un même mouvement, elles regardèrent la porte qui s'ouvrait sous la brusque poussée d'Amélie. La jeune fille courut vers celui qu'elle avait interpellé. De ses poings, elle le frappa à la poitrine. Son visage ruisselant de larmes exprimait tout à la fois désespoir et colère. Trop stupéfié pour se défendre, le soldat ne broncha pas, sur le moment. Enfin, il réagit et s'empara des poignets de la jeune fille.

— Qu'est-ce que j'ai fait? Qu'avez-vous?

— Vous le savez, hypocrite! hurla Amélie. Vos belles histoires, on les connaît. J'aurais dû me méfier. Assassin!... Je vous hais... Je vous hais.

Emporté par l'impétuosité de sa jeunesse, et voulant peut-être se venger de la querelle dont il portait la marque sous un bandage, Michel fut le premier à sortir de son saisissement. Ne doutant pas que sa sœur avait de bonnes raisons, il bondit sans plus réfléchir sur Lukas et le frappa. Schmitt lâcha aussitôt la fille enragée pour se tourner vers le jeune coq. L'Allemand, habitué au combat, riposta et se lança sur son adversaire. Une véritable bataille s'ensuivit, tandis que les plus jeunes enfants se réfugiaient près de leur mère en hurlant. Celle-ci répétait : «P'tit Jésus! P'tit Jésus! Arrête-moi ça, Michel!» Louis et

Helmut se précipitèrent vers les deux antagonistes. L'aîné essayait de glisser quelques mots à l'oreille de son cadet, mais ce dernier se débattait comme un chat lancé à l'eau dans un sac.

Pendant ce temps, Amélie s'était jetée au cou de son père. Joseph demanda à sa fille :

— Batêche, veux-tu bien me dire qu'est-ce qu'il t'a fait, ce torrieu-là?

— Il a égorgé Vaillant. C'est ce qu'ils font avec leurs chevaux chez lui.

À cette phrase, Lukas arrêta de se débattre et protesta avec véhémence :

— C'est faux!

Comme il avait relâché son attention, Michel s'apprêtait à lui donner un autre coup, mais Louis retint son bras et lui murmura, yeux dans les yeux :

— Arrête. Tu vas faire venir le capitaine. Pense un peu!

L'adolescent comprit le message et se calma aussitôt, d'autant plus que Joseph tonnait :

— Bon! Ça suffit, Michel! Retourne à la chaise que tu réparais. Termine la babiche. Tiens-toi tranquille!

Joseph était soulagé que seul l'animal soit en cause. Un moment, il avait craint que le soldat ait attaqué Amélie. On disait qu'à Mascouche une bande de soudards allemands, enivrés, avaient violé des filles. Dieu merci! les autorités allemandes les avaient fait pendre. Mais ça n'enlevait pas le mal. Et quelle mortification pour les parents!

— Amélie, prends sur toi. Dis-toi que Vaillant n'aurait pas vécu encore bien longtemps. Louis, viens avec moi à l'écurie. Faut d'abord s'occuper du cheval. Après… le coupable.

* * *

Louis et Joseph fixaient l'animal à moitié rigide, étendu sur la paille.

— Ce maudit égorgeur a dû venir au petit matin; Vaillant est encore chaud.

— Oui. Et il connaît les bêtes. Regarde l'artère : un coup de couteau bien appliqué, bien sec. Le cheval a pas eu le temps de râler…

Louis ferma les poings. Il était peiné du chagrin de sa sœur et insulté qu'on s'en soit pris à un bien familial.

– Ce Lukas, je le fais pas seulement fouetter, je le fais pendre.

– Attends, Louis. Je suis pas certain que le Schmitt a fait le coup. Il avait l'air bien sincère quand il a protesté.

– Ouais! En tout cas, je vais bien finir par apprendre qui est la ratatouille qui a fait ça. Il va payer cher!

– Calme-toi, Louis. Mais tu as en partie raison. On devrait se plaindre. Et après, exiger qu'on nous paye le cheval.

Louis se gratta la tête. Après un moment de silence, il fit une grimace :

– Non! Ça marcherait pas. Ils savent tous qu'on a acheté un nouveau cheval et que le nôtre était trop âgé. Et le capitaine Braun m'en veut depuis que je l'ai forcé à punir ses ivrognes. Il va répondre que ça nous a débarrassés, que ça nous a rendu service, qu'on a pas eu à le faire nous-mêmes.

– Peut-être que oui, peut-être que non. Mais ça coûte même pas une ancienne carte de Bigot pour essayer. Tout à coup il accepte? Tiens… s'il nous donne quelque chose, j'en donnerai à ta sœur pour sa dot. Après tout, c'était son cheval.

– Ils vont faire une enquête si on se plaint. Ça peut traîner comme un chasseur qui a perdu une raquette. S'ils se mettent à fouiller tout partout, ils peuvent tomber sur la cache d'armes américaines. On serait mal pris.

À ce moment, la porte de l'écurie grinça. Deux silhouettes se détachèrent dans les rayons qui éclairèrent l'allée. Exprimant la même inquiétude, Joseph et Louis se regardèrent. Avaient-ils été entendus?

Le plus grand des deux hommes qui venaient d'entrer s'avança vers la bête ensanglantée, se pencha et posa sa large main sur son flanc.

– Je peux vous aider? demanda Helmut.

Par sa haute stature, Helmut était, de prime abord, le plus inquiétant des quatre hôtes forcés des Saint-Martin. Cependant, son sourire bon enfant, perdu entre une épaisse moustache et une longue barbe aux poils roux et frisés, atténuait cette première impression. De grands yeux bleu pâle, presque naïfs, renforçaient l'idée d'un être sans malice. Aussi était-il sympathique, malgré sa taille immense. Joseph fut soulagé. Celui-là n'était ni un fauteur de troubles, ni un tueur de cheval, et il serait utile. Mais à la vue de celui qui accompagnait le géant, il fronça les sourcils.

— Tu oses venir ici?

— Je vous jure que c'est pas moi. Et je veux vous aider, déclara Schmitt.

Le père Saint-Martin, un peu méfiant malgré tout, haussa les épaules sans répondre. Il se tourna vers son fils :

— Louis, va quérir les cordes. Ces deux-là vont tirer.

— Qu'est-ce que vous allez faire? demanda Helmut.

— On va l'emmener dans le bois. Les ours vont s'en charger. Demain, il n'y aura plus un os.

— C'est triste.

— À qui la faute? répliqua amèrement Louis.

— Ça, je ne sais pas. Mais c'est triste que des bêtes mangent des bêtes quand des gens meurent de faim.

L'habitant regarda curieusement l'Allemand, attendant la suite.

— Écoutez, père Saint-Martin, vous n'êtes pas un mauvais homme. Je vous comprends. Vous voulez nourrir votre famille. Nous, on ne reçoit pas notre dû. On va faire des dettes pour manger. Ça fait de la colère chez vous. Ça fait de la colère chez nous. Ici, il y a une bête morte qui ne sert pas. Pourquoi la laisser aux bêtes sauvages? Nous, on pourrait la manger. Plus de problèmes pour vous. Plus de problèmes pour nous. On est tous contents.

Helmut s'arrêta. Il n'avait jamais autant discouru en français. Joseph ne répliqua pas, mais fit signe à son aîné de le suivre au fond du bâtiment.

— Qu'est-ce que tu en penses?

— C'est bien amené. À croire que c'est lui qui a manigancé toute l'histoire.

— Je le crois pas si ratoureux. Et, pour suivre ta propre idée, faut pas attirer l'attention sur... tu sais quoi.

– Vrai! Faut gagner du temps. Pas de chicane. N'empêche! celui qui a fait le coup sera pas puni. Avec le temps, il va bien se vendre lui-même, le maudit. Ce jour-là, je l'attrape et il va payer.

– Chut! Allons dire à Helmut qu'on accepte son idée. Mais à condition qu'ils s'arrangent eux-mêmes pour dépecer, cuisiner et nous débarrasser de la carcasse. Je veux rien voir traîner. Qu'ils mettent les restes dans la glacière.

* * *

Amélie, qui s'était réfugiée dans le grenier, avait fini par s'endormir sur les poches de grain après avoir pleuré pendant des heures et des heures. Elle s'éveilla courbaturée et sentant une petite faim. Elle descendit à la salle commune, mais hésita au pied de l'escalier car les quatre étrangers mangeaient autour de la table. Elle faillit remonter, mais ses yeux tombèrent sur l'étroite et haute armoire en pin dans laquelle on gardait des fruits et que sa mère appelait «l'homme debout». L'armoire portait bien son nom, car à deux occasions on y avait caché un militaire poursuivi par des soldats anglais.

Le meuble, à la pigmentation de bleuet, n'avait qu'une seule porte, échancrée aux quatre coins et à moulure en creux, taillée en plein bois. Cette porte surmontait un empiètement décoré d'une fleur de lys en relief sur une rouelle. Elle était divisée en quatre carreaux vitrés aux traverses à doubles baguettes qui formaient une croix aux branches d'égale longueur; une plaque, représentant également une fleur de lys, entourait la serrure. L'élégance remarquable de cette armoire était rehaussée par ses ferrures et ses loquets à motifs forgés et gravés, importés de France.

Fabriquée par un arrière-grand-père pour celle qu'il venait d'épouser, elle était transmise de fille aînée en fille aînée et, par le fait même, Amélie en hériterait un jour. Aussi celle-ci prenait-elle souvent un plaisir ému à la regarder et à la toucher. C'est d'ailleurs autant la vue de «son» armoire que le désir d'une pomme qui lui donnèrent le courage de ne pas retourner sur ses pas.

Après avoir pris un fruit dans un bol de la partie vitrée, elle s'apprêtait à sortir le plus vite possible de la pièce lorsqu'une odeur attira son attention. Elle regarda Konrad et Gottlieb. Leur attitude l'intriguait. Ils se faisaient des clins d'œil, riaient, puis la regardaient et riaient encore.

– C'est bon ça, hein, Gottlieb? dit Konrad en français avec l'intention évidente de se faire remarquer par Amélie.

– *Yawohl!* cria l'autre, en terminant par un tel rire qu'on apercevait ce qu'il mangeait.

Il crachota quelques morceaux dans les airs, ce qui le fit rire de plus belle.

Malgré elle, Amélie ralentit et resta fascinée comme un poussin devant un oiseau de proie.

«Qu'est-ce qui se passe? Je sens quelque chose d'étrange», se dit-elle.

Gottlieb porta à sa bouche un morceau de viande dégoulinant de sauce. Il essaya de le déchirer entre ses dents. Il tirait avec ses doigts poisseux tout en tournant la tête de droite à gauche et inversement. Il émettait des sons de satisfaction. La jeune fille croyait entendre des grognements de chien sauvage ou voir un loup déchiquetant sa proie. Elle s'imagina une mâchoire s'allongeant et des mains devenant des pattes poilues aux ongles griffus. Elle eut presque peur.

Lorsque Gottlieb s'arrêta pour rire à gorge déployée, Amélie sortit de sa torpeur. Elle allait partir quand Konrad l'interpella.

– Hé! belle Amélie. Tu veux pas manger nous?

Gottlieb, qui parlait un meilleur français, comprit la vraie pensée de son camarade. Mais l'occasion était belle pour son esprit tordu. Il s'esclaffa, puis s'adressa à la jeune fille :

– Je pense qu'il t'invite à manger «avec» nous, dit-il, en ajoutant, après s'être tourné vers Konrad : Je pense pas qu'elle veut «te» manger. Mais moi, je la mangerais bien, elle.

Et il ponctua ses mots d'un rire aussi lourd que son trait d'esprit.

C'en fut trop pour Amélie, qui rougit de honte. Elle voulut fuir quand soudain une question lui vint à la tête, suivie aussitôt d'une réponse horrible : «Où ont-ils pris cette viande? Non… ce n'est pas possible. Ils n'ont pas fait ça!»

L'image de Vaillant venait de lui apparaître. L'idée lui fut si intolérable que, malgré l'horreur qu'elle avait de ces deux hommes, elle examina de plus près la texture de ce qu'elle avait cru être du bœuf. Elle ne douta plus : on se délectait de la viande de son cheval. Tremblante, elle pivota sur elle-même. Prise d'un haut-le-cœur, elle voulut éviter de vomir devant ces soudards. Mais elle ne fit que deux pas et elle dut se plier en deux, éclaboussant le plancher. Les rires méchants des comparses s'élevèrent et, en frappant leur chope sur la table, ils crièrent :

— *Gesund Hei!*

Jusque-là, Helmut s'était contenté de faire signe à ses vis-à-vis d'arrêter leurs grossièretés et de les engueuler à voix basse en allemand. Cette fois, il se leva.

— Fermez-vous! cria-t-il dans sa langue.

Son énorme poing cogna les gobelets et le contenu se répandit sur les deux malappris. Lukas bondit à son tour et les apostropha d'une phrase qu'il fit suivre de plusieurs jurons :

— Je comprends. C'est vous qui avez tué le cheval. Et vous m'avez laissé être accusé!...

En entendant tout ce bruit, Joseph, qui travaillait avec son fils dans la soupente du bas-côté, en descendit par l'échelle et accourut. Il aperçut d'abord Helmut qui tendait un grand mouchoir humide à sa fille pour qu'elle puisse essuyer son visage. Malgré l'imposante hauteur du soldat, le père le bouscula en demandant à Amélie :

— Qu'est-ce qu'ils t'ont fait encore?

Mais au lieu de répondre à la question, Amélie se redressa, les yeux défiants. Elle repoussa la main de son père et lui dit, avec une froideur dans laquelle on sentait une colère retenue :

— C'est vous qui leur avez permis de manger Vaillant, hein?

— Écoute, Amélie... tenta d'expliquer Joseph.

— Je ne vous le pardonnerai jamais! cria-t-elle en s'enfuyant.

Joseph était, bien sûr, maître dans sa maison; aussi, les paroles de sa fille et son départ précipité étaient si inattendus qu'il resta désemparé un moment. Mortifié devant les étrangers, il était cependant soulagé que sa femme et les jeunes fussent à la grange. Ne voulant pas montrer ses sentiments, il serra les dents. Mais il n'eut plus que le désir de voir disparaître ces barbares, car tout cela était de leur faute.

Louis comprenait l'humiliation que ressentait son père, mais aussi la peine d'Amélie. Il avait voulu expliquer à sa sœur que les Allemands allaient manger son cheval, mais il ne l'avait pas dénichée avant qu'elle se trouve devant le fait accompli. Maintenant, il se disait que, pour atténuer l'affront fait à son père, Amélie devait lui présenter des excuses. Il décida donc d'aller à sa recherche.

* * *

Dans l'érablière, les Saint-Martin avaient construit une cabane à sucre. À certaines époques de l'année, comme maintenant, un Abénaquis nommé Guillaume dressait une tente à côté de l'abri. C'est là qu'Amélie s'était réfugiée et là que Louis l'avait rejointe et tentait de lui faire comprendre le geste de leur père.

Né à la rivière Saint-François, Guillaume avait à peine quatre ans, le 4 octobre 1760, quand deux cents soldats anglais du général Amherst avaient mis le feu à son village. Des cinquante maisons de la tribu, il n'en était resté que trois, remplies de blé dont la meute enragée s'était emparée avant de disparaître. Le temps que les survivants reconstruisent leurs demeures, les Saint-Martin avaient hébergé quelques enfants de ces alliés qui avaient si cruellement payé leur fidélité aux Français. Guillaume était du groupe. Du même âge, Louis et le jeune Abénaquis s'étaient plu. Ils étaient toujours restés unis depuis.

Assis à côté de Guillaume, Louis essayait de convaincre sa sœur de sa manière de voir l'incident.

— Amélie, j'ai du chagrin pour toi, bien sûr, mais de toute façon Vaillant était mort. Quelle différence ça fait qu'il soit mangé par un ours ou par des humains? Il est mangé pareil. Après tout, des hommes, c'est mieux qu'un animal.

Mais sa sœur se bouchait les oreilles pour ne pas entendre. Alors, Louis lui saisit les poignets, pour qu'elle écoute.

— Arrête de faire l'enfant. C'était la meilleure solution. J'ai approuvé la décision du père. S'il est coupable, je le suis tout autant. Mais je ne me sens pas fautif. C'était dangereux de faire de la chicane. La seule canaille, c'est celui qui a tué ton cheval. Celui-là, il attendra pas longtemps pour payer.

La jeune fille, ne pouvant se dégager de la poigne solide de son frère, se mit à vocaliser, ironiquement, pour enterrer sa voix.

Guillaume fit signe à son ami de se taire.

— Laisse-la. Elle ne t'écoutera pas... Toi, Amélie, va dormir, ajouta-t-il en lui frappant doucement sur l'épaule. Tu peux passer la nuit dans ma tente, sur les peaux de fourrure.

Louis et Guillaume allèrent dans la cabane, où ils firent du feu. L'amérindien proposa à son ami de rester, lui aussi.

Au matin, une bonne odeur de feu et de cuisson éveilla la jeune Saint-Martin. Reposée, plus sereine, elle vint s'asseoir entre les deux hommes. Comme elle remerciait Guillaume de son hospitalité, il sourit.

— Le plus grand merci, c'est d'écouter ceux qui nous aiment, lui dit-il.

Amélie avait développé un sentiment fraternel envers Guillaume, en qui elle avait confiance. De plus, il l'impressionnait parce qu'il avait étudié avec un père jésuite qui avait été frappé par son intelligence vive. Son amour inné de la forêt éloignait souvent le jeune homme, mais son enfance dans un village et son amitié pour la famille Saint-Martin le ramenaient souvent près d'elle.

La phrase de Guillaume toucha Amélie. Elle sentit qu'il avait raison, et mit toute sa bonne volonté à tendre l'oreille aux propos de son frère. Finalement, elle accepta les motifs qu'il invoquait.

— Je comprends, Louis, mais c'était si dur pour moi. Et c'est pas encore facile. Penses-tu que papa va me pardonner?

— Bien sûr, voyons! Il était triste. S'il était fâché, c'était contre les soldats. Quant au tueur, je te promets de le punir... quand les Américains vont venir... et ça sera pas long.

Guillaume ouvrit la bouche pour formuler une pensée, mais il changea d'idée. Cependant, au moment du départ de ses amis, il glissa à l'oreille de Louis, laissant Amélie prendre les devants :

– Attention! Une chienne soumise qui lèche les mocassins est souvent une louve hypocrite et cruelle. Il y en a une qui rôde autour de toi.

– De qui parles-tu?

– Quand je pourrai prouver sa férocité, nous irons à la chasse. En attendant, va réconcilier le père et l'enfant.

57

Noël 1781

L'atmosphère de cette veille de Noël reportait Charlotte dans sa jeunesse choyée. Enfin, après les années où elle n'avait pas eu le cœur à la fête, ce 24 décembre serait un véritable retour à la gaieté candide de l'enfance. Pour cela, avec la complicité de Friedrich et l'aide de Röckel, Mme von Riedesel avait mijoté une surprise, raison pour laquelle étaient fermées à clef les trois portes de l'immense salon situé dans l'aile gauche, celle qui donnait sur le jardin et celles qui ouvraient sur la salle à manger et sur l'antichambre.

La nouvelle demeure promise par le gouverneur, où venaient d'emménager les Riedesel, enchantait la baronne. Elle avait hâte d'y recevoir leurs premiers invités, le soir même.

Ayant entendu la porte avant se refermer, Charlotte espéra que c'était Adélaïde. En effet, la gouvernante était assise sur l'un des nombreux et larges bancs aux coussins de velours, alignés des quatre côtés de l'entrée, qui faisait office d'antichambre. Elle tendait une jambe vers Nicklauss qui, un genou sur les larges planches en pin du sol, enlevait la botte de la jeune femme.

— J'ai trouvé les rubans que vous vouliez, madame. Et je vous amène Nicklauss, que j'ai rencontré en chemin.

— Mon service est terminé au fort. Je viens rejoindre Mlle Julie, tel que vous me l'avez demandé, madame.

— Julie en a plein les mains avec les fricandeaux et les ragoûts. Allez aider vos deux camarades à éplucher les pommes de terre. Il faut faire le tour de la maison, les cuisines sont à l'arrière, dans le bâtiment de droite. La buanderie est dans celui de gauche. À l'étage de ce dernier, il y a une salle de garde. Vous pourrez y dormir cette nuit. Pas la peine de retourner chez les Potier. Vous serez sur place demain pour le nettoyage. Mais… vous avez l'air gelée, Adélaïde?

— C'est un bon quart d'heure de marche, jusqu'à Sorel, madame. Surtout le long du Richelieu, le vent est froid. Mais c'est si beau et si sec que ça s'endure plus facilement que l'hiver brumeux de ma Picardie natale.

— Tout de même, approchez-vous du feu. Vous aussi, Nicklauss.

La baronne désigna le centre de la place, où trônait l'énorme poêle dont les multiples tuyaux couraient le long des plafonds, à travers les pièces, réchauffant ainsi toute la maison. Puis, avant de se diriger vers la porte de droite, au fond de la pièce, qui était celle du bureau de son mari, elle ajouta :

— Au fait, Nicklauss, veuillez dire à Julie que j'ai goûté à ses marinades et qu'elles sont délicieuses. Elle craignait tant de ne pas réussir mes recettes.

La baronne traversa le bureau de l'avant à l'arrière pour entrer dans la chambre à coucher. Elle ferma la porte de gauche, qui donnait sur la salle à manger, et ouvrit celle de la pièce de droite, qu'on appelait, à la mode anglaise, la *nursery*, et qui servait à ses trois cadettes. Elle ne vit pas ces dernières mais entendit le son de leurs voix venant de la petite pièce réservée à Augusta, juste à côté du bureau.

Charlotte était fière de la disposition des pièces. Quand elle était dans sa chambre à coucher, elle était près à la fois de Friedrich travaillant dans son bureau et de ses petites jouant à côté. De plus, les bruits qui parvenaient de la salle à manger ne dérangeraient pas le sommeil des enfants, la chambre et le bureau servant de tampon.

— Alors, vous êtes prêtes, mes chéries? Que faites-vous dans la chambre d'Augusta? Quels sont ces airs graves?

— Maman, répondit l'aînée, nous aimerions savoir ce qu'il y aura comme dessert, mais Lizzie ne veut pas nous le dire. Elle prétend qu'elle ne le sait pas. Pourtant, elle revient des cuisines.

Charlotte retint un sourire et fit mine de froncer les sourcils.

– Eh bien! Eh bien! Petites gourmandes!

– S'il vous plaît, maman, insista Frederika.

– Je veux bien vous le dire. Mais à la condition que vous mangiez de tout : soupe, tourtière, patates, légumes, farce, viande. Et que vous ne plongiez pas vos mains en catimini dans les bonbonnières sur les tables d'appoint. Promis?

– Promis, maman.

– Bon! Eh bien, Julie a préparé des croquignoles au sirop d'érable, des beignes, des atocas, des fruits et un plum-pudding.

– Qu'est-ce que c'est, des atocas?

– Des airelles, des petits fruits rouges. C'est un mot indien. Vous verrez, c'est bon. Surtout qu'elles se cachent depuis trois jours sous du sucre d'érable.

Voyant les yeux brillants de plaisir qui la regardaient, Charlotte serra ses enfants sur elle.

– Mes chéries! Quelle belle fête de Noël nous aurons! J'ai bien hâte de voir si vous aimerez ma surprise.

* * *

– Vous êtes satisfaite de votre chambre, Excellence? Il ne vous manque rien? s'informait la baronne auprès d'Haldimand qui redescendait de l'étage où on l'avait installé dans l'une des deux pièces réservées aux invités.

– Chère baronne, non seulement je ne peux qu'en vanter le confort, mais tout autant le bon goût, le raffinement de sa décoration. Je me félicite de vous avoir entièrement confié le soin de décider des plans et de l'ornementation. Je crois bien que Québec se passera souvent de moi. Je ne résisterai pas au plaisir de revenir loger chez vous pour jouir de votre compagnie et de celle de mon ami Friedrich.

Laissant Haldimand avec des officiers allemands, anglais et canadiens venus le saluer, Mme von Riedesel fit signe aux soldats qui remplissaient le rôle de serviteur pour cette soirée de passer à la ronde rhum, bière, vin et champagne. Puis elle écouta la conversation générale, qui portait sur les nouvelles découvertes.

– Croyez-vous, Excellence, que le bateau à vapeur de M. Jouffray d'Ablans aurait de l'avenir dans ce pays où les rues sont des rivières?

— Probablement; mais on est loin d'en voir la fumée. Vous savez, les inventions, avant qu'on les mette en pratique…

— C'est tout de même fascinant. Tout comme ce premier pont métallique, d'Abraham Derby.

— Quel pont métallique? demanda quelqu'un.

— Vous savez bien, l'«Iron Bridge» construit il y a deux ans sur la Severn, répondit un officier en français, car, par déférence pour le gouverneur, la conversation se tenait dans cette langue.

— C'est ce pauvre Philipps qui m'en a parlé avant sa mort. Il en était curieux et se promettait d'aller le voir un jour.

Le général von Riedesel eut une pensée pour Philipps. Lui qui avait si souvent fait face au feu nourri des ennemis sans être atteint, il avait été bêtement emporté par une pneumonie. Puis le baron chassa cette triste pensée. Un soir comme celui-ci, il fallait être gai. Il vit Charlotte s'approcher du gouverneur et lui donner le bras : la soupe était trempée, comme disaient les gens d'ici.

* * *

Le repas fut apprécié et dura longtemps, sous les feux des candélabres et d'un énorme lustre suspendu à une tige en pin tourné, elle-même accrochée au plafond par une chaîne en fer forgé. Les branches se terminaient par quatorze gracieuses bobèches au milieu desquelles scintillaient comme des étoiles les quatorze chandelles. Ce n'était pas les fameux lustres en verre de Bohème des von Massow, ou en porcelaine du château de Wolfenbüttel, mais l'élégance harmonieuse de la suspension donnait un air féerique et chaleureux à cette veillée. Charlotte était très fière de cette trouvaille, achetée aux Trois-Rivières, que lui avait indiqué un jour le grand vicaire.

En sortant de table, les invités s'étaient approchés du salon, à la demande de Friedrich. Charlotte, au bras du gouverneur, venait en tête, entourée de ses enfants. Augusta était sérieuse, comme toujours, mais Frederika et Caroline montraient leur impatience. Dans les bras de Lizzie, Amérika, qui avait dormi, ouvrait de grands yeux étonnés.

On devinait bien que c'était le moment de la surprise. Qu'y avait-il donc dans cette pièce? Enfin, ouverte par Röckel d'un côté et par Leonhard de l'autre, la large porte double dévoila son secret. Des exclamations d'admiration, des applaudissements, les cris de joie des enfants s'élevèrent.

Comme s'il avait poussé par miracle au fond du salon, un immense sapin dont le faîte touchait au plafond étincelait du feu des chandelles qui en couvraient les branches. Les flammes se reflétaient sur les fruits et les friandises suspendus ici et là pour orner l'arbre de couleurs vives et chatoyantes. C'était la première fois qu'en Amérique on voyait un arbre de Noël.

Friedrich s'avança près du résineux, prenant Charlotte par la main.

— Excellence, si vous voulez bien vous asseoir, et vous aussi, mes amis. Je prierais ma chère épouse, qui est à l'origine de cette idée, de vous expliquer la signification de cette coutume gardée depuis le Moyen Âge dans les pays germaniques.

— Le vert du sapin, précisa Charlotte, symbolise l'éternelle jeunesse et l'éternité de Dieu; couvert de fruits et de friandises, il exprime la volonté de Dieu de nourrir ses enfants; illuminé de chandelles, il évoque l'espoir sans fin de l'humanité en la gloire de Dieu.

— Voilà qui me réjouit, fit Haldimand en se levant et en applaudissant, suivi en cela par les officiers et le personnel qui se tenait à l'entrée et qu'on avait envoyé chercher par Röckel.

Le gouverneur continua :

— Je n'avais pas eu ce plaisir depuis mon enfance, lorsque j'avais passé un Noël chez un oncle à Berne. Madame, je vous suis redevable du rappel d'un des plus beaux moments de ma vie. Je vous en remercie.

Et Haldimand baisa la main de Charlotte.

* * *

La fête était terminée. Dans l'antichambre dormaient, allongés sur les banquettes, trois soldats assignés, à tour de rôle, à la garde de la maison. Un quatrième, face à la porte d'entrée, ne bougeait pas plus qu'une statue, cependant que se promenait le cinquième, s'arrêtant devant chaque fenêtre pour regarder à l'extérieur. Il observait un moment les champs tout blancs, parsemés ici et là dans le lointain de ces majestueux ormes aux faîtes en forme de parasol. La pleine lune facilitait la surveillance des lieux, et il était peu probable que des ennemis osent s'approcher par une si grande clarté. Tout de même, les ordres sont les ordres : la sentinelle faisait demi-tour et recommençait sa ronde dans le sens inverse.

Un peu plus tard, Helmut entra avec Adélaïde.

— Vous ne devriez pas vous promener seule la nuit, madame Adélaïde. J'ai failli vous prendre pour une espionne, dit Helmut, qui ajouta ensuite, en français : Bonne nuit, brave petite madame.

— Bonne nuit, pour ce qu'il en reste, et joyeux Noël à tous, souhaita la gouvernante en grimpant l'escalier.

Elle devait enfiler le corridor qui traversait le corps de logis dans sa longueur pour atteindre sa chambre située dans l'aile droite. Pour la circonstance, on y avait ajouté un lit afin que Julie n'eût pas à retourner chez son père en pleine nuit.

Soudain, une ombre surgit devant Adélaïde.

— Ne craignez rien, c'est moi, Nicklauss.

— Que faites-vous là? J'aurais pu crier et réveiller Son Excellence, répondit-elle en indiquant la pièce de droite, qui faisait tout l'arrière du corps de logis.

Elle enviait cette chambre d'invité, avec ses trois lucarnes donnant sur les jardins et le Richelieu. Elle en ferait un bel atelier, se disait-elle souvent.

— Je vous attendais et je comptais sur votre sang-froid, car vous n'êtes pas du genre à hurler de peur.

— Vous m'attendiez? Depuis longtemps?

— Depuis qu'on a daigné inviter le personnel à contempler l'arbre de Mme la baronne. J'étais parmi tous ces moutons curieux prêts à se mettre à plat ventre pour remercier les maîtres de cette faveur!

— Voulez-vous bien vous taire. Si c'est pour dire des sottises que vous êtes ici, j'aime mieux m'en aller. D'ailleurs, puisque c'était si dégradant de jouir d'un si beau spectacle, que faisiez-vous là? Je vous y ai vu.

— Et vous ne m'avez même pas salué.

– Ignorez-vous que je dois surveiller les enfants?

– Oh! surveiller! Vous n'étiez pas très attentive quand vous causiez avec cet officier prétentieux à qui vous faisiez du charme. À vos yeux, je ne comptais pas plus qu'une épine de sapin.

– Et quand vous, vous êtes de garde ou en compagnie de vos camarades, si je m'approche, vous semblez une pierre sourde et aveugle. Alors nous sommes quittes.

– Adélaïde, si nous cessions de nous disputer?

– Qui parle de querelle? Et puis, il est tard. L'un de ces messieurs peut s'étonner s'il nous entend.

Cette fois, la jeune femme désigna la chambre de gauche.

– Qui est là-dedans? Votre bel officier? Vous alliez le rejoindre?

– Vous y tenez, décidément! Vous mériteriez que j'acquiesce mais je n'aime pas mentir. Ils sont trois: l'un des secrétaires de Son Excellence, son aide de camp et son ordonnance.

– Peut-on se réfugier dans votre chambre?

– Croyez-vous que «mon» officier, comme vous dites, s'y trouve? Rassurez-vous, c'est plutôt Julie qui y dort.

– Et dans ces chambres? demanda-t-il en montrant les pièces à gauche de l'escalier, au-dessus du salon.

– La petite, c'est celle de Röckel. Dans l'autre se trouvent Lizzie et Leonhard.

– Tant pis! De toute façon, je ne cherche personne. Je veux vous parler seul à seule, sans avoir à chuchoter. Tenez… montons au grenier par l'échelle.

– Et si la trappe grince? Si vous la laissez retomber? Si nous réveillons tout le monde? Si on croit que nous sommes des fantômes?

– Pas de danger. C'est Noël. On nous prendra pour des anges. Il y a toujours des miracles à Noël. C'est d'ailleurs un miracle que j'attends.

– Rien que ça!

L'ancien malandrin amusait Adélaïde, qui se plaisait à l'appeler son «repris d'injustice». N'ayant guère peur du scandale, elle le suivit dans le grenier, sous les combles. Ils s'assirent sur l'une des malles de Mme von Riedesel. Adélaïde se dégagea légèrement lorsque Nicklauss essaya de la prendre par la taille.

— Soyez sage! Maintenant parlez, puisque ça ne peut attendre.

— Je n'ai qu'une question à vous poser.

— Une seule? J'espère qu'elle vaut tous ces risques!

À vrai dire, Nicklauss la fascinait. Sa jalousie la flattait et son esprit de liberté l'attirait. N'était-elle pas elle-même, depuis sa jeunesse, à la recherche d'indépendance? Comme elle, il courait après la justice, mais peut-être pas de la bonne façon. Parfois, quand elle pensait à lui (trop souvent, peut-être, ce qui l'agaçait et la rendait d'humeur changeante avec le jeune homme), ce n'était pas toujours des frissons amoureux qui la traversaient. Elle revoyait le pendu dans la forêt de Maastricht, et se disait que ce pendu aurait pu être Nicklauss.

— Ho!... Adélaïde!... M'écoutez-vous?

— Veuillez me pardonner. Je pensais que, n'eût été cette guerre en Amérique, à l'heure qu'il est votre squelette se balancerait à une branche d'arbre, une corde autour du cou.

— Serait-ce là un de vos désirs? Une image qui rend joyeuse «Votre Sainte Froideur»?

— Quel titre! Je pensais simplement que voler les riches n'est pas la meilleure façon de se faire justice. Ce serait comme détruire des tableaux de maîtres parce qu'on ne reconnaît pas assez les femmes peintres.

— Ce n'est pas aimable à vous de me rappeler mon ancien métier de voleur de grand chemin...

— Ne prenez pas ce ton rageur, orgueilleux que vous êtes!

— ... parce que si vous me croyez vraiment un criminel, tout cela serait inutile.

— Je ne vous prends pas pour un vulgaire bandit.

— Mais bandit tout de même.

— Notre étrange rencontre, si mouvementée, nous a permis de nous connaître et de devenir bons amis. Un mal pour un bien, convenez-en.

Une tendre expression passa sur le visage de Nicklauss. Ses yeux se perdirent dans le lointain, vers la toute petite fenêtre au bout de la pièce, par où un rayon lumineux entrait et chassait les ombres.

– Quand vous m'êtes apparue, guerrière en colère, déjà j'aurais combattu tous mes hommes pour un seul sourire de vous. En fait, dans mon voyage forcé à fond de cale, votre image m'est venue plusieurs fois.

Il l'attira vers lui gentiment, mais la maintint solidement.

– Adélaïde, ce soir quand nous admirions la féerie du sapin de Noël...

– Tenez! Tenez! l'interrompit la jeune femme qui voulait cacher son émoi. Je croyais que vous méprisiez les moutons à plat ventre devant les maîtres.

– Il est vrai que m'insurger contre l'autorité est inhérent à mon âme... si j'ai une âme. J'ai dit n'importe quoi. J'étais furieux à cause de cet homme qui vous tourne autour... Au fait, c'est une promenade avec lui qui vous a retardée?

– Quelle jalousie! Il aime la peinture et me demandait comment on s'y prend pour représenter les rayons d'une bougie. Et apprenez qu'on a toujours une âme quand on est épris de justice. Seulement, il faut trouver la bonne manière de l'employer, cette âme. Maintenant, si vous me disiez enfin ce que vous me voulez. Cela m'empêcherait de moraliser.

– Une tendance naturelle chez vous. Je m'y ferai. Vous promettez de ne pas m'interrompre? Ni de vous moquer... pour une fois?

– Je m'y engage.

– Je commencerai par une courte explication... une esquisse, pour parler dans vos termes d'artiste.

Il ouvrit la bouche, la ferma, avala deux ou trois fois, et enfin se décida, une douceur inhabituelle dans la voix :

– Ce soir, un instant, la lumière des bougies a joué sur votre visage. Puis vous êtes entrée dans l'ombre. Mon intelligence, ou plutôt mon âme puisque, paraît-il selon vous, j'en ai une, s'est soudainement dessillée. J'ai su que vous étiez pour moi comme les feux de ces bougies. Qu'il ne fallait pas que vous disparaissiez de ma vue, sinon je serais plongé dans une nuit opaque. Adélaïde, mon amour, voulez-vous m'épouser?

La jeune femme tressaillit. Elle avait cru que Nicklauss lui demanderait d'être sa maîtresse. Jusqu'ici, lorsqu'elle le voyait s'embarquer dans cette direction, elle en changeait le cours par quelques moqueries qui le déroutaient de ses élans. Ils se boudaient quelque temps, puis se revoyaient comme si de rien n'était. Pourquoi maintenait-elle cette équivoque? Elle aimait pourtant les choses nettes. Elle voulait le garder, mais comme ami. Ne s'était-elle pas juré de ne plus se lancer dans une histoire à deux? Rien ne devait la détourner de son art, même pas les prouesses amoureuses. Elle ne voulait pas d'attachement, et, pourtant, elle craignait de le perdre.

Elle s'attendait si peu à une demande en mariage que, pour ne pas dévoiler son trouble, elle feignit l'ennui.

— Pourquoi cette requête ce soir, et non demain?

— Cessez vos airs indifférents, je n'y crois pas. Arrêtez de vous montrer aussi froide que ce pays de neige alors que vous êtes débordante de passion, une passion que vous réservez pour vos tableaux. Quand on regarde vos œuvres, on comprend quelle femme de feu vous êtes. Mais pour le reste… rien ne peut pénétrer dans ce cœur; personne n'a le droit d'alimenter ce corps. Pourtant… parfois… il me semble que je suis sur le point de faire fondre cette glace que vous avez sculptée, comme un halo, tout autour de vous.

Sa flamme lui avait fait hausser la voix.

— Ne montez pas le ton. Si l'on vous trouve ici à cette heure, vous serez fouetté.

Elle exagérait, mais quelle occasion elle donnait à Nicklauss de continuer à se plaindre!

— Qu'est-ce que cela peut vous faire? Votre égoïsme se moque bien de mes malheurs.

— Non, vous vous trompez. Je serais triste si l'on vous punissait.

Cette seule phrase fut matière à espoir pour l'amoureux, qui abandonna aussitôt toute véhémence.

— Je ne veux pas prendre la place de vos tableaux. Laissez-moi un petit coin de votre cœur. Je vous aime tant. Vous pourrez peindre tant que vous le désirerez : du matin au soir, du soir au matin.

– Belle perspective pour des époux. Et attention, l'enthousiasme vous fait promettre ce que vous ne pourriez jamais tenir.

– Je me chargerai de tout. Tenez, j'irai jusqu'à vendre vos œuvres pour vous.

– Vous! Marchand de tableaux! Vous ne sauriez jamais plier l'échine devant les grands de ce monde. Faites-moi rire!

– Pourtant, Adélaïde, je suis sincère, je vous le jure. Mais je comprends. Je ne suis pas grand-chose pour vous. Ou plutôt, je serai toujours un misérable chef de bande, quoi que vous disiez.

– Abandonnez cette pensée. Elle réduit mes sentiments à une étroitesse d'esprit qui m'insulte. Et à mon tour de parler, mon ami. Il est vrai que rien ne doit m'empêcher d'arriver à mon but. Peindre est ma vie et non une fantaisie. Je vous l'ai dit maintes fois, mais mon désir va plus loin. Je veux qu'on me reconnaisse. Je veux aussi que s'ouvre pour moi la porte de l'Académie. La porte du «lieu sacré des hommes». Je serai académicienne!

– Je vois bien que j'ai perdu, fit la voix grave et triste de Nicklauss. Le miracle n'a pas eu lieu. Je ne croirai plus en Noël.

– Attendez! Je n'ai pas fini. Je ne suis pas insensible à votre amour… loin de là… il y a un bon moment qu'il me dérange… Ne prenez pas cet air outragé. Il me «dérange» non pas comme une pluie froide qui transperce, mais comme un orage bienfaisant qui rafraîchit un jour d'été trop lourd et trop humide. C'est pour cela que j'hésite… Non… ne bougez pas… Baissez vos mains… L'orage contient aussi la foudre qui tue, et je ne veux pas assassiner mon talent. Ce serait me suicider.

– Je vous fais le serment…

– Aujourd'hui, vous êtes prêt à toutes les concessions. Je connais les hommes. Demain, quand je vous appartiendrai, vous ne voudrez plus me partager même avec un seul tableau.

Après un long silence, Nicklauss reprit, amer :

– Vous ne me faites pas confiance.

– Je suis payée pour ça, commenta d'une voix à peine perceptible la jeune femme.

— Si vous voulez réfléchir, c'est que vous ne m'aimez pas vraiment et ce sera non.

— Ne croyez pas cela, grand benêt.

— Alors si c'est oui, pourquoi me faire languir?

— Vous n'avez donc rien compris? Je dois méditer. C'est une décision trop grave.

— Je vous jure de vous laisser libre.

— Vous me le jurez?… Bien vrai? Répétez cela.

— Je jure de vous laisser libre.

— Alors commencez dès maintenant à me donner cette liberté… en me laissant partir et réfléchir.

— J'admire votre astuce. Vous retenir serait donner raison à vos préjugés sur les maris possessifs.

— Sur les maris… oui… les maris, articula Adélaïde d'une voix étrangement sourde.

Elle craignit soudain de céder et se leva brusquement.

— Allez. Aidez-moi à descendre. Je vous promets une réponse pour la Chandeleur.

Au pied de l'échelle, elle lui donna un léger baiser et disparut dans le corridor, sur la pointe des pieds.

58

Printemps 1782

— À moi la dernière levée. Je m'ajoute dix points, s'exclama Mme Murray.

— Bah! J'ai les dix points du sept d'atout, nous sommes quittes. Et j'ai une brisque, termina avec triomphe Mlle Mabane en retournant un dix et un as. Avec tout ce que j'ai amassé de reines et de rois, je crois bien vous battre.

Le docteur Mabane, sa pipe en écume de mer à la bouche, abandonna son confortable fauteuil et se dirigea vers les deux guéridons où les dames avaient engagé, comme tous les soirs, leur partie de bésigue. Il avait besoin de faire quelques pas, le souper ayant été plantureux, comme d'habitude, et un peu trop arrosé de bonne bière et de bon vin.

— Une autre partie? demanda Mme Murray en ramassant les soixante-quatre cartes.

— À la condition que mon très cher frère garde pour lui cette fumée qui m'étouffe. On ne croirait pas qu'il est médecin, répondit Mlle Mabane en chassant l'air de sa main.

Le docteur s'éloigna vers l'autre table, un sourire ironique aux lèvres : sa pipe, qu'il aimait garder entre les dents, était froide depuis un bon moment. Il s'arrêta en arrière de Charlotte pour observer son jeu.

«Eh bien, elle en a de la chance, pensa-t-il. Double bésigue… Cinq cents points d'un seul coup.»

En effet, la baronne, pour sa neuvième et dernière carte, recevait un second valet de carreau. Comme elle avait aussi deux dames de pique, elle serait la gagnante. Elle en était presque peinée pour son adversaire, une vieille dame si gentille et si racée, qui avait eu tant de malheurs.

Depuis vingt-deux ans, cette Montréalaise n'avait pas revu son mari, parti en France recevoir l'Ordre de Saint-Louis. La décoration ne fait pas la richesse, elle coûte moins cher à l'État et au Roi qu'une pension, surtout quand, né dans la colonie, on ne fait pas des ronds de jambe à la cour. Aussi M. de La Chauvignerie ne fut-il jamais payé pour ses années de service comme interprète et médiateur, lui qui avait pourtant rétabli plusieurs fois la paix entre Iroquois et Français. Vivant chichement à Paris, il n'avait pu y faire venir sa famille. Entre-temps, la colonie était devenue anglaise; il ne fut pas question pour l'Angleterre de permettre à un si dangereux officier de revenir dans sa ville natale. Et un jour, Mme de Saint-Blain de La Chauvignerie apprit la mort de son mari, emporté par un chancre.

Charlotte ressentait la tristesse de cette Canadienne. Elle se rappelait son propre désespoir, à Londres, quand elle pensait ne plus revoir Friedrich. Aussi se montrait-elle particulièrement chaleureuse envers cette veuve qu'elle avait connue ici, au château Ramesay, à Montréal. Invitée par Haldimand, la baronne y séjournait depuis une semaine, mais devait repartir le lendemain matin en carriole, comme elle était venue. C'était sa dernière soirée. Elle regrettait déjà cette belle semaine, d'autant que Son Excellence traitait ses filles comme s'il était leur grand-père.

Le docteur reprit sa place à côté du général von Riedesel, qui discutait semailles avec le gouverneur. Se mêlaient à la conversation quelques Suisses et Allemands, un bock à la main. Les visages, éclairés par les flammes pétillantes des bûches, étaient tous souriants. On passait facilement d'une langue à l'autre, quand on ne s'adressait pas directement au gouverneur. On pouvait par exemple avoir une longue discussion en allemand sur les sortes de pipes : calumet, narguilé, houka, chibouque, puis passer tout naturellement au français pour parler de nourriture.

Friedrich expliquait ses projets pour son jardin de Sorel, quand on annonça M. Henry Carr et sa belle-sœur, Mme Martha Carr.

— Ah! vous ici, monsieur? fit Haldimand. Je ne vous attendais pas ce soir… Madame… mes hommages.

– J'arrive à l'instant de Québec, Votre Excellence. Mon frère Jack a profité de mon voyage pour me confier du courrier. Et comme cette lettre-ci semblait urgente, j'ai cru bon de vous l'apporter ce soir même.

Le gouverneur chercha son couteau. Mais il avait vidé ses poches et s'était mis à l'aise, n'ayant gardé que sa pipe allemande et son tabac.

– Martha, auriez-vous votre coupe-papier? demanda Henry Carr.

– Naturellement. Je ne m'en sépare jamais depuis que vous me l'avez offert, dit gracieusement la jeune femme, en lui tendant l'objet en question.

Puis, avec discrétion, elle se retira et alla vers les tables de jeux.

– J'ai profité de la carriole de mon beau-frère pour venir m'acheter une fourrure. C'est à Montréal qu'on trouve les plus belles et les moins chères. Je suis heureuse de cette coïncidence qui me donne le plaisir de vous rencontrer, mesdames.

Pendant que les femmes échangeaient des politesses, Henry Carr vint remettre le coupe-papier à Martha, puis retourna se joindre à la conversation des hommes.

Sous le feu des candélabres, des reflets d'or attirèrent la curiosité des dames, qui voulurent admirer le cadeau d'anniversaire.

– Attention, il est plus effilé qu'un simple coupe-papier.

On se le passa de main en main et on l'admira. La lame, quoique très fine, était damasquinée noir et rouge, de même que les quillons chantournés de la croisette. Un «M» était gravé sur l'écusson. La poignée ciselée et dorée se terminait par un pommeau où était enchâssé un rubis.

– Magnifique!

– On dirait une dague espagnole en miniature.

– Ou un stylet italien, en plus petit, évidemment.

– On pourrait tuer avec une telle arme.

Affichant un air naïf et scandalisé, Martha expliqua, d'une voix douce :

– On m'a raconté qu'autrefois, au carnaval de Venise, on se débarrassait de ses ennemis avec ce genre de stylet. On l'enduisait d'un poison foudroyant qui, en pénétrant dans la blessure, achevait la victime si le coup porté n'était pas mortel.

– Comme ces empoisonneuses qui se servaient d'épingles pour tuer leurs rivales? demanda Mlle Mabane.

– Mesdames, mesdames, protesta Charlotte. Heureusement que mes filles sont déjà au lit. Vous leur causeriez des cauchemars. Changeons de sujet, voulez-vous? Je suggère une dernière partie de bésigue. Prenez ce troisième jeu de cartes, madame Carr, et venez vous asseoir avec Mme de La Chauvignerie et moi-même. Nous ferons une partie à trois. Après, vous m'excuserez toutes car je dois retourner demain à Sorel et je désire me coucher tôt.

* * *

Friedrich, la main levée en guise d'adieu, regarda un moment les deux traîneaux qui s'éloignaient sur le fleuve et ramenaient au manoir de Sorel ce qu'il appelait, avec une ironie moqueuse envers lui-même, son «harem».

– Partons, Leonhard, si nous voulons arriver à temps à Berthier. Je crains que nous ne puissions coucher à Sorel ce soir : le seigneur Cuthbert a insisté pour nous recevoir à souper et il doit me faire un rapport sur l'état d'esprit de ses habitants. Il n'a jamais vraiment réussi à les convaincre du danger que représentent les dissidents américains.

– Oui, beaucoup de Canadiens croient qu'être sujets des Anglais ou sujets des Américains, c'est du pareil au même. Ils préfèrent planter du sarrasin dans leurs champs plutôt qu'une baïonnette dans le corps d'un homme.

La voix et l'expression du visage de Leonhard semblaient dire : «Et on ne peut les blâmer de penser ainsi.»

– Vous en savez des choses. Vous aimez bien parler avec les habitants, n'est-ce pas? J'aurais dû faire de vous un espion plutôt qu'un secrétaire! s'esclaffa le général, en enfonçant ses éperons et en partant au galop vers Berthier, par la rive nord.

***

Un cri de rage!

— Arrêtez! hurle le guide d'une voix mêlée de colère et de désespoir. Toryab de toryab!

Devant lui surgit une immense nappe d'eau sur laquelle des îlots de glace, entraînés par le courant, s'entrechoquent comme des boules de billard frappées et envoyées de tous côtés.

La caravane est coupée de la dernière partie gelée du fleuve.

Pour la première fois de sa vie, la baronne von Riedesel doute de la bonté du ciel. Elle tombe à genoux en murmurant :

— Si près du but… N'aurez-vous donc pas pitié?

Elle croit voir une ombre sur la rive, une ombre qui les observe sans bouger. Est-ce dû à la fièvre? Elle se dédouble, elle vole; elle est là-bas et ici en même temps. Elle a dix-huit ans, elle est en robe de mariée, et l'ombre, c'est Friedrich dans son habit de hussard tout galonné d'or. Elle et lui se rejoignent, et pourtant ils ne peuvent se toucher. Il murmure : «Je vous aime pour la vie.» Elle veut répondre, mais sa gorge est nouée.

«Est-ce comme cela quand on sait que l'on va mourir?» se demande-t-elle.

Tout se brouille. Elle est toujours de ce côté-ci, entourée de ses enfants, de ses deux servantes et du guide… Le beau hussard a disparu, emporté par la brume.

Alors elle tend les bras vers la rive.

— Friedrich! Friedrich! Reviens! Sauve-nous!

Le général s'éveilla en sueur. Une migraine terrible, comme il en avait souvent, battait ses tempes. Autour de lui, on parlait.

«Quel cauchemar affreux! se dit-il. Ce repas était trop copieux.»

Il se souvenait à présent. Alourdi par un peu trop de bière et par la bonne chaleur du foyer, il avait fermé les paupières. Quelqu'un avait parlé de débâcle; il avait aussitôt pensé à sa femme et à ses filles sur le chemin du retour. C'est à ce moment-là qu'il avait dû rêver, croyant entendre Charlotte l'appeler à son secours.

Il fixa son hôte, puis les invités. Personne ne semblait s'être aperçu qu'il avait sommeillé; tout le monde bavardait joyeusement. Le songe n'avait certainement duré que quelques instants. Il ralluma sa pipe, mais impressionné tout de même, il se demanda s'il devait refuser l'invitation du seigneur Cuthbert de rester à coucher. Il se leva et jeta un coup d'œil par la fenêtre, sur le fleuve. Tout était calme et beau. Trop calme? Trop beau? Comment s'était donc passé le voyage de sa famille? Son rêve était-il prémonitoire?

* * *

À peu près au même moment, dans la calèche sur patins, Charlotte, qui a tant admiré la clémence de la température, ne ressent plus que de l'angoisse depuis qu'elle connaît les dangers d'une débâcle précoce. Hélas! le temps doux sera peut-être la cause de leur mort à toutes. Elle aurait dû retourner à Montréal. Le gouverneur aurait compris.

Elle jette un coup d'œil vers le postillon, qui fouette sans relâche ses chevaux, les encourageant de la voix. Elle ne trouve plus joyeux le tintement des clochettes dont sont parés les harnais. À ses oreilles, le son est maintenant grinçant et diabolique.

Les deux mains sous la fourrure qui la recouvre, Charlotte tire sur sa jupe et ses jupons, dont les bords trempent dans l'eau qui a envahi le fond de la voiture. Même si le soleil descend vers la nuit, la température ne chute pas. La baronne retient sa respiration, tellement la crainte l'envahit quand elle regarde ses chères petites. Elle pense au chagrin de Friedrich si elles viennent à disparaître. Il faut trouver un moyen de sauver au moins ses filles. Elle ferme les yeux pour réfléchir.

«Je ne pourrai y arriver toute seule. Il faut arrêter les traîneaux, confier Caroline à Röckel, qui sait nager. Adélaïde se chargera d'Augusta, aidée de l'un des guides. Lizzie prendra Frederika, et le second guide la conduira vers la rive. Moi, je me chargerai d'Amérika. Voyons… Je ne sais pas nager… Je m'accrocherai à Röckel… Mais les Canadiens savent-ils nager?… Calme-toi, Charlotte, calme-toi… Avant tout, il faut leur expliquer mon plan.»

La baronne s'apprête à donner l'ordre de s'immobiliser lorsque la voiture se met à vibrer de tous côtés. Sa tête est projetée brutalement vers l'arrière; n'eût été l'épaisse fourrure qui recouvre le siège et le dos du banc, elle se serait assommée. Certaine qu'ils vont tous se noyer, Charlotte appelle celui qu'elle ne reverra plus : «Friedrich, Friedrich, murmure-t-elle, sauve-nous.»

Étourdie, elle reste quelques minutes sans bouger. Les enfants brusquement éveillées geignent un peu. Elle ouvre les yeux et les porte tout autour. Elle ne comprend pas encore. Elle se rend compte enfin que les patins s'appuient solidement sur le sol. Elle voit les chevaux couverts de sueur sur qui leur maître jette une couverture indienne rouge et bleu. Puis elle lève la tête et aperçoit un mur et une poterne étroite.

En se retournant complètement vers le fleuve, où le soleil couchant met des lueurs de feux, elle comprend que, attentive à son plan pour sauver ses filles, elle n'a pas vu qu'on avait bifurqué et atteint Sorel. Mais son insécurité, sa frayeur ont été telles, qu'elle ne parvient pas tout à fait à croire qu'elle est saine et sauve, jusqu'à ce que des cris joyeux et des applaudissements lui parviennent de la seconde calèche se rangeant près de la sienne.

– Madame, lui dit Röckel, il faut descendre. Madame va prendre froid.

C'est vrai. Elle frissonne maintenant sous l'humidité qu'apporte le couchant. Ses pieds mouillés sont glacés. Elle sort de son émotion comme on sort d'un cauchemar, les tempes et le cœur battants. Elle s'assure que les bonnes s'occupent de faire passer les enfants sous la poterne, puis, comme dans un rêve, donne son bras à M. de Gerlache, accouru depuis le fort au-devant d'elle.

59

Elle dormait, épuisée. Un bruit sourd la sortit à moitié de son sommeil. Elle sentit un poids près de ses pieds et un mouvement du lit. Son cerveau réagit avant même que ses yeux ne s'ouvrent. «Dieu! Les Américains attaquent. Ils sont entrés dans la maison.» Elle s'assit brusquement. Deux mains lui prirent les épaules… Elle se débattit, voulut crier, mais sa voix ne porta pas.

— Allons, allons, ma chérie, ce n'est que moi.

Friedrich! C'était Friedrich! Elle s'agrippa à lui en disant :

— J'ai eu tellement peur. Je vous ai pris pour un Américain.

À ce moment, il y eut un autre coup de canon étouffé.

— J'avais raison, n'est-ce pas, les ennemis attaquent? Vous venez me chercher pour me mettre à l'abri au fort. Vite! Les enfants…

— Ne vous agitez pas tant, l'interrompit Friedrich en riant. Je vous regardais dormir. Vous deviez rêver, car vous bougiez beaucoup.

— Cela doit être le résultat de ces coups de canon, et surtout de ma peur sur le fleuve… Mais vous ne savez pas…

Charlotte se mit à trembler en se rappelant les moments difficiles sur le Saint-Laurent. Elle s'accrocha de nouveau à son mari et, à travers des larmes, murmura :

— Vous ne savez pas ce qui m'est arrivé.

— Je sais, répondit-il doucement, Gerlache m'a tout raconté. Un peu plus et vous périssiez dans la débâcle. Cela a dû être terrible. C'est pourquoi j'ai accouru aussi vite que possible. Calmez-vous, vous êtes vivante, les enfants sont sauves et je suis là.

Mais parce qu'elle ne pouvait s'empêcher de pleurer, il l'embrassait et buvait ses larmes. Il la berçait, comme il faisait parfois pour ses filles, et lui chuchotait des mots à l'oreille. Elle se calma peu à peu et lui fit enfin un petit sourire mouillé et timide.

– Pardonnez-moi; j'ai eu si peur pour les enfants et j'imaginais votre désespoir, ce qui doublait ma crainte.

– Racontez-moi tout, en détail; cela vous soulagera et je pourrai partager votre frayeur.

Alors Charlotte narra le début joyeux du voyage, la beauté du paysage, la senteur printanière, son regret de ne pas l'avoir à ses côtés; puis, ses angoisses qui montaient en même temps que l'eau glacée, sa certitude qu'ils allaient se noyer et sa recherche désespérée de moyens pour sauver au moins les enfants. Elle acheva en lui précisant que sa dernière pensée était allée vers lui, comme si, en prononçant son prénom, elle avait pu le faire venir à son secours.

Lorsqu'elle eut terminé son récit, elle vit que Friedrich la regardait d'une manière étrange.

– Qu'avez-vous? Vous êtes tout drôle.

– C'est bizarre. J'ai fait un mauvais rêve lié à votre mésaventure sur le fleuve.

Et Friedrich relata son cauchemar, qui avait commencé sur ce même chemin balisé qu'elle devait suivre, mais qui, dans son rêve, était comme un long serpent noir. Il décrivit l'emballement des chevaux, la mort de Röckel. C'était horrible. La longue marche à pied, derrière le guide canadien qui essayait de les ramener au bord, l'eau qui séparait la glace fragile de la grève. Lui-même sur cette berge, qui les voyait venir.

– Voyez-vous, ma chérie, ce qui m'étonne dans nos deux récits, c'est que vous m'avez vraiment appelé et que, cet appel, je l'ai entendu dans mon sommeil; c'est ce cri qui m'a réveillé, comme si votre pensée avait rejoint la mienne.

Puis Friedrich lui expliqua comment, après avoir hésité à passer la nuit chez le seigneur Cuthbert, il avait plutôt décidé de quitter Berthier très tôt.

Ce fut au tour de Charlotte, tout à coup, d'être troublée par une idée.

– C'est étrange que vous ayez rêvé à Rodolphe, notre guide canadien. Vous ne l'avez jamais rencontré.

– Le récit que vous avez fait de votre traversée des Trois-Rivières et l'admiration que vous avez montrée pour sa maîtrise et sa force ont dû rester dans ma mémoire. Mais le plus étrange, c'est ce dédoublement de moi-même. J'étais sur la berge, je vous regardais, je voulais vous sauver et j'étais incapable de bouger. En même temps, j'étais dans la pensée de chacun, même des chevaux… Le plus étrange, surtout, c'est que vous et moi étions la même personne. Je ressentais vos terreurs, vos peines. Tenez, quand Röckel mourait, je savais que votre jeunesse mourait avec lui.

– Oui, il a été important pour moi dès mon enfance. Je vous en ai parlé souvent.

– Encore plus stupéfiant, j'étais à ce point vous que j'allais vers moi-même, pour m'entendre vous dire que je vous aimais tout en recevant, en tant que vous, ma déclaration d'amour.

– Quel rêve!

– Mais pour revenir à la réalité, Dieu merci, ce matin, le chemin balisé des îles à Sorel, quoique plein de flaques d'eau, comme le vôtre, était encore assez solide. Ce ne doit plus être le cas en ce moment. Au fort, quand on m'a raconté les dangers que vous avez encourus, j'ai donné mes ordres et suis reparti au galop pour la maison.

– C'est le tonnerre, alors, que j'entends? demanda Charlotte en revenant au sons insolites qui l'avaient réveillée.

– Venez à la fenêtre, je vais vous montrer.

Sans se préoccuper de la courtepointe qui tombait sur le sol, elle le suivit.

– Mais… mais… c'est un voilier qui passe sur le Richelieu! s'exclama-t-elle.

– Oui. Et ces bruits que vous confondez avec un canon ou le tonnerre sont ceux que font les glaces en se brisant au loin sur le Saint-Laurent. Sous le choc, certains morceaux remontent le courant, d'autres le descendent. Quand ils se rencontrent, ils se dressent vers le ciel en s'appuyant l'un sur l'autre. On croirait deux animaux qui se battent. Parfois, ils forment des cathédrales qui partent à la dérive, ou des voiliers pris dans un tourbillon. Je ne trouve pas vraiment les mots. C'est très impressionnant.

– Vous êtes lyrique aujourd'hui. Vous me faites presque aimer cette débâcle que j'ai détestée car elle m'a fait si peur.

– Seulement, ces fascinants tableaux mouvants que nous donne la nature sont, aussi, la source d'horribles tragédies, comme celle de mon rêve dans lequel je vous voyais périr, et qui aurait pu être réelle.

– Vous me faites frissonner. J'ai les pieds glacés.

– Venez vous recoucher. Ne pensez plus à cette histoire qui a tout de même bien tourné. Heureusement que la débâcle du Saint-Laurent est survenue après celle du Richelieu.

Friedrich enleva sa femme dans ses bras. Il n'y avait que quelques pas de la fenêtre au lit. Elle n'était plus la petite fée légère de ses dix-huit ans. Et lui se ressentait d'une semaine de libations; il avait peu et mal dormi; il avait voyagé inquiet. Il se prit le pied dans la courtepointe. Charlotte se retrouva sur le dos, la couverture amortissant le choc, et Friedrich tomba pesamment, le nez dans les dentelles de sa femme. Ils furent secoués d'un fou rire indescriptible. Chacun essayait de parler mais les mots s'étranglaient dans leur hilarité.

Ils voulurent se relever mais les contorsions malhabiles de Friedrich pour dégager son pied entortillé les rejetaient l'un sur l'autre et leurs rires redoublaient.

Qui des deux, le premier, est passé de la gaieté à l'expression de sa tendresse? Peu importe. Là, sur le plancher, Charlotte oublie son effroyable aventure et Friedrich, son tragique cauchemar. Leurs corps sont soudain inondés par la sève d'un printemps qui monte en eux, déborde, et dans laquelle ils se laissent noyer.

60

Le baron, dans son bureau, regardait avec stupéfaction l'officier allemand que Leonhard avait introduit un moment auparavant.

— Vous êtes certain de ce que vous avancez? Martha Carr serait à la tête d'un réseau de déserteurs?

— Le délateur, un dénommé Gottlieb, a donné de tels détails qu'il ne peut les avoir inventés, mon général.

— Je vous fais confiance. Vous savez évaluer ce qui est vrai et ce qui est faux.

— Il est évident que les généreuses récompenses offertes par Son Excellence aux délateurs attirent ceux qui veulent exercer une vengeance personnelle. Mais, apparemment, ce soldat faisait une ronde dans la forêt quand il a aperçu cette dame assez imprudente pour se promener seule. Intrigué, il l'a observée; avec le temps, il a découvert qu'elle s'entretenait avec des soldats qui étaient, peu après, recherchés pour désertion. Un jour, elle l'a engagé pour qu'il s'occupe de son cheval. Après un certain temps, elle a abordé le sujet : mise en confiance par ce Gottlieb, elle lui a finalement proposé de le faire passer chez les Américains.

— Vous avez fait une enquête sur ce soldat?

— Oui, mon général. Bien sûr, il affirme que c'est sa loyauté à son régiment allemand qui l'a poussé à dénoncer la dame. Mais je me doute bien qu'il a été attiré par l'argent. C'est un joueur des dix épingles. Il a même reçu le fouet pour cela.

— Et M. Carr serait-il aussi dans ce réseau?

— Je ne crois pas, mon général.

— Tant mieux. J'en serais surpris, d'ailleurs. C'est une situation délicate, très délicate. Vous comprenez, ce serait très grave pour Son Excellence. Écoutez-moi bien : vous allez continuer votre enquête. Il faut absolument connaître la vérité. Prenez Herman. Il est discret et rusé. Adjoignez-lui un Canadien très sûr. Dans une enquête, la population s'ouvre plus facilement à l'un des siens. Et venez le plus souvent possible me faire un rapport. À moins d'une urgence, Herman ne doit pas se présenter ici. Je vous remercie, lieutenant.

Quand il fut seul, Friedrich pensa à Charlotte. Devrait-il l'avertir? Lui dire de se méfier de Martha Carr? De couper tout lien avec elle? Ou, au contraire, de l'observer. Non… cette idée était mauvaise… mêler sa femme à une histoire d'espionnage alors qu'elle était de nouveau enceinte… Sa Charlotte, enceinte!… Ses pensées bifurquèrent vers sa femme et son futur enfant : «Cette fois, je ne peux me tromper. Quatre filles suffisent. Ce sera un fils. Elle m'en a déjà fait un… trop tôt disparu, hélas! Elle saura bien m'en faire un autre enfin!»

* * *

Le baron relut le dernier paragraphe du message qu'il venait de recevoir du gouverneur.

Ainsi, cette lettre codée du chevalier Carleton est assez rassurante sur les intentions de l'ennemi pour l'hiver. Cependant, par précaution, les ordres sont de renforcer le fort de l'Île-aux-Noix par des installations, des batteries et des fossés. Aussi êtes-vous autorisé à choisir vous-même, parmi les officiers de vos différents détachements, ceux que vous jugerez les plus aptes à diriger ces constructions. Vous m'obligeriez en faisant le tour des points stratégiques le plus souvent possible. Vous prendrez l'Île-aux-Noix comme point de départ pour ces visites d'observation. Je compte sur votre zèle et sur votre présence pour faire progresser les travaux.

Friedrich passa de son bureau à la chambre où il s'arrêta, hésitant, sur le pas de la porte.

— Qu'y a-t-il, mon ami? Vous avez l'air embarrassé d'Amérika quand elle fait un mauvais coup, fit Charlotte, souriante, en déposant son livre sur ses genoux.

– Je dois partir pour l'Île-aux-Noix. C'est un ordre de Son Excellence.

– Je tâcherai de me faire à ces quelques jours sans vous, soupira Charlotte.

– Je crains que ce ne soit pour plus longtemps que cela.

– Ah!… Une semaine?… Quinze jours?… Mon Dieu, plusieurs semaines? s'exclamait Charlotte à chaque changement d'expression sur le visage de Friedrich.

– Ce serait plutôt en mois qu'il faudrait compter, j'en ai bien peur.

– Quoi! Tout l'automne… Non, ce n'est pas vrai, n'est-ce pas? L'hiver aussi!… Mais le petit?… Vous ne serez donc pas là pour la naissance…

– Allons, Charlotte, ce n'est pas si loin. J'accourrai. Que voulez-vous, ce sont les ordres.

– Non! Cette fois, je n'accepte pas. Vous avez assez donné… et moi aussi d'ailleurs. On ne se bat pas en hiver. J'irai parler à Son Excellence s'il le faut. Il m'écoutera.

Friedrich sursauta et fronça les sourcils. Sa voix se fit sèche.

– Je vous en prie, Charlotte. Pas d'idée saugrenue. Vous savez pourtant que les Américains ne suivent pas les mêmes lignes de conduite que nous. D'ailleurs, ce n'est qu'une mesure de précaution. Nous croyons qu'ils n'attaqueront pas.

– Alors, vous devriez rester ici, vous, le général en chef. De bons officiers suffiront. Il sera toujours temps de vous faire venir là-bas.

– Charlotte, mes meilleurs officiers sont morts ou encore prisonniers en Virginie. Ne vous énervez pas ainsi, baissez le ton. Un peu plus et vous crieriez, vous êtes si fort en colère.

Mme von Riedesel se mit à pleurer. Il était vrai que la colère, cette fois, se mêlait à ses pleurs. Elle s'était habituée à ce semblant de paix, oubliant parfois que rien n'était vraiment réglé entre l'Angleterre et ses colonies, que les pourparlers n'aboutissaient pas.

– J'en ai assez de ce pays! De ces ordres! De ces hivers où le froid ne réussit même pas à tenir tranquilles les ennemis.

– Chérie, chérie, calmez-vous. Ce n'est pas bon pour l'enfant.

– L'enfant! L'enfant! Il ne vous dérange pas trop, puisqu'il ne vous retient même pas près de moi.

– Ne soyez pas injuste. Vous savez que mon premier devoir va à mon service, par lequel je contribue à la société! Ensuite, mon devoir, c'est de vous aimer et de prendre soin de mes enfants. Puis, je dois apporter du bonheur à votre existence… Et, enfin, être un bon voisin. Ce sont les quatre règles que je me suis données.

– Quel bonheur? Vous acceptez de partir pour si longtemps!

– Ne soyez pas amère. Vous savez bien que je me sentirais coupable si je n'accomplissais pas tous les devoirs que je me suis imposés devant Dieu.

– Mais les enfants et moi ne constituons pas le premier de ces devoirs.

– Charlotte, vous le saviez… nous le savions. C'est la vie. Notre vie. Ayez confiance. N'avons-nous pas été protégés jusqu'ici? Nous aurions pu être séparés sept ou huit années. À quelques jours près, n'avons-nous pas risqué que vous restiez en Canada et que, moi, je sois retenu prisonnier chez nos ennemis pendant trois ans? Ou j'aurais pu tout simplement être tué, comme beaucoup de nos amis. Mais non, je suis vivant.

– Cela est vrai, mais je m'étais habituée à l'idée que nous soyons toujours ensemble.

– Je suis malheureux de vous quitter, croyez-moi. Prenez soin de votre santé. L'Île-aux-Noix n'est pas si loin. Je viendrai toutes les trois ou quatre semaines, promit Friedrich.

Puis il berça Charlotte dans ses bras et lui parla doucement jusqu'à ce qu'il la sente plus calme. La pensée de leur séparation le déchirait, lui aussi, qui avait toujours un grand désir de celle que, jeune lieutenant fringant, il avait remarquée sous la tente, à Minden.

* * *

– Mes amis, nous nous retrouverons jeudi. Cette fois, nous lirons *Les Confessions* de M. Jean-Jacques Rousseau, dont je viens de recevoir un exemplaire, par New York, dit Mme von Riedesel à ses invités qui partaient, les vers de Klopstock résonnant encore dans leur tête.

À tous les débuts du mois d'août, la température était chaude et permettait de se promener le soir sans mante. Cette année-là, la chaleur avait duré encore plus longtemps, même après le départ du général. Cependant, depuis deux jours, dès cinq heures le serein entraînait avec lui une fraîcheur qui contrastait avec la douceur du jour. Charlotte se mit au lit, sa fenêtre légèrement ouverte. Elle écoutait le silence qui couvrait la campagne. Elle n'entendait ni le grésillement des grillons ni les stridulations des criquets, dont les amours s'étaient calmées ou engourdies. Elle se demandait si tout était aussi paisible dans le fort où dormait Friedrich. Dormait-il, de toute façon? Était-il tenu éveillé par ses maux de tête ou par quelque danger? «Que la tranquillité, là où tu reposes, mon chéri, soit aussi profonde que celle qui règne ici», pensa-t-elle en fermant les yeux.

Son sommeil dura-t-il longtemps? Elle crut entendre, au loin, des bruits de roues grinçantes et de galop. Elle se dressa dans son lit. On aurait dit un cheval emballé. Enfin les crissements et les hennissements cessèrent. La voiture s'était arrêtée devant la maison. Puis on frappa à la porte.

«Est-ce un messager de Friedrich? S'il arrive ainsi, dans la nuit, c'est qu'il y a une urgence, un malheur, peut-être.

Les coups nerveux continuaient à pleuvoir. Ensuite, elle entendit crier. C'était une voix de femme qui l'appelait par son nom. Elle traversa en vitesse le bureau de Friedrich, le cœur serré. Lorsqu'elle fit signe à Röckel d'ouvrir, le tableau qui s'offrit à elle la médusa: une femme se tenait là, décoiffée, les cheveux sur le dos, tremblante, une mante jetée sur les épaules, cachant à peine sa robe de nuit, et l'air si égaré que la baronne eut peine à reconnaître en elle Martha Carr.

— *Mein Gott!* Que se passe-t-il?

— Madame, il est arrivé quelque chose d'affreux à mon époux. Il ne bouge plus. Je sais que le docteur Mabane est en visite chez vous. Peut-il venir examiner mon mari?

— Je vous en prie, Röckel, allez avertir…

— Inutile, madame la baronne, mon frère est éveillé, fit Mlle Mabane du haut de l'escalier. J'ai tout entendu. Il arrive.

— Merci, chère amie. Et vous, Martha, venez vous asseoir, je vais vous servir un remontant.

– Non, vous êtes bien bonne, mais je suis seule. Jack avait donné congé aux serviteurs. Il faut que je retourne avec le docteur auprès de mon pauvre mari, dit-elle, des larmes dans les yeux. J'étais couchée quand j'ai perçu un grand bruit. Je suis descendue et j'ai trouvé M. Carr inconscient. J'ai essayé des sels, de l'eau froide, du vin. Rien n'y faisait. Alors… j'ai… Mais voici M. Mabane. Je pars. Merci, madame, de votre bonté et pardonnez-moi de vous avoir dérangée.

La baronne rassura Martha et ordonna au soldat de garde d'accompagner la jeune femme et le médecin.

* * *

Lorsque le docteur Mabane revint de chez Martha Carr, Charlotte, qui n'avait pu fermer l'œil, vint s'informer aussitôt.

– Hélas! madame, M. Carr était déjà mort quand je suis arrivé. Un arrêt du cœur. Il n'était plus jeune et je lui avais recommandé de se ménager. Il devait déjà être mort quand Mme Carr est venue. La pauvre femme ne voulait pas le croire, elle faisait pitié. J'ai craint que sur le coup elle songeât même à mettre fin à ses jours. Je l'ai forcée à dormir, j'ai envoyé chercher une voisine et je me suis permis de laisser le soldat que vous m'aviez prêté. Il reviendra quand les serviteurs seront arrivés.

– Je vous remercie, docteur. J'enverrai un peu plus tard l'une des bonnes prendre des renseignements. Je verrai si Mme Carr a besoin de moi. Reposez-vous bien. Voulez-vous que je vous fasse porter quelque chose à manger?

– Non, non. Je suis habitué à ces brusques réveils. Je vais me rendormir aussi sec.

* * *

Le 30 août 1782.

Chère mère,
Enfin deux lettres de vous! Quoiqu'elles datent de l'été dernier, quel bonheur j'ai ressenti à leur vue!
J'ai été absolument sidérée d'apprendre que vous vous étiez remariée. J'avoue que sur le moment cela m'a donné un choc

d'avoir un autre père. Où avez-vous pu trouver un mari ayant autant de valeur que mon cher papschken ? C'est en pensant à vous que je me suis demandé comment vous réagiriez si jamais votre nouvel époux ne se révélait pas aussi respectable et estimable que le premier. J'espère que votre remariage est avantageux, financièrement, pour vous. Comme je ne suis plus la petite écervelée qui riait de tout, je vous promets de ne pas me moquer de son étrange nom quand je retournerai près de vous. Vous vous consolerez, d'ailleurs, très vite des difficultés et des anxiétés que j'ai pu vous causer quand vous connaîtrez Augusta. Elle est si sérieuse, c'est l'enfant idéale pour une mère et une grand-mère.

Ici, les signes de paix vont et viennent. Quant à mon époux, sa santé me donne encore de l'inquiétude de temps en temps. Mais pour le reste, il est plaisant de voir comment il sait se faire aimer. Il a tant souffert qu'il compatit aux malheurs des autres. Il est toujours épris de justice et sa patience est remarquable. Quoique nous soyons mariés depuis vingt ans, nous nous aimons plus que jamais. Tous sont surpris de voir qu'il a toujours autant d'attentions pour moi.

Depuis le 20 août, Riedesel est au fort de l'Île-aux-Noix, au cas où les ennemis décideraient d'attaquer. Il m'écrit tous les jours. Parfois, à ma grande joie, il remplace ses lettres par sa présence, quand le calme à la frontière le lui permet.

Je dois vous quitter. J'espère que je recevrai bientôt d'autres nouvelles, puisque vous dites m'écrire chaque mois. Je ne sais ce qui arrive avec le courrier. Tous les Allemands se plaignent de la situation. Moi-même, je n'ai reçu que trois lettres de vous depuis plus d'un an.

Votre fille aimante,
Charlotte.

61

— Tiens! C'est toi, Maxime. Quelle voile te dévire par ici?

— Es-tu tout seul?

— Fin seul. La femme et les enfants sont à la messe. Louis les a amenés. Moi, je suis allé à la première.

— Je sais. Je t'ai vu, mais fallait que je parle au curé. En revenant, j'ai pensé d'amarrer chez toi. Faut que je te parle. Tes Allemands, sont ici?

— Partis dans la nature. Je les vois bien rarement le dimanche, l'Helmut surtout. Lui, il part de bonne heure. Il va à pied jusqu'à Berthier. Il m'a expliqué qu'il est luthérien, et qu'il n'y a pas d'église ici pour lui. Alors, il va à l'église presbytérienne du seigneur Cuthbert. Je me souviens du mot parce que ça ressemble à presbytère.

— Ce sont pas des églises, ce sont des temples, comme chez les juifs. Ils sont drôles, les protestants. À quoi ça rime d'avoir deux noms et d'aller à la même église?

— Paraît qu'il y a des différences. De toute façon, j'aime pas ça, des soldats d'une autre religion dans nos maisons, dit Joseph Saint-Martin en frappant sa pipe sur le coin de la chaise. C'est dangereux pour nos filles. Il y en a qui s'entichent de ces hommes-là. Tu vois ça, nos filles catholiques qui se marient avec des protestants? Ta Julie, elle va bien? Elle est passée ce matin avec un de tes Allemands. Elle avait l'air bien à son aise.

— Je sais, répondit Maxime, haussant les épaules. Mais peut-être bien que si ton fils l'avait invitée à la messe, elle n'aurait pas été obligée de demander à un de mes Allemands de la conduire. Ils étaient pas seuls, d'ailleurs. Il y avait le Muet avec eux.

— Je pense qu'ils se sont disputés. Ta Julie, c'est une fille unique. Tu l'as un peu gâtée peut-être?

– Pantoute. C'est ton Louis qui a des drôles d'idées. Des idées que tu partages, des idées dangereuses. Mais on n'est pas pour se chicaner à notre tour. Louis et Julie… Tu sais bien que c'est une querelle d'amoureux. Ça durera pas.

– Tu as raison. Parle-moi donc de ce qui t'amène.

– Tu as connu mon oncle Saint-Amant? Le voyageur qui allait à Michillimakinac dans le temps des Français. Ensuite, il se rendait jusqu'au Grand Portage. Il allait aussi mener des marchandises aux «hivernants» des pays d'en Haut. Il a fini assez riche et il est mort l'année passée.

– Parce qu'il est mort? J'ai du regret pour toi, mon Maxime.

– Merci. Il m'a laissé un brin d'argent. Il était pas marié, tu comprends. Il en a laissé au curé comme de raison. Pour qu'il dise des messes pour le repos de son âme. Tout ça, je te le dis à toi, mais pas à d'autres. Même ma fille, elle le sait pas. J'ai caché l'argent, je lui ai pas parlé de l'héritage. J'ai eu peur qu'elle s'en fasse. Tu comprends, avec un gros montant dans la maison! J'ai fait un trou dans le mur à côté de mon lit, derrière le chiffonnier.

– Plus bas, Maxime. Tu serais pas un peu sourd? Tu te rends pas compte comme tu parles fort. Qu'est-ce que c'est, comme argent?

– Il y avait de tout : des livres françaises, des piastres, de la vieille monnaie, des francs, des sols, des pistolets, des chelins, des livres anglaises. Pour que ça fasse moins de pièces, le notaire a presque tout changé en portugaises d'or.

– Je suis bien content pour toi, mon Maxime. Crois-moi. On est ami depuis le ber. Je suis sincère.

– Je sais. J'en garde pour la dot de Julie, tu comprends. Pas si elle veut épouser un Allemand, bien sûr, mais un bon Canadien. Sans ça, je la déshérite.

– Moi, ma terre, elle va à Louis. C'est mon aîné.

– On parlera de ça plus tard. Mais faut dire que des portugaises d'or, j'en garde pour Charles Migneron. Comme il est muet, il ne se trouvera pas beaucoup de travail. D'ailleurs, c'est mon fils à présent. Il est bien vaillant, bien fort déjà pour ses onze ans. Mais je suis venu surtout pour te parler, pour voir si tu peux pas m'aider.

– T'aider! Je vois pas en quoi je pourrais t'aider, mon Maxime.

– C'est ces maudits soldats. J'ai peur qu'ils me volent.

– Pourquoi? Les as-tu surpris à fureter?

– Non, mais je me méfie de celui qui s'appelle Nicklauss. L'autre fois, il était dans ma porte de chambre; pendant qu'il me parlait, ses yeux fouinaient partout et s'arrêtaient toujours sur l'armoire.

– Oui, j'ai bien hâte, comme toi, d'être débarrassé d'eux. Mais peut-être que tu te fais des idées. Il est peut-être juste curieux.

– J'aimerais quand même que tu m'aides à trouver une meilleure cachette.

– Pas chez moi, en tout cas. Ça serait pire, ils sont quatre. Ils sont pas endurables. À part peut-être Helmut, celui-là… Tiens! J'entends la femme et les enfants qui arrivent. Je t'en reparlerai chez toi demain.

– Pas demain. Je vais aider Tanasse avec le Muet. Julie va chez ma sœur Marguerite au village. Mais après-demain ça ferait mon affaire.

– C'est ça, mon Maxime, après-demain, reprit Joseph Saint-Martin en mettant amicalement la main sur l'épaule de son ami et voisin de toujours.

Les deux hommes sortirent sur le perron au pied duquel s'arrêtait la voiture. Pendant qu'on se saluait, une ombre sortit à pas de loup par la porte arrière et se faufila jusqu'à la grange. Cachée par le bâtiment, elle s'éclipsa à travers champs.

En même temps, Gottlieb descendait l'escalier en catimini, cherchant des yeux s'il était bien seul. Comme l'autre personne qui s'enfuyait, mais qu'il n'avait pas vue, il passa lui aussi par le jardin et disparut derrière un bouquet d'arbustes.

* * *

Konrad s'animait, faisant de grands gestes. Il parlait en allemand évidemment.

– Je te le dis, Lukas. C'est le temps comme jamais. Le père Potier s'en va aider quelqu'un avec le Muet. La fille sera chez sa tante. Imagine! Des portugaises d'or!

– J'aime pas tellement ça. C'est dangereux.

– Écoute, toi et moi, on a des dettes. C'est encore une fois le fouet que tu aimerais? La prison? Qu'est-ce que tu veux, on peut pas s'empêcher de jouer aux dix épingles, toi et moi. On espère toujours gagner, on n'a pas de chance. Ces Canadiens et ces Anglais doivent tricher.

– Je te dis, moi, que c'est trop risqué.

– Il n'y a pas de risque avec mon plan. Seulement il faut être deux.

– Tu es sûr? Et Nicklauss et Schumpff qui logent chez les Potier, qu'est-ce que tu en fais?

– Je me suis informé. Ils sont en congé et s'en vont chasser, tu te rends compte! C'est notre jour de chance!

– Bon. Explique-moi ton plan. Je verrai.

* * *

C'était lundi. Nicklauss, étendu sur son lit, essayait de dormir. Le matin il avait été pris d'un malaise. Aussi avait-il décidé de ne pas aller à la chasse. D'autant plus qu'il voulait être en forme pour la soirée. Il devait la passer avec Adélaïde, qui venait de recevoir une lettre les concernant tous deux.

«Adélaïde! Adélaïde!» se répétait-il. L'évocation seule de son prénom aiguisait sa passion, exacerbait ses désirs. Il savait, maintenant, qu'elle était mariée. Elle lui avait expliqué comment elle s'était enfuie loin de cet homme, peintre comme elle, qui était si jaloux de son talent et si possessif que, dans ses colères d'ivrogne, il détruisait le moindre croquis qu'elle traçait.

Elle avait avoué combien elle avait lutté contre ses sentiments envers lui, Nicklauss, contre la peur d'un nouvel engagement et, surtout, pour sa liberté, en dépit de son amour pour lui. Servante d'un homme? Non, jamais elle ne le serait! On ne peut servir qu'un maître à la fois et la peinture était, pour elle, ce maître. Son corps et son cœur, elle voulait bien les lui donner, mais jamais lui promettre le temps qu'elle devait consacrer à son art, son âme. S'il acceptait cette vie qu'elle lui proposait, avait-elle dit, elle écrirait en France à un oncle curé, protégé à la cour et à Rome, pour le supplier de lui obtenir une annulation. La réponse de l'oncle s'avérerait-elle négative, elle ferait un mariage luthérien ou anglican, à son goût à lui. S'il tenait encore à se marier, naturellement.

À son tour, il avait narré comment, en Virginie, dans l'infecte baraque, il rêvait d'elle le soir, ou rôdait autour de la propriété du général dans l'espoir de l'apercevoir. Se souvenait-elle qu'un jour il l'avait croisée dans une calèche? Il l'avait saluée; elle n'avait pas daigné répondre. Alors il était resté longtemps sans chercher à la revoir. Puis il s'était porté volontaire pour aider M. von Riedesel à planter des arbres. C'était lui qui avait soutenu et ramené le général à la maison quand il avait attrapé une insolation.

Il avait ensuite confié à Adélaïde la tristesse qu'il avait ressentie quand le personnel avait suivi la famille von Riedesel à la cure, puis sa joie d'apprendre que, libéré, il serait parmi les soldats qui suivraient le général en Canada. Le soir, sur l'un des navires de la flotte, il fouillait la mer des yeux, le cœur calme parce qu'il la savait sur les mêmes eaux, allant dans la même direction. Dans ses rêves les plus fous, elle lui apparaissait s'élevant au-dessus des vagues comme une sirène et replongeant en se moquant. Plus tard, à Noël, oui, il avait compris qu'il ne voulait pas qu'elle partageât seulement sa couche, mais aussi sa vie.

Toutes ces paroles et bien d'autres, les deux amoureux les avaient échangées peu à peu, au cours de rendez-vous. Ayant accepté son nouveau destin, Adélaïde, femme entière, ne s'était plus dérobée aux instances de Nicklauss, avec une grande discrétion, toutefois.

Si Charlotte s'était doutée de ces nouveaux développements en remarquant le rayonnement du visage de sa gouvernante, elle s'était tue. Il lui semblait que la vie privée d'Adélaïde lui échappait. En autant que celle-ci ne négligeât pas son travail et ne fît pas d'esclandre, elle fermerait les yeux.

Ce jour-là, donc, Nicklauss attendait impatiemment de connaître le contenu de la lettre. Plus que jamais, il souhaitait vivre avec Adélaïde. Il ferait tout pour l'aider, jusqu'à se battre contre les vieilles barbes misogynes qui voudraient lui fermer les portes de l'Académie. Rebelle à son sort d'homme du peuple, il admirait en Adélaïde la rebelle à son destin de femme.

Il en était là dans ses pensées lorsqu'un bruit ébranla la maison; il entendit un gémissement, quelques craquements et un rire sourd. Étonné, il se leva et commença à descendre l'escalier.

62

Sorel, automne 1782

Augusta était assise devant le clavecin qui trônait dans un coin du salon. Sa mère l'écoutait exercer ses gammes tout en brodant.

Mme von Riedesel avait acheté le clavecin du curé de Beloeil pour seize guinées. Elle était enchantée d'avoir mis la main sur cet instrument, rare en Amérique, qui lui permettait de partager son amour de la musique avec ses filles. Elle avait demandé à Glackemeyer, le chef de musique d'un des régiments du général, de donner des leçons à Augusta et à Frederika. L'apprentissage n'était pas facile, mais leur mère, pour les encourager, avait proposé qu'elles apprennent un duo qu'elles joueraient ensuite pour leur père.

Augusta était si concentrée qu'elle ne s'aperçut pas que Röckel venait chercher discrètement sa mère.

* * *

Dans l'antichambre, la baronne vit le petit Charles Migneron, tremblant et les yeux effrayés. De gros sillons sur ses joues sales montraient qu'il avait pleuré. Christian Schumpff, un des soldats billetés de la famille Potier, le tenait par la main. Elle sut tout de suite qu'un malheur était arrivé et sa pensée se tourna immédiatement vers l'aimable Julie.

— Madame la baronne, dit le soldat, le père Potier est mort.

— Ce brave homme! Comment est-ce arrivé? Il n'était pourtant pas malade.

— J'étais parti à la chasse, ce matin. Les bêtes étaient méfiantes, aujourd'hui; je n'ai rien pris, alors je suis revenu plus tôt que prévu. Je longeais un champ quand j'ai vu, de loin, Louis Saint-Martin sortir par en arrière de la maison en laissant échapper quelque chose. Je l'ai hélé, mais il ne m'a pas entendu. Je l'ai suivi mais il courait tellement vite que je me suis arrêté à mi-chemin. Comme j'avais déjà beaucoup marché, je n'ai plus eu le goût de continuer. J'ai vu Saint-Martin entrer chez lui. Je me suis dit que j'irais lui porter plus tard ce qu'il avait perdu et je suis passé par en arrière pour le ramasser. À terre, il y avait des portugaises d'or. Je suis entré chez moi, c'est-à-dire chez les Potier, et c'est là que j'ai trouvé le bonhomme, sur le pas de la porte de sa chambre. Il s'était fracassé la tempe sur le coin d'un meuble.

— Il aurait eu une faiblesse et serait mal tombé?

— Une armoire avait été déplacée. Dans le mur, vers le haut du meuble, il y avait un trou, et, à terre, des shillings. On l'a poussé pour le voler, j'en suis certain. Et puis, ce qu'il y avait de plus terrible pour moi, c'était mon camarade Nicklauss, plein de sang, étendu à moitié sur le père Potier. Tous les deux avaient la face contre le sol.

— Nicklauss! Est-il grièvement blessé?

— Il a le crâne défoncé, madame. Il est bien mort, lui aussi.

La baronne eut une pensée pour Adélaïde, mais, contrôlant son émotion devant le militaire, elle demanda :

— Où avez-vous trouvé Charles?

— Vous savez, madame, que le poêle de la salle d'hiver est placé le long de la cloison, du côté des deux pièces. Cette cloison est percée de deux petites portes en tôle, l'une qui ouvre sur la chambre de Mlle Julie, l'autre sur celle du père Potier.

— Oui, je me souviens. Quand on veut réchauffer les chambres, on n'a qu'à ouvrir ces deux petites portes.

— Il y a aussi un espace assez large entre la cloison et l'arrière du poêle, qui sert de protection contre le feu. Une fois les portes ouvertes, un enfant peut facilement passer d'une pièce à l'autre, ou simplement regarder dans une des chambres, en se tassant près de l'arrière du poêle.

La baronne se rappela qu'elle avait vu Charles s'amuser à ce jeu.

– C'est là que j'ai trouvé le Muet. Il était terrifié. Selon moi, il a tout vu, madame. Heureusement que l'assassin, lui, ne l'a pas aperçu ; Charles serait mort à l'heure qu'il est. J'ai eu bien de la difficulté à le faire sortir de sa cachette. Chaque fois que j'essayais de lui prendre la main, il se recroquevillait et gémissait. C'était comme s'il ne me reconnaissait pas. À force de lui parler doucement et de lui sourire, je l'ai calmé et il m'a suivi.

– Laissez-moi l'enfant. Allez immédiatement prévenir le capitaine de milice. Racontez-lui tout. Vous êtes sûr d'avoir aperçu Louis Saint-Martin ?

– Je l'ai bien reconnu, madame.

– Bon ! Allez vite ! Röckel, conduisez Charles à Lizzie. Qu'elle le nettoie et le fasse dormir avec une bonne tisane.

La baronne restait immobile au milieu de l'entrée. Elle était bouleversée et ne faisait que se répéter : «Comment, comment annoncer cela à Adélaïde ?» Elle aperçut alors, l'observant de la porte, celle à qui elle pensait.

Voyant le regard étrange d'Adélaïde et sa pâleur, Charlotte devina que la jeune femme avait tout entendu. Elle tendit une main vers la gouvernante, compatissant d'avance à la douleur qui se manifesterait. Mais Adélaïde resta rigide. Son visage n'exprima ni tristesse ni même de l'étonnement. Peut-être un léger durcissement dans les yeux.

– Vous savez pourquoi Schumpff est venu ? demanda la baronne. Sur un signe affirmatif d'Adélaïde, elle continua :

– Voulez-vous que Röckel vous conduise là-bas ?

– Non merci, madame, vous êtes bien bonne. J'ai des choses à ranger. Si madame n'a pas besoin de moi, qu'elle me permette de partir.

Sur un geste de Mme von Riedesel, elle s'inclina et se dirigea vers l'escalier, tandis que Charlotte se disait : «Je m'attendais à une grande maîtrise de ses nerfs, mais pas à ce point. Pas une larme. Elle n'a même pas demandé de détails. Je préférerais presque une crise. On aurait dit qu'Adélaïde s'attendait à ce drame. Oh ! je n'aime pas cela.»

Adélaïde n'alla pas à sa chambre. Elle grimpa au grenier et s'assit sur la malle qu'elle avait partagée avec Nicklauss, la nuit de Noël. Les mains sur les genoux, le corps raide, les yeux fixes, elle resta ainsi un long moment sans bouger. Puis elle dit à haute voix :

— Ce bonheur-là, il n'était évidemment pas pour toi, Adélaïde. C'est ton sort.

Elle sortit de la poche de sa jupe la lettre de son oncle, le curé. Elle n'avait voulu l'ouvrir qu'en présence de Nicklauss, au rendez-vous projeté ce soir-là.

Elle tâta la lettre : «À quoi bon, maintenant?» murmura-t-elle. Sans même l'ouvrir, elle la déchira en deux, puis, machinalement, en morceaux de plus en plus petits. Que lui importait la réponse!

— C'est bien, comme cela, n'est-ce pas, Nicklauss? Ainsi tu n'auras jamais l'occasion de devenir un mari jaloux, hargneux, possessif et coureur. Tu resteras toujours cette espèce de chevalier amoureux prêt à détruire ses idées d'un coup d'épée pour les jeter à mes pieds comme des fleurs. Moi, je n'aurai plus à hésiter entre toi et ma peinture. Je n'aurai plus la tentation de ne devenir qu'une épouse. Tout est pour le mieux, Nicklauss, tout est pour le mieux.

C'est en répétant ces derniers mots qu'elle laissa enfin couler ses larmes, silencieusement, avec retenue, comme tout ce qu'elle faisait, quand elle ne peignait pas.

* * *

— Qu'est-ce que tu regardes tant par la fenêtre, mon trognon de pomme? demanda Catherine Saint-Martin.

— Depuis tantôt, il passe des soldats sur la terre du père Potier.

— Quoi? fit la mère en se précipitant à la fenêtre. C'est bien vrai. Michel, va donc voir qu'est-ce qui se passe. Ah non! N'y va pas. Éloignez-vous de la fenêtre, les petits. Dans ces histoires-là, vaut mieux rien savoir… Michel, viens par ici.

— Voilà le Baptiste à Thomas avec ses deux lieutenants de police.

— Louis Saint-Martin est-il ici? demanda le capitaine. Il faut que je lui parle.

— Michel, va quérir ton frère, au champ. Asseyez-vous donc, fit Catherine en montrant trois chaises.

— Non, je suis en devoir. Quand je suis en devoir, je ne m'assois pas.

— Une petite bière d'épinette, d'abord?

— Encore moins. Merci quand même, madame Catherine.

— Dis-moi donc, qu'est-ce qui se passe chez Maxime Potier?

Le capitaine n'eut pas le temps de répondre car Louis entrait, Michel sur les talons.

— Tiens, bonjour mon Baptiste. J'étais dans la grange. Paraît que tu veux me voir?

Le capitaine parut mal à l'aise et rougit :

— Je ne suis pas «ton» Baptiste, aujourd'hui. Je suis capitaine de milice et… c'est comme capitaine que je suis ici. Ça me fait de la peine, c'est contre mon gré.

La gravité du propos, l'embarras de l'officier amenèrent un silence d'inquiétude.

«Ça y est, pensa Louis, on a découvert mon trafic d'armes. Si j'avais su, je me serais sauvé chez Guillaume.»

Décidé à nier, ou au moins à protéger son père, Louis continua à haute voix, un sourire forcé aux lèvres :

— Je comprends pas. Qu'est-ce que tu veux?

— Je ne devrais pas te le dire, mais enfin… Le père Potier et un de ses billetés allemands ont été assassinés. Tu es accusé de les avoir tués.

— P'tit Jésus, qu'est-ce que Joseph va dire? gémit Catherine, tellement frappée par la mort de l'ami d'enfance de son mari qu'elle n'entendit pas la dernière phrase.

Louis partit d'un énorme rire. Il était si soulagé de voir qu'on ne s'en prenait pas à son trafic que le reste lui apparut comme une farce montée par son ami Baptiste. Il s'exclama :

— Moi, j'ai tué le père Potier? Ça tient pas debout. C'est pas le mardi gras pour faire des drôleries de ce genre, Baptiste.

— C'est sérieux, Louis. On sait que tu étais à couteaux tirés avec Maxime Potier.

– C'est vrai qu'on partage pas les mêmes idées. Pas toutes en tout cas. C'est pas une raison pour tuer mon futur beau-père.

– Il y a un témoin. Il t'a vu sortir de la maison du père Potier avec de l'or que tu aurais échappé.

– Le beau-père avait de l'or! Depuis quand? Vous saviez ça, vous, que le beau-père avait de l'or? s'exclama Louis en s'adressant à son père qui entrait.

Joseph était très pâle. Ayant vu les miliciens chez son ami, il s'y était rendu. Mais on l'avait repoussé en lui annonçant ce qui était arrivé. Pour ne pas montrer la rougeur que le mot «or» lui faisait monter au visage, Joseph Saint-Martin se retourna en maniant la clenche comme s'il avait de la difficulté à fermer la porte.

– Écoute, Louis, reprit le capitaine de milice. Moi, je veux bien te croire, mais il y a un témoin, tu comprends. Alors, faut que je t'arrête. Peut-être que le témoin, en te voyant, ne sera plus aussi certain de ses dires. Mais pour le moment, c'est comme si je ne te connaissais pas. Lieutenants, faites votre devoir. Si tu me promets de ne pas te sauver, Louis, je ne t'attacherai pas les mains.

Louis leva les épaules.

– Je ne me sauverai pas. C'est trop fou. Tuer le père de ma Julie. Comme ça, c'est vrai, le beau-père est mort. Ma pauvre Julie, elle doit être dans tous ses états. Écoute, Baptiste, laisse-moi la voir. Faut qu'elle sache que j'ai bien de la peine pour elle.

– Je ne peux pas. Ça ne serait pas juste.

– C'est toi qui n'est pas juste, rétorqua Louis d'un ton agacé.

Joseph s'interposa, certain que son fils n'était pour rien dans ce crime crapuleux :

– De toute façon, mon garçon, Julie est chez sa tante. Ta mère ira la voir si elle revient avant toi.

Catherine Saint-Martin était restée hébétée, mais quand elle vit Louis entre les deux lieutenants, toute douce et soumise qu'elle fût, la louve en elle s'éveilla. Elle se jeta sur le capitaine.

– Tu touches pas à Louis! Depuis quand tu écoutes les ordres des étrangers plutôt que la vérité du bon monde de par ici? Quand je pense que je t'ai connu en langes. Si ta mère te voyait, elle serait pas fière de toi.

Catherine poussait avec vigueur l'officier qui, n'osant s'en prendre à l'amie de sa mère, résistait mollement. Michel, sur un signe de Louis, s'interposa :

— Venez, maman. C'est pas la faute de Baptiste. Vous aimeriez mieux que ça soit le capitaine Braun qui arrête Louis?

— C'est peut-être juste une vengeance de ce maudit Braun. Il va seulement faire peur à Louis, et ensuite le renvoyer à la maison, renchérit Joseph.

— C'est ce que je pense aussi, abonda son fils aîné. Celui qui m'a supposément vu, il va bien s'apercevoir que c'était pas moi. Et ils vont me relâcher. Pleurez donc pas, maman. Je vais revenir bien avant que le soleil se couche. Vous verrez.

Et Louis sortit docilement entre les deux lieutenants.

63

Très élégante dans ses habits de veuve, sa blondeur s'accommodant fort bien du noir, Martha monta dans sa calèche. Elle s'en allait jusqu'à Sorel, car elle avait des courses à faire. Elle avait besoin de se détendre les nerfs, après toutes ces journées de tension, et surtout après l'enterrement où elle avait dû montrer tant de fausse affliction. Pour porter ses achats, elle emmenait avec elle sa servante et le petit esclave. Et elle ordonna à son cuisinier et à son cocher de rechercher Gottlieb pendant ce temps, sous le prétexte qu'il était le seul capable de lui procurer un liquide dont elle avait besoin pour ses fleurs.

– Toi, continua-t-elle de son ton le plus méprisant, monte avec moi… Mais non, ajouta-t-elle en donnant une bourrade au négrillon, je ne t'ai pas dit de t'asseoir à côté de moi, malappris!… Allez, imbécile, à mes pieds!

La calèche s'ébranla. Martha regarda la tête crépue qui lui rappelait trop les circonstances de la mort de son époux. Que ne la regardait-il, qu'elle puisse le frapper pour cette insolence! Ne devrait-elle pas se débarrasser de ce petit idiot? Tout de même, il lui était très utile et ne lui coûtait guère.

Un sourire méchant déforma son joli visage au rappel des coups qu'elle avait donné la veille à l'enfant noir. Elle l'avait surpris en train de sentir l'un de ses parfums; parfum qu'il avait d'ailleurs répandu en entendant le cri de colère poussé par sa maîtresse. Qu'il était drôle, avec son stupide air apeuré! Il méritait bien la gifle qu'elle lui avait appliquée et toutes les autres qui avaient suivi. Comme elle l'avait frappé avec plaisir, cet esclave, pour se venger du petit chien qu'elle détestait…

Quand la calèche eut disparu au tournant de la route, un homme surgit d'un bosquet d'arbres, où il avait laissé son cheval. Il frappa vainement à la porte de la maison de Martha. Il poussa un soupir de satisfaction et introduisit une clef dans la serrure.

«Je ne me suis pas trompé. Elle est sortie avec tout son personnel. Il faut que je sache si mes soupçons sont vrais. La mort de mon frère est trop étrange.»

Henry Carr fit le tour des pièces. Il avait beau regarder et fureter, il ne voyait rien qui pût lui fournir une réponse. Il s'assit enfin pour réfléchir sur les événements des derniers jours, dans la pièce où le drame, car il soupçonnait un drame, avait eu lieu.

«Comment se fait-il que Jack soit mort le soir même où il devait révéler à Martha qu'il était au courant de ses détournements de fonds de la compagnie? A-t-il suivi mes instructions de ne pas dévoiler que c'était moi qui avais découvert le pot aux roses? A-t-elle commis d'autres malversations? Je sens qu'elle est liée à la disparition de Jack. Il me faut une preuve, ou de son innocence ou de son crime, sinon je n'aurai aucune paix.»

Soudain une idée le frappa : «Tiens, c'est étrange, où donc est le chien de Jack? D'habitude, il me fait la fête.» Il appela, siffla, en vain. «Pourtant, Martha ne l'a pas emmené avec elle en partant. D'ailleurs, il lui montrait les dents chaque fois qu'elle s'approchait de lui. Elle riait et disait qu'il était jaloux. Un chien ne change pas de sentiment aussi vite. Il doit se cacher d'elle. Qu'est-il devenu? Au fait, je ne l'ai pas vu le jour de l'enterrement, ni la veille. Allons perquisitionner dans les bâtiments et à l'extérieur.»

Il visita la grange et l'écurie au grand complet. Il prit même une fourche pour déplacer le foin. Il fit le tour des bâtisses, regarda dans les allées du jardin et observa tous les toits. Ses yeux descendirent le long des murs jusqu'au sol. Puis il haussa les épaules.

«Qu'est-ce que je cherche? Je ne le sais même pas. Au fond, ne vaut-il pas mieux que Jack soit mort de sa belle mort? Ma méfiance envers Martha vient peut-être du fait que je ne l'ai jamais aimée. Combien de fois, dans ma tête, n'ai-je pas traité mon frère de vieux fou, pour l'avoir épousée? Bien sûr, elle nous a volés, Jack et moi. Est-ce une raison pour l'accuser d'un crime? J'avais espéré une réponse en venant ici. Partons. C'est inutile… Enfin, par acquit de conscience, faisons encore une fois le tour de la grange.»

Lentement, en déplaçant l'herbe avec sa canne, il avançait tête penchée, en s'arrêtant parfois. Espérant au moins trouver le chien, il sifflait. Soudain, il fronça les sourcils. «Tiens! Qu'est-ce que c'est? De la terre fraîchement retournée, des mottes avec des restants d'herbe, comme si on avait creusé puis rempli un trou. Je n'avais pas remarqué cela tout à l'heure!»

Il courut chercher un outil et se mit à creuser. Bientôt, sa bêche frappa quelque chose d'assez dur pour l'arrêter, mais de trop mou pour être une pierre. Avec ses doigts, il émietta et dispersa la terre. Après quelques minutes, il avait mis à découvert le corps entier du petit animal qui avait tant fait le bonheur de son frère.

«Ceci n'est pas une preuve. Il est peut-être mort d'indigestion. Jack le gâtait tellement. Mais comment se fait-il que Jack ne m'ait pas parlé de sa mort? Et puis, tel que je le connais, il aurait indiqué par une pierre tombale le lieu où son chien était enterré.»

Malgré l'odeur que dégageait déjà l'animal, il l'examina mieux et vit avec dégoût que non seulement la gorge avait été tranchée mais que la pauvre petite bête avait été mutilée.

«Ah! non alors! Jamais mon frère n'aurait crevé les yeux de son chien. Qui aurait intérêt à s'amuser à ce jeu cruel? Le petit esclave? Non, il n'est pas bête. Il risquait trop. Il était bien nourri, bien logé. Il n'avait qu'à s'occuper du chien. On sentait qu'il l'aimait. Ça ne peut être lui. Qui alors? Martha? Martha, est-ce possible? Bon! En attendant, il faut que j'aille chez le capitaine de milice.»

Il trouva une poche de légumes vide et y glissa la petite victime, puis se dirigea vers son cheval. Se rendant compte qu'il oubliait de remplir le trou, et que Martha le verrait si elle arrivait avant la milice, il alla reprendre la bêche et la plongea dans le tas de terre à côté de la fosse. La pelletée qui tomba au fond émit un reflet. Intrigué, Henry Carr gratta la motte avec ses doigts. Il se piqua à un objet de métal.

«Dieu! Le coupe-papier en or que j'ai donné à ma belle-sœur. Cette fois, cette diablesse ne m'échappera pas. Dire que j'ai failli abandonner mes recherches.»

Il enveloppa le stylet dans son mouchoir, le déposa au fond du sac et continua à remplir la fosse. Un moment plus tard, il se dirigeait vers la maison du capitaine de milice.

* * *

Le cadavre nu de Jack Carr reposait sur une table. On venait de le ramener du cimetière. Tout autour se tenaient le capitaine de milice et six francs tenanciers qui devaient découvrir si les soupçons de Henry Carr était plausibles.

Le capitaine Baptiste aimait bien discourir, quitte à répéter ce que tout le monde savait.

— Je vous ai convoqués puisqu'en l'absence du coroner de Montréal, qui ne peut venir maintenant, c'est à nous de faire l'enquête préliminaire. Chaque partie du corps de cette personne doit donc être examinée scrupuleusement parce qu'il y a peut-être eu crime, du moins d'après le plaignant, frère et associé du défunt. Nous devons consigner par écrit toute marque trouvée suspecte. J'enverrai le résultat de nos observations à la Cour du Banc du Roi, adressé soit au juge en chef de la province, soit à l'un des commissaires. Comme vous le savez, la Cour siège quatre fois par année : deux fois à Québec et deux fois à Montréal. C'est heureux qu'elle doive siéger bientôt dans cette dernière ville, sinon cette malheureuse affaire traînerait en longueur. Messieurs, au travail. Nous savons que ce n'est pas une tâche agréable, le mort étant décédé depuis huit jours et déterré depuis une heure. Mais c'est notre devoir.

Presque en silence comme à l'église, on passa en revue le corps de ce vieillard, si riche de son vivant et si dépouillé dans la mort.

— Regardez ici, dit l'un des francs tenanciers en montrant les poignets de Jack Carr, ne dirait-on pas des blessures?

— Et ici, aux chevilles.

Les sept hommes scrutèrent les marques, donnèrent diverses opinions et conclurent qu'en effet il semblait y avoir de légères ecchymoses, mais qu'elles ne pouvaient être la cause de la mort du marchand.

Ils rédigèrent un texte dans ce sens. Le capitaine de milice, qui tenait à mettre sa touche pour bien montrer que c'était lui le substitut du coroner, donc lui le plus important des sept, termina le rapport en ajoutant : «Mais je suis personnellement d'avis que rien ne prouve le contraire, et il se pourrait que les blessures aient été causées par la femme du défunt. Nous continuons notre enquête.»

64

Après l'arrestation de Louis, quand les Allemands et les jeunes furent endormis et que la nuit fut tombée, Joseph se leva doucement et tira son fusil de dessous son matelas. Il poussa sa femme et lui chuchota : «C'est l'heure.» Celle-ci s'enveloppa dans son châle et, aussi silencieusement que son mari, quoique tremblante, elle s'assit sur le banc de quêteux, prête au moindre bruit suspect à envoyer Valérien, le frère cadet de Michel, avertir qu'il y avait du danger.

Amélie, Michel et Joseph sortirent à pas de loup et se rendirent à la cabane à sucre. Ils ouvrirent, cachée sous un tas de foin, la trappe du trou où étaient empilées les armes et transportèrent celles-ci dans un bateau plat.

— Tu feras attention, Michel. Heureusement, la lune n'est pas pleine. Reste sur les bords, dans l'ombre des arbres. Et toi, Amélie, surveille bien tout autour. On vous attend chez les Letendre. Aidez-les à décharger mais revenez aussitôt. Anthyme a assez de gars pour l'aider à tout porter jusqu'à leur cache.

Le lendemain matin, sitôt que les Allemands furent partis à la caserne et que Gottlieb, dont c'était le jour de corvée, fut occupé à couper du bois, on jeta vivement un coup d'œil dans toute la maison afin de s'assurer qu'il ne restait aucune trace du trafic d'armes pouvant incriminer Joseph et Louis.

On avait bien calculé. Vers le milieu de l'avant-midi, en effet, des miliciens investirent la maison, les bâtiments, les champs et les bois. Ils repartirent en emportant avec eux le manteau de Louis, ses bottes et son chapeau à l'indienne. Schumpff avait reconnu les vêtements; c'étaient bien ceux que portait la personne qu'il avait vu s'enfuyant. La famille avait donc réussi à sauver Louis d'une inculpation réelle de haute trahison, mais n'avait malheureusement pas pu empêcher qu'on trouve ce qui semblait être des preuves d'un crime qu'il se défendait pourtant d'avoir commis et auquel ses proches refusaient de croire.

Gottlieb, indifférent aux larmes ou à la colère des Saint-Martin, rongeait son frein. Il savait que la famille cachait des armes et il était furieux que l'investigation n'ait rien donné. Où était donc passé le long fusil qu'avait dans les mains Joseph le jour où il avait fracassé la chaise des Saint-Martin? Heureusement, ce cochon de Louis n'échapperait pas à la corde.

Gottlieb haïssait particulièrement Louis, surtout depuis le jour où il avait été fouetté, mais surtout, surtout depuis qu'il désirait Julie Potier. Cette Julie qui le regardait du haut de son orgueil, lui, Gottlieb, et qui n'avait d'yeux que pour son Louis. En tout cas, avant de se sauver chez les Américains, il l'aurait, cette fille, il l'aurait!

* * *

Augusta et Frederika étudiaient maintenant à l'école. Quand elles n'allaient pas en classe, elles étaient souvent invitées à jouer avec leurs nouvelles amies de Sorel. Charlotte avait recommandé à son aînée de ne jamais perdre sa cadette des yeux. Les enfants jouaient à «De branche en branche», jeu que les petits Canadiens prononçaient «Brennchennbrennch», prenant un accent anglais. Ils croyaient ainsi parler dans la langue de Shakespeare, pour plaire aux quelques enfants loyalistes ou pour fanfaronner devant eux.

— On va se diviser en deux armées, dit l'une des fillettes. Marguerite, tu vas être le chef des Bons et vous allez vous cacher. Moi, je serai le chef des Méchants. Sauvez-vous si vous ne voulez pas être découverts.

Au sol, on pouvait lire le plan tracé par la fillette qui tenait le rôle du chef des Bons. Celle-ci accompagnait le général des Méchants et avait le droit de crier l'un des deux mots (lune ou soleil) qui avertissaient ses soldats de la proximité ou de l'éloignement des ennemis. Lorsque le général apercevait un soldat ennemi, il le faisait prisonnier. Plus il s'éloignait de son camp, plus il risquait que certains Bons s'en emparent.

– Lune! lune! criait la petite Marguerite.

– Elle a dit lune. Allons-y, Frederika, c'est le moment de sortir de notre cachette, dit Augusta à sa sœur. Il faut investir le camp ennemi pendant qu'il est abandonné.

Les deux petites étaient cachées derrière un bosquet dans une rue adjacente. Elles ne virent pas, un peu plus loin, Martha qui descendait de sa calèche parce qu'elle les avait aperçues. La jeune femme examina les façades. Aucun rideau n'était levé, aucune ombre n'apparaissait aux fenêtres; point de curieux pour la remarquer. Elle soupira d'aise : enfin, après plusieurs jours de guet, l'occasion se montrait propice. Aussi s'approcha-t-elle et mit-elle ses mains sur la tête des petites von Riedesel, sachant que les autres enfants ne pouvaient les voir.

– Venez, mes chéries, votre maman vous donne la permission de vous balader avec moi.

– Il faut que j'avertisse mes amies, répondit la sage Augusta, dont Martha serra aussitôt la main pour la retenir.

– Bien sûr. Frederika, courez prévenir les autres que vous devez partir. Dites seulement : «Maman nous envoie chercher.» N'en dites pas plus. Il n'est pas nécessaire d'expliquer, nous sommes pressées, de toute façon.

Quelques moments après, la calèche sortait de Sorel. À peine dans la campagne, Martha bifurqua dans le chemin d'un petit boisé où elle s'arrêta et attacha son cheval. Elle entraîna les deux sœurs vers le pied d'une pente qui rejoignait la rivière, d'où l'on ne voyait pas la voiture à cause d'un tournant.

– Regardez le beau canot, les enfants. Est-ce que cela ne vous tente pas de faire un tour? fit Martha en souriant.

Quelques jours auparavant, la vue de ce canot, dans ce coin désert à l'abri des regards, lui avait donné l'idée de sa machination.

Les deux fillettes lorgnèrent l'embarcation avec un peu de crainte. Elles se rappelaient leur traversée aux Trois-Rivières, dans la tempête, quelques années plus tôt. Martha enleva Frederika et l'assit au fond du canot. Elle s'empara fermement de la main d'Augusta, une expression réjouie sur son visage. Elle savourait d'avance l'image du canot sans aviron poussé vers le large par sa main... les petites s'affolant, se penchant et le canot chavirant. Terminées, ces jeunes vies... La douleur de Charlotte... et surtout celle d'Anton, le frère maudit.

Elle sentit soudain une pression sur son épaule. Elle se retourna et se trouva face à face avec Henry Carr.

— Bonjour, ma chère Martha. Vous voici donc en promenade? Quelle bonté de vous occuper de ces enfants! fit-il de sa voix douce.

— Je les aime beaucoup, en effet, répondit Martha après un silence, mais reprenant très vite son sang-froid. Et leur mère me les confie souvent.

— N'est-ce pas un peu dangereux, cette excursion sur l'eau? lui demanda Carr, mais, cette fois, sans sourire.

— Il fait beau. La rivière est calme. Du moment qu'elles ne bougent pas et que je ne les éloigne pas du bord, quel danger peut-il y avoir?

Le visage d'Henry Carr perdit toute aménité et sa voix se durcit :

— Sauf quand un canot a été percé la veille par exprès et que les avirons sont cachés derrière des arbres. Qu'en pensez-vous?

Martha resta sidérée. Comment pouvait-il savoir? Il fallait qu'il l'ait espionnée. Quand elle vit qu'il la perdait des yeux pour s'occuper des enfants, elle ramassa une pierre qu'elle cacha derrière son dos.

— Retournez à la calèche, mes petites, votre maman veut que vous rentriez à la maison. Mme Carr et moi-même, nous vous suivrons bientôt. Soyez patientes.

Henry Carr attendit un peu, puis s'adressa à Martha en la regardant avec des yeux sévères et douloureux à la fois.

— Vous ne vous attendiez pas à celle-là, ma chère belle-sœur, n'est-ce pas? Sachez que je vous épie depuis plusieurs jours. Je n'étais pas parti à Montréal comme je vous l'ai fait croire. Hier, je vous ai vue agir. J'ai compris tout à l'heure ce que vous prépariez. Même si je ne connais pas les raisons de votre acharnement sur ces enfants, il est évident que vous vouliez les faire disparaître. Sachez aussi que c'est moi qui ai découvert vos malversations et en avais informé mon pauvre frère. J'aurais dû vous faire arrêter tout de suite et ne pas écouter ses supplications. Il voulait vous reprocher lui-même votre conduite. Et vous l'avez tué, j'en suis sûr.

— Vous n'avez pas de preuves.

— Vous vous trompez, j'ai des preuves, de belles preuves même. D'ailleurs, j'ajouterai à ma déposition votre tentative de meurtre sur les enfants du général. Avancez maintenant, dit-il, en ajoutant, pour lui-même : «Mais que fait donc Guillaume?»

Vive comme l'éclair, Martha leva la main et frappa l'homme sur le côté de la tête avec son caillou pointu. Autant Jack avait été grand et costaud, autant son frère Henry était mince et plutôt fragile d'apparence. Il chancela. Elle le poussa, le fit tomber et continua à frapper son visage, qui se couvrit de sang. Il ne bougeait plus. Elle le tira, le retourna et lui mit la face dans l'eau, sur des pierres, de manière à faire croire qu'il s'était noyé et que les roches avaient fait le reste.

«Le canot maintenant! Il faut qu'on pense qu'il a échoué. Bon! La branche pointue y est toujours accrochée. Espérons qu'on croira que c'est elle qui a percé le trou. Ces miliciens sont si stupides! Les avirons maintenant… une ici… une là…»

Elle se lava les mains, secoua ses vêtements, frotta quelques taches de sang, redressa sa coiffure et remonta la pente boisée jusqu'à la calèche où les petites, obéissantes, attendaient.

— M. Carr a décidé de rentrer en canot, leur dit-elle.

Une bouffée de haine monta en elle contre celui qui l'avait empêchée d'exécuter un projet si bien monté. Une sueur froide la fit frissonner à l'idée de ce à quoi elle venait d'échapper.

Comment faire taire les enfants, maintenant qu'il était trop tard pour reprendre son plan? Elle décida de leur faire peur et de faire appel à leur cœur.

— Mes mignonnes, vous savez que M. Carr est le frère de mon pauvre mari que je viens de perdre. Je l'estime beaucoup et votre papa a une entière confiance en lui. Je vais vous dévoiler un grand secret. Je connais votre discrétion. M. Carr a rendez-vous avec votre papa… chut! Écoutez-moi… S'il a pris le canot, c'est pour aller le rejoindre. C'est une confidence que je vous fais. Si cela était su, votre papa serait en grand danger... En danger de mort. Alors, M. Carr demande de ne pas en parler, de ne pas dire que vous l'avez rencontré.

— Oh! mais nous pouvons en parler à maman.

— Surtout pas. Si elle l'apprenait, elle serait affreusement inquiète. Elle-même serait en grand péril. Vous comprenez, Augusta? Vous aussi, Frederika? Dans deux ou trois jours, M. Carr reviendra et vous donnera des nouvelles de votre papa et racontera tout à votre maman. Pendant ce temps, soyez patientes.

Elle attendit un moment, puis continua en soupirant :

— À moins que M. Carr se fasse tuer dans ce voyage, les ennemis sont si méchants.

— C'est plus dangereux pour lui que pour papa? demanda Augusta.

— Naturellement. Le risque est surtout pour M. Carr parce que c'est lui qui se déplace. Quant à votre papa, si vous ne parlez pas, aucun mal ne pourra lui arriver. Nous serons les seules à connaître ce secret.

— Alors, nous nous tairons. Tu as bien compris, Frederika?

Rassurée, Martha pensa : «Bon, voilà le terrain préparé. Elles ne seront pas surprises d'apprendre la mort d'Henry. D'ailleurs, leur mère ne leur donnera pas de détails, elle évitera le sujet, je la connais assez pour savoir cela. Quant à cette Charlotte de malheur, comment lui expliquer?... Je vais m'arrêter dans une boutique et acheter un cadeau aux enfants. J'irai au-devant de Röckel, qui doit venir les chercher à Sorel. Si je me dépêche, je le croiserai et lui ferai signe de tourner bride et de me suivre. J'aime mieux expliquer moi-même à leur mère cette promenade et vérifier si les enfants tiennent leur langue.»

* * *

Plus tard, rentrée chez elle, Martha réfléchissait sur les derniers événements. Certes, elle n'avait pas réussi son projet de noyer les filles détestées de cette femme qu'elle haïssait tant, mais ce n'était que partie remise. Par contre, elle s'était débarrassée d'un terrible ennemi, un ennemi d'autant plus dangereux qu'elle ignorait même qu'elle devait s'en méfier. Quel hypocrite il avait été quand il lui avait annoncé son faux départ!

«Le démon! J'aurais dû m'en douter. Lui qui me battait froid depuis toujours, il me faisait patte de velours depuis l'enterrement. Je croyais que la mort de son frère aîné l'avait terriblement chagriné. Son attitude m'a ancrée dans l'idée que seul Jack était au courant de mon détournement de fonds et qu'il avait voulu en discuter avec moi avant de tout dire à Henry. Jack… encore un autre bel hypocrite. Je ne regrette pas sa mort. Pouah! Il était si amoureux… Seulement, ce soir-là… quels reproches! Heureusement, j'avais cette liqueur qui l'a endormi.»

Martha revoyait encore la scène. Elle se traînait à ses pieds, lui demandait pardon; lui promettait de ne pas recommencer. Elle lui faisait voir que, s'il la dénonçait, son image en serait ternie et que son commerce en souffrirait. C'était étrange, il ne regrettait pas l'argent, mais le fait que celui-ci servait à l'ennemi. Il se sentait traître et honteux. Elle lui jurait de partir pour toujours. Il n'avait qu'à dire qu'elle allait par affaires en Angleterre. Ensuite, il pourrait raconter qu'elle était morte de maladie ou qu'elle avait péri dans un naufrage. Pendant qu'il hésitait, elle prenait sa fourrure et lui faisait croire que, pour lui prouver son regret, elle partait ainsi sans bagages, lui laissant tout. Quel fou! Il la croyait. Il insistait même pour qu'elle prenne au moins une malle. Puis elle lui demandait, pour qu'il lui prouve qu'il lui pardonnait, de prendre un dernier verre à sa santé. Et elle versait du vin… Ah! ah!… du vin. Il s'était endormi tout de suite comme un enfant…»

Martha en était là dans ses souvenirs, prenant plaisir à revoir comment elle avait berné son pauvre mari, quand on frappa à la porte.

— Madame, vint lui dire sa servante, des miliciens veulent vous parler.

Martha n'eut pas le temps de répondre que déjà le capitaine de milice et ses lieutenants étaient dans la pièce.

— Madame Martha Blair?

— C'est moi. Mais quelles sont ces façons, capitaine?

— Madame Jack Carr?

— Je vous avertis que je me plaindrai au général lui-même de votre grossièreté. Que me voulez-vous?

— Veuillez me suivre, ordonna le capitaine sans se laisser impressionner.

— Et sous quel prétexte, je vous prie? demanda-t-elle avec hauteur.

— Vous êtes inculpée de tentative de meurtre sur le dénommé Henry Carr, marchand bourgeois.

Martha vit un Indien apparaître sur le pas de la porte. Il la regardait droit dans les yeux, mais son visage ne révélait aucun sentiment. Elle sentit toutefois qu'il était l'artisan de cette accusation.

*　*　*

Pas plus que Martha, trop sûre d'elle-même, ne s'était rendu compte qu'Henry Carr la suivait, pas plus celui-ci ne s'était aperçu que Guillaume le surveillait. Ayant constaté qu'il n'était pas le seul à espionner la jeune femme, l'Indien avait suivi le suiveur, reconnu Henry Carr, hésité avant de l'aborder et, finalement, pris le risque de lui demander la raison de cette surveillance. Les deux hommes finirent par élaborer un plan pour démasquer la diablesse.

Contrairement à ce qu'avait pensé la jeune femme, la pierre n'avait fait qu'étourdir Carr, sa perruque, qui avait glissé, ayant amorti le choc. Certes, les blessures au visage et à la tête l'avaient laissé sans connaissance, mais l'eau froide avait arrêté le saignement. Cependant, il serait mort asphyxié si Guillaume n'était arrivé à temps.

Comme l'homme restait inconscient, l'Indien l'avait tiré à l'abri et avait couru chercher du secours chez un fermier. Quand le marchand avait été dans un lit et le médecin, à son chevet, Guillaume s'était rendu chez le capitaine de milice pour accuser Martha, affirmant qu'il était prêt à témoigner contre elle.

Le soir, après l'arrestation de Martha, lorsqu'il arriva chez les Saint-Martin, on lui apprit celle de Louis. Il partit aussitôt rejoindre la tribu amie qui, quelques mois auparavant, l'avait informé des rendez-vous secrets entre Louis et Martha concernant leur trafic d'armes. Il rappela aux membres de cette tribu la promesse faite de ne jamais parler de son «frère» aux autorités britanniques ou canadiennes.

* * *

Isle aux Noix, le 14 septembre 1782.
Ma plus que chère femme,
 Je vous ai promis, dans le petit mot d'hier, de vous en écrire plus long aujourd'hui et je remplis ma promesse avec plaisir. Quand je suis éloigné, il n'y a pas de plus grande joie que d'être par l'écriture en contact avec ce que j'ai de plus cher sur terre.
 Vous me dites que vous êtes plus calme : c'est mieux pour vous et pour l'enfant que vous portez. Rappelez-vous que votre mari est un soldat. Donc, de mon zèle et de mon ardeur, à l'approche de la paix, dépendent ma destinée et celle de ma famille, ma réputation, mon avenir et ma tranquillité. Lorsque je retournerai en Europe, je ne me sentirai satisfait de moi-même que si l'Angleterre, mon maître le duc de Brunswick et même ma famille là-bas, me reçoivent avec satisfaction, gratitude et attention.
 Envoyez-moi un bateau plein de nourriture. Nous avons surtout besoin de bœuf, ici. Des melons seraient appréciés. Ils sont bons et peu chers, l'île de Montréal en étant couverte. Faites-nous parvenir aussi deux ou trois agneaux et des patates.
 J'ai tant à faire que je ne dîne qu'à trois heures. Je visite, je fais des rondes le long de la frontière. Dans la soirée, je joue une seule partie de cartes et, à dix heures, je vais au lit.
 Prenez soin de votre santé autant que possible et priez Dieu qu'il protège votre mari et vos enfants.

Votre Friedrich.

Le général venait à peine de déposer sa plume que se firent entendre des coups discrets. C'était le code entre lui et l'officier chargé d'enquêter sur Martha Blair.
Le visiteur lui raconta qu'on avait soutiré des renseignements à des Indiens qui avaient vu plusieurs fois, dans la forêt, la

femme du marchand Carr parlementer avec les ennemis. Aux reproches qu'on leur faisait de ne pas être venus plus tôt, ils répondirent qu'ils étaient neutres mais que certains hommes de la tribu avaient rêvé que cette femme était habitée par un méchant manitou. C'est pourquoi ils venaient aujourd'hui, pour empêcher qu'elle jette des mauvais sorts.

— J'ai également demandé aux Indiens, continua l'officier, s'ils connaissaient un certain Louis Saint-Martin. Quelqu'un l'avait, anonymement, dénoncé, affirmant qu'il avait tué son futur beau-père pour s'emparer de son argent et le donner à Martha Carr pour acheter des armes. Le porte-parole des Indiens a répondu qu'ils avaient dit tout ce qu'ils avaient à dire. De toute façon, j'ai su qu'une perquisition a été faite chez ce jeune homme et qu'elle n'a fourni aucune preuve le liant à un trafic d'armes.

— C'est bien, conclut le général, nous accuserons donc cette Martha Carr de haute trahison.

* * *

Martha Carr et Louis Saint-Marin furent emmenés ensemble à la maison qui servait de geôle, à Montréal, rue Notre-Dame. La prison ne comptait que quatre petites pièces, où on enfermait indistinctement les personnes des deux sexes, les pires criminels avec les simples délinquants.

Le shérif fit mettre Louis avec une boulangère et son employé, qu'elle avait séduit pour voler un bourgeois, et deux forgerons qui avaient voulu s'entretuer à coups de marteau. Quant à Martha Carr, elle se retrouva avec deux prisonniers politiques et un voleur.

* * *

Dès que la porte se referma sur elle, Martha se jeta sur une paillasse et ferma les yeux. Pour oublier le présent, elle décida de repasser les scènes qui lui prouvaient sa propre intelligence, dont l'une des plus réjouissantes était celle de la mort de son mari.

Profitant du sommeil de Jack Carr, elle l'avait attaché à son fauteuil, par les poignets et les chevilles, et avait attendu qu'il se réveillât. Lorsqu'il fut sorti de la brume où l'avait mis la poudre qu'elle avait versée dans le vin, elle amena le petit chien devant lui. Malgré les protestations désespérées du pauvre homme qui essayait d'arracher ses liens pour défendre la petite bête, elle la mit lentement dans l'état où Henry Carr l'avait trouvée au fond de la fosse.

Le but de Martha fut atteint : le cœur du vieux marchand, qui avait déjà eu deux défaillances, ne résista pas à la souffrance de son petit animal. Martha prit bien garde d'intervenir, pour être certaine de sa mort, et prépara la mise en scène qui allait faire croire au docteur Mabane à une crise naturelle.

65

Montréal, mi-octobre 1782

La porte se referma en grinçant et le verrou claqua derrière les trois prisonniers qu'on venait d'emmener. Martha poussa un soupir de satisfaction.

«Enfin! Plus de mouvement autour de moi pour me déranger. Plus de voix pour me distraire. Une vraie paix. Quand je pense à cet imbécile qui tentait de me faire parler, comme si je ne doutais pas qu'il allait tout rapporter au shérif! Pourvu qu'on ne m'amène pas d'autres compagnons. J'ai besoin de silence pour trouver un moyen… Il faut que je repasse tous les événements. Cela me donnera peut-être une idée.»

Si elle comparaît les deux moments les plus décevants de sa vie, le pire n'était pas celui qui l'avait conduite à la prison de Sorel et qui se terminait à Montréal par une condamnation à mort. Non! L'événement le plus terrible avait eu lieu un après-midi de 1775, sept ans auparavant. Elle ne pouvait oublier les gestes qui avaient précédé cet instant horrible qui avait détruit ses espoirs, et la haine qui avait suivi. Sa mémoire appelait chaque mot, chaque phrase, chaque geste de la date fatidique.

* * *

Ce jour-là, impatiente, Martha se promène de long en large dans ses appartements. Autour d'elle, il y a des débris d'objets que, dans sa colère violente, elle a cassés.

— Voyons! Que fait-elle? Ça fait deux fois que j'appelle.

D'un geste furieux, elle tire le cordon près de son lit. Elle entend des pas qui courent, puis la porte s'ouvre et la servante entre.

– Me voici, mademoiselle.

Sa maîtresse prend un air soupçonneux :

– Vous en mettez, du temps.

– Que mademoiselle m'excuse, mais Hans, le serviteur de M. Radecki, est venu. J'ai des nouvelles et une lettre pour vous.

La jeune femme s'empare de l'enveloppe, s'apprête à l'ouvrir, puis arrête son mouvement et s'exclame :

– Les nouvelles d'abord!

– On a rapporté à mademoiselle des mensonges. Le fiancé de mademoiselle ne pense qu'à mademoiselle. S'il s'est absenté, ce n'était pas pour rencontrer une dame, mais pour visiter M. le baron von Massow. Il n'y avait aucune dame présente.

– Quel était le sujet de cette rencontre?

– L'argent. On entendait des éclats de voix à travers les portes… M. Radecki est resté peu de temps et est sorti du château très bouleversé.

– Bouleversé?

– Peut-être que la lettre vous en donne la raison, mademoiselle, propose la cameriste.

Martha ne veut pas accepter la suggestion d'une servante. Mais la prudence dicte de ménager les serviteurs qui sont au courant de certains secrets.

– Votre amoureux vous a-t-il confié autre chose?

– Il paraît que M. Radecki a aimé une femme, autrefois, et qu'il conserve des souvenirs dans une boîte bleue entre les livres de sa bibliothèque.

– Bon! Ça va! Laissez-moi, s'il n'y a rien d'autre.

Une fois la bonne sortie, la fiancée décachette l'enveloppe et lit :

Ma chérie,

Je vous demande pardon. Je vous avais caché mes dettes, espérant m'en débarrasser. La dureté de mon créancier, Anton von Massow, m'accule à la ruine. Je vous rends donc votre parole. Oubliez-moi. Seul un certain geste que vous devinerez sans doute peut sauver mon honneur.

Votre Stanislas.

La jeune femme froisse la lettre d'un geste nerveux et rageur, puis fait avancer immédiatement sa calèche et se rend chez son fiancé.

En pénétrant dans la chambre de Stanislas Radecki, elle aperçoit une rose, un anneau, un chapka et un sabre sur le tapis de soie brochée. En même temps, elle respire un fort parfum poivré mêlé à une odeur de sang et de poudre. Au fond de la pièce, sur un divan, repose le hussard dans sa tenue de parade. Quelques gouttes rouges forment des rubis brodés sur l'or des brandebourgs. Son pistolet a glissé sur le sol.

* * *

Tout à ses souvenirs, Martha fit une grimace qui l'enlaidit. Étrangement, elle n'en avait pas voulu à Stanislas de lui avoir menti sur sa fortune : elle était riche. Mais elle avait perdu un amoureux qu'elle croyait pouvoir manier à sa guise, un château et un titre de noblesse. Surtout, son orgueil incommensurable avait été blessé. Quand elle avait appris par Hans, qui accompagnait son maître, les détails de ce qui s'était passé entre Anton von Massow et Stanislas Radecki, une haine terrible avait remplacé regrets et colère. Elle n'avait plus pensé qu'à sa vengeance.

Et aujourd'hui, cette vengeance semblait lui échapper. Elle monologua pour elle-même : «Cet espion que je maintiens en Europe n'attend que mon signal pour tuer cet Anton maudit. Je trouverai bien un moyen de donner cet ordre… Mais avant… avant… il faut que cette Charlotte de malheur pâtisse…depuis le temps que je la poursuis, celle-là!… Je veux qu'Anton souffre de la savoir malheureuse… et il en souffrira… Il l'aime tant. Réfléchissons. M'évader? Je n'en ai ni les moyens ni le temps…»

Elle réfléchit encore et, peu à peu, un sourire se dessina sur son visage : «Voilà, j'ai trouvé! Je la connais assez pour savoir qu'elle sera touchée. Il s'agit de trouver les bons mots.»

Elle appela le gardien, alléguant qu'il lui fallait parler au shérif, absolument. Elle dut parlementer un moment, mais finalement son interlocuteur s'inquiéta de la voix de plus en plus faible de Martha, qui se retenait aux barreaux du guichet

448

comme si elle allait tomber. Il ne s'agissait pas de manquer la journée de congé que donne une pendaison au bon peuple, en laissant mourir la condamnée avant le temps… et de perdre les quelques pièces que cela peut rapporter à un gardien.

Le shérif entra dans la cellule et vit Martha étendue sur sa paillasse, les cheveux défaits, un air pitoyable imprimé sur son visage et le corps dans une attitude languissante.

– Vous désirez un entretien?

Martha essaya de soulever sa tête, mais retomba, épuisée.

– Je vous demande pardon de ne pouvoir me lever pour vous recevoir, monsieur. Je me sens si vacillante. Mais je vous prierais de me faire apporter du papier, de l'encre et une plume, répondit la jeune femme, d'une voix lasse.

– Vous ne me paraissez pas très bien en effet, madame. Avez-vous besoin de soins?

– Bah! À quoi serviraient-ils? Il me reste si peu de jours à vivre. D'ailleurs, aucun remède ne saurait me guérir… ce sont les remords qui me tuent, murmura Martha, des larmes coulant sur ses joues.

– Peut-on savoir pourquoi ou à qui vous voulez écrire?

– L'idée de la mort m'a fait comprendre l'horreur de ma conduite. J'ai honte. Je ne peux demander pardon à Son Excellence le général von Riedesel. Mais je suis certaine que Mme la baronne ferait la messagère. Je me suis beaucoup occupée de ses enfants. Oh!… je vous en prie, supplia-t-elle en levant le buste et en joignant les mains. Je suis condamnée à la pendaison, n'ai-je pas droit à une faveur? C'est la seule que je désire. Il me semble que si Mme von Riedesel me pardonnait, mes forces reviendraient, termina-t-elle en retombant sur sa paillasse.

Elle était belle, émouvante; elle exprimait un tel repentir douloureux que le shérif ne put s'empêcher d'adoucir son ton en lui répondant :

– Allons, madame. J'accède à votre demande. Je vous envoie porter ce qu'il faut. Mais je vous avertis qu'il est de mon devoir de lire votre message avant de l'expédier. Si vous ne recevez aucune réponse, ce ne sera pas faute de ma part, à moins que je juge les propos inacceptables.

Martha s'empara des mains du directeur et les embrassa.

– Soyez sans crainte. Je vous suis reconnaissante. Bien que je ne sois qu'une misérable criminelle, je sais que Dieu sera clément si Mme la baronne, qui est si bonne, prie pour moi.

– Eh bien, priez pour vous-même en attendant, madame, fit le shérif.

Comme il n'était pas militaire mais policier, le shérif était plus porté à l'indulgence pour un crime de haute trahison que pour un crime crapuleux tel que celui dont Louis était accusé. Il oubliait la tentative de meurtre sur Henry Carr.

Une fois seule, Martha se tourna vers le mur au cas où on l'observerait par le guichet. Elle craignait qu'on voie sur son visage la joie qu'elle ne pouvait plus retenir : elle avait réussi la première partie de sa comédie.

«Oh! madame la baronne Charlotte von Riedesel, vous n'en avez pas fini avec moi!»

* * *

Lorsque Martha avait subi son procès, on avait écarté l'accusation d'assassinat de son mari. L'avocat de Martha avait d'abord démontré que, d'après les experts, aucune preuve tangible n'avait été trouvée sur le corps du défunt.

Puis il s'était attaqué à l'histoire «farfelue» (ce fut son expression) sortie de toutes pièces de l'imagination d'un homme obsédé par la mort de son frère aîné, qui serait décédé à la vue de son chien assassiné.

– S'il est vrai que la dague a servi à tuer le chien, avait continué le défendeur, on ne peut en déduire que l'accusée a elle-même porté le coup à l'animal, même si l'arme lui appartient. Elle affirme qu'on lui a volé le stylet, ou qu'elle l'a perdu. Pourquoi ne pas la croire? Selon les témoignages des serviteurs, l'animal était hargneux et détestait Mme Carr. Ici, je vous ferai remarquer que le seul qui ait parlé en bien du chien est l'esclave noir. Voyons, soyons sérieux! Peut-on se fier à la parole d'un nègre? De toute façon, disons que, sous la colère ou la peur, l'accusée aurait tué la bête, ce ne serait pas une preuve qu'elle a aussi tué le maître. D'ailleurs, le médecin qui a attribué la mort à un arrêt de cœur est un docteur d'une grande réputation et un ami de Son Excellence le gouverneur. Il ne s'est certainement pas trompé. Tout le reste n'est que supposition.

Henry Carr, mal remis de ses blessures, avait eu de la difficulté à rassembler ses idées. L'avocat avait voulu que la cour rejette son témoignage, disant qu'il était incohérent, comme il avait voulu qu'on refuse celui de Guillaume en prétendant qu'un sauvage était à peine plus fiable qu'un nègre. Heureusement, le marchand avait parfaitement reconnu sa belle-sœur comme étant celle qui l'avait frappé. La tentative d'assassinat avait donc été retenue contre la jeune femme.

Après avoir été jugée par la cour criminelle, Martha était passée devant le tribunal militaire. L'accusation de haute trahison avait été suffisante pour la condamner à la pendaison.

Le général von Riedesel, occupé à la frontière au moment des procès, n'avait jamais douté de l'issue du jugement militaire. Aussi se préoccupa-t-il peu du jugement criminel, sinon pour exprimer son désir qu'on retire toute inculpation qui mêlerait le nom de sa femme et de ses enfants à cette sordide histoire.

Il avait défendu à Charlotte et à sa maisonnée d'assister au premier procès. La baronne ne connaissait donc que les deux seuls chefs d'accusation dont les journaux avaient fait état. Aussi, quand elle reçut la lettre pathétique de Martha, fut-elle sensible à son repentir et intriguée par la dernière phrase : la prisonnière affirmait qu'elle avait une confidence importante à lui faire avant de mourir. La générosité habituelle de Charlotte prit le dessus sur sa répugnance et elle se rendit à la hâte à Montréal, sans dire à quiconque où elle allait.

* * *

La baronne s'était attendue à trouver une femme repentante, mais, aussitôt le shérif sorti de la cellule, la condamnée ne montra que froideur et hauteur.

— Veuillez vous asseoir et m'écouter, dit-elle sèchement en désignant le fauteuil qu'on avait apporté pour Mme von Riedesel.

Décontenancée, fatiguée, mais surtout alourdie par sa grossesse, Charlotte obéit.

— Il était une fois un hussard encore jeune, beau comme un dieu et intelligent, qui était fiancé et à la veille de se marier. Le couple était heureux comme dans un conte de fées, quand un malheur terrible changea le cours de leur vie. Un homme imbu de lui-même, dur, sévère, riche mais rapace, refusa, par pure méchanceté et avec intransigeance, de donner un peu de temps au fiancé pour payer une dette. Il le ruina et le déshonora. En proie au désespoir, le jeune homme s'enleva la vie. Depuis, celle de la fiancée n'est que désenchantement, haine et désir de vengeance.

— Cette histoire est bien triste, interrompit Charlotte, surprise et mal à l'aise, mais en quoi me concerne-t-elle? Je ne comprends pas.

— Ce malheureux hussard se nommait Stanislas Radecki.

— Ah! mon Dieu! L'ami de Friedrich?

— En effet, madame. Voilà qui vous intéresse. N'était-il pas aussi l'un de vos prétendants?

— Comment savez-vous?

— Après avoir fait l'horrible découverte de la mort de son fiancé, la pauvre amante a trouvé une boîte contenant des fleurs séchées, des faveurs, des rubans et surtout des feuilles couvertes de l'écriture de Stanislas Radecki. On n'y parlait que de vous sur ces pages.

— De moi? Vous voulez dire que M. Radecki écrivait sur moi?

— Vous avez bien compris. Et savez-vous comment se nomme l'être méprisable qui causa le suicide? demanda Martha, dont les yeux flamboyaient de tant de colère que Charlotte frissonna. Vous ne devinez pas? Il s'appelle Anton von Massow.

— Mon frère!

— Oui, madame. L'assassin de Stanislas Radecki, c'est votre frère.

— L'assassin... Madame!... Je veux bien croire qu'il a été dur... mais...

– Dur! cracha Martha, sa voix montant dans l'aigu. C'est un criminel, je vous l'affirme. Mais son crime, la société ne le punit pas, hélas!

– Mon frère n'a jamais voulu que veiller aux intérêts de mon père, et n'a jamais retiré de bénéfices personnels des affaires qu'il traitait pour lui. Il n'est pas cet avare, cet être insensible que vous décrivez.

– Plutôt que de le défendre avec autant de candeur, demandez-vous donc ce qu'a décidé la fiancée abandonnée. Mais je vais vous l'apprendre : elle a résolu de se faire justice. Elle a d'abord pensé à le tuer, mais elle a trouvé mieux : le faire souffrir, comme elle, elle avait souffert.

Charlotte commençait à se demander si Martha avait bien tous ses esprits. Jamais son frère ne lui avait confié quoi que ce soit sur Radecki et Martha Blair. D'ailleurs, elle en avait assez de toute cette atmosphère bouleversante. Aussi se leva-t-elle en déclarant :

– Je croyais, Martha, que vous vouliez mon aide, que vous vouliez m'expliquer vos actes, me montrer que vous n'étiez pas aussi coupable qu'on le dit. Mais vous me racontez une histoire bien étrange, bien embrouillée. Je n'en comprends pas le motif. Brisons là.

– Vous ne voulez donc pas savoir ce qui arrivera à votre frère? Ce qui a été planifié pour le punir? Tenez… vous voilà plus curieuse, vous vous rasseyez! Sachez qu'il sera châtié par le mal qu'on a fait et qu'on fera encore à sa sœur… à vous, madame.

En disant ces mots, Martha eut une expression si joyeusement cruelle que Charlotte trembla et balbutia malgré elle :

– Comment cela?

– La fiancée vous séparera pour toujours de votre époux, de vos enfants. En vous frappant, elle le frappera, lui, cet Anton von Massow qui aime sa sœur comme une amante.

Indignée, Charlotte reprit la maîtrise d'elle-même et se releva.

– Je crois qu'il faut être détraquée pour oser croire que les sentiments de mon frère soient aussi vils.

— Peut-être que votre esprit est trop ingénu pour comprendre votre frère. La preuve : vous n'avez jamais vu que je vous détestais.

— Il est vrai que mon frère a des sentiments plus que fraternels envers moi, mais…

— Vous voyez bien. Vous admettez qu'il vous aime comme une maîtresse.

Les images de sa naissance que lui avait tant de fois racontée Anton passèrent devant Charlotte et la calmèrent. Elle répliqua d'un ton ferme :

— Je n'admets rien de ce genre. S'il m'aime plus qu'un frère, c'est qu'il m'aime comme un père. Et je ne vous expliquerai même pas la raison de cet amour paternel. Vous ne comprendriez pas car vous ne savez que salir. Adieu, madame. Que Dieu vous pardonne.

Sur ces mots, Charlotte se dirigea vers la porte. Mais, comme elle levait le poing pour attirer l'attention du gardien, elle rabaissa sa main en entendant Martha lui demander :

— Ne voulez-vous donc pas savoir ce qui est vraiment arrivé à Augusta? Pourquoi elle a eu tant de cauchemars?

— Augusta? Qu'a-t-elle fait que je ne saurais? Elle me confie tout sauf ces petits secrets insignifiants naturels aux enfants.

— Autre naïveté, ricana Martha. Vous ne connaissez pas les confidences que je partage avec vos filles. Vous vous doutez bien que la fiancée, c'est moi.

— Je l'avais compris. Je ne suis pas si simple que vous le croyez. Mais venez-en au fait.

Le rire de Martha résonna dans la cellule, puis elle expliqua :

— Quelle joie! quand j'ai su que je pouvais embarquer pour l'Amérique en même temps que vous. Et sur les ordres de votre époux, encore. Quel plaisir de séduire ce Burgoyne afin de m'attacher à vos pas! Je l'ai si bien enjôlé que je réussissais à lui faire faire ce que je voulais : envoyer le régiment de votre cher époux se faire tuer dans ce petit bois; ralentir la fuite de l'armée; envoyer Drew et Leonhard, parce que vous les aimiez, au devant de la mort. Et quand j'ai abandonné Burgoyne à New York… mais oui, chère Charlotte, c'est moi qui l'ai laissé, ce qu'il a pleuré quand je lui ai crié mon mépris! Et cet officier américain que j'ai berné, afin de venir au Canada comme espionne, non par amour de la liberté, mais seulement pour y attendre votre retour...

Martha continuait comme on tricote un long foulard. Tout y passait : des divers plans qu'elle avait manigancés pour faire souffrir la baronne et ses filles jusqu'au meurtre de Jack Carr et du chien, et sa tentative de tuer Henry Carr et de noyer les enfants. Elle insista finalement sur la manière dont elle avait réussi à faire taire les fillettes.

Charlotte était immobile. Le récit était si horrible qu'elle croyait vivre un cauchemar et, comme dans un cauchemar, elle se sentait incapable de bouger. Elle suivait sur le visage de cette sorcière le triomphe mauvais, le plaisir monstrueux qu'elle semblait prendre à conter ses méfaits, ses crimes, en fait.

«Cette femme est folle. Que sa folie ait ou non débuté avec le choc du suicide de Radecki importe peu. Elle est folle, c'est évident... et dangereuse. Elle me fait peur.»

La baronne se décida enfin à frapper à la porte, pendant que Martha continuait :

– Je vous hais, vous et votre frère. Il souffrira de tout ce que vous souffrirez. Vous pensez que, de ma prison, je ne peux plus rien contre vous? Sachez que vous n'aurez que des filles. Votre mari n'aura jamais d'héritier et l'enfant que vous portez mourra. Je vous ai jeté un sort.

Heureusement, à ce moment le gardien ouvrit et Charlotte put s'éloigner, mais non sans entendre le rire de la démente à travers les murs.

66

Une dame enceinte, dont on ne peut distinguer le visage dans l'ombre de son vaste capuchon, débouche sur la place et s'approche de la foule. Quelques officiers canadiens tournent le coin de la rue d'où vient la femme, et se mêlent au groupe en philosophant sur l'événement morbide qui aura lieu. La dame les laisse passer devant elle en baissant la tête comme si elle craignait d'être reconnue. Seule et n'ayant rien d'autre à faire que d'attendre, elle suit la conversation; peu à peu, elle lève la tête, voyant bien qu'on ne s'intéresse pas à elle.

— À mon époque, commente un vieillard, et je parle évidemment du temps de la France, on imposait surtout le carcan. En 1740, j'ai assisté, à Québec, à la punition de trois voleurs; un dont je ne me souviens plus du nom, un autre nommé Lafranchise et sa sœur Élisabeth, je crois. On leur avait suspendu un écriteau derrière et devant. Je me rappelle encore les mots : «Vagabonds, gens sans aveu et menant une vie scandaleuse». Pendant des heures les passants se sont moqués d'eux. Ensuite, ils ont été bannis pour trois ans.

— Moi, fait en riant son voisin, un quinquagénaire, j'ai failli assister à une pendaison en 1754, ici même à Montréal. Une fille Beaudin condamnée à l'échafaud, pour vol. Elle s'est sauvée et on l'a pendue en effigie. Son ami Lalime, qui avait mérité cinq ans de galères, s'en est sorti en acceptant la charge de bourreau.

— Il n'est pas plus facile maintenant qu'autrefois de trouver un bourreau, en effet, réplique un jeune lieutenant. Tenez, celui que nous verrons aujourd'hui, il paraît qu'il a accepté ce travail à la condition de cacher son visage et qu'on ne sache pas de quel lieu il vient.

– Eh bien moi, fait le plus jeune, ces châtiments publics me dégoûtent. Que ne les accomplit-on à l'intérieur de la prison?

– Mais, mon petit Lucien, que fais-tu ici, alors? demande le lieutenant.

– Je vais rester en arrière. Je ne regarderai pas les pendus. J'observerai les gens. Cela me convaincra une fois de plus de la méchanceté des hommes.

– Écoutez-moi cela! Presque imberbe et déjà déçu par les humains! Je te soupçonne de lire Voltaire.

Sur ces mots, le lieutenant et les deux autres hommes laissent Lucien pour s'approcher de l'échafaud afin de mieux voir l'homme et la femme qu'on s'apprête à pendre.

La dame enceinte s'étant avancée aussi, elles se retrouve, sans les remarquer, à quelques pas de deux femmes dont l'une, en deuil, tient par la main un jeune garçon. Cette dernière semble observer les fauteuils où commencent à s'asseoir les juges et les commissaires que vient d'annoncer le roulement des tambours. Levant la tête, elle fixe les potences qui se détachent sur la voûte sans nuages. Elle ferme les yeux et serre tellement fort les doigts du garçonnet que celui-ci fait une grimace.

– Julie, je pense encore que ce n'est pas raisonnable que tu restes ici. Tu vas te faire du mal pour rien. Va donc rejoindre ma tante à Notre-Dame-de-Bonsecours. Tu pourrais prier avec elle; Guillaume va aller te conduire, dit sa compagne en désignant l'Indien qui se tient derrière.

– Non, Amélie, je ne veux pas l'abandonner. Nous devons nous soutenir. Je veux que Louis me regarde. Je veux lui crier que je l'aime, que je sais qu'il n'a pas tué mon père.

– Pour l'amour du ciel, Julie, ne fais pas ça. On dira que tu étais de mèche avec mon frère. Arrange-toi seulement pour qu'il te voie, il va comprendre, c'est pour ça qu'on est ici, termine Amélie, la voix pleine de larmes.

Un mot leur parvient aux oreilles, les interrompant: «Le bourreau! Le bourreau!» Une trouée se forme devant un grand homme habillé de noir de pied en cap et se referme à mesure derrière lui.

– Regarde qui est là, Julie.

Le recul inquiet de la foule découvre Christian Schumpff, pas très éloigné d'elles. Son air de chien battu fait pitié aux jeunes filles. Après le témoignage qui impliquait son fiancé, Julie n'a plus regardé le billeté qu'avec horreur. Elle ne lui a plus adressé la parole. Un soir, il s'est mis ostensiblement sur sa route. Il lui a affirmé qu'il regrettait sa déposition spontanée, n'ayant sur le moment pensé qu'à la mort de Maxime Potier, crime qui l'avait indigné. Il n'avait pas réfléchi qu'elle perdait non seulement un père, mais aussi un fiancé. Si c'était à refaire, il tiendrait sa langue. Il a si bien plaidé sa cause que Julie s'est adoucie, mais elle a gardé encore de l'amertume. L'atmosphère la fait réfléchir.

— Amélie, peut-être qu'en lui pardonnant on obtiendrait le pardon de Louis. Dieu ferait un miracle.

— Je ne demande pas mieux, répond Amélie en rougissant.

De nouvelles ondulations parmi le public empêchent les deux amies de discuter davantage. Des miliciens précèdent la charrette des condamnés et tracent un chemin en repoussant la cohue. À l'avant de la charrette, près d'une énorme hache, se tient Martha, en rudes vêtements de toile écrue, très sûre d'elle-même, dédaigneuse, la tête haute surmontée d'un bonnet blanc. Malgré ses vêtements grossiers, sa beauté impressionne car on entend des chuchotements admiratifs et des exclamations de pitié. À l'arrière, Louis Saint-Martin, pieds et poings liés, assis au fond de la voiture, est ceinturé par une corde qui le retient à l'un des côtés.

On fait d'abord monter la jeune femme sur l'estrade, tournée vers les commissaires. Le juge en chef se lève, tenant un papier d'une main, redressant sa perruque de l'autre; il jette un long coup d'œil sur la foule, puis commence à lire d'une voix profonde qui porte loin.

— Vous, Martha Blair, veuve Carr, serez pendue par le cou, mais non pas jusqu'à ce que mort s'ensuive, car vous devez être ouverte en vie et vos entrailles seront arrachées et brûlées sous vos yeux; alors votre tête sera séparée de votre corps qui doit être divisé en quatre parties; et votre tête ainsi que vos membres seront à la disposition du roi. Que le Seigneur ait pitié de votre âme.

Martha éclate de rire comme si ces mots ne l'atteignaient pas. Perdue qu'elle est dans cette folie qui avait vraiment éclaté pendant la visite de la baronne à la prison, elle crie :

— Cela me fait plaisir! Je vais rejoindre celui qu'un criminel a envoyé dans l'au-delà. Et bientôt, certains d'entre vous devront se préparer à la mort pour être punis de cette injustice.

La foule frémit. Que veut dire cette femme? Martha s'approche du bourreau et jette un regard de l'autre côté. Elle aperçoit la dame enceinte dont le capuchon a glissé vers l'arrière et qui, très pâle, la regarde, horrifiée, de ses intenses yeux bleus. La folle reconnaît Charlotte. Son expression devient si haineuse qu'un silence craintif flotte dans l'air.

— Toi, femme maudite! sœur d'un assassin! hurle-t-elle, rappelle-toi que je t'ai jeté un sort. Jamais, jamais tu n'auras de fils!

Prête quelques minutes plus tôt à voir en Martha la victime d'un complot machiavélique ou politique, la foule change de sentiment comme le vent vire de bord dans les haubans. Le mot «sorcière» circule et quelqu'un crie même : «Qu'on la fasse rôtir!», alors que les gens de ce pays, à l'encontre de leurs voisins américains, n'ont jamais brûlé leurs soi-disant sorcières.

Au même moment et à peine à quelques mètres de Mme von Riedesel, deux soldats se sont mêlés aux nombreux voyeurs. L'un d'eux glisse à l'oreille de l'autre :

— Eh bien, nous sommes sauvés, mon cher Lukas. Une vraie chance, ces pendaisons. Et ça nous donne un jour de congé supplémentaire. Quelle bonne idée, nos déguisements.

— Tais-toi, Konrad… Tiens! Regarde qui est là. Salut, Gottlieb. Toi aussi, les pendus t'intéressent?

Gottlieb esquisse un sourire jaune. Il aurait préféré être seul pour savourer sa vengeance. Et il songe qu'elle sera complète seulement quand il sentira la belle Julie sous sa coupe. Surtout qu'elle n'a plus la protection du père et que, dans quelques minutes, elle n'aura plus celle de son fiancé. L'arrivée de ses deux compagnons l'ennuie. Mais comment se séparer d'eux?

En entendant les imprécations de Martha, les trois Allemands portent leur attention comme tout le monde vers le point que la malheureuse criminelle regarde. Mais la baronne est petite, on ne sait pas vraiment à qui l'anathème s'adresse.

Julie, toutefois, reconnaît la femme du général, mais elle n'a pas le temps de s'interroger sur la présence de la baronne.

Le rire dément de Martha est coupé net par l'homme en noir qui, se hâtant d'en finir avec son travail et ne se sentant pas lié par le jugement, lui a passé la corde au cou et a enlevé l'échelle. De grands cris s'élèvent. Tout en étant dégoûtés par ces exécutions, les gens semblent ne pouvoir s'empêcher d'y assister.

Martha semble morte, mais le médecin doit attendre le délai obligatoire prévu par la loi avant de constater et d'affirmer à voix haute cette mort. Le silence impressionne puis impatiente la foule. Enfin le docteur annonce la fin de Martha.

— Vous êtes certain qu'elle est morte, docteur?

— Oui! Oui! Il n'y a plus aucun doute. Vous pouvez faire tous ces actes de cruauté qu'on vous demande. Elle ne sentira plus rien.

«On me paye, pense le bourreau en laissant son regard errer sur le corps qui se balance, on me paye pour pendre. Je ne suis pas un boucher pour ouvrir des êtres vivants comme on ouvre un cochon. Comme personne ne veut cette besogne, le juge n'osera rien dire. Et s'il veut que je brûle ses entrailles, à cette créature, il n'a qu'à me payer plus cher.»

Le juge lui fait un signe qui indique clairement que, morte ou non, la pendue doit recevoir en entier le traitement prescrit par le jugement. Ne faut-il pas contenter (tout en leur faisant peur) ceux qui se sont déplacés?

Le bourreau descend lentement les marches et de son pas lourd s'approche du balcon surélevé où attendent les commissaires. Il veut obtenir un supplément puisqu'il n'a jamais été question, dans l'entente, d'ouvrir un ventre et de couper une tête.

Julie sent brusquement le Muet qui s'agrippe à elle et la tire. Il est rouge; il balbutie et gesticule. Elle ne fait pas attention aux sons qui sortent de la bouche de l'enfant; elle est attirée par la vue du bourreau qui va parlementer avec le juge.

Les cris gutturaux du Muet sortent de plus en plus fort et ses gestes deviennent de plus en plus nerveux; elle croit qu'il veut un peu de liberté et abandonne sa main. Mais le petit, au lieu de s'écarter, comme elle s'y attend, s'agrippe en tremblant à ses jupes.

— Écoute, on dirait qu'il prononce des mots, fait Amélie.

— Mais… mais…? Tu parles, Charles!

Péniblement, l'enfant articule, en désignant trois soldats, les billetés des Saint-Martin :

— Tu-é pa-pa Max.

— Répète. Qui a tué qui? demande Julie.

— Eux, fait-il en désignant encore les trois soldats qui rigolent en montrant le frère d'Amélie, toujours prisonnier dans la charrette.

Julie a une intelligence vive et, surtout, elle est persuadée qu'une sorte de miracle se produira pour sauver son fiancé. Dans un éclair, elle pense à la baronne. N'est-elle pas la seule qui ait assez de pouvoir pour empêcher la pendaison de Louis?

Charlotte, qui avait remis son capuchon, est restée figée, se reprochant d'être venue. Elle avait voulu s'assurer par elle-même de la mort de Martha, pour être certaine que cette horrible femme ne ferait plus de mal à Augusta ni à aucune autre de ses enfants. Sinon, elle aurait toujours douté de cette mort. Maintenant, elle comprend qu'elle a eu tort. Au fond d'elle-même, ne l'a-t-elle pas déjà reconnu, ce tort, puisqu'elle est venue en cachette de son mari? Elle se retourne pour fuir, mais la foule est si dense maintenant et elle sent ses jambes si flageolantes qu'elle n'a pas la force de se faire un passage. À ce moment, elle entend une voix déchirante qu'il lui semble reconnaître :

— Madame la baronne, madame la baronne, je vous en supplie. Écoutez-moi. Écoutez Charles.

Julie et Amélie font des pieds et des mains pour arriver jusqu'à la baronne avec Charles. Christian Schumpff, sans trop comprendre ce qui se passe, voit l'occasion de se faire pardonner. Il rejoint Guillaume et l'aide à ouvrir un passage devant les deux amies. Julie, ayant enfin atteint son but, se jette aux pieds de la baronne autour de laquelle un cercle se forme grâce à l'Indien et au militaire qui retiennent les curieux.

– Madame, madame, je vous en prie. Écoutez Charles. Il parle, il a tout vu. Il sait qui a tué mon père. Ce n'est pas Louis le coupable. Dites-le au juge, je vous en supplie.

Amélie voit le bourreau remonter les marches de l'échafaud. Ne sachant s'il doit d'abord en terminer avec le corps de Martha ou exécuter Louis, elle croit qu'il est trop tard. Elle se serait affaissée, si le jeune lieutenant, qui s'est retourné en même temps que les autres officiers, ne l'avait retenue.

Charles, malgré sa gêne d'être le point de mire, reconnaît la baronne, qu'il ne craint pas puisqu'elle a toujours été maternelle avec lui. Alors, il s'exprime clairement :

– Les soldats là-bas. Ils ont tué papa Maxime.

Le désordre créé par l'incident, les cris de Julie, attirent une seconde fois l'attention vers le lieu où se tient la baronne. Même les juges s'informent, craignant une émeute. Malheureusement, les remous intriguent aussi les trois Allemands. Voyant Charles pointer le doigt dans leur direction, ils sentent la soupe chaude et tentent de s'éloigner. Des curieux, flairant quelque anecdote succulente de ce côté, abandonnent leur place et viennent grossir la foule d'où essayent de s'extirper les trois criminels. Aussi, à mesure que ceux-ci réussissent à s'éloigner du centre, il leur semble ne pas avoir avancé d'un pas.

Charlotte, oubliant un moment les malédictions de Martha, s'adresse aux officiers canadiens qui, à quelques pas d'elle, regardent avec intérêt le tableau qu'elle forme avec Julie et ses amis :

– Messieurs, je suis la baronne von Riedesel et je vous demande de faire arrêter ces trois soldats qui s'enfuient là-bas, ce sont des criminels. Et vous, lieutenant, sortez votre épée s'il le faut, écartez la foule et conduisez-moi aux juges, c'est une question de vie ou de mort.

* * *

Grâce à l'intervention rapide de Mme von Riedesel, on ramena Louis à la prison. Le juge et les commissaires s'installèrent dans la salle, face aux témoins et aux amis du condamné. Les mains garrottées, Gottlieb, Konrad et Lukas étaient entourés de militaires. Un peu à l'écart, entre deux miliciens, Louis dévorait Julie des yeux.

Le juge appela d'abord la jeune fille qui raconta comment, à la vue des trois soldats, l'enfant s'était remis à parler sous l'effet de l'émotion et les avait accusés. On fit venir alors Charles pour qu'il raconte tout ce qu'il avait vu. Mais le petit ne répondait pas.

— Serais-tu redevenu muet ? fit le juge, ennuyé.

Charlotte se leva.

— Comme vous le savez, cet enfant a déjà subi une tragédie qui l'a rendu muet. À travers une autre tragédie, il retrouve sa capacité de parler. Il serait dommage que, par timidité devant l'importance que vous avez à ses yeux, de par votre fonction, il retourne au silence, alors que de son témoignage dépend la vie d'un homme probablement accusé à tort. Permettez-moi de le mettre en confiance. Il me connaît et je crois que, si je lui parle doucement, il perdra la gêne que lui inspire l'atmosphère de cette salle.

Le juge n'osa refuser la demande de la femme d'un général ami du gouverneur. Il se laissa convaincre facilement par le sourire toujours charmeur de Mme von Riedesel et ses paroles diplomates. Il laissa la baronne s'approcher du jeune témoin.

— Charles, tu as parlé tout à l'heure. Tu peux encore parler. Il faut que tu racontes tout ce que tu as vu. Tout. Sans rien omettre. Prends ton temps. Réponds à toutes les questions. Dis la vérité sur ce qui s'est passé le jour où l'on a tué ton père adoptif. Cela me fera plaisir et à Julie aussi. Tu peux parler, je le sais.

Au soulagement de tous, l'enfant répondit un «Oui, madame» très sonore. À partir de là, il perdit sa crainte et parla lentement, péniblement, mais sans défaillance, comme s'il voulait reprendre en un jour les mois où il s'était tu.

— Je devais aider le père Athanase avec papa Maxime. Papa a changé d'idée. Il est resté à la maison. Julie est partie chez tante Marguerite.

— Cela correspond à ce qu'a raconté ta sœur, fit le juge, qui avait les notes prises dans le procès précédent. C'est très bien… Dis-moi, où était le soldat Nicklauss pendant ce temps?

— Dans sa chambre. En haut. Couché. Malade.

— Et toi, où étais-tu?

— Derrière le poêle. Je jouais, les petites portes du mur ouvertes.

— Greffier, vous avez le plan que le capitaine de la milice a dressé de la maison des Potier? Merci. Tu pouvais donc voir sans être vu dans les deux pièces… Et ton père lui, où était-il?

— Dans la chambre d'Amélie, à sa table. Il comptait les chiffres.

— Ensuite.

— Je me suis endormi sur le plancher. Non!… Papa Maxime a dit de ne pas chanter; ça le mêlait. C'est après que j'ai dormi.

— Longtemps?

— Je sais pas. J'ai rêvé : la maison brûle…

Le juge se tourna vers Julie et lui demanda :

— De quelle maison parle-t-il?

— Sa famille a été décimée dans un incendie. C'est à partir de ce temps qu'il est devenu muet.

— Poursuis, mon garçon.

— Papa Maxime casse la vitre, entre par la fenêtre; il me prend dans ses bras; il m'emporte dehors. Je fais souvent ce rêve.

— Vous voyez bien! cria Hoffman, il a rêvé.

— Taisez-vous, gronda le juge, ou je vous fais bâillonner. Continue, mon garçon.

Le juge écouta patiemment l'élocution difficile de Charles. Des réponses de celui-ci, il comprit que l'enfant s'était éveillé à cause des coups qu'un soldat donnait dans le mur, après avoir tiré le meuble. Le père Potier s'était levé, faisant signe au petit de ne pas bouger. Prenant un marteau, il avait fait le tour par la salle commune jusqu'à sa chambre et avait levé l'arme improvisée pour en frapper le voleur. Mais ce dernier s'était retourné, avait évité le coup et, s'accroupissant, il avait attrapé les pieds du vieil homme et l'avait fait tomber. La tête du père Maxime avait cogné le coin du meuble. Charles avait entendu le craquement du crâne et vu du sang.

— Le vois-tu dans la pièce, ce soldat? Regarde bien, c'est important.

Les yeux de l'enfant firent le tour d'une partie des gens et s'arrêtèrent sur Gottlieb. À sa vue, il se mit à trembler et baissa la tête.

— N'aie pas peur, mon petit. Tu peux le désigner. Il ne te fera pas de mal.

Alors Charles pointa son doigt vers l'Allemand.

— Lui.

Gottlieb cria :

— Petit menteur! Tu dis n'importe quoi pour sauver le fiancé de ta sœur.

— Vous aussi vous serez bâillonné si vous nous dérangez encore, rappela le juge, revenant ensuite à Charles. As-tu autre chose à ajouter, mon garçon?

— D'en haut, Nicklauss a demandé qu'est-ce qui se passait. Il a descendu l'escalier. Il a dit : «Père Potier, qu'est-ce qui vous arrive?» Je voyais juste ses pieds. Il s'est penché, j'ai vu sa main sur papa Maxime. Il est tombé. Plein de sang. Je l'ai vu. Et le soldat, là (il montra encore Gottlieb), il l'a frappé sur la tête avec le marteau.

— Est-ce qu'il a fait autre chose? S'est-il sauvé?

— Non, il a mis sa main dans le mur. Il a pris quelque chose. Mais ça avait l'air trop au fond. Il a agrandi le trou avec le maillet.

— Le marteau, tu veux dire.

— Non! Non! Son maillet. À lui. Le marteau, il était à côté de Nicklauss. J'ai entendu parler ceux-là (il montra Konrad et Lukas). Je comprenais rien. Je les entendais. La fenêtre était ouverte. Je comprenais pas.

Gottlieb, lui, aurait pu renseigner le juge sur ce qu'avaient dit ses deux camarades.

Mais l'Allemand n'écoutait plus les questions que le juge continuait à poser à Charles. Il repassait dans sa tête les événements et il maudissait sa malchance. D'abord le silence dans la maison quand il avait forcé la fenêtre, silence qui lui avait fait croire qu'il n'y avait personne. Sa seule chance avait été ce craquement du plancher qui l'avait averti de la présence, dans son dos, du père Potier s'apprêtant à lui faire un mauvais parti. Et cet autre imbécile qui avait surgi, ce Nicklauss qui n'avait pas été à la chasse! Puis, pour finir, ces deux crétins de Schmitt et d'Hoffman qui étaient arrivés. Tout était de leur faute. Encore un peu et il aurait eu le temps de prendre l'or et, à l'heure qu'il est, il serait déjà chez les Américains. Mais voilà qu'il y avait ce petit cornichon qui, maintenant, retrouvait l'usage de la parole… Décidément, ce n'était vraiment pas son jour de veine.

«Ils ne s'en tireront pas comme cela, se dit le haineux Gottlieb. Il faut qu'on sache que le père Potier n'était pas mort. C'est Hoffman qui l'a tué. Si je suis pendu pour meurtre, lui non plus n'échappera pas à la potence.»

L'Allemand, perdant toute maîtrise, cria :

– C'est pas moi qui ai tué le père Potier! Je l'ai juste assommé! C'est Hoffman!

* * *

On écouta le scélérat avec attention. Il mimait et changeait de voix à volonté, comme s'il avait été sur une scène de théâtre plutôt que sur la sellette.

– Tu es bien certain qu'il n'y a personne? avait demandé Schmitt.

Sur un «oui» assuré d'Hoffman, Schmitt s'était inquiété de ce que la fenêtre était ouverte.

– Ils ont dû l'oublier, voilà tout, avait répliqué son compagnon, indifférent.

En les entendant, Gottlieb s'était caché sous l'escalier. De son poste d'observation, il avait reconnu très vite, déguisé en Indien, Schmitt, qui s'était arrêté près des deux cadavres et avait poussé un juron de surprise. En arrière de lui était apparu Hoffman, portant les vêtements de Louis.

Schmitt, affolé, avait sauté par-dessus les cadavres qui obstruaient la porte et avait dit :

– Qu'est-ce qu'on fait ?

– Comment ça, qu'est-ce qu'on fait ? On prend l'argent, tiens. Ça nous arrange, ces deux cadavres. Écoute, Nicklauss avait sûrement l'intention de voler le père Potier. Il pensait comme nous qu'il était parti. Le père Potier l'a probablement surpris puis il l'a frappé, mais Nicklauss a eu le temps de se venger avant de mourir. Tu comprends ? L'or doit être encore là. On le prend et tout passe sur le dos de Nicklauss. Ils vont penser qu'il avait déjà caché l'or et qu'il revenait en chercher d'autre quand il s'est fait prendre. On n'a qu'à en laisser un tout petit peu. Ils chercheront longtemps la cachette de Nicklauss, termina-t-il en riant.

À ce moment, il y eut un gémissement. Les deux hommes se regardèrent avec crainte. Hoffman ramassa le marteau. Resté accroupi, il fixa les deux corps. Et soudain, il frappa le Canadien sur la tempe.

– Cette fois, je peux t'assurer qu'il est bien mort. Il était encore vivant, tu as bien vu. Il nous avait peut-être entendus et reconnus.

– Moi, je ne veux pas être mêlé à des meurtres, avait dit Schmitt. Et, enjambant les corps une seconde fois, il s'était enfui par la fenêtre.

La partie suivante du récit fut racontée par Hoffman lorsqu'on l'interrogea, car Gottlieb, d'où il se cachait, n'avait pu voir ce qui se passait dans la chambre.

Hoffman trouva Schmitt bien sot. En regardant avec attention, il vit, reposant au fond du trou, un sac plein d'or suspendu à une très longue corde. Il s'en empara. Il se mit à danser et à crier : «Je suis riche ! Je suis riche !» Obnubilé par sa joie, il courut vers la porte.

Un mélange des aveux des deux assassins mit fin à l'histoire de ces meurtres. Gottlieb se proposait d'assommer Hoffman, mais n'en eut pas le temps parce que ce dernier sortit de la chambre plus vite qu'il l'avait escompté. En même temps, la voix forte de Schumpff revenant de la chasse en chantant parvint jusqu'à l'intérieur de la maison. Hoffman ne vit pas Gottlieb surgir de sous l'escalier, enjamber les cadavres et s'enfuir par la fenêtre... Ce fut un chassé-croisé digne d'une comédie. Hélas! c'était une tragédie.

Quant à Gottlieb, quand il comprit comment Hoffman avait pu s'emparer de l'or sans avoir à agrandir l'ouverture, il se mit à marmonner en faisant des gestes fous. «Si j'avais vu la corde, j'aurais pas perdu mon temps à casser ce maudit mur, je serais parti avec l'or avant que ces deux crétins arrivent. Je serais déjà chez les Américains. Maudite fatalité.»

Le juge condamna les trois comparses à la pendaison. Schmitt bénéficia d'une sentence plus clémente : il ne fut pas fouetté avant d'être pendu, traitement supplémentaire réservé à ses deux compagnons.

67

Sorel, fin mars 1783

— Madame! Madame! Voilà monsieur le baron! cria Lizzie que le galop d'un cheval avait attirée à la fenêtre.

— Baissez le ton, vous avez fait sursauter le bébé. Déposez-le dans son ber; j'ai justement fini de l'allaiter.

«C'est étrange, mon sein droit lui donne de la difficulté. Pourtant, il me semble avoir autant de lait que dans le gauche, continua Charlotte pour elle-même. Mais que fait donc Friedrich... Peut-être qu'il se compose un visage pour ne pas montrer qu'il est fâché d'avoir encore une fille... Mon Dieu! Devrais-je lui dire que nous n'aurons jamais de fils?... Ah! je n'en ai pas le courage... Mais garder ce secret?... Pas aujourd'hui... Plus tard.»

La tête de Mme von Riedesel retomba sur ses oreillers de dentelle avec une expression douloureuse sur tout le visage. Le général entra, le sourire aux lèvres, le sabre au côté, les bottes aux pieds. Son allure joyeuse contrastait avec celle de sa femme qu'il embrassa tendrement. Dans son désir de connaître l'enfant, il écourta cependant son geste d'affection et se pencha au-dessus du berceau. Anxieusement, Charlotte l'observa et fut soulagée de voir que ses yeux redoublaient de contentement.

— Vous n'êtes pas fâché? demanda-t-elle timidement.

— Elle est si mignonne. Peut-on lui en vouloir d'être une fille? D'ailleurs, celle-ci vous ressemble tellement que je comprends votre père de vous avoir gâtée.

— Moi! gâtée?

— Mais si, mais si. Terriblement. Au point d'être têtue... boudeuse, coléreuse, pleurnicheuse, audacieuse, amoureuse et j'en passe. Je me sens très désireux de pourrir moi aussi cette petite Canada, pour qu'elle vous ressemble en tous points.

— Bon, je vois. Canada et moi, nous pourrons partir dès demain pour le Brunswick. Vous avez si peur de nos caractères.

— Attendez encore un peu. Je dois retourner en même temps que vous pour vous soutenir devant nos familles qui n'apprécieront peut-être pas les prénoms choisis.

— Ne fallait-il pas garder un souvenir des deux endroits où nous avons vécu de si terribles et de si belles années? Amérika, Canada, c'est original.

— Alors, quand nous serons de retour au pays et que nous aurons un fils, le nommerons-nous Prusse ou Brunswick? demanda, toujours riant, le général.

Jusque-là, Charlotte avait pu badiner avec Friedrich, trop heureuse qu'il acceptât encore une fois la naissance d'une fille. Cependant, toute mention du mot «fils» lui rappelait Martha et sa malédiction. Fallait-il gâcher la joie du moment et raconter comment elle était hantée par des cauchemars terribles? Impossible! Il fallait s'éloigner du sujet malheureux; n'importe quoi, même quelque chose d'insignifiant, valait mieux.

— Vous n'avez pas pris le temps d'enlever la poussière de vos bottes et pourtant je vous ai entendu vous arrêter dans votre bureau.

— C'est que j'ai remarqué les changements apportés dans ma pièce et dans l'antichambre. C'est tellement plus clair et plus propre. J'avais si hâte de voir l'enfant, je ne me suis pas vraiment attardé. Juste assez pour voir que le papier peint a été changé.

— Dans toutes les pièces, mon chéri, de haut en bas. Quand nous sommes entrés ici pour la première fois, j'avais bien aimé cette nouvelle façon de décorer les murs. Mais j'avais été si déçue de voir qu'après peu de temps le papier se décollait et se déchirait. On m'a expliqué que le bois qui a servi à la construction était trop vert et qu'en séchant il a laissé des espaces dont le vent et le froid profitaient. Cela endommageait le papier. J'avoue avoir profité des ouvriers que vous aviez envoyés pour nettoyer et réparer vos casernes de Sorel. Ai-je mal fait?

Je les ai payés avec l'argent que vous m'allouez pour mes dépenses personnelles.

— Loin de vous en vouloir, j'en suis très heureux. Ces murs en courant d'air étaient désagréables, ce papier, malpropre. Et les meubles… à ce que je vois, vous les avez repeints.

— J'ai trouvé à Lanoraie, vous savez bien, ce village de l'autre côté du fleuve, après Berthier, un peintre qui m'a expliqué comment il faisait ses rouges avec de la craie teintée d'extrait de bois du Brésil; ses oranges avec du curcuma et de l'esprit-de-vin; ses vert-bleu avec du vinaigre et…

— Je vous demande pardon de vous interrompre. Vous me direz cela plus tard quand nous ferons le tour de la maison ensemble, dit Friedrich, qui passait ses journées à vérifier consciencieusement les moindres détails de ses obligations militaires et qui ne se sentait pas attiré, en ce jour de congé, par les éléments d'une technique de peinture. Pour vous prouver, continua-t-il joyeusement, que j'apprécie les changements apportés, je vous promets de vous remettre le montant que vous avez dépensé. Je ne veux pas que vous vous priviez du peu que je vous octroie.

— Je vous remercie, Friedrich, d'autant qu'une autre dot est à prévoir…

— Nous nous débrouillerons. Ce qui me fait penser que j'ai reçu une lettre de Loos me remerciant de l'avoir choisi comme parrain pour accompagner Augusta, la marraine. Il lègue cent louis d'or à Canada pour une bague parce que ce bijou ne se brise pas facilement et qu'en cas de nécessité on peut le mettre en gage chez un Juif ou un chrétien. Loos est un rude soldat mais sa rudesse est compensée par sa générosité.

— Oui, je n'ai pas oublié qu'après la naissance d'Amérika il m'a fait remarquer que j'avais vieilli. Je l'avais sermonné. Dire un tel mot à une femme!

— Que voulez-vous, sur les champs de bataille, il a si souvent été blessé, il a fait face à la mort tant de fois. La Mort n'est pas une femme délicate. Elle lui a laissé son empreinte, dit Friedrich qui, voyant le visage de Charlotte se décomposer, ajouta aussitôt : Mais c'est moi qui suis indélicat. Quels propos pour une accouchée! Alors que j'éclate de joie devant cette petite poupée. Veuillez m'excuser.

Évidemment, ce n'était ni Loos ni, pour une fois, Friedrich qu'elle imaginait rendant l'âme sur un champ de bataille, mais une Martha, symbole de la Mort, qui pointait son doigt vers elle. Cependant, regrettant le ton qu'elle avait pris pour son propos sur Loos, elle dit :

— Vous n'avez rien à vous faire pardonner. C'est plutôt moi qui...

— Allons, ne vous en faites pas. Il n'est pas dit que la prochaine fois nous n'aurons pas un fils, coupa Friedrich, croyant qu'elle faisait encore allusion au sexe du bébé.

Cette phrase qui se voulait gentille fut un autre coup de poignard au cœur de Charlotte. «Il ne sait pas, il ne sait pas que nous n'aurons jamais de fils. Comment lui enlever tout espoir? Comment lui parler de la malédiction?... Je ne peux pas, je ne peux pas...»

Charlotte ferma les yeux. Croyant que sa femme était seulement fatiguée, Friedrich, qui la tenait enlacée aux épaules, la reposa sur les oreillers.

— Allons, je vais manger une croûte et boire à la santé de cet adorable bébé. Reposez-vous pendant ce temps. Ensuite, je vous tiendrai compagnie ou bien vous m'accompagnerez à travers la maison si vous vous en sentez capable et j'examinerai votre travail.

Il l'embrassa et se pencha encore une fois au-dessus de Canada, d'un air béat d'admiration.

— On dirait l'un de ces angelots venus de nos pays allemands. Vous vous imaginez, ma chérie, prendre neuf mois pour voler au-dessus de l'océan, jusqu'à Sorel? Quel phénomène, cette enfant!

* * *

Charlotte avait peine à respirer. Elle ouvrit les yeux et aperçut une masse noire assise sur le châlit à ses pieds. Cette ombre se précisa; les voiles qui la couvraient devinrent transparents. L'apparition était une femme, hideuse car écorchée vive.

Elle lui rappelait ce tableau de Valverde intitulé *Anatomia del Corpo humano*, où un homme dont on ne voyait que les muscles tenait dans sa main gauche l'instrument ayant servi à lui enlever la peau, et, dans sa main droite, cette peau dont on pouvait voir les trous des yeux, du nez et de la bouche. Quand elle était jeune, Charlotte avait été hantée longtemps par une copie de ce tableau qu'elle avait vu chez un médecin, ami de sa famille.

Aujourd'hui, elle sut tout de suite que l'écorchée vive au bout de son lit était Martha. Elle voulut crier, appeler au secours, sortir du lit, mais elle restait clouée, la gorge sèche, aucun son n'en sortant.

Peu à peu les muscles de Martha fondaient. Il ne resta que le squelette. Seule la tête au sourire moqueur semblait vivante. Les cavités, pourtant vidées de leurs yeux, la regardaient avec haine. Cette fois, Charlotte réussit à pousser un gémissement qui l'éveilla. Il n'y avait rien au pied du lit.

— Un cauchemar, murmura-t-elle en refermant les paupières.

Mais elle sentit un tiraillement à la poitrine. «Mon Dieu, c'est le temps de nourrir Canada!» Elle s'arracha de son lit et, toujours dans un demi-sommeil, se précipita vers l'enfant qui pleurnichait.

— Mais pourquoi, pourquoi ai-je tous ces bandages? grognait-elle en enlevant ce qui enserrait sa poitrine.

Elle oubliait complètement qu'on l'avait ainsi affublée pour empêcher une montée de lait. Depuis quelque temps, en effet, Charlotte souffrait d'un mal qui s'était aggravé dernièrement, si bien qu'elle ne pouvait allaiter Canada sans ressentir une douleur profonde. On dut aller chercher le docteur Kennedy, qui avait diagnostiqué un ulcère et pratiqué une légère chirurgie. Le mal persistant, la baronne avait accepté finalement de sevrer la petite.

Cette nuit-là, probablement sous l'effet du cauchemar, elle ne semblait pas se rappeler ces détails. Elle s'empara de sa fille, mais juste comme elle allait lui donner le sein, Lizzie surgit.

— Madame, vous ferez du tort à l'enfant et à vous-même. C'est défendu.

— Mais elle pleure, elle a faim.

— Je vais m'en occuper. Je vous en prie, madame, vous devez retourner au lit.

* * *

Friedrich resta. La fièvre ne quittait pas Charlotte depuis plusieurs jours. Elle suppliait qu'on la laissât donner à boire à Canada. Il fallait la retenir de force pour qu'elle ne se lève pas. Quant au bébé, une forte diarrhée l'amaigrissait.

— L'enfant se meurt de faiblesse, diagnostiqua le médecin. Il faut lui préparer des entrailles de poule, cuites sans être nettoyées. En attendant, je vais lui donner un clystère.

Après que Lizzie eut nourri le bébé selon ses instructions, le docteur renouvela ses clystères à toutes les demi-heures. Au troisième traitement, Canada prit du mieux. Mais vers la fin de l'après-midi, elle faiblit; le soir, elle était morte.

* * *

Friedrich hésitait à laisser sa femme, qui était complètement abattue et qui, chaque fois qu'il essayait de s'en approcher pour la réconforter, le repoussait. Mais lorsqu'il vint lui dire que son devoir l'appelait à la frontière, elle sortit de son mutisme, disant qu'elle avait quelque chose d'horrible à lui avouer.

À travers ses sanglots, elle lui raconta sa visite à Martha, à la prison, puis la scène de la pendaison. À mesure qu'elle parlait, au lieu d'être sensible à ses larmes, Friedrich se durcissait et sentait monter en lui la colère.

— Qu'avez-vous pensé? Aller voir cette femme! Vous avez perdu l'esprit. Ne vous avais-je pas défendu tout contact avec elle?

— Je n'ai pas assisté au procès.

— Vous avez fait pire : vous avez parlé à cette Martha. C'est impardonnable. Et croire qu'elle est une sorcière! Vous pouvez bien avoir des cauchemars. Je ne peux plus supporter l'atmosphère causée par votre conduite infantile. Adieu.

Friedrich sortit de la chambre en claquant la porte. Dans le salon, ses yeux furent attirés par la table couverte d'un drap sur lequel était exposé, dans ses dentelles blanches, le mince corps de Canada. Lizzie déposait des lis près du petit visage ivoire aux yeux fermés.

Le baron se détourna de cette vue; elle exacerbait encore plus l'ire qui masquait sa peine. En passant dans une autre pièce, il aperçut Augusta, étendue par terre. Il souleva l'enfant et sentit qu'elle frissonnait. Il appela Lizzie, l'apostrophant vertement :

— Si vous faisiez votre travail au lieu de vous occuper des morts, vous verriez qu'Augusta est malade.

Puis, apercevant Röckel dans l'entrée, il le houspilla :

— Et toi, qu'attends-tu pour aller chercher le docteur Kennedy?

Le vieux serviteur courba les épaules sous l'orage inattendu et surtout inhabituel. Quelques instants plus tard, il s'éloignait à cheval.

Friedrich se promena de long en large dans l'antichambre jusqu'à ce que Röckel revienne avec le médecin. À la vue de celui-ci, il ne put s'empêcher de penser qu'avec ses méthodes, il empirerait peut-être l'état d'Augusta. Le général se laissa lourdement tomber dans un fauteuil, un verre à la main, en proie à une de ses terribles migraines.

Bientôt, Amérika et Frederika s'approchèrent de leur père. La cadette voulait s'asseoir sur ses genoux, mais il la repoussa et elle chancela. En l'attrapant, il s'aperçut qu'elle était rouge et fiévreuse, puis constata que sa sœur l'était aussi. Il tonna :

— Que quelqu'un mette ces enfants au lit et dise à Kennedy de les soigner! Elles vont mourir, si ça continue!

Il regretta aussitôt cette dernière phrase lorsqu'il comprit que Charlotte, chancelante au bras d'Adélaïde, l'avait entendue. Il ne put cependant pas contenir sa rage.

— Alors, Charlotte, vociféra-t-il, n'êtes-vous capable de penser qu'à votre santé? Où est votre sens du devoir? Allez donc voir si Caroline n'est pas en train de mourir, elle aussi!

Puis, prenant son manteau en passant, il sortit de la maison avant de succomber à la tentation de tout casser autour de lui.

La baronne était atterrée. Jamais Friedrich ne s'était montré aussi injuste et cruel, mais maintenant il la détestait. Martha avait gagné. Ses filles mourraient et jamais Friedrich ne lui pardonnerait sa conduite.

Adélaïde la ramena à son lit. Puis, comme la baronne était très agitée et qu'elle délirait, elle alla chercher le médecin dans la chambre des filles. Après avoir examiné Charlotte, il dit :

— Elle est vraiment souffrante, mais le seul remède qu'il lui faut, c'est son mari. Quant aux petites, elles n'ont rien de grave. Leur fièvre est due aux émotions des derniers jours, au décès de leur sœur.

Röckel, qui avait vu le général se diriger à pied vers Sorel, sauta immédiatement sur un cheval pour aller le chercher.

Pendant qu'il marchait, Friedrich s'était calmé. Il se demandait comment il avait pu sortir ainsi de ses gonds. Il se sentait malheureux et honteux de son attitude envers Charlotte. Il fut donc soulagé quand Röckel le rassura au sujet de ses filles. Et il enfourcha aussitôt le cheval pour se précipiter vers la maison, laissant le serviteur revenir à pied.

Après avoir échangé quelques mots avec le médecin, il entra dans la chambre, le repentir écrit sur son visage. Charlotte semblait dormir sous l'effet d'une tisane calmante d'Adélaïde. Il alla jeter un coup d'œil aux enfants, revint rassuré et attendit patiemment au pied du lit. Enfin, elle ouvrit les yeux. Friedrich s'empara de sa main.

— Je vous demande pardon, Charlotte. Je ne sais ce qui m'a pris. Au fond, j'étais plus malheureux, plus inquiet que fâché. Mon courroux était dirigé contre cette femme démoniaque, mais comme elle n'existait plus, je m'en suis pris à vous.

— Je n'étais pas curieuse, Friedrich, j'avais pitié d'elle.

— Je sais. C'est votre générosité qui vous a poussée vers elle. C'est un peu ma faute, tout cela. Si je vous avais raconté le suicide de Radecki, si je ne vous avais pas caché que Martha avait voulu noyer les enfants, vous n'auriez pas été aussi impressionnée. Vous n'auriez été la voir ni en prison ni au gibet. En voulant vous épargner, je vous ai fait du mal.

— Vous n'avez pas eu confiance en moi, cette fois.

— Oubliez tout, Charlotte. Cette femme a joué de vos sentiments, de votre générosité, de votre amour maternel, de votre ignorance des faits et de votre sensibilité due à votre état. Vous savez bien qu'elle n'est pas une sorcière. Elle vous l'a fait croire pour vous faire du mal.

– Mais c'est vrai que je n'ai que des filles, et que j'ai perdu Canada et le seul fils que nous ayons eu.

– Charlotte! Nos deux premiers enfants étaient décédés bien avant que cette Martha rencontre Stanislas, bien avant le suicide de ce dernier.

– C'est vrai, mon chéri, je ne m'étais pas arrêtée à cela.

– C'est ce qu'elle voulait. Elle vous a empêchée de réfléchir avec sa malédiction. Quant à Canada, pourquoi sa mort serait-elle due à la volonté de Martha plutôt qu'à l'ignorance d'un médecin? Kennedy est bon, mais il n'est qu'un humain. Et que savons-nous de la volonté de Dieu? Reposez-vous, Charlotte, je reste près de vous.

– Vous deviez retourner à la frontière.

– La frontière ne bougera pas. Tout y est tranquille en ce moment, c'est l'hiver. Si j'envisageais de partir, ce n'était qu'une échappatoire due à mon égoïsme.

– Vous, égoïste!…

– Peu importe les mots. Nous étions vulnérables, tous les deux. Tout se tassera. Puis-je compter sur vous pour chasser les idées folles que cette mauvaise femme a implantées dans votre esprit? Je vous promets de ne jamais revenir sur cette pénible journée. Vous ne souffrirez plus de mes injustes paroles. Votre guérison est ce qu'il y a de plus important pour moi.

Charlotte lui sourit tendrement :

– Vous ne me détestez plus?

– Je n'ai jamais cessé de vous aimer. Allez, dormez. Je reste dans ce fauteuil jusqu'à ce que les visiteurs que nous attendons viennent prier près de notre petit ange. Reposez-vous. Je suis là et je veille sur vous.

* * *

Deux jours plus tard, Mme von Riedesel, en robe de deuil, descendait de sa calèche devant le presbytère de l'église Saint-Pierre de Sorel. Le curé Martel vint la rejoindre au salon.

— J'ai tellement peur, monsieur le curé, que des fanatiques déterrent ma petite fille, malgré la pierre tombale. On m'a raconté qu'il y a eu des ennuis, même une bataille entre nos militaires et vos ouailles qui refusaient l'inhumation d'un officier.

— Hélas, madame, un chapelain du nom de Scott avait voulu me forcer à inhumer un certain colonel McKenzie. J'ai refusé, en tant que propriétaire du terrain et en tant que catholique, car cela déplaisait à mes paroissiens, qui payent pour ce cimetière. La dispute avait commencé avant, d'ailleurs : les soldats s'étaient emparés *manu militari* de mon église pour leur cérémonie. Si l'armée achetait un terrain pour enterrer ses morts et se bâtir un temple, personne n'y verrait d'objection. Chacun chez soi, voilà qui serait la meilleure solution.

— M. Scott, je le sais, a été démis de ses fonctions par mon époux à la suite d'une plainte de M. de St Leger.

— Je l'ai su, madame, et croyez que j'en suis fort reconnaissant au général. Mais ne vous inquiétez pas. Comme la petite a reçu le baptême, puisque vous faites aussi cette cérémonie, j'ai averti mes paroissiens. On ne profanera pas ses cendres. Je vous donne ma parole que je m'occuperai personnellement de sa petite tombe.

68

Sorel, août 1783

C'était un bel avant-midi du début d'août. On n'avait jamais vu tant d'animation autour de la maison du baron et de la baronne. Il y avait de quoi jaser pour les passants et les voisins : deux mariages avaient lieu ce jour-là et Mme von Riedesel, avec son sens de la fête, avait organisé un grand banquet champêtre en l'honneur des mariés, Christian Schumpff et Amélie Saint-Martin ayant uni leurs destinées à la chapelle protestante de Berthier, Louis et Julie s'étant épousés à l'église catholique de Sorel.

Les invités, militaires allemands ou parenté des mariés canadiens, s'étaient déjà éparpillés sous les deux cents pommiers que le général avait fait venir de Saint-Jean, l'année précédente. Dans ce verger, on avait installé de longues tables sur lesquelles des soldats posaient déjà des assiettes de légumes crus du jardin, dont le général n'était pas peu fier, car le potager était son œuvre. Les Canadiens étaient venus dans un long défilé de voitures : bogheis, calèches et longues charrettes à trois ou quatre bancs doubles qui pouvaient transporter une famille de douze enfants; ceci expliquait les joyeux cris, les chants et les rires qui venaient d'un pré où l'on avait rassemblé les jeunes.

* * *

Quand Christian avait demandé la main d'Amélie, cela avait été une belle occasion pour Joseph Saint-Martin de grogner à propos du tort qu'avaient eu les Américains de signer un traité de paix avec l'Angleterre. Selon lui, ils auraient dû continuer la guerre jusqu'à ce qu'ils réussissent à chasser pour toujours les Britanniques.

Il se sentait trahi de tous côtés : par les Français en 1760, par les Américains et maintenant par sa fille Amélie qui aimait un Allemand et qui l'avait menacé, s'il ne lui donnait pas sa bénédiction, de se marier à la «mitaine» et non à l'église catholique.

Joseph avait répliqué qu'elle pouvait bien se marier à la «mitaine», mais qu'elle ne comptât pas, alors, sur les sous de son héritage ni sur son armoire, armoire qu'elle ne verrait même plus, d'ailleurs, parce qu'elle ne remettrait plus les pieds dans la maison de son père.

— Je saurai bien m'en passer, de votre argent et de mon armoire, avait dit Amélie en partant se réfugier chez une amie à Sorel.

Aux larmes de sa mère, aux exhortations de Louis, à celles de Julie, elle avait opposé une figure fermée et un regard buté.

Joseph avait voulu faire une noce magnifique en l'honneur de Louis, afin que sa parenté ne puisse aller à celle qu'organisait la baronne. Mais Louis s'y était opposé, Julie étant l'une des invitées d'honneur. Joseph, ulcéré, avait alors déclaré que lui, sa femme et ses autres enfants reviendraient à la maison après la messe et qu'il ne dépenserait pas une piastre pour un fils ingrat.

À la sortie de la messe de mariage, Louis et sa nouvelle épouse grimpèrent dans la calèche de Julie. Louis supplia son père du regard pour qu'il les suive, en montrant son cadet qui arrivait avec la calèche de la famille. Joseph détourna la tête. Soudain, Catherine, à la surprise de tous, laissa le bras de son mari et grimpa à côté de Michel; en une minute, elle balayait quarante ans de soumission. Le visage dur, quoique les yeux effrayés, elle s'exclama, la voix tremblante :

— Fouette, mon fils!

Les deux calèches s'ébranlèrent tandis que Joseph, sidéré, restait sur le parvis de l'église avec le curé et les quatre petits derniers.

* * *

Le repas de noces venait d'achever. M. et Mme von Riedesel n'avaient pas lésiné. Aussi avait-on bien mangé, bien bu, bien ri, bien chanté. On avait porté des toasts aux mariés, à la baronne et au général. Christian s'était taillé un franc succès en chantant *Auprès de ma blonde* que lui avait appris Michel.

On se dispersa ensuite dans la nature en attendant la danse. Pendant que Lizzie s'entretenait avec la baronne, Glackemeyer vint trouver Leonhard et lui demanda s'il était vrai qu'il allait rester en Canada.

— En effet. Le général m'a offert de continuer à être son secrétaire, mais je lui ai avoué que je désirais vivre ici. Il n'a pas trop insisté. D'ailleurs, Lizzie attend un enfant.

— Moi non plus, je ne retourne pas en Allemagne, même si le général m'offrait le poste d'organiste à Lauterbach, sa ville natale. Heureusement, il a consenti à ce que je quitte l'armée. De plus, il m'a gratifié d'un montant fort appréciable.

— Mais que fera un musicien comme vous, ici? Dans ce pays, il n'y a pas beaucoup d'instruments de musique, que je sache.

— Mme la baronne me laisse son clavecin. L'instrument est très vieux, aussi ai-je commandé un piano d'Allemagne. J'ai déjà quelques élèves. Ici, on connaît la musique française et les opéras-comiques anglais. Je ferai connaître la musique allemande. En fait, je voulais vous inviter à mon mariage avec l'une de mes élèves. Ses parents acceptent que je lui fasse la cour. Au début, ils s'y opposaient. Ils craignaient que je veuille l'emmener au Hanovre. Quand ils ont su que mon intention était de demeurer dans le pays, ils n'ont plus fait d'objection.

— Vous n'avez pas eu de difficulté avec toutes ces histoires de religion, comme cela a été le cas pour le soldat Schumpff?

— Vous savez, les filles instruites qui ne sont pas retournées en France, et qui sont plus nombreuses ici que les garçons, n'ont pas beaucoup de choix; il ne reste guère de fils de famille qui soient libres; ou elles doivent se mésallier ou elles épousent de riches marchands anglais… ou encore des officiers. Mais vous-même, Leonhard, vous avez épousé une Allemande. Que ne retournez-vous en Europe?

— J'ai un ami qui habite Paris. Depuis l'accord avec les Américains, j'ai reçu d'un seul coup les lettres qu'il m'écrivait presque chaque jour. Il se prépare des événements assez sérieux là-bas. Tout comme chez nos voisins, les mots «liberté» et «droits» courent beaucoup. Il m'enjoint d'aller le retrouver. Il prédit de grands changements en Europe. Il y a sept ans, je me serais laissé prendre à son enthousiasme. Aujourd'hui, la guerre à laquelle j'ai été forcé de participer me suffit. J'aspire à une certaine tranquillité. Je désire élever une famille dans une plus grande liberté, mais dans la paix.

— Le général doit regretter que vous ne l'accompagniez pas. Il vous apprécie tant.

— Il est vraiment très indulgent. Il aurait pu refuser de me licencier de l'armée. Quand j'ai eu fini de plaider ma cause, il a terminé l'entretien avec humour : «J'aurais dû savoir, a-t-il dit, qu'il était inutile d'espérer, monsieur Caux; c'est bien de cette façon que l'on vous nomme, maintenant?» D'ailleurs, il m'a également octroyé une somme très généreuse.

Sur ces entrefaites, Adélaïde s'approcha des deux hommes.

— Monsieur Glackemeyer, Mme la Baronne a fait installer des jeux dans le salon. Une partie de dames vous intéresse-t-elle?

— Je joue aux dames seulement à la polonaise. Je m'en tire moins bien aux dames à la française. Les dames françaises sont bien charmantes, ajouta le chef de musique en lui baisant la main, et cela m'honorerait d'être battu par l'une des plus aimables, mais voici l'heure de la danse. Je dois diriger les musiciens. Nous nous reprendrons plus tard, si vous le voulez bien.

— Avec plaisir… Leonhard, je vois votre Lizzie qui vous fait signe. Elle ne peut se passer de vous. Allez, vous avez bien choisi. Soyez bon avec elle. Et ne pensez pas, parce que je repars à Paris dans quelques jours, que je ne saurais revenir vous provoquer en duel, si jamais j'apprenais que vous maltraitez cette enfant qui vous adore.

Et Adélaïde s'éloigna, un sourire moqueur aux lèvres. Ce jour-là, le si observateur Leonhard, trop occupé par son bonheur d'être bientôt père, ne s'aperçut pas que les yeux d'Adélaïde étaient tristes.

* * *

La gouvernante s'éclipsa sans bruit dans sa chambre. Elle essayait de combattre l'amertume que la gaieté de l'événement lui faisait monter à l'âme. Elle s'assit sur son lit, se releva, refit ces deux gestes plusieurs fois, puis se regarda dans un miroir en murmurant :

— Oh! Nicklauss, pourquoi n'es-tu pas là? Quelle ironie! Tu sors vivant de la guerre, tu te relèves de blessures graves, puis tu te fais tuer par un vulgaire bandit.

Par la fenêtre montaient les airs de quadrilles et de contre-danses, les cris des meneurs appelant les mouvements : «Le Pantalon.. L'Été… La Poule… La Pastourelle.»

— Tout le monde est heureux, Nicklauss, sauf moi. C'est la fête. Ça devrait être la nôtre aussi. Nous aurions dû nous marier ce matin. Écoute cette musique, nous devrions danser, en ce moment. Vois comme ils sont drôles, ces Canadiens; même les paysans dansent le menuet comme s'ils étaient à la cour. Ils sont joyeux… et moi, triste, si triste… Nicklauss, pourquoi es-tu mort? Pourquoi m'as-tu quittée?

Sa tristesse faisant place à la colère, elle se mit à fouiller parmi ses esquisses et en prit une pile qui représentaient Nicklauss. Elle les déchira toutes, comme pour se débarrasser de tout souvenir de lui, et les lança à travers la pièce.

Adélaïde se jeta sur son lit, secouée par des sanglots. Peu à peu, son exaltation diminua. Après une longue immobilité, elle se releva, contempla les bouts de papier épars. Elle les ramassa lentement. Un moment, elle essaya d'ajuster les morceaux, puis y renonça. Elle repoussa quelques tableaux qui cachaient son œuvre la plus importante et contempla les jeunes soldats à la tête tranchée.

— Je t'immortaliserai, toi aussi, sur cette toile, Nicklauss. Ici, dans ce coin, pour ne pas déséquilibrer l'ensemble. Seulement ta belle tête et tes épaules. Les yeux fermés, dit-elle à mi-voix en ouvrant la porte. Se retournant pour regarder encore une fois le tableau, elle se plaqua un sourire courageux sur le visage et ajouta d'une voix douce :

— Non, les yeux ouverts, du même gris que le ciel, comme si tu y voyais déjà ta place.

* * *

Après avoir ouvert le bal avec sa femme, le général entraîna à tour de rôle les nouvelles mariées, tandis que la baronne remplissait le même devoir auprès de Louis et de Christian, intimidés tous deux de l'honneur que leur faisait la femme du général. Celle-ci les libéra rapidement de leur supplice, cependant, et toute la parenté put se mettre à danser.

Friedrich se dirigea vers la rivière tandis que Charlotte retournait s'asseoir près du pasteur et du nouveau grand vicaire des Trois-Rivières qui avait remplacé M. Saint-Onge, décédé l'année précédente, quelques mois après Mlle Cabenac, sa cousine.

Friedrich fumait sa pipe en silence, observant le Richelieu couler vers le Saint-Laurent, ce fleuve qui, dans quelques jours, l'amènerait jusqu'à l'océan. Avec un peu de vague à l'âme, il repensait aux derniers événements. Coup sur coup, il avait appris le décès de son souverain et celui de son père. Dans sa lettre, son frère le pressait de venir régler la succession. Puis une autre lettre était venue, de Londres, lui ordonnant de préparer son retour et celui de ses troupes pour le 6 avril 1783. Cela l'avait soulagé et rendu heureux.

Il se demandait pourquoi il ressentait une certaine mélancolie, aujourd'hui. Peut-être était-ce parce qu'on avait refusé de lui envoyer la partie de ses troupes encore prisonnière en Virginie.

Il continua à songer, quand il sentit une présence à ses côtés.

— Ah! c'est vous, ma chérie! Je me disais que les Canadiens et les Indiens, qui sont tous si fiers, ont dû très mal accepter le fait que Londres ait donné plus de territoires aux Américains que ceux-ci n'en demandaient.

— Je connais l'opinion du grand vicaire. Il pense qu'en Angleterre on n'a aucune idée de la géographie de l'Amérique et de l'importance du cadeau qu'on vient de faire aux Américains. On a sacrifié de bons sujets canadiens pour plaire à des colonies qui méprisent l'Angleterre, puisqu'elles se sont révoltées.

— Rien dans cette guerre n'a été fait comme je le voulais.

— Cessez d'y penser. Ne soyez pas triste.

— J'ai hâte et je crains à la fois de revoir mon pays. On ne quitte pas sans un certain regret ce paysage, ces forêts, ces gens… Et le Brunswick, c'est un peu l'incertitude, une paye qui diminuera. Un vide. Le vide de mon père absent.

— Tout comme le mien, mon chéri… Songez que nous pourrons élever nos enfants à notre manière, dans notre langue. Rappelez-vous comme les variations du climat, ces froids rudes, les extrêmes chaleurs de Virginie, ont affecté votre santé. Notre pays vous rajeunira. Venez, Friedrich. J'entends chanter nos invités. Faisons-leur, une dernière fois, le plaisir de notre présence.

* * *

Mme Saint-Martin, après son coup de tête, avait été prise d'un tremblement nerveux jusqu'au moment où elle avait vu les yeux d'Amélie briller de joie en la voyant. Elle avait perdu sa timidité, à mesure que l'effet de sa décision irréfléchie disparaissait sous le plaisir des réjouissances.

Maintenant, cependant, elle commençait à redouter la manière dont elle serait reçue par son époux et le curé à son retour. C'est à ce moment-là qu'elle entendit des grelots de chevaux et vit Joseph et ses petits dans la charrette; seul Joseph en descendit. Elle faillit se sauver comme une enfant coupable.

— Où est Amélie? demanda Joseph sans la regarder.

— Joseph, Joseph, oublie pas où tu es, balbutia-t-elle, inquiète qu'il fasse un esclandre.

La nouvelle mariée accourait, ayant aperçu son père. Les larmes aux yeux, le visage rayonnant, elle s'écria :

— Papa! Vous êtes venu. Vous êtes venu. Merci, papa.

— Te fais pas des accroires, ma fille. J'ai amené les petits parce que je pouvais pas les laisser tout seuls à maison. Comme je venais chercher ta mère, parce que maintenant qu'elle t'a vue, son devoir c'est de me suivre, j'en ai profité pour t'apporter ce qui t'appartient. Après, je retourne à la maison.

Amélie regarda à l'intérieur de la charrette et vit l'armoire de «l'homme debout» à plat, au fond. Elle joignit les mains :

— Oh! papa, vous me la donnez?

— Comme ta mère semble prendre pour toi, et que c'est à elle, après tout, j'ai pensé qu'elle voudrait te la remettre. Comme ça, tu seras pas obligée de traîner tes pieds de protestante jusqu'à la maison catholique de ton père. Viens, Catherine. On s'en va.

Charlotte, qui avait assisté à la scène, s'approcha de Joseph, s'empara de son bras et dit, arborant son plus beau sourire :

— Il ne manquait plus que vous, Joseph Saint-Martin. Voyez comme on s'amuse.

— Je suis juste venu…

— Suivez-moi! Je vous présenterai à M. le grand vicaire des Trois-Rivières, tout à l'heure. En ce moment, il est au jardin. Il est venu fêter et rencontrer les mariés… Oh! monsieur Glackemeyer, musique! s'il vous plaît, qu'on danse. Voyez, Joseph, comme votre Louis et sa belle Julie sont heureux… Augusta, amenez avec vous les enfants de Joseph. Regardez comme Amélie et Christian font un beau couple. Ils vont vous donner de beaux petits-enfants. Joseph, faites danser votre femme. Allez! Allez! Faites cela pour moi.

Tout le temps que la baronne parlait, Joseph n'osait ni l'interrompre ni se dégager des doigts qui le tenaient ferme. Quand elle poussa Catherine dans ses bras, sans plus réfléchir, il entraîna sa femme. Son honneur était sauf, après tout. N'était-il pas venu tout simplement et par pure bonté porter l'héritage des femmes de la famille? Maintenant, il n'eût pas été poli de refuser une faveur à Mme la baronne puisqu'elle l'en priait. De toute façon, n'était-il pas heureux qu'on lui forçât la main sans qu'il perdît la face?

69

Ce samedi-là, rassemblés sur les arpents que cent dix-neuf ans plus tôt «Maître Abraham», le pilote royal, avait légués à sa descendance, plus de deux mille soldats allemands attendaient le discours d'adieu de leur général, avant que celui-ci ne s'embarquât sur l'élégant voilier *Québec*, mis à sa disposition par le gouverneur.

Dirigée pour la dernière fois par Glackemeyer, la fanfare annonça l'arrivée du gouverneur, du général et de Mme von Riedesel, la femme la plus chérie de l'armée, comme disaient les Canadiens. Quand la musique se tut, même la foule garda un silence respectueux.

Charlotte jeta un regard au-dessus des soldats. Elle admira un instant le magnifique panorama de Québec, agrémenté en ce jour d'un collier de vingt-cinq voiliers qui se berçaient paresseusement sous les mouvements caressants du fleuve, de Cap-Rouge à l'île d'Orléans. Elle s'attendrit en portant les yeux sur les badauds qui observaient la cérémonie d'adieu, car elle savait que plusieurs femmes, dont certaines tenant des bébés dans leurs bras, attendaient avec angoisse de savoir si elles devraient s'exiler en terre allemande ou si elles pourraient garder près d'elles un mari qui souhaitait quitter l'uniforme et s'installer au pays.

Friedrich, lui, baissa les yeux. Sa pensée erra un moment vers ceux qui avaient laissé leurs os au pays voisin. Puis sa voix forte et ferme s'éleva, en allemand :

— *Soldats du Brunswick, le temps est venu pour vous d'être informés que Son Honneur le duc et moi-même sommes fiers de la manière dont vous avez servi le roi d'Angleterre, ici, en Amérique du Nord. Vous avez subi de grandes épreuves et vous vous* souviendrez longtemps des batailles d'Hubbardton, de Bennington et de Saratoga. Personne ne peut oublier l'abdication de Saratoga. La faute ne vous en est pas imputable. Vous n'avez pas échoué. Vous avez combattu extrêmement bien les rebelles, et vous avez survécu dans des conditions hostiles.

Le général eut un sourire plein d'humour en jetant un regard vers la foule, puis continua :

— On m'a dit que certains d'entre vous ont tissé des liens très étroits avec des dames de ce pays. Plusieurs se sont informés si nous pouvions les relever de leur service afin qu'ils puissent s'établir sur cette terre-ci et demeurer avec les nouvelles familles qu'ils ont fondées. Je suis heureux de vous annoncer que notre gracieux duc a accordé une dispense à tout soldat qui désirerait s'installer en Canada. Le quartier-maître général, le capitaine de Gerlache, émettra les papiers de libération. À ces hommes, je souhaite tout ce qu'il y a de meilleur dans leur nouvelle patrie.

Dans la foule, il y eut des cris de joie, des chuchotements, des applaudissements et même des reniflements, quelqu'un ayant traduit cette partie du discours. Le baron laissa l'émotion passer et reprit :

— Les ordres que j'ai reçus m'enjoignent de retourner au Brunswick avec ma famille et nous ferons en sorte que la bravoure que vous avez montrée, pour le duc, dans votre service en ce pays, soit retenue avec fierté dans la mémoire du peuple du Brunswick. Je crois sincèrement qu'un jour notre contribution à cette campagne sera officiellement reconnue par Sa Majesté le roi George III.

Pour terminer, il dit :

— Farewell… *Adieu*… Auf Wiedersehen!

70

Québec, le 3 août 1783

Le jour du départ était arrivé. Accompagnée de plusieurs officiers anglais qu'elle estimait particulièrement et de Canadiens avec qui elle s'était si bien entendue, Charlotte, au bras du gouverneur, se dirigeait vers les barques qui emmenaient les passagers jusqu'aux voiliers.

Elle aperçut un groupe de personnes qui attendaient respectueusement à l'écart et reconnut immédiatement Julie et Amélie, tout intimidées dans leur robe de noces. En avant d'elles, Lizzie affichait, par sa taille alourdie, que l'heureux événement approchait. Une tenue de fête indienne identifiait facilement Guillaume. Par contre, Charlotte eut un peu de difficulté à reconnaître Leonhard et Christian, dont la tenue civile n'exposait plus la disparité existant entre soldat et sous-officier, sauf, peut-être, l'apparence plus dégagée de l'ancien étudiant. Touchée qu'ils soient venus de Sorel expressément pour lui souhaiter bon voyage, elle s'excusa aussitôt auprès du gouverneur.

— Excellence, voici les nouveaux mariés et leur ami abénaquis. Ils viennent sûrement me faire leurs adieux. Vous permettez?

— Prenez tout votre temps, baronne. Cela ne m'ennuie pas de rencontrer ceux qui ont mérité votre générosité. Ils verront que je ne suis pas ce loup que certains d'entre eux craignent, ajouta-t-il avec un sourire narquois.

Les jeunes gens s'approchèrent sur un signe de la baronne, qui les présenta à Haldimand. Celui-ci leur assura que, puisque Mme von Riedesel avait de l'estime pour eux, la sienne leur serait acquise. Il reconnut Leonhard et lui fit quelques remarques personnelles; ensuite, il entraîna les officiers pour laisser Charlotte avec ses visiteurs.

Celle-ci eut un bon mot pour chacun. Elle adressa dans leur langue quelques phrases aux deux Allemands et à Lizzie qui pleurait dans les bras de Leonhard. Elle dit à celui-ci, s'efforçant de sourire :

— Je devrais vous en vouloir de m'enlever Lizzie, que j'ai formée en croyant la garder jusqu'à la fin de ma vie. Le général regrette sûrement son secrétaire autant que je regrette ma bonne. Néanmoins, nous savons qu'un duel contre l'amour est inutile.

Charlotte recula et les regarda tous les deux.

— Continuez à vous aimer, ajouta-t-elle, les larmes aux yeux, c'est ce qui peut vous arriver de plus beau.

Elle fit ensuite signe à ses filles et à Adélaïde de venir les saluer à leur tour, et s'enfuit presque vers le gouverneur, pour ne pas s'émouvoir plus avant.

Pendant que sa femme faisait ses adieux aux gens de Sorel, le général voyait aux derniers préparatifs du voyage de retour. Il lui avait fallu plus de quatre mois pour rassembler son armée et régler les détails de l'embarquement, des payes et de l'approvisionnement. Maintenant, depuis l'aurore, il surveillait le mouvement des derniers soldats. À la fin de son inspection, un groupe de déserteurs enchaînés passa devant ses yeux. Il trouvait tout naturel de récupérer, par la reprise de fuyards, l'argent que ceux-ci auraient fait perdre à son maître, le duc; en même temps, sa pitié naturelle lui fit détourner la vue. Il se pressa d'aller rejoindre la compagnie qui l'attendait sur le *Québec*.

* * *

Après le dîner sur le voilier, Anglais et Canadiens se retirèrent, laissant discrètement le gouverneur seul avec Riedesel et sa famille. Haldimand déposa sa tasse de thé.

— Mon cher Riedesel, je vous remercie encore une fois pour la superbe jument et son poulain que vous me laissez. N'était-elle pas votre monture favorite?

– C'est bien pour cela que je vous l'abandonne.

– C'est plutôt à moi de vous être reconnaissante, Excellence, dit Charlotte. Voyez, Friedrich, le manchon et la collerette de zibeline que j'ai trouvés dans ma cabine.

Pendant que le baron admirait la fourrure, Haldimand fit signe à son serviteur, qui revint bientôt avec un superbe chien de chasse.

– Et voici pour ma «petite femme». Ce chien est très doux, Augusta, il est à vous.

– Oh! merci, répondit l'enfant en l'embrassant. Mais… mais… Qu'y a-t-il? Si vous avez de la peine de vous séparer de votre beau chien, il ne faut pas me le donner.

– Mais non, au contraire, chère enfant, rien ne me fait plus plaisir que de vous en faire cadeau. C'est sûrement cette température si changeante…

Et Haldimand se moucha. Puis il se leva.

– Je dois vous faire mes adieux. Croyez-moi, j'avais tellement espéré partir en même temps que vous tous. Mais les ordres du roi ont été contraires à mes désirs et je lui dois obéissance. Nous nous séparons donc. Je ne sais si nous nous reverrons. Vous me manquerez beaucoup, ainsi que les enfants.

Il se pencha ensuite vers Charlotte et lui baisa la main.

– J'ai trouvé en vous, ma petite Madame la Générale, un excellent soldat mais, surtout, une amie. Je me sentirai bien seul. Adieu, mes amis. Demain, vous levez l'ancre très tôt.

Le gouverneur était si ému que sa voix tremblait. Les deux hommes se donnèrent la main en silence. Toute la famille l'accompagna jusqu'à la barque qui le ramènerait à la rive. Quand il fut sur le quai, il leva la tête une dernière fois et fit un geste d'adieu. Il dit quelques mots à son cocher, et la voiture s'éloigna sans son passager. Du pont, on put l'observer qui continuait à pied, sans se retourner, les mains derrière le dos, la tête penchée. Il disparut au coin d'une rue.

– Adélaïde, distrayez les enfants, qui regrettent déjà M. Haldimand, ordonna la baronne en suivant son mari vers leur cabine.

– Comment ne pas donner son amitié à cet homme généreux et prévenant et comment ne pas le regretter? demanda-t-elle ensuite à Friedrich. Je sais que les Canadiens ne l'aiment pas et que son entourage ne l'apprécie guère.

— Tout n'en tient peut-être qu'à votre caractère aimable. Conservez-le et ne prenez pas cet air triste.

— Il m'est également difficile de quitter ce pays. Je crois m'y être très attachée.

— Dieu merci, nous conserverons de très riches souvenirs, ajouta Friedrich, lui-même un peu mélancolique.

— Heureusement, nous sommes ensemble, cette fois, pour traverser tout cet océan. Cela me donne du courage.

— Mais… mais… vous me faites réfléchir… Tout cet océan! De longs jours sur cette île flottante. Vivre à deux dans cette petite pièce… Peut-être devrais-je monter sur le bateau amiral et vous laisser avec les enfants sur le *Québec*?

— C'est vrai que ces derniers temps vous vous êtes absenté souvent. Vous avez eu des affaires à régler à la frontière, puis à Québec, pendant que je m'occupais de celles de Sorel. Ç'a été un continuel chassé-croisé. Je crois que j'ai perdu, moi aussi, l'habitude de vous avoir à mes côtés. Qui sait si je ne trouverai pas difficile de vous endurer toute la journée… toute la nuit… dans si peu d'espace vital?

Charlotte termina ce badinage par un éclat de rire. Ils se regardèrent longuement et se comprirent. Friedrich alla fermer à clef la porte de la cabine.

71

Le retour à Wolfenbüttel, automne 1783

Après leur arrivée au port de Stade, Charlotte se sépara temporairement de Friedrich, qui devait veiller au débarquement de son armée. Tout émue de se retrouver en pays allemand, elle loua aussitôt une voiture pour son petit groupe.

Lorsque les voyageurs s'arrêtèrent dans un relais, à sa grande surprise, Adélaïde aperçut quatre de ses amis. La baronne, toujours aimable, les invita à sa table.

L'un deux, le comte de Vaudreuil, s'extasia de cette rencontre providentielle avec une dame qui arrivait de Québec, lieu où son père et lui étaient nés et où son grand-père, le marquis Rigaud de Vaudreuil, avait été gouverneur. Très vite, Charlotte comprit qu'il était l'amant de cette amie d'Adélaïde, Mme Vigée, dont M. Lebrun, le mari présent, semblait s'accommoder.

Bientôt, le peintre André Vincent, qui venait de gagner le prix de Rome, supplia Adélaïde de s'inscrire à son atelier de Paris. Il la présenterait au concours de l'Académie française de Peinture.

— N'est-ce pas votre rêve de faire la nique à tous ces vieux pédants de critiques qui ne croient pas qu'une femme puisse recevoir le titre d'académicien?

Charlotte vit que seule sa promesse d'accompagner la baronne jusqu'à Wolfenbüttel retenait Adélaïde d'accepter l'invitation du peintre. Toujours généreuse, elle donna sa liberté à la gouvernante en lui suggérant de profiter de la berline de M. de Vaudreuil. Ce fut les larmes aux yeux que les deux femmes se séparèrent.

La baronne regarde les têtes qui dodelinent au rythme des chevaux. «Que ne puis-je dormir comme mes filles! Je me sens si lasse, non de cette lassitude qui accable le corps mais de celle qui atteint le moral.»

À l'approche de Wolfenbüttel, dont les tours du château et de l'église Sainte-Marie se profilent sur le ciel qui s'éteint lentement, Charlotte devrait être enchantée. Pourtant, elle sent un gant de fer étreindre son cœur. N'est-elle pas heureuse de retrouver l'une des plus élégantes petites villes allemandes? Hélas! une sorte d'inquiétude ramène sa pensée vers sa maison abandonnée depuis si longtemps.

«Qu'y trouverai-je? Des volets fermés depuis sept ans… une humidité froide et lugubre… des fils d'araignée qui courent dans tous les coins et pendent de mes beaux candélabres… toutes les chandelles probablement grignotées par les souris… des jetés gris de poussière…

Charlotte ferme les yeux. «Comme j'aimerais que tu sois à mes côtés, Friedrich! N'ai-je pas assez parcouru de chemins, seule, sans toi! J'ai des frissons. L'énervement me fait trembler. L'énervement et mes sentiments contradictoires de joie et de crainte, peut-être.»

Elle en est là de ses réflexions quand la voiture projette les voyageuses les unes contre les autres, éveillant les fillettes. Charlotte se penche à la portière et reconnaît le coin de sa rue. Une grande chaleur l'envahit. Ses mains deviennent moites et les battements de son cœur s'accélèrent. Elle prend quelques respirations avant de s'exclamer, d'une voix bouleversée :

— Regardez! les enfants, c'est notre rue.

Aussitôt, les petites têtes viennent rejoindre la sienne; on dirait des poussins.

— Reconnaîtrez-vous la maison, Augusta?

Comme son aînée reste muette, les sourcils froncés parce qu'elle fouille sa mémoire, sa mère continue :

— Souvenez-vous, elle a deux ailes sur la rue dont elle est séparée par une grille. Les toits à quatre versants sont à la Mansard. Allons… qui la désignera la première?

– La voilà! La voilà! maman! C'est elle, affirme Augusta.

Le véhicule s'arrête en effet. Charlotte pousse un soupir de soulagement. La foudre n'a pas percé les toits et… et… les volets sont ouverts. Rêve-t-elle? Toutes les fenêtres sont illuminées, sans exception. Les deux grilles s'ouvrent, Röckel engage la berline dans la cour pavée et la dirige au fond, vers le corps de logis.

– Écoutez la belle musique! maman, s'enthousiasme Frederika en montrant, devant chaque porte-fenêtre, des musiciens qui donnent avec vigueur des coups d'archet.

– Voyez, maman, comme il y a des gens là-bas! crie Caroline, rouge d'excitation et sautillant sur place.

– Mon Dieu! Ils sont tous venus, dit d'une voix à peine perceptible Charlotte qui descend, les jambes tremblantes, sans trop avoir conscience de ses mouvements tant son émoi est grand.

Sur le vaste perron de pierre, pour lui prouver que sept ans d'absence n'ont pas terni leur mémoire, ni leur amitié, ils sont là, ceux qu'elle aime. Sa mère, bien sûr; et l'inconnu qui lui tient les épaules? Sans doute le deuxième mari. Ah! voilà aussi ses sœurs, ses cousines et ses cousins et toute leur famille… des enfants inconnus. Charlotte continue à chercher des têtes… Oh! cette chère Mme de Saint-Pierre…

Quand Charlotte sort de sa torpeur, elle serre sa mère dans ses bras et laisse libre cours à ses larmes.

Après des embrassades à l'étouffer, mêlées de rires étourdissants, de larmes de joie, et pendant qu'on se passe les enfants à la ronde, Charlotte se laisse guider par sa mère à l'intérieur où les fumets d'un repas délicieux remplissent l'air. Une dernière surprise l'attend. Dans un large fauteuil, une dame âgée lui sourit. Charlotte s'incline en pliant le genou.

De sa ville princière, la grande-duchesse de Brunswick a fait l'honneur à la baronne von Riedesel de se déplacer pour l'accueillir.

***

Quelques jours plus tard, les rues de Wolfenbüttel ne désemplissent pas; les régiments du Brunswick approchent.

Parents, amis et curieux débordent des trottoirs, l'émotion et l'impatience au cœur.

Peu à peu, au-dessus des bruits sourds et des exclamations de la foule, des sons de fifres et de tambours se font entendre. Enfin, au nord-ouest de la grand-place, arrivent les troupes, précédées de leur général, Friedrich von Riedesel.

De temps en temps, un cri, un prénom fuse parmi le peuple :

— Günther! Mon Dieu! Tu es vivant. Réponds! C'est moi, ta mère.

— Est-ce bien toi, mon fils? murmure quelqu'un d'autre, devant celui à qui il manque une jambe ou pis, une moitié de visage.

— Où il est, papa? pleure l'enfant qui ne reconnaît pas le héros qu'il s'est créé et dont l'aspect le désappointe peut-être.

— Es-tu là, ma chérie? s'inquiète le militaire aveugle qui avance, hésitant, à l'aide d'une canne, et qui devine une odeur connue, une présence immobile l'observant, le cœur serré.

Ayant débandé ses soldats, Friedrich se fait un devoir de rester au milieu d'eux. Il se prête volontiers à leurs saluts ou à leur reconnaissance. Puis il s'arrache enfin à ses hommes et se dirige vers sa famille. Alors, Charlotte, qui sent tout son corps impatient, descend de la calèche et va au-devant de son mari.

Ils s'étreignent en silence comme s'ils craignaient que même chuchoter effacerait cette joie du retour au pays.

72

Duché de Brunswick, le 7 avril 1785

Un printemps tardif avait soudainement réchauffé l'atmosphère de cette matinée. Friedrich, qui marchait sans but afin de calmer ses nerfs, s'arrêta devant le transept nord de l'église Saint-Martin. Il observa longuement les statues du XIVe siècle des Vierges sages et des Vierges folles.

«Mes pas m'ont conduit ici au hasard; si j'étais superstitieux, je dirais que voilà un signe : j'aurai toujours des filles. Et je n'ai pas besoin de croire aux présages pour connaître finalement mon lot : ce seront des demoiselles von Riedesel. Elles sont bien belles. Je ne me passerais d'aucune d'entre elles mais…»

Sa pensée se dirigea vers l'héritage qui lui avait encore échappé quand était née la petite dernière (nommée Charlotte comme sa mère) après leur retour d'Amérique. Le domaine de sept milles carrés et ses privilèges ainsi qu'une partie du capital iraient à ses deux frères.

«Même si Lauterbach m'a été dévolu, mon rêve d'y planter mes choux, dans les sens réel et imagé de l'expression, ne peut se concrétiser. Hélas! je n'ai le temps d'y passer que quelques vacances ici et là.»

Il devait continuer à servir le duc s'il voulait amasser des dots conformes au statut de ses cinq filles, qui seraient bientôt six.

«J'ai un peu plus de pièces sonnantes et trébuchantes dans mon gousset, mais ce n'est pas encore assez pour une retraite.»

Par le bas-côté, le baron pénétra à l'intérieur de la chapelle gothique de Sainte-Anne. Il admira, au pied de la chaire, saint Martin qui chevauchait en tenue d'officier.

«Je donnerais bien plus que la moitié du domaine pour avoir un fils. Je le donnerais tout entier. Mais comme il me faut d'abord l'enfant mâle pour posséder le domaine, on n'en sort pas. C'est le parfait exemple du cercle vicieux.»

Un peu plus tôt ce jour-là, le médecin avait averti le baron que l'accouchement serait long : le bébé n'était pas assez descendu et Charlotte avait perdu ses eaux trop tôt. Il lui avait fait respectueusement comprendre qu'il devrait calmer son impatience, énervante pour sa femme, pour les servantes et même pour lui, le docteur. De toute façon, se sentant plus inutile qu'un canon sans poudre et sans boulets sur un champ de bataille, Friedrich n'avait pu supporter plus longtemps les gémissements de Charlotte se plaignant qu'on lui pinçait les reins. C'est ainsi qu'il déambulait dans les rues de Brunswick, s'arrêtant ici et là, essayant de cacher son désarroi sous la démarche d'un flâneur.

Soudain une idée jaillit à l'esprit de Riedesel. Il s'arrêta pile sur le parvis. Charlotte était en danger et il l'avait lâchement abandonnée. Pourquoi fallait-il que la souffrance de celle qu'il aimait tant lui fasse perdre ses moyens, alors qu'une armée ennemie ne le ferait pas reculer? Y avait-il longtemps qu'il avait quitté la maison? Son cœur se serra. Il pressa le pas. Pourvu qu'il arrive à temps. Il sauta dans une calèche en criant de faire vite. À cette minute, il aurait donné tous les domaines et même tous les fils du monde pour retrouver Charlotte vivante. Il avait un mauvais pressentiment.

* * *

Dans la soirée, un cavalier vêtu de noir tentait de traverser la place du Château où se dressait le monument du Lion. Une telle foule s'y pressait que, pour l'éviter, il bifurqua. C'était passer de la serre de l'épervier à la griffe du chat. S'il ne risquait plus d'écraser des corps ou de rompre des cous sous les ruades de son cheval, c'était ce dernier, maintenant, qui manquait de se casser les pattes, ou le jeune homme d'être broyé sous les rangées de tonneaux de bière ou de barils de vin qu'on roulait avec un bruit d'enfer sur les pavés en criant : «Place! Place! Au nom de Mgr le duc.»

Enfin, après avoir évité les obstacles avec adresse, mais non sans avoir subi les jurons des travailleurs, le voyageur parvint à une rue tranquille où il put allonger le pas de sa monture. Il remarqua tout de même des chandelles allumées à chaque fenêtre et des feux dans les cours. Arrivé à ce qui semblait sa destination, il tira le cordon de la cloche sans même descendre et sortit un pli d'une poche de son habit militaire aux armes du roi de Prusse. Il le remit à Röckel en échangeant quelques mots avec lui. Puis, saluant poliment, il tourna bride et disparut sans accepter le verre qu'on lui proposait, disant qu'il devait retourner séance tenante avertir son maître de la nouvelle.

* * *

Quelques heures plus tôt, Friedrich, la tête pleine de l'image de Charlotte étendue toute blanche et morte sur son lit de parturiente, descendait de la calèche et entrait chez lui, courant presque. La première personne qu'il croisa fut Röckel, les larmes aux yeux. De lui, il n'entendit que deux mots : «Oh! monsieur!» Il n'écouta pas la suite; il la devinait trop. Il se précipita dans l'escalier et fonça dans la chambre. Au fond de la pièce, le médecin s'essuyait les mains, lui tournant le dos… «Bien sûr, se dit Friedrich, il n'ose pas annoncer qu'il n'a pu sauver l'accouchée.»

La sage-femme, qui finissait de nettoyer l'enfant, se précipita entre le lit et le baron, comme pour retarder le moment où il ferait la terrible découverte. Elle lui présenta le bébé, mais Friedrich y jeta à peine un coup d'œil. Que lui importait cette nouvelle petite fille? C'était son épouse qu'il voulait voir. Il repoussa la femme pour faire face à la réalité de son malheur.

Enfin, il la vit, elle, sa Charlotte. Appuyée sur d'épais oreillers, les yeux grands ouverts, elle le regardait… un large sourire aux lèvres.

– Oh! ma chérie, murmura-t-il en la prenant contre lui. Vous êtes en vie. Je ne sais pourquoi, je me suis imaginé votre mort.

– Quelle idée! Et vous ne dites rien? Vous n'avez pas embrassé le bébé. Que vous arrive-t-il?

– Je ne pensais qu'à vous. Röckel, qui pleurait, m'a confirmé dans mes idées sombres.

– Röckel? Il nous est si dévoué. Il pleurait de joie, c'est tout. Mais vous qui m'avez habituée à plus d'admiration devant vos filles, je vous trouve bien froid aujourd'hui devant ce nouveau bébé.

– De toute façon, vous avez toujours eu le talent de me donner les plus mignonnes filles du monde. Il ne peut en être autrement pour celle-ci. Il faudrait que je vous explique. Vous ne pouvez comprendre ma peur soudaine.

– C'est vous qui ne comprenez pas, Friedrich. Et puis, ce ton que vous prenez pour dire «celle-ci». On voit ce que vous pensez vraiment de vos filles.

Se moquait-elle ou était-elle réellement fâchée? Il chercha des yeux le bébé qu'on lui avait présenté dans toute sa nudité… Quelque chose de très vague remonta à sa mémoire. Il bondit, s'empara de l'enfant et découvrit les langes avec fébrilité.

– Alors, notre petit Georg-Karl n'est-il pas aussi beau que ses sœurs? demanda Charlotte en riant.

Friedrich était trop ému pour répondre. Il serra sa femme et son fils dans ses bras, tandis que ses yeux se remplissaient d'eau.

– De grâce, ne l'étouffez pas! Cinq sœurs! Ce garçon sera pourri… Et cessez de l'embrasser… Ça y est, vous le faites pleurer. Remettez-le à la nourrice, je vous en prie, il a déjà la voix d'un général donnant ses ordres à dix armées à la fois.

* * *

Plus tard, alors que les époux se remettaient de leurs émotions en devisant, Röckel vint leur remettre le pli apporté par le cavalier noir, l'envoyé du futur roi de Prusse. Friedrich décacheta la missive.

– Fille ou garçon, le prince nous offre d'être le parrain de notre enfant. C'est un grand honneur pour nous et un bonheur pour notre Karl.

– Que nous soyons flattés ou non, l'offre d'un prince est un ordre, n'est-ce pas? À bien y penser, celle de Son Excellence le duc qui arrangea notre mariage ne nous a pas rendus malheureux, mon ami, fit Charlotte, les yeux pétillants.

Mais aussi vite, son visage devint sérieux.

– Vous êtes bien songeuse tout à coup, remarqua Friedrich.

– Je me disais que le sort était conjuré.

Dieu du ciel! Pensait-elle encore à cette Martha? se demanda Friedrich.

Avec une tendresse inquiète, il prit le visage de Charlotte entre ses mains. Mais au fond des prunelles toujours si lumineusement bleues, il ne découvrit que le calme d'un lac et la flamme d'une aussi grande tendresse que la sienne.

Épilogue

Après la naissance de son fils, la baronne reprit une vie active. En 1787, elle se réjouit de ce que Friedrich fût nommé lieutenant-général. Cependant, comme elle s'occupait beaucoup de l'éducation de ses six enfants, elle ne suivit plus son mari lorsque le duc, l'année suivante, l'envoya soutenir le gouverneur de la province de la Hollande contre des révolutionnaires. Les voyages nombreux entre Sorel et Québec avaient habitué les Riedesel à considérer les distances d'un autre œil. Friedrich parcourut allègrement les interminables lieues qui le séparaient du Brunswick pour retrouver, le plus souvent possible, sa chère Charlotte.

Après six ans aux Provinces-Unies, Riedesel quitte l'armée. Mais, bientôt, la «Terreur» qui règne en France affole les princes allemands. Le duc tire alors le baron de sa retraite et le nomme commandant de la ville de Brunswick. Il compte sur la façon que Friedrich a de se faire aimer pour tempérer les idées révolutionnaires venues du pays voisin. Mme von Riedesel se retrouve donc maintes fois à la cour et reçoit encore plus souvent chez elle, d'autant qu'elle a cinq filles à marier. Elle ne perd pas de vue, cependant, que l'amour a été son partage et elle souhaite pour ses enfants le même bonheur.

Augusta unira sa destinée à l'héritier d'une vaste principauté, le maréchal Heinrich, comte von Reuss, quarante-quatrième du nom et chambellan à la cour royale de Prusse. Frederika deviendra la comtesse von Reden et Amérika épousera le comte Bernstorff. Charlotte, la cadette, se mariera avec le major von Schönig. Quant à Caroline, elle demeurera célibataire et habitera à Lauterbach, chez son frère, avec droits de chasse, de pêche, de jardinage, de bois de construction et de nourriture pour deux chevaux, et ce, jusqu'à sa mort. Enfin, Georg-Karl, ce fils si attendu, prendra pour épouse, en 1808, sa cousine Caroline-Friederike. Une fille naîtra de cette union, mais aucun héritier mâle ne verra le jour.

* * *

Le comte von Reuss demeura le gendre favori de Mme de Riedesel. Comme ce dernier s'intéressait beaucoup aux aventures de sa belle-famille en Amérique, et pour lui faire plaisir, la baronne lui laissa lire son journal de voyage, qui contenait toutes ses observations sur la guerre de l'indépendance américaine ainsi que sa correspondance avec son mari et sa mère, Mme von Massow. Enthousiasmé, le comte offrit de faire publier les souvenirs pour la famille et les descendants.

Charmé par l'idée, Friedrich poussa sa femme à consentir à cette offre; lui-même compila alors ses rapports et ajouta des notes pour une biographie qu'il prévoyait publier. Après quelques hésitations, Charlotte accepta, en dépit du scandale que pouvait susciter le fait qu'une personne de son rang et de son sexe devienne auteur.

Le projet ira de l'avant, mais Friedrich n'aura malheureusement jamais le plaisir de contempler la vignette de la page titre représentant le cap Diamant de Québec, ni de prendre entre ses mains le livre racontant leur odyssée en Amérique, but tant désiré de la baronne et signe de la fin du long voyage.

Le Jour de l'An de 1800, qui sera aussi le premier jour du siècle naissant, une mauvaise grippe clouera le baron au lit. Le 6 janvier, date qui rappellera que le premier fils, Christian, aurait eu trente-quatre ans s'il avait vécu, Friedrich apprendra en jouant au whist qu'Heinrich et Augusta viennent de déposer le manuscrit chez l'imprimeur. Le soir de cette nouvelle plaisante, il s'endormira pour ne plus se réveiller.

***

Charlotte, ravagée par le chagrin, survit pourtant huit ans à son époux. Malgré l'amour dont l'entourent constamment ses enfants, elle se sent seule jusqu'à la fin de sa vie. En 1805, le décès d'Augusta, qui n'a que trente-quatre ans et qui ressemble tant à Friedrich, porte un coup terrible à sa mère. L'administration de ses vastes propriétés et de celles de son fils permet à la baronne de ne pas sombrer dans le désespoir : comme toujours, sa famille est sa planche de salut.

En 1808, le 29 mars, alors qu'elle s'apprête à se rendre à Lauterbach avec ses enfants et ses petits-enfants, elle meurt subitement à Berlin d'une crise cardiaque. À sa demande, Charlotte est inhumée dans le caveau familial des Riedesel, à côté de son Friedrich qui, sous le masque rigide du militaire, avait su, avec compréhension et sensibilité, partager son amour fou.

Ainsi s'estompe dans la nuit l'image de cette remarquable baronne allemande qui, grâce à sa force de caractère appuyée sur un amour sans dédit, put se moquer des obstacles malgré ses peurs ; et des scandales malgré son éducation, particulièrement son éducation de femme telle que la concevait la société de son époque.

Note des auteurs

Un roman dit historique ouvre la porte à une question : quelle est la part de la réalité et celle de la fiction ?

Les événements politiques, les faits de guerre, l'état d'esprit de l'époque ont été, autant que possible, respectés. La plupart des anecdotes, tels l'assassinat de Maxime Potier par des militaires allemands, la folie de Breymann tuant ses propres soldats, les frustrations du général Riedesel causées par les entêtements de Burgoyne, le texte du jugement de la pendaison (emprunté à l'affaire David McLane du 7 juillet 1797), tout cela est bien réel et fait partie de l'Histoire.

On peut retrouver, dans les journaux des Riedesel, dans la correspondance entre Mme von Riedesel et son mari, dans la collection Haldimand (qui comprend des lettres d'officiers allemands adressées aux autorités anglaises et allemandes), plusieurs événements relatés dans ce roman.

Les êtres qui gravitent autour du général et de sa femme (officiers, amis, familles) ont vraiment existé, à quelques exceptions près, exceptions qui n'ont été créées que pour ajouter de la couleur locale et de l'atmosphère (par exemple, Stanislas Radecki, l'Abénakis Guillaume et certains passants ou badauds).

Le duc de Brunswick du roman s'est vu confier un triple rôle. En fait, le duché de Brunswick-Lunebourg (*Braunschweig-Luneburg*), en 1775, était dirigé conjointement par les ducs Karl Ier et Karl-Wilhem Ferdinand (fils du premier et beau-frère du roi George III). Quant au duc Ferdinand de Brunswick, frère de Karl Ier et grand vainqueur sur les Français à Minden en 1759 (guerre de Sept Ans), il n'a jamais régné sur le duché. Ami du baron von Riedesel, il fut responsable du mariage de Charlotte et de Friedrich.

Quelques mots pour ceux qui seraient curieux de connaître le sort d'Adélaïde Labille : elle épousa son professeur, le peintre André Vincent, et devint académicienne, ouvrant ainsi les portes de l'Académie de peinture aux femmes. Toutefois, son aventure avec les Riedesel est le fruit de notre imagination.

La personnalité de Leonhard prend sa source dans le récit que fit un jeune poète étudiant, Johann Gottfried Seume, l'un des rares simples soldats allemands à avoir laissé quelques écrits de son enlèvement et qui se retrouva en Amérique contre son gré. Gottlieb et Nicklauss tirent leur origine des rapports de l'armée et de la police sur des voleurs et des contestataires.

Le personnage de Martha Blair, autour de laquelle tourne la dramatique, est un amalgame de différentes femmes. Nous servirent principalement de modèles une dame qui fut très désagréable durant la traversée de l'Atlantique et la maîtresse de Burgoyne, dont la baronne tait généreusement le nom dans son journal. Pour l'intérêt du roman, nous avons prêté à cette antagoniste un caractère profondément déséquilibré et avons inventé quelques machinations. Ainsi, la tentative d'assassinat sur les enfants Riedesel est totalement imaginaire.

Voici quelques-uns des personnages qui ont vraiment existé :

Lady Christian Caroline Acland, appelée Lady Harriet (1750-1815), était la fille du comte d'Ilchester, John Dyke Acland, qui fut élu au Parlement britannique en 1774. Lorsque les Américains repoussèrent les grenadiers durant la deuxième bataille de Freemann's Farm, son mari fut capturé. Elle obtint la permission d'aller au camp américain pour le soigner et le guérir. Malheureusement, son mari mourut peu de temps après, résultat d'un duel avec un officier. Un bas-relief en bronze commémore cet épisode sur le mémorial de Saratoga.

Le lieutenant-colonel Friedrich Baum des dragons du prince Ludwig fut blessé à la bataille près de Bennington le 16 août 1777. Il mourut deux jours plus tard.

Le général John Burgoyne devint membre du Parlement britannique en 1761. On raconte que son succès auprès des hautes autorités anglaises repose sur ses services rendus, l'année suivante, au Portugal. Le 7 octobre 1777, il se rendit aux Américains. La capitulation de Saratoga constitua un point tournant dans la victoire américaine. De retour à Londres, il fut reçu froidement par le Parlement et il évita de justesse la cour martiale, surtout grâce à l'influence de ses amis. Favori de la reine, il lui écrivit des vers et des comédies. Sa carrière de dramaturge connut un certain succès après son retour en Angleterre. Sa pièce *Maid of Oaks* avait été jouée en 1774. Il mourut en 1792.

Le brigadier général Simon Fraser se battit en Allemagne pendant la guerre de Sept Ans et défit les Américains à Hubbardton le 7 juillet 1777. Il mourut après l'engagement du 7 octobre 1777.

Le général américain Horatio Gates remplaça le général Schuyler. On lui attribue, avec Benedict Arnold, la victoire américaine de Saratoga.

Lord George Sackville Germain était le secrétaire d'État pour les colonies américaines au moment de la révolution américaine. Il devint vicomte en 1782.

Sir Frederick Haldimand, premier lieutenant-gouverneur du Canada, était le commandant de toutes les forces britanniques du pays. Il naquit à Neuchatel, en Suisse, en 1718. Il se distingua durant la guerre de Sept Ans. Par la suite, il commanda les forces britanniques en Floride. Il remplaça le général Guy Carleton en 1778 et resta au Canada jusqu'en 1784. Il ne parlait ni n'écrivait très bien l'anglais. Angoissé par la diffusion de la propagande américaine faisant miroiter la liberté aux Canadiens, il voyait des espions partout. Très souvent, et injustement, il remplit les prisons de francophones, qui le détestèrent pour cette raison.Il devint un ami très cher des Riedesel. Il mourut en 1791.

Le major Henry Harnage était membre de l'état-major du colonel anglais Anstruther. Il fut promu colonel en 1780.

Le général hessien Johann August von Loos devint commandant du régiment von Loosberg en juin 1778. C'était un homme brusque mais avec un cœur d'or.

Le docteur et chirurgien écossais Adam Mabane fut membre du «Parti français» de Québec, membre du conseil du gouverneur, juge de la cour provinciale et un très bon ami du gouverneur Haldimand. Mabane et sa sœur devinrent également des amis intimes des Riedesel. Plusieurs de ses lettres sont conservées au musée McCord.

Le capitaine Georg Pausch, commandant de l'artillerie du régiment de Hesse-Hanau, se distingua à Freeman's Farm. Il a laissé un journal très intéressant : *Journal of captain Pausch, Chief of the Hanau Artillery during the Burgoyne campaign*, traduit de l'allemand par William L. Stone.

Le major général William Phillips se distingua à la bataille de Minden. Capturé à Saratoga, il fut échangé, au début de l'année 1781, contre le général américain Lincoln.

Le lieutenant Thomas Reynel, du 62e régiment anglais, mourut le 19 septembre 1777. La baronne von Riedesel mentionne sa femme dans son journal. À son décès, Reynel laissa trois enfants. Le plus âgé n'avait pas six ans.

L'abbé Pierre H. Mauge-Garaut Saint-Onge naquit à Montréal en 1721. Il fut grand vicaire et supérieur ecclésiastique du couvent des ursulines de Trois-Rivières de 1764 à 1788.

En somme, nous pouvons affirmer que près de quatre-vingt-dix pour cent de ce roman s'appuie sur des éléments authentiques. Nous avons toutefois laissé libre cours à notre imagination en ce qui concerne le personnage de Martha.

Quant au personnage de Rodolphe, dans la scène où Mme von Riedesel traverse la rivière Saint-Maurice en canot durant une tempête de grêle (incident réel), il a été inspiré par des souvenirs personnels d'excursions, parfois dangereuses, en compagnie d'un Métis aux cheveux blonds et aux yeux bleus, qu'il tenait de ses origines françaises. Le personnage ne pouvant qu'être esquissé dans le roman, Rodolphe Guay mérite tout de même qu'on lui rende hommage, ici, car il est la preuve qu'il existe encore à notre époque de ces géants que nous décrivent les livres d'Histoire.

Remerciements

Nous tenons à remercier, pour leur très précieuse collaboration : M. André Bastien, notre éditeur, pour sa confiance, et Mme Brigitte Bouchard, pour ses judicieux conseils, Mme Karine Gürttler, qui nous a fait parvenir une très riche documentation d'Allemagne, MM. Daniel Olivier et Normand Cormier de la Bibliothèque de la ville de Montréal et de la Bibliothèque nationale du Québec, ainsi que Mme Suzanne Morin du musée McCord.

Notre gratitude à notre comité de lecture : Mireille Desjarlais-Heynneman, Francine Wilhelmy, Florence du Crest, Lise Pagé, Paulette Le Flaguais, Diane Leroux, Laurette Chênevert, Josée Plamondon, Sylvie Mignault, Françoise Bissonnette, Guylaine Bouchard, Marylène Faÿ, Danielle Jodoin et Fernande Godbout.

Merci à Christian Léger et à Daniel Girard pour leur support, à Marie-Hélène Bédard et à Hélène Rollan pour la dactylographie.

Un merci particulier à Christian Gauthier pour ses excellentes suggestions et le grand intérêt qu'il a montré pour ce roman.

Enfin, nous voudrions remercier, pour leur soutien, Francine, (Mme) Jean-Pierre Wilhelmy et ses trois enfants, Martin, Karine et Mylène Wilhelmy.

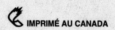
IMPRIMÉ AU CANADA